Simon L. Dolan, Éric Gosselin
et Jules Carrière
Préface de Jean-Marie Peretti

Psychologie du travail
et comportement organisationnel

3e édition

**gaëtan morin
éditeur**

CHENELIÈRE ÉDUCATION

Psychologie du travail et comportement organisationnel
3e édition

Simon L. Dolan, Eric Gosselin et Jules Carrière

© 2007 **Les Éditions de la Chenelière inc.**
© 2002, 1996, 1990 gaëtan morin éditeur ltée

Édition : Sylvain Ménard
Coordination : Guillaume Proulx
Révision linguistique : Julie Bouchard
Correction d'épreuves : Isabelle Rolland
Conception graphique : Josée Bégin
Infographie : Yvon St-Germain

**Catalogage avant publication
de Bibliothèque et Archives Canada**

Dolan, Simon

    Psychologie du travail et comportement organisationnel

    3e éd.

    Publ. antérieurement sous le titre : Psychologie du travail et des organisations. 1996.

    Comprend des réf. bibliogr.

    ISBN 978-2-89105-967-1

    1. Psychologie du travail.   2. Personnel – Direction.
3. Comportement organisationnel.   4. Culture d'entreprise.
5. Organisation du travail.   i. Gosselin, Eric, 1967-   .
ii. Carrière, Jules, 1967-   .   iii. Titre.   iv. Titre : Psychologie
du travail et des organisations.

HF5548.8.D64 2007   158.7   C2007-940089-2

**gaëtan morin
éditeur**

CHENELIÈRE ÉDUCATION

7001, boul. Saint-Laurent
Montréal (Québec)
Canada H2S 3E3
Téléphone : 514 273-1066
Télécopieur : 514 276-0324
info@cheneliere.ca
Tous droits réservés.

ISBN 978-2-89105-967-1

Dépôt légal : 1er trimestre 2007
Bibliothèque et Archives nationales du Québec
Bibliothèque et Archives Canada

Imprimé au Canada

1 2 3 4 5 ITG 11 10 09 08 07

Nous reconnaissons l'aide financière du gouvernement du Canada par l'entremise du Programme d'aide au développement de l'industrie de l'édition (PADIÉ) pour nos activités d'édition.

Gouvernement du Québec – Programme de crédit d'impôt pour l'édition de livres – Gestion SODEC.

Tableau de la couverture :
Jette un coup d'œil derrière
Œuvre de **Gérald Lamoureux**

Né à Montréal en 1951, Gérald Lamoureux est un peintre autodidacte qui a perfectionné sa technique en participant à des ateliers de peinture à l'huile et à l'acrylique. Tout en témoignant de son inclination pour l'abstraction, ses œuvres intègrent un aspect figuratif. Au cours des dix dernières années, il a participé à quelques expositions collectives et a aussi réalisé trois expositions solos.

Dans cet ouvrage, le masculin est utilisé comme représentant des deux sexes, sans discrimination à l'égard des hommes et des femmes, et dans le seul but d'alléger le texte.

DANGER
LE PHOTOCOPILLAGE
TUE LE LIVRE

REMERCIEMENTS

L'écriture d'un livre est une entreprise de longue haleine qu'il serait impossible de mener à bien sans le soutien actif d'une équipe importante de collaborateurs. Tout au long du processus de réédition, de nombreuses personnes nous ont aidés et encouragés ; sans elles, cette troisième édition ne serait encore qu'un vague projet.

Nous tenons tout d'abord à remercier notre maison d'édition, Chenelière Éducation, qui, par le biais de ses éditeurs M. Pierre Frigon et M. Sylvain Ménard, du responsable de projets M. Guillaume Proulx, et de ses réviseurs, nous a offert l'encadrement et le soutien administratif et technique nécessaires au processus de réédition.

Nous tenons aussi à remercier Mlle Dominique Jalbert, étudiante de 2e cycle en relations industrielles à l'Université de Montréal, pour sa contribution à la mise à jour de quatre chapitres.

Notre gratitude va aussi à tous ceux qui ont contribué, directement ou indirectement, à l'amélioration des textes, à la présentation et à la structure du livre. Nous sommes redevables à M. Jean Landry qui, par ses caricatures, a su illustrer et égayer le contenu de chacun des chapitres.

Nous voulons également témoigner notre reconnaissance à la dizaine de professeurs de diverses universités qui ont aimablement collaboré à cet ouvrage en rédigeant les études de cas qui se trouvent à la fin de la plupart des chapitres.

Enfin, nous remercions les centaines d'étudiants de l'Université de Montréal, de l'Université du Québec en Outaouais et de l'Université d'Ottawa qui, par leurs questions et leurs commentaires, nous ont incités à réfléchir sur notre travail et nous ont permis de nous améliorer.

Cet ouvrage, riche et dense, était nécessaire. Il répond au regain d'intérêt des étudiants, des salariés, des dirigeants, des administrateurs et des directeurs des ressources humaines pour la psychologie du travail et le comportement organisationnel. Le manuel satisfait leur désir de connaissances nouvelles et adaptées au contexte présent. Dans un environnement cahoteux et chaotique, riche de menaces et d'opportunités, les salariés et les dirigeants d'entreprise sont conscients des nouveaux enjeux de la dimension humaine. Ils ressentent le besoin d'un regard nouveau sur des connaissances appropriées et actualisées.

Plusieurs raisons peuvent expliquer l'intérêt nouveau qui se manifeste aujourd'hui pour la psychologie du travail et le comportement organisationnel. D'une part, les chefs d'entreprise ont des attentes plus élevées à l'égard des ressources humaines et de leurs dirigeants. Et d'autre part, ils attendent du DRH qu'au-delà de la gestion du personnel, il contribue efficacement à la motivation et l'implication des salariés dans l'entreprise et qu'il sache mettre en œuvre et accompagner les changements. Chez les gestionnaires, ils espèrent trouver des qualités de leadership et des compétences managériales accrues. Cet ouvrage répond aux besoins des dirigeants, des DRH et des étudiants qui souhaitent un jour les remplacer.

Il faut saluer la pertinence de la division du sujet et des thèmes retenus. Ils reflètent l'évolution de connaissances qui deviennent rapidement obsolètes et traitent d'enjeux cruciaux. Les auteurs font le tour de toutes les connaissances en psychologie du travail et comportement organisationnel qu'un responsable doit posséder pour devenir aujourd'hui un dirigeant efficace et performant. Par leur qualité, les contributions réunies dans les 12 chapitres de ce livre ouvrent de nombreuses pistes de réflexion. Incontestablement, cet ouvrage est adapté au monde présent. Ainsi, le dernier chapitre consacré aux «réalités modernes du monde du travail» aborde les grands thèmes actuels de réflexion.

Cet ouvrage présente des travaux particulièrement utiles pour les praticiens comme pour les enseignants-chercheurs. Il faut féliciter les auteurs d'avoir ainsi mis en valeur les connaissances en psychologie du travail et construit un type de gestion et de direction des RH au service du développement humain et économique. Ils illustrent par des exemples actuels les effets des connaissances nouvelles sur l'entreprise. Ainsi, le chapitre «La gestion du changement et de la culture organisationnelle» répond à un besoin pressant chez les gestionnaires et dirigeants de RH.

Il serait injuste de ne pas dire un mot des qualités pédagogiques de cet ouvrage. Les objectifs d'apprentissage sont clairement précisés au début de chaque chapitre. Les théories et les concepts sont présentés dans une langue simple et accessible. La dimension internationale de plusieurs enjeux est mise en valeur. Les multiples encadrés, les illustrations, les citations, les questions et les exercices proposés servent tout aussi bien à l'apprentissage.

Il est certain que cet ouvrage, rédigé par des enseignants d'une exceptionnelle qualité, servira les étudiants et les praticiens. Aux étudiants, il
apportera les bases nécessaires à la découverte de ce domaine essentiel.
Aux praticiens, il propose de multiples pistes de réflexion et des façons de
renforcer leur professionnalisme.

Puissent ceux qui le découvriront se sentir enrichis.

Jean-Marie Peretti

Professeur des Universités
Professeur à L'ESSEC
Directeur de l'IAE de Corse
Président de l'Institut International de l'Audit Social (IAS)
Président sortant de l'Association de gestion des ressources humaines (AGRH)

La psychologie du travail et le comportement organisationnel sont des disciplines ou des champs d'intérêt en constante évolution. Ainsi, les constats que l'on propose à une certaine époque deviennent rapidement périmés, voire obsolètes, dès que les paramètres sociaux dans lesquels ils ont émergé se transforment. Le présent millénaire offre un flot considérable de bouleversements qui redessinent d'autant la réalité du monde du travail. Les chambardements, tant structurels que conjoncturels, viennent redéfinir les enjeux économiques, politiques et sociaux qui agitent la société contemporaine. Entre autres, la mondialisation des marchés, la résurgence du néolibéralisme et la quête de l'efficience modifient tant la nature que le rôle des organisations d'aujourd'hui et de demain.

Un regard nouveau doit donc être posé sur la dimension humaine de l'organisation. Bien que les postulats théoriques soutenant les conceptualisations d'antan demeurent valables de par leur intérêt pour la nature humaine, leur actualisation appliquée ne cadre plus nécessairement avec les environnements de travail modernes.

C'est dans cette perspective que fut élaborée la présente réédition de *Psychologie du travail et comportement organisationnel*. Soucieux d'offrir un instrument d'apprentissage ancré dans la réalité, il nous semblait opportun d'enrichir le texte et les conceptualisations discutées.

Par la réédition de cet ouvrage, nous poursuivons deux objectifs. Premièrement, nous voulons adapter son contenu à un contexte qui a grandement changé et où les intérêts se sont quelque peu déplacés. Il s'agit de jeter un éclairage nouveau sur les modèles traditionnels afin de mieux analyser et de mieux comprendre les travailleurs dans leur intégralité. Deuxièmement, nous voulons renforcer la valeur pédagogique de ce volume. Forts des commentaires de plusieurs professeurs, nous avons repensé le livre afin de favoriser le transfert et l'intégration des connaissances. Sur ce point, notre priorité a été de vulgariser les concepts présentés en utilisant un langage simple et de mettre à jour les références bibliographiques.

En outre, plusieurs instruments didactiques ont été insérés dans le volume, facilitant ainsi le travail du professeur et l'apprentissage des étudiants. Les notions présentées sont illustrées ou mises en relief sous une nouvelle rubrique, intitulée « Une perspective internationale » qui traite des conséquences de la mondialisation sur les processus humains et structurels dans les organisations. Les encadrés « En pratique » présentent des résultats d'enquête et des citations d'auteurs ; d'autres encadrés, intitulés « Le saviez-vous ? », fournissent une information éclairante sur la matière traitée. Au début de chaque chapitre, les objectifs d'apprentissage et les principaux points traités sont présentés. Les objectifs représentent les lignes directrices de chacun des chapitres et permettent de diriger l'attention du lecteur sur ses aspects essentiels.

Enfin, trois types d'exercices ont été annexés à la plupart des chapitres. D'abord, des questions de révision, qui font le pont entre les objectifs d'apprentissage et le contenu des chapitres. Elles visent à vérifier l'intégration de la matière par les étudiants et permettent ainsi de faire le point sur les connaissances réellement acquises et celles qui devraient idéalement l'être. Ensuite, les exercices d'autoévaluation, qui peuvent aussi bien servir d'introduction que de synthèse et qui amèneront les étudiants à évaluer leurs propres caractéristiques personnelles au fil de la lecture de chacun des chapitres. Enfin, de nouvelles études de cas originales, rédigées par divers spécialistes, mettent en lumière les éléments abordés dans chacun des chapitres et permettent aux étudiants d'analyser des situations précises afin de résoudre des problématiques organisationnelles relatives à la psychologie du travail et au comportement organisationnel.

Somme toute, le présent ouvrage ne se veut pas une remise en question des prémisses traditionnelles de la psychologie du travail et du comportement organisationnel : il s'agit plutôt d'une introduction destinée à sensibiliser les étudiants et les gestionnaires à l'importance de la dimension psychologique dans la dynamique organisationnelle. Il offre des connaissances qui favorisent l'analyse et la compréhension des comportements humains en milieu organisationnel. Ainsi, il permet d'entrevoir des pistes de solution aux problématiques contemporaines à caractère humain dans les milieux de travail. En ce sens, cet ouvrage constitue une base solide pour initier les étudiants et les gestionnaires aux divers postulats théoriques et pratiques de la psychologie du travail et du comportement organisationnel.

TABLE DES MATIÈRES

CHAPITRE 1

Introduction à la psychologie du travail et au comportement organisationnel 1

CHAPITRE 2

Des éléments de psychologie appliqués au travail 31

CHAPITRE 3
La motivation et la satisfaction au travail 75

Chapitre 5
La communication et son rôle dans l'organisation ... 153

CHAPITRE 7
Les théories du leadership 229

CHAPITRE 8
Le processus décisionnel, l'innovation et la créativité en milieu de travail 261

CHAPITRE 9
La gestion individuelle et organisationnelle du stress au travail . . .   295

CHAPITRE 10
La gestion individuelle et organisationnelle de la carrière 337

CHAPITRE 1

Introduction à la psychologie du travail et au comportement organisationnel

Les objectifs d'apprentissage

Dans ce chapitre, le lecteur se familiarisera avec:

- la définition et les composantes de la psychologie du travail et du comportement organisationnel en fonction des nombreuses disciplines connexes;

- les diverses écoles de pensée en psychologie;

- les différences et les similitudes entre les écoles de pensée en psychologie quant à leur objet d'étude, à leur technique d'investigation et à leur conception de l'être humain;

- la notion d'organisation et les divers facteurs qui agissent sur sa dynamique;

- les modèles mécaniste, organique et contingent visant à définir la dynamique fondamentale d'une organisation;

- les différents modèles organisationnels en fonction de leurs conceptions théoriques;

- la structure du livre et la façon de l'utiliser afin qu'il devienne un instrument efficace en fonction des besoins spécifiques de chacun.

INTRODUCTION

Le présent millénaire constitue inévitablement un tournant dans le domaine de la **psychologie du travail*** et du **comportement** organisationnel. Bien qu'il s'agisse de disciplines relativement jeunes, elles ont connu un essor considérable au cours des dernières décennies. Les récentes perspectives dans ce domaine reflètent les nouveaux **besoins** des individus dans leur milieu de travail ainsi que ceux des organisations. Plus précisément, les tenants de cette discipline cherchent à analyser et à expliquer les divers comportements physiques, émotifs et cognitifs des individus et des **groupes** dans leur milieu de travail, à expliquer l'apparition, le maintien ou la disparition de ces comportements, ainsi qu'à comprendre la nature et la signification du comportement des organisations dans leur lutte pour devenir de plus en plus compétitives en vue d'assurer leur survie dans un environnement planétaire rempli d'incertitudes.

On voit déjà poindre et prendre racine des orientations nouvelles qui s'imposent aux entreprises du monde entier, y compris les entreprises canadiennes. L'instabilité du contexte économique et son caractère hautement compétitif, la **croissance** vertigineuse de certains secteurs industriels, dont la haute **technologie**, de même que la nécessité de diversifier les stratégies de compétition constituent autant de défis organisationnels de taille qui ont des répercussions indéniables sur le comportement des individus en milieu du travail. Or, les entreprises qui réussissent sont celles qui accordent une importance accrue à la gestion de leurs ressources humaines tout en étant conscientes de l'importance de se doter à court, à moyen et à long terme d'employés compétents et motivés pour relever les défis et réaliser les stratégies organisationnelles (Dolan et autres, 2006).

La forte compétition que se livrent les organisations, de même que la **complexité** du marché du travail, constituent des préoccupations majeures pour les professionnels de la psychologie du travail et du comportement organisationnel. La pénurie de compétences dans certains secteurs, la diversification de la main-d'œuvre, due notamment à la présence accrue des femmes et des minorités visibles dans la population active, la recherche d'un équilibre entre la vie de famille et les exigences du travail, le vieillissement des travailleurs, la consommation d'alcool et de drogues sur les lieux de travail, la propagation de maladies comme le sida constituent quelques-uns des nombreux impératifs qui justifient l'expansion des nouvelles écoles de pensée dans les entreprises. Dorénavant, pour que la fonction « gestion » puisse assurer la survie de l'organisation et atteindre les objectifs visés, les cadres et les travailleurs devront redoubler d'ingéniosité et de dynamisme pour trouver des solutions originales aux problèmes organisationnels et individuels qui risquent de surgir. Déjà, certaines fonctions et activités jugées cruciales il n'y a pas si longtemps sont progressivement déclassées au profit de certaines autres. Par conséquent, on reconnaît qu'une gestion efficace favorise la réalisation des objectifs organisationnels et que l'essor dans ce domaine est attribuable dans une large mesure aux changements et aux crises qui surviennent dans la société en général et dans le milieu de travail en particulier.

---

* Les mots en gras sont regroupés dans un glossaire à la fin de ce manuel. En outre, seule la première occurence des mots répertoriés sera ainsi soulignée.

(La psychologie du travail et le comportement organisationnel s'intéressent à l'étude du comportement des individus et des groupes à l'intérieur des organisations.) Ils portent sur les organisations en tant qu'entités, sur les forces qui modèlent les organisations et sur l'**influence** des organisations sur leurs membres (Auerbach et Dolan, 1997, p. 2).

À la lumière de cette définition, on constate que l'étude de la psychologie du travail et du comportement organisationnel repose sur des questions datant du début de la révolution industrielle : Quelles sont les caractéristiques d'un bon **leader** ? Par quels moyens un gestionnaire peut-il motiver ses employés, ses collègues, ses **superviseurs** ? Quelles sont les sources de **conflits** en milieu de travail ? Comment peut-on améliorer les processus de **résolution de problèmes**, les modes de **communication** ? En outre, les chercheurs se penchent sur des sujets d'étude plus contemporains tels que la réduction du **stress** en milieu de travail, l'amélioration de la qualité de vie des employés ou encore le réaménagement de l'organisation du travail.

En ce sens, la psychologie du travail et le comportement organisationnel constituent un champ d'études multidisciplinaire et éclectique en ce qu'ils puisent leurs théories, leurs principes et leurs modèles de sources aussi diverses que la médecine, la sociologie, la psychologie, etc. Ainsi, de la psychologie ils empruntent les notions de **motivation**, d'apprentissage, de **leadership** ; de la sociologie et de l'anthropologie, les notions de **rôles**, de **normes**, de dynamique de groupe, de différences culturelles ; des sciences politiques, les notions de **pouvoir, d'autorité** ; des sciences médicales, les éléments de santé et de sécurité du travail, de physiologie du stress, etc. Enfin, des sciences de la gestion. les chercheurs en psychologie du travail et en comportement organisationnel ont retenu les théories de la **structure** et de la dynamique des organisations.

Le concept d'**organisation** est bien souvent plus complexe qu'il ne le laisse paraître à première vue. Le rôle des gestionnaires et celui des travailleurs, de même que les relations qui en découlent, exigent une attention particulière. Pour cerner la véritable nature d'une organisation, il est nécessaire d'en saisir toutes les dimensions. Plusieurs définitions du terme « organisation » ont été suggérées, chacune reflétant l'expérience pratique et le point de vue théorique de l'auteur. (Aussi peut-on définir l'organisation comme l'ensemble des ressources humaines, matérielles, financières et informationnelles, organisées en fonction d'un but prédéterminé.)

Bien entendu, certains éléments fondamentaux se retrouvent dans la plupart des définitions. (L'une des conceptions les plus répandues consiste à concevoir l'organisation comme un **système de transformation des intrants** (voir le tableau 1.1). (Les intrants représentent la matière première provenant de l'environnement externe) une fois transformée, elle est retournée dans l'environnement sous forme d'extrants, ou de produits finis. Bien qu'il existe plusieurs types d'intrants, les ressources humaines sont le fondement de toute organisation, et les relations sociales constituent le facteur de cohésion qui lie les intrants.

Tout au long de cet ouvrage, l'accent portera sur l'individu en tant que ressource vitale pour l'organisation ; il s'agira de mettre en évidence ce que

	TABLEAU 1.1	L'approche systémique de l'organisation		

Les intrants	Les facteurs de réussite d'une organisation	Les extrants	Les buts visés
Ressources humaines Ressources matérielles Ressources financières Ressources informationnelles	Acceptation, par les membres de l'organisation, des buts visés Système organisationnel approprié Acceptation, par les membres de l'organisation, de la structure hiérarchique Leadership Processus adéquats : • de communication • de **prise de décision** • de motivation • de coordination • d'évaluation Environnement propice aux relations interpersonnelles	Transformation des ressources en produits finis Prestation de services	Succès financier et pérennité de l'entreprise Productivité, satisfaction des employés au travail Meilleures relations interpersonnelles et adaptation de l'entreprise aux changements Mobilisation des employés Sentiment d'appartenance à l'entreprise

la psychologie du travail et le comportement organisationnel peuvent apporter aux dirigeants d'entreprises : leur apprendre à utiliser les ressources humaines d'une manière qui, tout en optimisant la **productivité**, maximise le degré de satisfaction au travail et favorise le respect de chaque individu.

Malgré la complexité de ces disciplines — due à leurs multiples composantes et aux nombreuses interactions qu'elles engendrent (voir la figure 1.1, à la page suivante) — l'objectif premier de la psychologie du travail et du comportement organisationnel tient en peu de mots : améliorer le rendement des individus dans les organisations tout en maintenant élevé le niveau de satisfaction au travail.

1.1 Les écoles de pensée en psychologie

La psychologie du travail et du comportement organisationnel résulte d'une longue évolution des différentes écoles de pensée en psychologie. Nous présentons, dans cette section, une brève description des principales écoles de pensée ainsi qu'une critique de chacune.

On situe habituellement les débuts de la psychologie en tant que science en 1879, alors que Wilhelm Wundt fondait le premier laboratoire de psychologie à Leipzig, en Allemagne. Wundt tenta de définir le contenu de l'expérience consciente en la décomposant en sensations (par exemple, la vision et le goût), en émotions et en images (par exemple, les souvenirs et les rêves). Il croyait que les processus mentaux pouvaient être mieux compris en les décomposant et en analysant ensuite leurs interactions. Cette façon de procéder conféra à la psychologie son caractère scientifique, car il s'agissait de la même démarche que celle utilisée en chimie et en

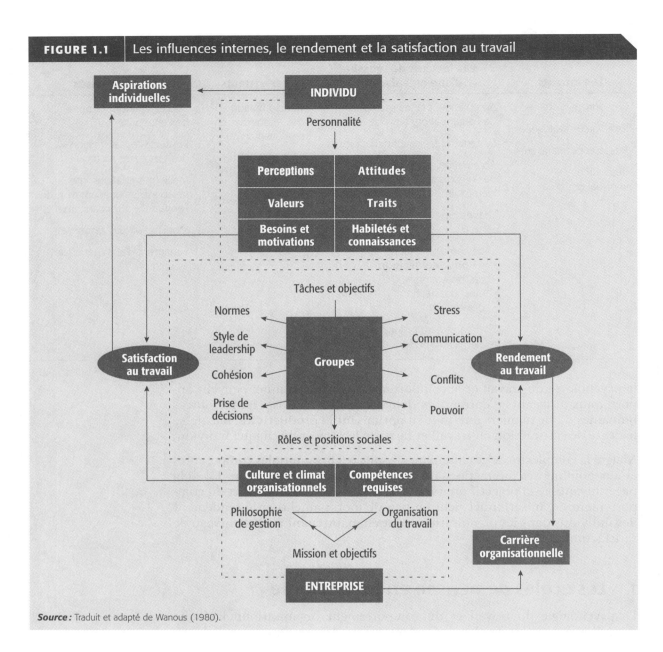

Source : Traduit et adapté de Wanous (1980).

physique. De plus, Wundt travaillait en laboratoire, comme le faisaient les chimistes et les physiciens. Il tenta d'enrichir les connaissances sur les processus mentaux en recueillant des informations observables et mesurables, plutôt qu'en se limitant à la spéculation philosophique.

1.1.1 Le structuralisme

Si le fait d'établir une relation mathématique entre la magnitude d'une stimulation et l'**intensité** des sensations avait constitué un début d'objectivation scientifique important, celui de rendre objectives des émotions ou des images mentales représentait une tâche des plus difficiles, à laquelle le structuralisme a tenté d'apporter quelques éléments de solution.

On attribue l'utilisation du terme « structuralisme » à Edward Bradford Titchener qui, après des études auprès de Wundt, installa un laboratoire de psychologie aux États-Unis. Il reprit essentiellement la démarche expérimentale de Wundt, car il croyait, lui aussi, qu'il était possible d'acquérir des connaissances sur les processus mentaux en décomposant les expériences perceptives en sensations et en analysant ensuite leurs interactions, un peu comme un chimiste décompose l'eau en molécules d'hydrogène et d'oxygène. Il s'agissait d'explorer la relation entre l'expérience en laboratoire et la réalité. Aussi, le fait n'était pas tant de fournir une explication sur les causes du comportement humain que de simplement décrire certains faits partiellement vérifiés, tout comme les anthropologues et les sociologues décrivent les modes de vie et les coutumes des groupes d'humains. On souhaitait ainsi, par le biais de la convergence, de la répétition et de la généralisation d'observations, en arriver à distinguer certains principes organisateurs ou structurels du comportement.

Toutefois, bien que l'objectif soit louable, les moyens pour l'atteindre recelaient certaines failles. Ainsi, pour obtenir des informations observables et mesurables, Titchener utilisait l'introspection, soit le compte rendu verbal des sujets, qui lui indiquaient ce qu'ils ressentaient ou pensaient lorsqu'ils étaient soumis à une expérience perceptive. Les chercheurs se sont vite aperçus que les comptes rendus différaient grandement en dépit du fait que les sujets étaient soumis à la même expérience perceptive (par exemple, une mélodie). De plus, ils ont observé que l'introspection, l'outil de travail le plus caractéristique de leur approche, avait pour effet de modifier le phénomène sous observation. Les chercheurs en psychologie se sont heurtés au même problème que les physiciens qui ont étudié le phénomène de la lumière. En effet, on doit au physicien Werner Heisenberg ce qu'il est convenu d'appeler le « principe d'incertitude d'Heisenberg », selon lequel la lumière nécessaire à l'étude du phénomène de la lumière modifie le phénomène observé.

La diversité des expériences internes (sensations, émotions, images mentales) est à l'origine des critiques formulées à l'endroit des travaux de Wundt et de Titchener. La difficulté d'objectiver ou plutôt d'établir un consensus temporaire sur la réalité des observations a fait en sorte que l'introspection ne pouvait être reconnue comme une pratique scientifique. Cependant, ces chercheurs ont continué leurs études en s'orientant davantage vers le phénomène de la discrimination perceptive.

La dernière critique du structuralisme est encore très actuelle. En effet, plusieurs chercheurs ont taxé le structuralisme d'inutilité, en ce sens qu'il n'était pas pratique parce qu'il n'offrait pas de solutions aux problèmes concrets. Cette opinion, très répandue tant dans le domaine de la psychologie que dans les autres domaines scientifiques, a entraîné un désintérêt pour la recherche fondamentale au profit de la recherche appliquée.

1.1.2 Le fonctionnalisme

Le **fonctionnalisme** a été fondé en réaction au structuralisme vers la fin du XIXe siècle par William James, physiologiste à l'Université Harvard ; ce dernier s'intéressait aux relations entre l'expérience consciente et le comportement. Le fonctionnalisme, par définition, concerne l'aspect fonctionnel et pratique des processus mentaux ainsi que la façon dont l'expérience permet à chacun de fonctionner plus efficacement dans son environnement.

Le postulat de base de cette approche a été emprunté à la théorie de l'évolution des espèces de Charles Darwin. En effet, pour les fonctionnalistes, si les caractéristiques physiques de l'être humain (morphologiques et physiologiques, par exemple l'opposition du pouce aux autres doigts de la main) sont passées de génération en génération parce qu'elles favorisent l'adaptation à l'environnement et la lutte pour la survie, il doit alors en être de même de la conscience, qui a évolué et a été transmise de génération en génération parce qu'elle favorise également l'adaptation et la survie de l'espèce. Les fonctionnalistes se sont donc intéressés au rôle fonctionnel ou adaptatif des processus mentaux. Bien qu'ils aient continué d'utiliser l'introspection, c'est surtout en recueillant des informations sur le comportement tant animal qu'humain qu'ils ont contribué à élargir le champ des connaissances en psychologie.

1.1.3 La psychanalyse

L'influence de la **psychanalyse** sur la psychologie a été très profonde. Sigmund Freud, ce médecin autrichien à qui on doit l'évolution thérapeutique de la psychologie, a mis au point une théorie de la **personnalité** à partir de son expérience clinique auprès de nombreux patients souffrant de problèmes émotifs. Ses recherches lui ont permis d'approfondir sa théorie, aujourd'hui mondialement diffusée.

La psychanalyse est particulièrement connue pour l'aspect structural et dynamique de la personnalité. L'aspect structural permet de concevoir la personnalité selon trois instances psychiques : le ça, le surmoi et le moi (voir le tableau 1.2). L'aspect dynamique de la personnalité repose essentiellement sur l'utilisation de l'énergie psychique dérivée des forces instinctuelles et du rôle du moi quant à sa capacité de maîtriser l'anxiété. Les notions de frustration et de conflit découlant des **efforts** d'adaptation de la personne à son environnement jouent un rôle essentiel dans le processus de maturation.

Ainsi, la psychanalyse met l'accent sur l'importance des motifs et des conflits inconscients qui déterminent le comportement. L'insistance mise sur les mécanismes inconscients de l'esprit et sur l'utilisation de l'introspection lui a valu de nombreuses critiques, mais il est indéniable que cette

TABLEAU 1.2	Les trois instances psychiques de la psychanalyse
L'instance psychique	**La description**
Ça (*id*)	Il s'agit de pulsions instinctuelles essentiellement orientées vers l'assouvissement du plaisir.
Surmoi (*super ego*)	Il s'agit d'un système de motivations régi par l'intériorisation des interdits moraux et sociaux.
Moi (*ego*)	Il s'agit de l'instance psychique qui a pour fonction de maîtriser les pulsions instinctuelles du ça et les interdits du surmoi, afin d'établir un **compromis** et un équilibre entre les désirs et la réalité, c'est-à-dire de participer à l'adaptation de la personne à son environnement.

approche a favorisé l'évolution des connaissances sur la vie émotionnelle des individus. L'apport de la psychanalyse à la psychologie du travail se trouve notamment dans les recherches de Manfred Kets de Vries (1984, 1995), qui tentent de démontrer que l'«acteur rationnel» présenté dans les théories administratives modernes ne peut être réduit à un ensemble de conduites prédéterminées, et que le mythe de la rationalité organisationnelle doit être réexaminé à la lumière des connaissances accumulées sur le rôle de l'inconscient dans la détermination du comportement organisationnel.

1.1.4 Le béhaviorisme

Le **béhaviorisme** définit la psychologie comme étant l'étude du comportement strictement mesurable et observable. Cette école de pensée a été popularisée par Frédéric Skinner, bien que John Watson en fût le fondateur. Ce dernier a créé le béhaviorisme en réaction au fonctionnalisme et en s'appuyant sur les mêmes arguments que ceux dont l'école fonctionnaliste s'était autrefois servie pour s'opposer au structuralisme. Pour Watson, l'étude des processus mentaux était une perte de temps, car l'introspection ne permettait pas une observation objective et rigoureuse des phénomènes de l'esprit. Il proposa de remplacer l'étude des processus mentaux par l'observation des relations entre les événements de l'environnement (stimuli) et le comportement subséquent (réponse), sans égard au fonctionnement interne ni à la manière dont les stimuli sont traités par l'organisme avant d'être transformés en réponses.

Cependant, ce type d'études a confiné les béhavioristes au laboratoire ; ce n'est que vers 1950 que le béhaviorisme a commencé à connaître un certain succès (Skinner, 1974), grâce à l'application des résultats de recherches aux problèmes cliniques. En ce qui concerne la démarche scientifique, bien que le béhaviorisme se soit d'abord élevé contre l'école fonctionnaliste, ses succès cliniques lui ont permis, sur le plan thérapeutique, de s'opposer à l'école psychanalytique par le biais de la modification du comportement.

1.1.5 La psychologie humaniste

La **psychologie humaniste**, dans la foulée des recherches d'Abraham Maslow et de Carl Rogers, accorde une grande importance à la personne et à son

épanouissement. Issue de la tradition intro-spective, cette école de pensée privilégie la conscience humaine, la connaissance de soi et l'aptitude à faire des choix, plutôt que l'influence des stimuli sur le comportement ou que l'emprise des pulsions inconscientes sur l'individu. L'accent porte sur le présent, l'ici et maintenant, plutôt que sur les déterminants internes ou externes du passé. Selon cette approche, l'être humain est fondamentalement bon et tend à s'accomplir, c'est-à-dire à actualiser son potentiel.

L'école humaniste a connu une forte popularité dans le monde du travail au cours des années 1960 et 1970. Ses partisans accordent beaucoup d'importance à l'**attitude** des individus et des groupes et, par le fait même, à l'application de techniques de relations humaines ayant pour effet d'accroître la satisfaction des individus au travail et de hausser leur niveau de productivité. À longue échéance, les objectifs de l'approche humaniste sont, entre autres, l'harmonie, le consensus, un climat de travail serein et l'absence de conflits. La bonne entente et les **considérations** humaines passent avant la productivité, laquelle découle tout naturellement de **conditions de travail** favorables.

1.1.6 La psychologie cognitive

On peut considérer l'objectivité scientifique comme un consensus temporaire sur la réalité, et non comme la réalité elle-même. Aussi l'évolution des connaissances et les limites des approches psychologiques antérieures ont-elles favorisé l'émergence d'une nouvelle école de pensée, la psychologie cognitive, laquelle a pour objet l'étude des processus mentaux qui avaient été mis de côté par l'école béhavioriste.

Selon cette approche, le comportement est plus qu'une simple réponse aux stimuli, car ces derniers sont traités par l'organisme avant même d'être transformés en comportements. La pensée, le langage interne (ce qu'on se dit à soi-même) et la créativité sont autant d'objets d'étude de la psychologie cognitive. L'approche rationnelle-émotive mise au point par Albert Ellis représente bien cette tendance. Selon lui, cette approche s'inspire de la tradition humaniste, en ce sens qu'elle accorde beaucoup de **valeur** à la pensée existentielle, et repose sur un empirisme solidement établi. Ellis souligne aussi qu'il s'agit d'un système théorique distinct et non d'une synthèse éclectique regroupant de l'information ou des techniques empruntées à d'autres approches, et ce, même s'il utilise les meilleurs aspects de ces autres approches.

Malgré l'apport indéniable des théories cognitives, il est encore difficile de savoir si cette approche représente une école de pensée fondamentale ou si elle est un courant issu des autres écoles de pensée.

1.2 Les modèles en comportement organisationnel

Au fil du temps, différents modèles ont été privilégiés par divers auteurs, chacun cherchant à atteindre un rendement organisationnel maximal. Afin de présenter ces modèles selon un certain ordre, nous utiliserons les concepts étudiés par Tom Burns et George Stalker (1961), soit la comparaison des modèles mécaniste et organique. À la suite d'une étude effectuée dans une vingtaine d'entreprises anglaises, ces chercheurs ont pu établir un lien entre l'environnement organisationnel et la structure même des organisations, ce qui les a amenés à concevoir un système à deux dimensions. Le tableau 1.3 présente les caractéristiques de ces deux modèles.

1.2.1 Le modèle mécaniste

Les trois approches que nous présentons correspondent au modèle mécaniste utilisé en gestion, basé essentiellement sur le concept de rationalité. Les principes de gestion qui en découlent se traduisent par la spécialisation des tâches et des rôles, par la reconnaissance légitime de l'exercice de l'autorité, par l'obéissance aux principes d'unité de commandement et de communication selon la structure hiérarchique et, finalement, par l'application stricte de règles et de procédures dans un cadre impersonnel, où les travailleurs sont plus motivés par la rémunération que par la qualité des relations de travail.

TABLEAU 1.3 — Les caractéristiques des modèles mécaniste et organique	
Le modèle mécaniste	**Le modèle organique**
• Plus complexe, vu la décomposition des activités en tâches et la spécialisation des rôles.	• Plus décentralisé, vu la **délégation** de l'autorité et le partage des **responsabilités.**
• Plus centralisé, vu la ligne stricte d'autorité et la définition précise des pouvoirs et des devoirs.	• Moins rigide quant aux tâches, qui sont redéfinies selon les besoins de l'entreprise.
• Plus formalisé, vu les règles et les procédures écrites.	• Favorise la délégation de l'autorité selon l'expertise.
• Présent dans les entreprises de grandes dimensions.	• Axé sur la flexibilité et l'adaptation.
• Axé sur la surveillance et la supervision.	• Plus informel.
• Basé sur la loyauté des employés envers l'entreprise et sur leur obéissance aux **supérieurs** hiérarchiques.	• Basé sur la participation des employés plutôt que sur leur loyauté et leur obéissance.
• Privilégie la communication de type vertical, soit selon l'échelle hiérarchique.	• Axé sur la consultation plutôt que sur le commandement.
	• Privilégie la communication de type horizontal.

Le modèle de Taylor : l'organisation scientifique du travail

En 1912, Frédérick Taylor publie un traité, intitulé *The Principles of Scientific Management,* dans lequel il soutient que le principal objectif de la gestion est l'enrichissement des patrons et des travailleurs. Toutefois, ceux-ci sont si mal organisés qu'ils ont de la difficulté à atteindre leur objectif ; aussi Taylor prône-t-il une direction administrative et une division des tâches plus rationnelles. Spécialisation et rétrécissement des tâches sont les mots d'ordre de ce type d'organisation du travail, contrairement à l'**élargissement des tâches** qui prévaut de nos jours.

On peut résumer le taylorisme en une expression simple : l'organisation scientifique du travail. Selon Taylor, trois éléments sont indispensables à une gestion efficace : la planification, la standardisation et la **sélection** des employés. Ces trois principes s'appliquent au travail selon les méthodes suivantes :

- *L'analyse des tâches.* Selon Taylor, la seule bonne façon d'effectuer un travail donné est que chaque travailleur soit spécialisé dans l'exécution d'un nombre restreint de tâches parfaitement délimitées.

- *L'utilisation des méthodes scientifiques.* Le recours à des méthodes telles que l'**étude des temps et mouvements** permet d'établir les standards de production dans une perspective de rentabilité. Une fois ces mesures établies, il reste à mettre au point une stratégie de dépassement qui redéfinit à la hausse les standards de productivité.

- *Le renforcement économique.* La principale stratégie permettant de dépasser les standards établis est le renforcement économique. Taylor soutient que la seule motivation des travailleurs est de nature pécuniaire ; par conséquent, il suggère que la rémunération soit proportionnelle au rendement.

LE SAVIEZ-VOUS ?

- Les entreprises de restauration rapide constituent, à plusieurs égards, un bon exemple d'organisation scientifique du travail. Ainsi, chez McDonald's, la standardisation du travail est maximale : un manuel décrit en détail les règles et les procédures de chacune des activités de production, une université de Oak Brook aux États-Unis offre une **formation** de deux semaines aux franchisés, et chaque employé occupe un poste précis (préposé aux frites, au gril, etc.). En outre, la structure hiérarchique y est très étendue ; pour un même établissement, l'**organigramme** peut compter huit niveaux hiérarchiques : l'équipier, l'instructeur, le chef d'équipe, le « swing » (employé affecté à toute tâche selon les besoins), le deuxième assistant, le premier assistant, le gérant et le superviseur. De plus, les superviseurs et les supervisés sont clairement différenciés par la couleur de leur uniforme : gris pour les employés, bleu pour les superviseurs. Dans ce type d'entreprise, l'organisation scientifique du travail soulève toutefois quelques problèmes, tels un taux élevé de roulement du personnel, un travail sous pression dans le but d'augmenter la productivité, et des conditions de travail difficiles (salaire, bruit, horaire, etc.).

- Les sociétés de télémarketing offrent aussi un bon exemple d'organisation scientifique du travail. Grâce aux nouvelles technologies, on peut maintenant connaître le nombre d'appels reçus par quart de travail ainsi que la durée de ceux-ci. Chaque employé doit suivre un protocole très structuré, détaillé et contrôlé. Aucune marge de manœuvre n'est laissée à l'employé, sans compter que les superviseurs assurent souvent le contrôle en circulant près des employés ou en écoutant les appels, par exemple.

《Le renforcement économique est basé sur le principe du travail à la pièce.》 Au Canada, une forte proportion de travailleurs œuvrant dans les industries du textile, du vêtement, du tabac et de la sidérurgie est aujourd'hui encore touchée par des régimes d'incitation à la production.

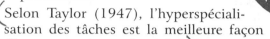

《Selon Taylor (1947), l'hyperspécialisation des tâches est la meilleure façon d'augmenter la productivité.》 Par conséquent, il est nécessaire que la sélection du personnel soit fonction de l'adéquation entre les habiletés des candidats et les exigences des tâches à accomplir. De plus, Taylor préconise la formation des travailleurs par les superviseurs au moment de l'embauche et en cours d'emploi pour atteindre une standardisation accrue dans l'exécution des tâches et, de ce fait, augmenter la productivité.

Évidemment, la division des tâches établit une distinction très nette entre les superviseurs et les supervisés, entre le travail manuel et le travail intellectuel. Comme on le verra au chapitre 3, 《les adeptes du taylorisme ont complètement ignoré les facteurs psychologiques et sociaux qui interviennent dans la motivation au travail.》

Le tableau 1.4 présente les avantages et les inconvénients de l'organisation scientifique du travail.

Le modèle de Fayol : les principes de l'administration scientifique

Ce modèle a été élaboré à peu près à la même période que le précédent par des chercheurs allemands, anglais et français, dont le plus connu est Henri Fayol. Après une intéressante **carrière** à titre d'ingénieur et de chef

TABLEAU 1.4	Les avantages et les inconvénients du modèle de Taylor
Les avantages	**Les inconvénients**
• Augmente la productivité et l'**efficacité** dans l'exécution des tâches par l'établissement de standards précis de production, de rémunération et de **promotion**.	• Engendre des sentiments d'ennui, d'insatisfaction, d'aliénation et une perte de motivation en raison du caractère répétitif des tâches à accomplir.
• Réduit les coûts de main-d'œuvre en raison du peu de compétences requises, d'une formation minimale peu coûteuse et d'une abondance de main-d'œuvre.	• Augmente l'**absentéisme**, le taux de roulement du personnel et les tensions entre les employés et les superviseurs.
	• Augmente l'incidence des **accidents du travail** en raison d'une baisse de concentration découlant du caractère répétitif des tâches à accomplir.

d'entreprise, Fayol décida de prendre du recul face à son expérience et de tenter de dégager des principes d'administration qui permettraient aux ingénieurs de diriger avec efficacité les travailleurs et les entreprises. En fait, il cherchait à cerner les composantes d'un enseignement et d'une formation en administration.

Ainsi, il démontra que toutes les activités dans une entreprise pouvaient se répartir en six groupes : les activités techniques, commerciales, financières, de sécurité, comptables et, finalement, les activités administratives. Selon lui, les cinq premiers groupes d'activités sont bien connus et respectés en entreprise, alors que pour les activités administratives, un effort de conceptualisation et de clarification est encore nécessaire afin d'en optimiser l'application. Pour administrer, il faut, selon Fayol (1950) :

- prévoir, soit anticiper et fixer des objectifs ;
- organiser, soit gérer les ressources humaines ;
- coordonner, soit relier et concilier toutes les actions et tous les efforts ;
- contrôler, soit veiller à l'application des règles établies et des ordres donnés.

Le dernier point soulève cependant une question particulière : Quel serait le ratio supérieur-**subalternes** idéal quant au contrôle efficace du travail ? La question s'avère pertinente, mais trop simpliste, parce qu'elle est beaucoup trop vaste ; il n'existe pas de règle d'or en ce domaine.

On peut toutefois affirmer que l'étendue du contrôle est directement reliée à la compétence des supérieurs, au degré d'**autonomie** des employés et au type d'organisation.

Ainsi définie, l'administration n'est ni un privilège ni une charge personnelle confiée aux dirigeants d'entreprise ; il s'agit d'une fonction qui se répartit, comme les autres fonctions essentielles, entre la tête et les membres du corps social que constitue l'entreprise.

Par la suite, Fayol a élaboré 14 principes d'administration destinés à maximiser la productivité dans l'entreprise. Il tient cependant à soustraire du terme « principes » toute notion de rigidité, car selon lui, rien n'est rigide en administration ; ainsi, un même principe n'est presque jamais appliqué deux fois dans des conditions identiques en raison, notamment, de l'unicité des circonstances et des individus. Les principes d'administration de Fayol (1950) sont les suivants :

- la division du travail ;
- l'autorité ;
- la discipline ;
- l'unité de commandement ;
- l'unité de direction ;
- la subordination des intérêts particuliers à l'intérêt général ;
- la rémunération ;
- la **centralisation** ;
- la hiérarchie ;
- l'ordre ;
- l'équité ;

- la stabilité du personnel ;
- l'initiative ;
- la cohésion du personnel.

Les quatre principes les plus connus sont certainement la division du travail, l'unité de direction (la **décentralisation** fonctionnelle), l'autorité (qui va de pair avec la responsabilité) et, finalement, l'unité de commandement selon l'échelle hiérarchique.

Le modèle de Weber : les principes de la bureaucratie

De nos jours, le terme « **bureaucratie** » est associé à « lourdeur administrative ». Aussi, peu d'entreprises souhaitent être qualifiées de « bureaucratiques » tant l'épithète est peu enviable. Toutefois, pour le sociologue allemand Max Weber, la bureaucratie était tout autre : elle correspondait à une organisation rationnelle du travail caractérisée par l'objectivité du **processus décisionnel.** Il est à noter que dans la très grande majorité des entreprises, l'organisation du travail est inspirée des principes de la bureaucratie rationnelle de Weber (1924), que voici :

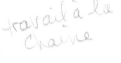

travail à la chaine

- la division du travail, qui permet d'accroître l'efficacité et l'expertise dans l'exécution d'une tâche répétitive ;
- la structure hiérarchique, qui définit les niveaux d'autorité, les canaux de communication et le rôle de chaque employé dans l'organisation ;
- la communication verticale, qui consiste à acheminer l'information du haut vers le bas conformément à la structure hiérarchique établie ;
- l'information écrite (règles, procédures, échange d'information, etc.), qui contribue à dissiper les **incertitudes** et les écarts d'interprétation ;
- le leadership, qui n'est pas forcément le fait de la position occupée par un individu dans l'échelle hiérarchique (le leadership peut être informel).

Le tableau 1.5 présente les avantages et les inconvénients de cette approche normative.

TABLEAU 1.5 — Les avantages et les inconvénients du modèle de Weber	
Les avantages	**Les inconvénients**
• Les règles et les procédures écrites réduisent les ambiguïtés et les écarts d'interprétation.	• La surspécialisation entraîne des conflits d'intérêts.
• Le cadre rigide d'autorité commande la discipline et diminue les conflits au sujet des moyens à utiliser et des buts à atteindre.	• La forte hiérarchisation entraîne la rigidité.
• Le système de promotion selon la compétence assure une main-d'œuvre qualifiée.	• Le caractère impersonnel et formel engendre un sentiment d'insatisfaction au travail.
• L'**équité** découle implicitement de l'objectivité des processus décisionnels.	• Les **règlements** deviennent des normes strictes qui freinent le processus d'adaptation de l'entreprise.
	• La **formalisation** limite le niveau de production à celui fixé par les normes.

Lettre publiée dans un journal

Cher Monsieur,

Après que notre compagnie eut acquis un nouveau système informatique IBM, j'ai eu un urgent besoin de manuels pour passer à travers une période de transition difficile. J'ai appelé au bureau d'IBM à Montréal et me suis renseigné sur la façon de commander ces manuels ; on m'a dit que je devais les demander au représentant d'IBM. Je lui ai laissé un message et le jour suivant, il m'a rappelé pour me dire que je devrais attendre de quatre à six semaines. J'ai dit à mon représentant que le temps était de l'argent et que je ne pourrais pas attendre aussi longtemps.

J'ai alors appelé au siège social d'IBM, aux États-Unis, et leur ai demandé si je pouvais leur passer directement ma commande. J'ai fait plusieurs tentatives téléphoniques avant que l'on transfère mon appel à une bibliothécaire. Elle était en réunion, alors je lui ai laissé un message. Elle n'a pas rendu mon appel. J'ai rappelé encore le jour suivant et elle a expliqué qu'elle était responsable de la bibliothèque. Je lui ai dit que j'avais compris cela, mais que j'espérais qu'elle pourrait faire une recherche, transférer mon appel au service où je pourrais commander les manuels dont j'avais désespérément besoin.

Trois jours plus tard, la recherche était faite et la bibliothécaire me dit que je devais appeler au bureau d'IBM à Montréal. J'ai appelé au bureau de Montréal et j'ai demandé les manuels ; on m'a répondu que je devais attendre de quatre à six semaines. La personne à qui j'ai parlé a même reconnu ma voix. J'ai encore expliqué que je ne pouvais pas attendre de quatre à six semaines, et elle m'a dit de porter plainte au service à la clientèle. J'ai appelé, et on m'a expliqué que le délai de quatre à six semaines était dû au fait que beaucoup de personnes avaient besoin des manuels d'IBM.

J'ai encore essayé d'appeler au siège social d'IBM aux États-Unis et je leur ai expliqué que j'avais besoin des manuels d'IBM. On m'a dit d'appeler au centre d'études d'IBM, à New York. Là, on m'a expliqué qu'on vendait les manuels, mais que la personne responsable était présentement en réunion. Je lui ai laissé un message et lorsqu'elle m'a rappelé, elle m'a expliqué que, bien qu'elle comprenait ma situation, elle ne pourrait pas m'aider ; elle vendait des manuels seulement aux résidents de New York.

Après m'être transformé en détective, j'ai trouvé un endroit nommé « Mechanicsburg », en Pennsylvanie, censé vendre ces manuels. J'ai appelé au siège social d'IBM, leur ai dit que Mechanicsburg vendait des manuels et je leur ai demandé le numéro de téléphone. On m'a répondu qu'ils ne le connaissaient pas. J'ai alors appelé la téléphoniste, qui m'a donné un autre numéro à composer.

J'ai parlé à un autre représentant d'IBM, à qui j'ai expliqué que j'avais un besoin urgent des manuels. Il m'a dit qu'il ne pouvait en vendre à l'externe, mais seulement aux employés d'IBM. J'ai plaidé en ma faveur, lui disant que je ne pensais pas qu'il serait congédié en rendant un client heureux. Il m'a dit qu'il ne pouvait pas prendre un tel risque.

J'ai alors décidé d'écrire au président d'IBM. J'ai appelé Mᵐᵉ Brown, la bibliothécaire, et lui ai demandé le nom du président d'IBM : John Akers. Je lui ai aussi demandé l'adresse postale du président, mais elle m'a répondu qu'elle ne la connaissait pas.

Par conséquent, j'envoie cette lettre aux journaux et j'espère que M. Akers fera ce qui suit : 1) trouver une façon d'améliorer le service à la clientèle ; 2) donner à Mᵐᵉ Brown son adresse postale ; 3) regarder si le même type de service à la clientèle existe dans d'autres sociétés d'informatique ; 4) donner au Département américain de la Défense quelques conseils sur la façon de garder les manuels militaires hors de vue !

Je vous prie d'agréer l'expression de mes salutations distinguées,

Gideon Vidgorhouse, Ph.D.
Montréal, Québec

Traduit de l'anglais. Retranscrit avec la permission du Dʳ Gideon Vigdorhouse. Dʳ Vigdorhouse est déménagé et habite maintenant en Floride.

1.2.2 Le modèle organique

Le modèle organique est tout en souplesse en comparaison avec le modèle mécaniste : la rationalité économique fait place aux considérations humanistes. La qualité des relations entre les individus et l'organisation devient ainsi une nouvelle préoccupation pour les gestionnaires et s'ajoute aux principes d'organisation du travail; le formel s'enrichit de l'informel.

Le modèle de l'école des relations humaines : Mayo, Roethlisberger et Dickson

En réaction à une trop grande formalisation et à une forte rationalisation des principes de gestion proposés par le modèle mécaniste, Elton Mayo mène, de 1927 à 1932, des expériences connues sous le nom «d'études de Hawthorne» (parce qu'elles ont été menées dans une usine de la Western Electric Company située à Hawthorne, près de Chicago). C'est surtout à ces recherches qu'est associé le modèle organique. L'approche de Mayo ne rejette pas les principes d'organisation du travail mis de l'avant par Taylor, Fayol et Weber; elle met plutôt en évidence l'existence de réseaux informels et leur influence sur les processus de communication, les groupes et la structure hiérarchique en place.

Par ses recherches, Mayo tenta de déceler les facteurs qui influent sur la productivité, et plus précisément d'établir le lien entre les conditions de travail, le climat de travail et la productivité. Une expérience particulière, portant sur l'éclairage des postes de travail, démontra que le rendement était davantage fonction de variables psychologiques et sociales que des seules conditions environnementales. Par ailleurs, Mayo (1945) soutint que des facteurs tels que le sentiment d'appartenance au groupe et le caractère informel de la structure organisationnelle exerçaient une plus grande influence sur la productivité que les principes de gestion formels.

Les expériences de Mayo, analysées par Fritz Roethlisberger et Bill Dickson (1947) n'ont pu démontrer l'existence de groupes informels, car il était bien évident que les travailleurs se regroupaient aussi selon leurs affinités. Ce qui a été démontré, par contre, c'est l'importance de ces regroupements pour leurs membres, et l'influence des normes du groupe sur la productivité. Par conséquent, l'analyse fait ressortir un ensemble d'éléments à caractère humaniste que l'organisation ne peut négliger dans la poursuite de ses objectifs.

Le modèle de Merton, Selznick et Gouldner

Robert King Merton, Philip Selznick et Alvin Gouldner, connus pour leurs travaux dans le domaine de la sociologie industrielle, ont conduit des études portant sur la bureaucratie. Merton et ses collègues (1952) constatent que la bureaucratie mène à l'affaissement du but de l'organisation, parce que l'observation des règles devient une fin en soi. Selznick (1957), quant à lui, énonce des recommandations précises pour contrer les effets négatifs d'une bureaucratie (il insiste entre autres sur la délégation de l'autorité, qui susciterait la coopération (voir sous **système**) entre les membres de l'entreprise. Pour sa part, Gouldner (1954) souligne l'importance de tenir compte des variables environnementales lors de l'implantation d'une bureaucratie, et estime que certaines conditions physiques et psychologiques en favoriseraient la réussite. Il distingue ainsi trois formes de bureaucratie et autant de types d'environnement :

- La fausse bureaucratie :
  - les règles ne sont pas appliquées par la direction et ne sont pas respectées par les employés ;
  - il existe peu de conflits entre la direction et les employés ;
  - l'insubordination est traitée de façon informelle.
- La bureaucratie représentative :
  - les règles sont respectées par la direction et les employés ;
  - il y a peu de conflits entre la direction et les employés ;
  - le respect des règles est assuré par un assentiment implicite, une participation mutuelle et l'éducation des deux parties.
- La bureaucratie punitive :
  - les règles sont appliquées par l'une ou l'autre partie ;
  - il existe de fortes tensions et de nombreux conflits ;
  - l'application des règles est imposée par la direction, reçoit un assentiment implicite de la part des employés et s'accompagne de sanctions en cas d'erreurs.

Elliot Jacques (1990) reprend certaines des hypothèses émises par Merton, Selznick et Gouldner. Il indique que, même pour les bureaucrates, le terme « bureaucratie » est péjoratif et que, dans le monde des affaires, les structures hiérarchiques propres à la bureaucratie sont perçues comme inhibitrices de l'initiative et de la créativité. Pourtant, après avoir étudié ce type d'organisation pendant 35 ans, il est convaincu qu'il s'agit de la structure organisationnelle la plus efficace et la plus naturelle qui soit pour les grandes entreprises, bien qu'elle comporte de nombreuses lacunes. Selon Jacques, on peut toutefois combler ces lacunes en redonnant aux gestionnaires une réelle autorité encadrée par la notion de responsabilité.

Les critiques formulées à l'endroit de Jacques rejoignent celles adressées à Merton, à Selznick et à Gouldner. Ainsi, elles font valoir que les membres d'une organisation (supérieurs et subordonnés) ne se comportent pas de façon aussi rationnelle que l'exige une structure organisationnelle bureaucratique et qu'ils ne jouent pas leur rôle comme le veut la théorie. Les critiques reprochent d'ailleurs aux tenants de ce modèle de ne concevoir la personne que comme un instrument dans le grand jeu de la productivité, au lieu de miser sur son potentiel de réflexion et de créativité.

Le modèle de Likert

Si les travaux précédents ont favorisé l'émergence de la dimension sociale comme **facteur de motivation** au travail, les travaux de Rensis Likert (1961, 1967) ont jeté les bases d'un modèle administratif axé sur la participation.

Parce que les organisations de type mécaniste utilisent mal leurs ressources humaines, Likert préconise l'adoption d'un modèle organique, axé davantage sur la participation des employés aux décisions et à la formulation des règles et des **politiques**, afin d'améliorer leur satisfaction et leur productivité. Likert a d'ailleurs établi un parallèle entre les modèles mécaniste et

TABLEAU 1.6 — Les composantes du processus administratif des modèles mécaniste et organique		
Les composantes	**Le modèle mécaniste**	**Le modèle organique**
Leadership	Manque de confiance entre superviseurs et supervisés	Confiance entre superviseurs et supervisés
Motivation	D'ordre matériel, économique, sécurité	Méthodes participatives
Communication	De haut en bas, avec distorsions	Dans toutes les directions, sans distorsions
Interactions	Restreintes, influence minime des employés	Ouvertes, influence de tous les intervenants
Décisions	Centralisées au niveau supérieur	À tous les niveaux, décentralisées
Objectifs	Fixés par le niveau supérieur	Participation en groupe
Contrôle	Centralisé, sanction en cas d'erreur	Autocontrôle et résolution de problèmes
Rendement	Bas, aucune mise en valeur des ressources humaines	Élevé, mise en valeur des ressources humaines

organique quant à leur processus administratif; ces différences sont présentées au tableau 1.6.

Soulignons également que Likert a beaucoup travaillé sur la nature des relations qui s'établissent entre les membres d'un groupe, entre les groupes eux-mêmes, et plus particulièrement entre les superviseurs et les supervisés.

Dans l'ensemble, les chercheurs associés au modèle organique ont tenté de redonner une certaine dignité au travailleur en lui permettant de combler, d'une part, ses besoins de **socialisation** et, d'autre part, ses **besoins d'actualisation.** Toutefois, ils ont pris pour postulat de base la noblesse du comportement humain, alors qu'en réalité on ne peut nier le fait que la paresse et l'utilisation égoïste du pouvoir font aussi partie de la nature humaine.

Ces chercheurs ont grandement contribué à modifier la conception du travail et du travailleur et à faire progresser les notions de motivation au travail, de communication organisationnelle, d'influence des groupes et de leadership. Par ailleurs, en plus de la création de nombreux outils de diagnostic organisationnel (analyses socioéconomiques, questionnaires, inventaires, tests), on leur doit la conception de programmes axés sur la **gestion par objectifs**, l'**enrichissement des tâches**, la **décentralisation** de l'autorité et la participation à la prise de décision ainsi que la mise sur pied de sessions de formation aux habiletés de gestion (**T-Group,** gestion des conflits, communication et style de leadership, etc.).

1.2.3 Le modèle contingent

Les nombreuses critiques formulées à l'égard des modèles mécaniste et organique montrent à quel point il est difficile de trouver une structure organisationnelle parfaite. Aussi les chercheurs considèrent-ils la possibilité d'utiliser un **modèle contingent**, qui permet de choisir une structure organisationnelle en fonction de l'environnement interne et de l'environnement externe de l'entreprise.

(Il devient dès lors possible que, dans une même organisation, l'un et l'autre modèles coexistent.) Par exemple, on peut très bien concevoir que le service de recherche et de développement fonctionne selon le modèle organique et le service de la production, selon le modèle mécaniste. Par sa flexibilité, le modèle contingent permet à l'organisation de s'adapter à son environnement interne et à son environnement externe en fonction des situations. Par ailleurs, les chercheurs tentent de déterminer les facteurs qui permettraient de choisir la structure organisationnelle la plus appropriée.

Dans le choix d'une orientation vers l'un ou l'autre des modèles mécaniste, organique ou contingent, plusieurs facteurs sont à considérer. Toutefois, bien que les facteurs internes tels que la **mission** et la stratégie d'entreprise jouent un rôle majeur, nous nous attarderons aux facteurs externes, plus particulièrement à la technologie et à l'environnement.

La technologie

(La technologie se définit comme l'application des connaissances théoriques et pratiques à un travail technique.) On peut raffiner cette définition en décomposant la connaissance en paramètres conatifs, existentiels et opérationnels ; (la technologie est définie alors comme l'application du savoir, du savoir-être et du savoir-faire dans le but d'effectuer un travail.) Cette définition peut paraître étonnante à première vue, car pour plusieurs personnes, la technologie est associée à la machinerie, aux outils et à l'équipement qu'utilise une entreprise pour fabriquer des produits. Toutefois, les connaissances et les compétences des travailleurs font elles aussi partie de la technologie, puisque l'outil ne peut à lui seul assurer le résultat final.

De nombreux chercheurs ont étudié les effets de la technologie sur la structure organisationnelle ; nous présentons les conclusions de quelques recherches sur le sujet.

Les recherches de Woodward

Joan Woodward (1965) a effectué des recherches dans 100 entreprises manufacturières d'Angleterre afin de voir dans quelle mesure la structure organisationnelle contribue à l'efficacité de l'entreprise. L'analyse des résultats de ses recherches l'a amenée à rejeter des facteurs tels que la taille de l'organisation, l'attitude des dirigeants et le secteur industriel comme éléments déterminants du succès d'une entreprise. (Selon Woodward, c'est la cohérence entre les technologies de production et les formes d'organisations qui explique réellement le succès des entreprises.) Ses recherches ont ainsi permis de mettre en lumière trois types de technologies, soit :

- la production d'unités, ou production en petites quantités (par exemple, les locomotives) ;
- la production de masse, ou production en grandes quantités (par exemple, les chaînes de montage) ;
- la production en procédé continu (par exemple, les raffineries de pétrole).

De plus, Woodward a dressé la liste des caractéristiques propres à chacune de ces technologies.

Caractéristiques :

- Pour la technologie de production d'unités et la technologie de production en procédé continu :
  - la flexibilité ;
  - la communication verbale ;
  - l'expertise scientifique ;
  - le contrôle de la production.
- Pour la technologie de production de masse :
  - la spécialisation et la formalisation ;
  - la communication écrite et formalisée ;
  - les gestionnaires spécialisés ;
  - la supervision et la production.

Les recherches de Woodward permettent de conclure que le modèle mécaniste correspond davantage à une technologie de production de masse, tandis que le modèle organique s'apparente plus aux deux autres types de technologies, soit la production d'unités et la production en procédé continu.

Les recherches de Perrow

Charles Perrow s'intéresse particulièrement à l'aspect routinier de la technologie ; il différencie les types de technologies selon leur degré de routine (Perrow, 1967). Dans ses recherches, il définit quatre types de technologies, soit :

- la technologie artisanale, où les extrants sont plutôt uniformes et les problèmes, difficilement identifiables (par exemple, l'ébénisterie) ;
- la technologie routinière, où les extrants sont uniformes et les problèmes, facilement identifiables (par exemple, les chaînes de montage) ;
- la technologie non routinière, où les extrants sont variés et les problèmes, difficilement identifiables (par exemple, les hôpitaux, la recherche) ;
- la technologie de l'ingénierie, où les extrants sont variés et les problèmes, peu identifiables (par exemple, l'industrie de la construction).

Selon Perrow, plus la technologie utilisée est routinière, plus les règles et les procédures sont détaillées, plus l'autorité des cadres est délimitée, plus les employés tirent leur satisfaction de facteurs extrinsèques. Bref, plus la technologie est routinière, plus la structure organisationnelle s'apparente au modèle mécaniste. Par ailleurs, moins la technologie est routinière, plus l'organisation est décentralisée, plus les cadres disposent d'un pouvoir discrétionnaire, plus les règles et les procédures sont flexibles et plus les employés tirent leur satisfaction de facteurs intrinsèques. Finalement, moins la technologie est routinière, plus la structure organisationnelle s'apparente au modèle organique.

Plus que 12 789 coups avant le week-end !

L'environnement

Puisque les organisations ne fonctionnent pas en vase clos, il est réaliste de croire que l'environnement dans lequel elles évoluent influe sur leur structure. Toutefois, cette influence peut être très variable d'une organisation à l'autre, et même d'une division ou d'un service à l'autre à l'intérieur d'une même entreprise. La variabilité de l'environnement se rapporte à la quantité de changements auxquels fait face l'organisation aussi bien qu'au caractère prévisible ou imprévisible de ces changements. Plusieurs chercheurs se sont penchés sur ces questions ; nous présentons les résultats de quelques-unes de ces recherches.

Les recherches d'Emery et Trist

Fred W. Emery et Eric Trist (1963) distinguent quatre types d'environnements, qu'ils représentent sur deux segments : de stable à dynamique et de simple à complexe. Le croisement de ces deux segments aboutit à quatre types de modèles organisationnels possibles (voir le tableau 1.7). La structure simple est celle adoptée par les petites entreprises, nouvelles sur le marché, centralisées, peu formalisées et standardisées. La bureaucratie mécaniste est appropriée pour des organisations de plus grande taille, moins récentes sur le marché, centralisées et formalisées. La bureaucratie professionnelle ne correspond pas à une taille d'entreprise ou à une période d'existence précise : les organisations qui y adhèrent sont peu formalisées, décentralisées, mais standardisées. Finalement, l'*adhocratie* correspond à des entreprises décentralisées, peu formalisées et peu standardisées.

TABLEAU 1.7	Le modèle organisationnel selon les types d'environnements	
	L'environnement simple	**L'environnement complexe**
L'environnement stable	Bureaucratie mécaniste	Bureaucratie professionnelle
L'environnement dynamique	Structure simple	Adhocratie

Selon Emery et Trist, il est inutile d'étudier les facteurs environnementaux indépendamment les uns des autres : ils sont interreliés et doivent être considérés simultanément. Pour faire face au changement, il faut tenir compte de quatre types de relations : 1) la relation entre les variables internes à l'organisation, soit la compétence technologique de la main-d'œuvre ; 2) l'effet de l'organisation sur l'environnement, par exemple la pollution ; 3) l'effet de l'environnement sur l'organisation, par exemple la disponibilité du personnel et des matériaux ; 4) la relation entre les variables externes à l'organisation, tel le contexte politique ou économique.

Les recherches de Lawrence et Lorsch

Pour Paul R. Lawrence et Jay Lorsch (1967, 1969), l'environnement est le facteur déterminant quant au choix de la structure organisationnelle la plus appropriée pour conduire l'entreprise vers l'atteinte de ses objectifs. Par conséquent, le choix d'une structure organisationnelle devient une réponse stratégique de l'entreprise dans ses efforts d'adaptation à un environnement turbulent.)

(Toutefois, ces chercheurs reconnaissent que les divers services ou divisions d'une même organisation présentent un environnement différent,)et qu'il est de ce fait réaliste de croire que les entreprises les plus efficaces sont celles dont les services sont organisés de manière à faire face aux particularités de leur environnement ou de leur sous-environnement.

C'est ainsi que Lawrence et Lorsch en viennent à parler de (**différenciation**, soit la segmentation du système en sous-systèmes dans le but de répondre aux exigences de l'environnement particulier qui entoure ce système.) Par exemple, les services de marketing, de production, et de recherche et développement ne présentent pas le même environnement.(La stratégie de l'entreprise pourrait être, au sein de chacun de ces services, de diviser le travail et de répartir les tâches et les responsabilités d'une autre manière,) ce qui entraînera chez les employés de chacun de ces services une attitude et des comportements différents.

(Cependant, cette différenciation poussée à l'extrême peut entraîner une certaine anarchie au sein de l'entreprise et rendre difficile, voire impossible, l'atteinte des objectifs organisationnels.)Les chercheurs proposent donc le concept d'**intégration**, soit le processus par lequel on accomplit un effort d'unité entre les divers sous-systèmes.)Différents types d'intégration sont possibles : par des règles et des procédures, par la planification, par un leadership important, etc. En effet,(pour arriver à mettre au point, à produire et à vendre un produit, les divers services doivent collaborer et coordonner leurs efforts.)

Les chercheurs ont testé leurs hypothèses auprès d'entreprises américaines des secteurs du plastique, de l'alimentation et de l'emballage. Ils en ont choisi certaines dont la rentabilité économique était forte et d'autres dont la rentabilité était faible.(Ils ont découvert que, dans les entreprises efficaces, il y avait une forte adéquation entre le degré de différenciation et les moyens d'intégration. En ce sens, les études de Lawrence et Lorsch sont importantes parce qu'elles démontrent l'existence d'une étroite relation entre l'environnement, la structure organisationnelle et l'efficacité.)

1.2.4 Le modèle contemporain

Le modèle contemporain en psychologie du travail et du comportement organisationnel repose sur plus d'une philosophie. Ces disciplines, telles qu'on les conçoit de nos jours, sont plutôt éclectiques et l'insistance est mise sur la diversité des comportements au travail tant chez l'individu que dans un groupe. Les concepts qui sous-tendent la psychologie du travail et du comportement organisationnel recoupent plusieurs principes de gestion, plus particulièrement la gestion des ressources humaines (Dolan, Mach, Sierra, 2005 ; Dolan et autres, 2007).(La notion de **culture organisationnelle** et tout le symbolisme qui découle de l'interprétation des comportements orientent la conception de l'organisation vers une réalité construite par l'esprit humain)plutôt que vers une réalité objective enrichie du vécu existentiel (Schein, 1996 ; Dolan et Richley, 2005).

CONCLUSION

Les individus, les groupes et les organisations sont des sujets qui, depuis toujours, sont privilégiés par les chercheurs en sciences sociales. Cependant, le comportement en milieu de travail a particulièrement retenu l'attention des psychologues du travail. Les différentes disciplines scientifiques se distinguent beaucoup plus par leur objet que par leur sujet d'étude. Bien que la **psychologie sociale** et la psychologie clinique (pour n'en nommer que deux) portent aussi leur attention sur les individus et les groupes, leurs moyens d'investigation et leurs champs d'intérêt sont beaucoup plus restreints que ceux de la psychologie du travail. En effet, (les psychologues du travail sont plus éclectiques, car non seulement s'intéressent-ils à la compréhension des comportements individuels et collectifs et à ce qui les motive, mais ils sont aussi préoccupés par les processus organisationnels) tels que la communication, le leadership et la prise de décision. De plus, leur champ d'intérêt s'est élargi pour inclure des sujets traditionnellement reliés au domaine administratif tels que la gestion du stress et les problèmes de structure et de changements organisationnels. Le tableau 1.8 pose quelques jalons dans l'évolution de la psychologie du travail et du comportement organisationnel.

TABLEAU 1.8	L'évolution de la psychologie du travail et du comportement organisationnel	
Années	**Les théories, concepts et modèles**	**Auteurs**
1890	L'organisation scientifique du travail	Frederick Taylor
1900	La bureaucratie La théorie de l'administration	Max Weber Henry Fayol
1910	Fight–Flight (Emergency Stress Response)	Walter Cannon
1920	L'effet Hawthorne – Relations humaines	Elton Mayo
1930	La dynamique des groupes et la **résistance au changement** Le leadership en milieu naturel Le conditionnement répondant	Kurt Lewin Ronald Lippitt et Ralph White Ivan Pavlov
1940	La théorie des besoins et de la motivation Les modifications du comportement (*béhaviorisme radical*) La psychanalyse	Abraham Maslow B. F. Skinner Sigmund Freud
1950	Le côté humain de l'entreprise (développement organisationnel) La théorie bifactorielle de la motivation La psychologie humaniste Les réponses au stress	Douglas McGregor Frederick Herzberg Carl Rogers Hans Selye
1960	La **grille de gestion** du leadership La théorie contingente du leadership La théorie de la personnalité La théorie des attentes La cognition et le stress	Robert Blake et Jane Mouton Fred Fiedler J. B. Rotter Victor Vroom Richard Lazarus

Années	Les théories, concepts et modèles	Auteurs
1960	Le comportement de type A et le stress	M. D. Friedman et R. H. Rosenman
	La théorie de la prise de décision à rationalité limitée	Herbert Simon
	Le pouvoir et le leadership	Jack French et B. Raven
1970	Le modèle des chemins-buts du leadership	Robert House
	La dynamique de la bureaucratie	Michael Crozier
	Les théories de l'action, la double-boucle de l'apprentissage et l'apprentissage organisationnel	Chris Argyris
1980	La culture et les professions	Edgar Schein
	Les stratégies compétitives	Michael Porter
	L'apprentissage par expérience	David Kolb
	Le **leadership transformationnel**	Bernard Bass
1990	L'illusion de la planification stratégique et les stratégies qui se retournent contre vous	Henry Mintzberg
	La cinquième discipline	Peter Senge
	La pensée latérale en gestion	Edward de Bono
	L'intelligence émotionnelle	Daniel Goleman
2000	Mener la révolution	Gary Hamel
	Les sept habitudes des personnes très efficaces	Stephen Covey
	L'engagement et les pratiques en milieu de travail	Jeffrey Pfeffer

? QUESTIONS DE RÉVISION

1. Décrivez les différentes écoles de pensée en psychologie fondamentale en fonction de leurs objets d'étude respectifs.

2. « L'école de pensée humaniste est souvent considérée comme une synthèse des idéologies qui l'ont précédée. » Commentez cette affirmation.

3. Qu'est-ce qu'une organisation ? Appuyez votre réponse sur les diverses influences auxquelles sont soumises les organisations.

4. Quelles sont les principales différences entre les modèles mécaniste et organique ? En quoi le modèle organique favorise-t-il l'épanouissement des travailleurs ?

5. Quelles sont les caractéristiques fondamentales du modèle contingent ? Quelle est son utilité comparativement aux modèles mécaniste et organique ?

6. En quoi la psychologie du travail et du comportement organisationnel est un champ d'études multidisciplinaire ? Quelles sont les principales disciplines connexes ?

Arrêtez de parler : j'enregistre !

Le cas a été préparé et écrit par **Shimon L. Dolan** (coauteur de ce livre). Il est basé sur un fait réel.

Dominique Jalbert, une jeune diplômée en psychologie du travail et en relations industrielles, ne s'attendait pas à retourner à l'Université de Montréal pour visiter Éric Carrière, son professeur préféré. Cependant, elle a eu besoin d'aide lorsqu'est venu le temps de prendre une décision critique.

Après sa graduation, il y a deux ans, Dominique a accepté un poste d'adjointe du directeur des ressources humaines dans une petite entreprise d'ingénierie et de fabrication agricole à Dollard-des-Ormeaux, en banlieue de Montréal. Elle avait toujours voulu rester dans la région de Montréal, et elle se montrait enthousiaste à l'idée de pouvoir vivre enfin une première vraie expérience de travail. Roland Petit, le propriétaire de la compagnie, était impressionné par sa motivation et sa capacité de faire des liens avec la matière apprise à l'université. Une année après son embauche, le directeur des ressources humaines a démissionné subitement et Dominique a été nommée à la tête des ressources humaines.

Dominique a assumé ses fonctions avec enthousiasme et professionnalisme. Elle était très heureuse de pouvoir appliquer les valeurs qui lui avaient été inculquées pendant sa formation à l'Université de Montréal. En peu de temps, elle a gagné la confiance des employés, si bien que bon nombre d'entre eux aimaient passer du temps avec elle pour discuter de choses personnelles ou de certains problèmes liés au travail. Ils savaient que l'information qu'ils partageraient avec elle serait tenue confidentielle.

Un lundi, Roland Petit l'a fait venir à son bureau. Il avait entendu dire que certains employés n'aimaient pas son style de gestion. « Franchement, Dominique, il n'y a pas de place dans mon entreprise pour les employés qui n'acceptent pas mon style de gestion ou les politiques de la compagnie. Je dois vous demander si ce que j'ai entendu est vrai. » Il s'est alors dirigé vers son microphone et a montré à Dominique comment il enregistrait toutes les conversations qui avaient lieu dans son propre bureau. Il lui dit alors qu'elle devait elle aussi enregistrer secrètement toutes les conversations qui se tenaient dans son bureau. M. Petit a donné à Dominique une semaine pour installer le dispositif dans son bureau, lui précisant que si elle ne se conformait pas à sa demande, il interprèterait cela comme de l'insubordination et pourrait donc décider de la congédier.

Dominique était placée devant un vrai dilemme. D'une part, elle aimait son travail et la qualité de vie à Montréal. Elle savait qu'il lui serait difficile de se trouver un travail comparable. D'autre part, elle était choquée par la demande du propriétaire et par l'ultimatum qu'il lui avait donné. Dominique avait besoin de conseils. « Que devrais-je faire ? » a-t-elle demandé au professeur Carrière.

Questions

1. Qu'auriez-vous fait si vous étiez Dominique Jalbert ?
2. Quel conseil donneriez-vous à Dominique si vous étiez le professeur Carrière ?

Argyris, C. (1982). *Reasoning, learning, and action* : *Individual and organizational,* San Francisco, Jossey-Bass.

Auerbach, A. et Dolan, S.L. (1997). *Fundamentals of Organizational Behaviour* : *The Canadian Context,* Scarborough (Ont.), ITP Nelson.

Bass, B. (1985). *Leadership and Performance Beyond Expectations,* New York, Free Press.

Burns, T. et Stalker, G.M. (1961). *The Management of Innovation,* London, Tavistock Publications.

Cannon, W. (1929). *Bodily changes in pain, hunger, fear, and rage,* New York, Appleton-Century-Crofts.

Covey, S. (2004). *Seven Habits of Highly Effective People,* New York, Simon & Schuster.

Crozier, M. (1964). *The bureaucratic phenomenon,* Chicago, University of Chicago Press.

De Bono, E. (1990). *Lateral Thinking for Management* : *A Handbook,* London, Penguin.

Dolan, S.L. et Garcia, S. (1999). *La gestion par valeurs* : *une nouvelle culture pour les organisations,* Montréal, Éditions Nouvelles.

Dolan, S.L., Garcia, S. et Richley, B. (2006). *Managing by Values,* London, Palgrave-Macmillan.

Dolan S.L., Mach, M. et Sierra, V. (2005). « HR contribution to a firm's success examined from a configurational perspective : An Exploratory Study Based on The Spanish CRANET Data », *Management Review* (*The international Review of Management Studies*), vol. 2, p. 272-290.

Dolan S.L. et Richley, B. (2006). « Management By Values (MBV) : A New Philosophy for a new economic order », dans P. Coats, *Handbook of Business Strategy,* London, Palgrave-Macmillan, p. 235-238

Dolan, S.L., Saba, T., Jackson, S. et Schuler, R.S. (2007). *Gestion des ressources humaines,* 4e éd., Montréal, ERPI.

Duncan, R. (1974). « Multiple Decision-Making Structures and Adapting to Environmental Uncertainty : The Impact of Organizational Effectiveness », *Human Relations,* no 26, p. 273-291.

Ellis, A. (1974). « Rational Emotive Theory », dans A. Burton, *Operational Theories of Personality,* New York, Brunner/Mazel.

Emery, F.W. et Trist, E.L. (1963). « The Casual Texture of Organizational Environment », *Human Relations,* no 18, p. 20-26.

Fayol, H. (1950). *Administration industrielle et générale,* Paris, Dunod.

French, J.P.R. Jr. et Raven, B (1960). *The bases of social power,* dans D. Catwright et A. Zander, *Group Dynamics,* New York, Harper and Row, p. 607-623.

Friedman, M. et Rosenman, R. (1974). *Type A behavior and your heart,* New York, Knopf.

Goleman, D. (1995). *Emotional Intelligence* : *Why it can matter more than IQ,* New York, Bantam books.

Gouldner, A.W. (1954). *Patterns of Industrial Bureaucracy,* New York, Free Press.

Hamel, G. (2000). *Leading the Revolution,* Boston, Harvard Business school.

House, R. (1971). « A path-goal theory of leader effectiveness », *Administrative Science Quarterly,* n° 16, p. 321-339.

Jacques, E. (1990). « In Praise of Hierarchy », *Harvard Business Review,* janvier-février, p. 127-133.

Kets de Vries, M.F.R. (1984). *The Irrational Executive, Psychoanalytic Studies in Management,* New York, International Universities Press.

Kets de Vries, M.F.R. (1995). *Organizational Paradoxes,* 2e éd., New York, Routledge.

Kolb, D.A. (1984). *Experiential Learning* : *Experience as a source for learning and development,* New Jersey, Prentice Hall.

Koontz, H. et O'Donnell, C. (1990). *Management* : *principes et méthodes de gestion,* Montréal, McGraw-Hill.

Lawrence, P.R. et Lorsch, J. (1967). « Differenciation and Integration in Complex Organizations », *Administrative Science Quarterly,* juin, p. 1-47.

Lawrence, P.R. et Lorsch, J. (1969). *Organization and Environment,* Homewood (Ill.), Richard D. Irwin.

Lee, S.M., Luthans, F. et Olson, D.L. (1982). « A Management Science Approach to Contingency Models of Organizational Structure », *Academy of Management Journal,* septembre, p. 553-566.

Likert, R. (1961). *New Patterns of Management,* New York, McGraw-Hill.

Likert, R. (1967). *New Human Organization* : *Its Management and Value,* New York, McGraw-Hill.

Maslow, A.H. (1943). « A theory of human motivation », *Psychological Review,* n° 50, p. 370-396.

Mayo, E. (1945). *The Social Problems of an Industrial Civilization,* Cambridge (Mass.), Harvard University Press.

McGregor, D.M. (1957). « The human side of enterprise. Adventure in thought and action », dans *Proceedings of the fifth anniversary convocation of the School of Industrial Management,* Cambridge (Mass.), MIT Press

Merton, R.K., Selznick, P. et Gouldner, A. (1952). *Reader in Bureaucracy,* New York, Free Press.

Mintzberg, H. (1979). *The structuring of organizations* : *A synthesis of the research,* Englewood Cliffs (N.J.), Prentice-Hall.

Mintzberg, H. (2005). *Strategy Bites Back* : *It Is Far More, and Less, than You Ever Imagined,* Englewood Cliffs (N.J.), Prentice-Hall.

Perrow, C. (1967). « A Framework for the Comparative Analysis of Organizations », *American Sociological Review,* vol. 32, n° 2, p. 192-206.

Pfeffer, J. et O'Reilly, C.A. (2000). *Hidden Value* : *How Great Companies Achieve Extraordinary Results with Ordinary People,* Boston, Harvard Business School Press.

Porter, M. (1980). *Competitive Strategy* : *Techniques for Analyzing Industries and Competitors,* New York, Free Press.

Reitz, J. (1987). *Behavior in Organizations,* 3e éd., Homewood (Ill.), Richard D. Irwin.

Roethlisberger, F. et Dickson, W. (1947). *Management and the Worker,* Cambridge (Mass.), Harvard University Press.

Rogers, C.R. et Wood, J.K. (1974). « Client Centered Therapy », dans A. Burton, *Operational Theories of Personality,* New York, Brunner/Mazel.

Rotter, J.B. (1966). « Generalized expectancies for internal versus external control of reinforcement », *Psychological Monographs,* vol. 80, p. 609.

Rousseau, D.M. (1979). « Assessment of Technology in Organizations : Closed Versus Open Systems Approaches », *Academy of Management Review,* octobre.

Schein, H. (1992). *Organizational culture and leadership,* San Francisco, Jossey-Bass.

Schein, E.H. (1996). « Culture : The Missing Concept in Organization Studies », *Administrative Science Quarterly,* vol. 41, n° 2, p. 229-240.

Selye, H. (1956). *The stress of life,* New York, McGraw-Hill.

Selznick, P. (1957). *Leadership in Administration,* Englewood Cliffs (N.J.), Harper & Row.

Senge, P. (1990). *The Fifth Discipline : The Art and Practice of the Learning Organization,* New York, Doubleday.

Simon, H. (1976). *Administrative behavior,* 3ᵉ éd., New York, Free Press.

Sims, H.P. et Gioia, D.A. (1986). *The Thinking Organization,* San Francisco, Jossey-Bass.

Skinner, B.F. (1974). *About Behaviorism,* New York, Alfred A. Knopf.

Taylor, F.W. (1947). *The Principles of Scientific Management,* New York, Harper & Row.

Ulrich, D. (1997). *Human Resource Champion,* Boston, Harvard Business School Press.

Wanous, J. (1980). *Organizational Entry,* Reading (Mass.), Addison-Wesley.

Weber, M. (1924). *Économie et société,* Paris, Plon.

Weber, M. (1946). « Bureaucracy », dans H. Gerth et C.W. Mills, *Max Weber : Essays in sociology,* New York, Oxford University Press.

Weick, K.E. et Daft, R.L. (1987). « Toward a Model of Organization as Interpretative Systems », *Academy of Management Review,* vol. 9, n° 2, p. 284-295.

Woodward, J. (1965). *Industrial Organization : Theory and Practice,* London, Oxford University Press.

CHAPITRE 2

Des éléments de psychologie appliqués au travail

PLAN DU CHAPITRE

Les objectifs d'apprentissage

Dans ce chapitre, le lecteur se familiarisera avec :

■ l'influence des caractéristiques individuelles et sociales sur le développement d'un schème comportemental ;

■ le lien entre la personnalité et les comportements d'un individu ;

■ la dynamique d'acquisition des attitudes et leur importance par rapport à la propension à agir ;

■ le processus d'émergence de distorsions dans l'interprétation de la réalité ;

■ la nature des erreurs et des distorsions de la perception les plus courantes ;

■ les paramètres d'attribution des causes et des conséquences d'un comportement précis ;

■ le lien entre le comportement, la personnalité, les attitudes, les attributions et la perception.

Au chapitre précédent, nous avons présenté les principales théories dans le domaine de la psychologie et du comportement organisationnel. Même si elles ont toutes comme objectif d'identifier les principes sous-jacents aux agissements humains, ces théories empruntent divers paradigmes qui éclairent autant de facettes du réel. Ainsi, il serait illusoire de croire en l'existence d'une unique réalité, cette dernière étant relative au point de vue des observateurs. De la même façon, l'évaluation que l'on fait de certains comportements est indissociable de la **perception** que l'on a de soi, des autres et des situations. Dès lors la personnalité, les valeurs, les attitudes et les **attributions** doivent être prises en considération, puisqu'en intervenant dans le processus perceptif, elles influencent notre appréciation de la réalité. Par exemple, dès qu'un employé dit que son gestionnaire est autoritaire, on imagine qu'un ensemble de comportements stéréotypés caractérise cette personne. Toutefois, il est fort probable que le gestionnaire en question se perçoive fort différemment. La perception que les gens ont d'eux-mêmes et de leur environnement de travail peut donc être complètement différente, voire contraire à celle de leur entourage.

Un adage veut qu'une image vaille mille mots. La caricature présentée ci-dessous ne traite pas directement de notre sujet, mais elle peut aisément y être rattachée. Elle illustre, avec une économie de moyens remarquable, la subjectivité du processus de perception et les retombées concrètes qu'une divergence d'interprétation peut avoir sur la relation avec autrui et l'efficacité d'une transaction.

Cela étant dit, le comportement humain est un sujet d'études complexe, et tenter d'en cerner toutes les composantes en un seul modèle relèverait de l'impossible. L'approche que nous avons donc retenue permet d'illustrer les principaux déterminants du comportement et, plus particulièrement, ceux du comportement en milieu de travail.

Mais... j'vous ai demandé le poulet, pas un oeuf à la coque!

Ouais, et d'après votre conception de la vie, c'est pas la même chose?

En nous inspirant des fondements de la psychologie sociale, soit «l'étude scientifique de la façon dont les gens se perçoivent, s'influencent et entrent en relation les uns avec les autres» (Myers et Lamarche, 1993), nous aborderons la notion de comportement pour ensuite définir ses déterminants, soit la perception, la personnalité, les valeurs, les attitudes et les attributions. Par ailleurs, puisqu'il est impossible de traiter les déterminants comme des entités complètement indépendantes, les liens qui les unissent seront mis en évidence.

2.1 Le comportement humain

La complexité du comportement humain rend difficile l'élaboration d'un cadre de référence rassemblant tous les éléments essentiels à sa description et à sa compréhension. Cela est d'autant plus vrai lorsqu'on cherche à cerner les paramètres de l'organisation comportementale, c'est-à-dire lorsqu'on porte attention aux conduites individuelles ou aux ensembles de comportements complémentaires adoptés afin d'atteindre un unique objectif. En effet, on ne peut comprendre entièrement une autre personne parce qu'il est impossible de partager toutes ses pensées, ses sentiments et ses motivations. Mark Twain soulignait d'ailleurs que chacun, comme la Lune, possède un côté caché qu'il ne montre jamais.

Néanmoins, on cherche depuis longtemps les facteurs distinctifs permettant de prédire le comportement. Lewin (1947) affirme que le comportement humain dépend des nombreux facteurs qui caractérisent la personne auxquels s'annexent divers aspects environnementaux. On peut représenter cette affirmation à l'aide de l'équation suivante : $C = \int (P, E)$, c'est-à-dire le comportement (C) est fonction de l'interaction entre les caractéristiques de la personne (P) et les facteurs de l'environnement (E). La variable P (personne) englobe les facteurs qui permettent à l'individu d'effectuer une évaluation cognitive de son environnement, soit les valeurs et les attitudes, entre autres. L'ensemble de ces facteurs facilite l'établissement d'une certaine cohérence psychologique et aide à comprendre, expliquer et, ultimement, prévoir le comportement des individus dans diverses situations.

Bien qu'aucun modèle ne puisse prétendre élucider complètement l'origine des comportements et des conduites, certains éléments, isolés puis regroupés de façon systémique, peuvent jeter une lumière sur l'ensemble du processus. Il est nécessaire, pour ce faire, d'esquisser un portrait global de la personne en utilisant un modèle intégré qui tienne compte, plus particulièrement, de la réactivité des individus face aux situations qui leurs sont présentées.

La figure 2.1 présente un modèle comportemental. Dans ce modèle, les situations sont caractérisées par des objets, des événements, des personnes côtoyées, des occasions de réussite, d'obtention de pouvoir, etc. Toute situation, peu importe sa nature, passe d'abord par le processus de perception où elle fait l'objet d'une évaluation. En fait, c'est l'analyse perceptive des stimulations présentées à l'individu qui permettra à ce dernier de faire des choix comportementaux. L'individu décortiquera une situation eu égard à ses valeurs, à sa personnalité, aux attitudes qui lui sont propres ainsi qu'aux attributions qu'il effectuera. Ce n'est qu'après avoir évalué une situation qu'un individu pourra affirmer une intention de se comporter et choisir, le cas échéant, le type de comportement ou de conduite requis. Bien que l'évaluation cognitive puisse sembler fastidieuse, il faut savoir qu'elle est effectuée la plupart du temps de façon mécanique et automatique. Si le choix comportemental est important, ou s'il peut avoir des répercussions à long terme, le processus d'évaluation sera alors plus raisonné, car l'individu prendra le temps de soupeser les diverses possibilités avant de se positionner.

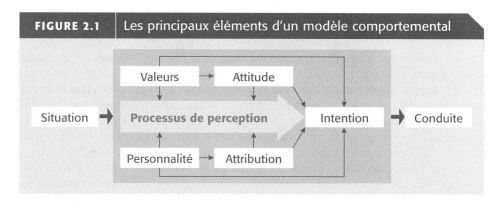

FIGURE 2.1 | Les principaux éléments d'un modèle comportemental

Situation → **Processus de perception** → Intention → Conduite

Valeurs → Attitude

Personnalité → Attribution

Tout au long de ce chapitre, nous verrons en détail chacune des composantes de ce modèle comportemental afin d'en bien comprendre la nature et l'influence sur nos choix comportementaux. Il sera ensuite possible de mieux saisir la complexité du processus d'émergence des comportements et les diverses interactions possibles entre les variables du modèle.

2.2 Le processus de perception

(On définit la perception comme le processus de sélection, d'organisation et d'interprétation des stimuli issus de l'environnement.) En présence de réalités sans cesse changeantes, l'être humain identifie, discrimine, reconnaît et juge l'information perçue par ses sens. Le processus de perception ne se limite donc pas à l'appréhension de certaines informations par les sens ; l'information reçue est organisée afin que l'expérience sensorielle soit vécue de la manière la plus cohérente possible. (En somme, la perception est le processus qui relie l'individu à son environnement.)

Par ailleurs, l'individu qui perçoit les stimuli de son environnement vit, quel que soit l'événement auquel il participe, une expérience unique et personnelle (voir la figure 2.2). Ses sens l'informent de ce qui se passe autour de lui ; il voit des choses et des gens, il entend des bruits et des mots et il perçoit d'autres stimuli grâce au toucher, au goût et à l'odorat. (La perception est donc un processus subjectif plutôt qu'objectif, puisque chacun assimile de façon personnelle et selon un cadre de référence unique l'univers dans lequel il évolue.)

Le comportement humain dépend de la façon dont chaque individu perçoit la réalité, de la manière dont il organise l'information perceptive pour se créer une image du monde et, finalement, de son expérience des événements. On

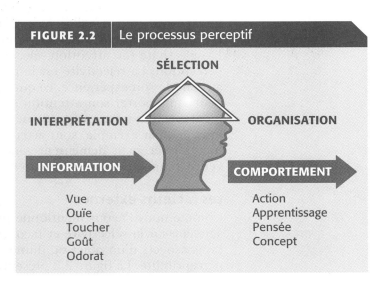

FIGURE 2.2 | Le processus perceptif

SÉLECTION

INTERPRÉTATION

ORGANISATION

INFORMATION

COMPORTEMENT

Vue
Ouïe
Toucher
Goût
Odorat

Action
Apprentissage
Pensée
Concept

peut donc saisir toute l'ampleur des différences individuelles et des consé-quences qui en découlent dans le contexte d'une organisation.

La perception est immédiate, sélective et stable. Elle est immédiate, puisque c'est le processus par lequel les données sensorielles sont filtrées et orga-nisées. Par exemple, une personne qui regarde un film perçoit visuellement une multitude d'images, mais elle perçoit aussi, spontanément et instan-tanément, un mouvement continu. Par ailleurs, la perception est sélective, parce que si un individu prêtait attention à tout ce que ses sens lui per-mettent de percevoir dans une salle de cinéma, il ne parviendrait pas à suivre le cours du film. Finalement, la perception est stable, parce que l'esprit humain corrige les impressions reçues des sens pour assurer la constance de la perception. Par exemple, un adulte de très grande taille sera perçu tel quel vu de loin, et ce, même si l'image rétinienne est plus petite que si l'adulte était proche.

La perception produit sens et structure. Elle produit du sens, car la signi-fication donnée à un comportement varie selon son contexte. Ainsi, un employé qui embrasse sa patronne le jour de son anniversaire ne sera pas jugé de la même façon que s'il l'embrasse chaque fois qu'il lui apporte son courrier ! Enfin, la perception structure les stimuli sensoriels en un tout cohérent, plutôt que de les laisser comme autant d'éléments disparates.

2.2.1 Les caractéristiques de la perception

Voyons maintenant différents éléments sous-jacents au processus de per-ception qui jouent un rôle dans notre façon de concevoir les situations et de nous représenter le monde. Parmi ces éléments, ceux associés à la **sélec-tivité** sont définitivement les plus importants. L'être humain est assailli par une foule de stimuli provenant de son environnement. S'il tentait de percevoir tous ces stimuli simultanément, il serait vite dans un état d'exci-tation frôlant la folie. En effet, l'être humain est incapable de traiter tous les stimuli issus de l'environnement ; il en retient seulement quelques-uns, qu'il choisit en partie d'après les caractéristiques de l'objet (facteurs exter-nes), et en partie d'après ses propres caractéristiques (facteurs internes). La sélectivité (ou attention sélective) est la caractéristique première de la perception. La sélectivité est le processus par lequel l'individu distingue, au sein de son expérience, ce qui est central de ce qui est périphérique. Il peut ainsi porter son attention sur un phénomène précis et écarter mo-mentanément les autres événements qui se produisent simultanément. Les mineurs, par exemple, sont attentifs aux bruits de la machine qu'ils font fonctionner, mais demeurent généralement sourds au ronronnement des ventilateurs qui les alimentent en oxygène.

Les facteurs externes

Comme nous l'avons mentionné précédemment, divers facteurs externes agissent sur la sélectivité et façonnent la perception. Autrement dit, cer-tains aspects d'un objet ou d'une personne ont la capacité d'accroître sa perceptibilité. La figure 2.3 présente une synthèse schématique de ces fac-teurs externes.

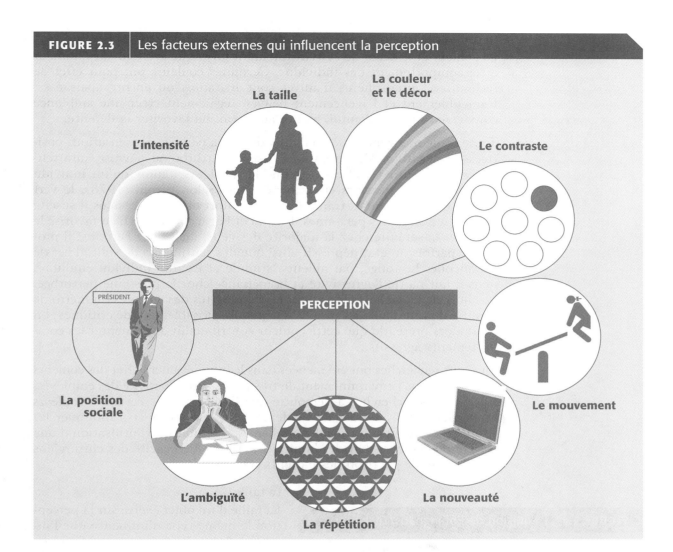

FIGURE 2.3 Les facteurs externes qui influencent la perception

La taille

La couleur et le décor

L'intensité

Le contraste

PERCEPTION

Le mouvement

La position sociale

PRÉSIDENT

L'ambiguïté

La répétition

La nouveauté

L'intensité

L'intensité correspond à la force d'émission d'un stimulus perceptif : plus le stimulus est intense, plus il attire l'attention. Ce principe est couramment utilisé en publicité, aussi certains auront remarqué que la plupart des messages publicitaires diffusés à la radio et à la télévision ont un volume sonore plus élevé que celui des émissions courantes.

Ce même principe trouve plusieurs applications dans la vie organisationnelle. Par exemple, si les employés convoquent le directeur du personnel pour protester contre une décision qui les touche, parions que le directeur répondra d'abord à ceux qui parlent le plus fort…

L'intensité permet à un stimulus ou à un groupe de stimuli de se démarquer des stimulations ambiantes de telle sorte qu'une personne y portera plus facilement attention et, par conséquent, en subira l'influence. Enfin, retenons que l'intensité n'est qu'une des caractéristiques du stimulus et que toutes peuvent agir simultanément et modifier la perception.

La couleur et le décor

La couleur et le décor de l'**environnement physique** agissent sur l'humeur et le comportement des individus. Certaines couleurs ont pour effet de réchauffer l'atmosphère ; d'autres sont irritantes ou encore apaisantes. L'ameublement et l'agencement peuvent également créer une ambiance conviviale, susciter l'ennui, inciter au travail ou favoriser la détente.

Toute couleur engendre, selon l'individu qui la perçoit, des sensations positives ou négatives. Par exemple, un sujet perturbé ou névrosé aura tendance à ressentir les effets négatifs des couleurs, tandis qu'un individu équilibré jouira de leurs effets bénéfiques. Selon Birren (1978), le vert inspire généralement la tranquillité, le confort et le calme, mais il suscite aussi, chez certaines personnes, l'ennui et l'agacement. Le bleu favorise le calme et la sérénité chez la majorité des gens, mais chez certains, il provoque parfois un état dépressif ainsi que des sentiments de solitude et de mélancolie. Le rouge, par ailleurs, stimule et excite l'individu équilibré, mais il fait naître l'agressivité et la méfiance chez la personne perturbée. Le choix de la couleur rouge pour les banquettes des voitures du métro de Montréal avait d'ailleurs suscité, à l'époque, passablement de critiques ; on avait alors prétendu que cette couleur contribuerait à augmenter les comportements agressifs.

Plusieurs recherches ont été menées dans le but d'évaluer l'effet des couleurs présentes dans l'environnement de travail sur la productivité des employés. L'une de ces recherches a démontré que l'utilisation de certaines couleurs avait concouru à stimuler le rendement des employés et à diminuer les risques d'accidents du travail. Par ailleurs, il semble que l'utilisation d'une variété de couleurs dans les hôpitaux améliore l'efficacité des chirurgiens et la vitesse de guérison des patients (Day, 1980).

| FIGURE 2.4 | L'illusion de Ebbinghaus/Titchener |

Source : Delorme et Flückiger (2003, p. 13).

Le cercle central de gauche paraît plus gros que celui de droite à cause des rapports de taille avec les cercles qui les entourent.

La taille

La taille d'un objet exerce sur la perception le même type d'influence que l'intensité ; plus l'objet occupe d'espace, plus il attire l'attention. Toutefois, la taille, comme l'intensité, est tout à fait relative et son influence peut être annulée par d'autres facteurs. Par exemple, un homme de taille moyenne qui se trouve au centre d'une équipe de football sera fort probablement celui que l'on remarquera, bien que sa taille soit inférieure à celle des hommes qui l'entourent. Par ailleurs, l'effet de contraste peut amener les individus à surestimer ou à sous-estimer la taille de certains objets (voir la figure 2.4).

Le contraste

L'individu a tendance à s'habituer aux stimulations courantes de son environnement. Par conséquent, son attention sera davantage attirée par les stimuli inattendus ou inhabituels. Dans plusieurs entreprises minières, par exemple, il est facile de reconnaître les superviseurs : ils portent un casque de protection blanc, alors que les autres employés en portent un jaune. De même, un professeur peut, afin d'attirer l'attention des étudiants, parler plus ou moins fort ou encore présenter sa matière debout, en mouvement, plutôt qu'assis.

(D'un point de vue perceptif, l'incapacité de faire contraste peut créer de drôles d'expériences, comme l'illustrent les figures 2.5 et 2.6.)

La nouveauté

La nouveauté est liée au facteur de contraste. (En effet, tout comme un stimulus inhabituel, un nouveau stimulus retient davantage l'attention.) Au travail comme à la maison, il y a plusieurs objets que l'on ne perçoit plus. Par exemple, la photographie ou le tableau que l'on vient d'accrocher au mur retiendra l'attention durant quelques semaines, mais après un mois, on l'oubliera totalement ! (C'est ainsi que l'être humain s'adapte aux stimuli ambiants : il a tendance à reléguer dans l'oubli ce qui lui est familier et habituel.)

Comme le phénomène de nouveauté influence la perception de l'individu et, par conséquent, son comportement et sa motivation au travail, certaines entreprises favorisent un système de rotation des tâches. En déplaçant les employés d'un poste à l'autre, on génère de la nouveauté et on évite que s'installent des sentiments de routine et d'ennui. Une même logique peut s'appliquer aux récompenses en milieu de travail ; bien qu'elles puissent être motivantes initialement, l'efficacité du stimulus s'effrite habituellement avec le temps.

La répétition

(Un stimulus attire davantage l'attention s'il est répété de nombreuses fois. L'avantage de la répétition est double : premièrement, un stimulus répété a plus de chances d'être perçu et deuxièmement, la répétition augmente la sensibilité au stimulus.) Encore une fois, les agences de publicité ont bien compris ce phénomène, puisque leurs messages sont présentés à de multiples reprises. Toutefois, lorsqu'un même stimulus est répété trop souvent, l'individu s'y adapte et en vient à l'ignorer. Les publicitaires tiennent aussi compte de ce phénomène, c'est pourquoi ils renouvellent leurs messages pour présenter un même produit.

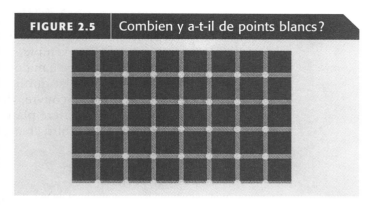

FIGURE 2.5 | Combien y a-t-il de points blancs ?

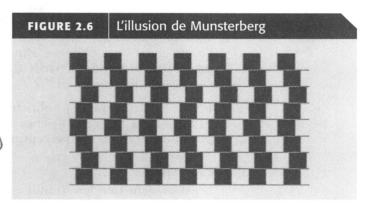

FIGURE 2.6 | L'illusion de Munsterberg

Le mouvement

(La perception humaine est plus sensible aux objets en mouvement qu'aux objets immobiles.) Par exemple, un conférencier qui se déplace durant son exposé réussit davantage à maintenir l'attention de ses auditeurs que celui qui demeure immobile et qui lit calmement son texte. En effet, le conférencier qui se déplace couvre, découvre et recouvre successivement différentes parties de l'arrière-plan, ce qui stimule l'attention. De plus, la perception qu'a l'auditoire change selon l'angle et la position relative du conférencier.

La position sociale

(La façon de se présenter, la situation sociale et le prestige qui y est associé influencent souvent la manière de percevoir une personne.) Ce principe s'applique habituellement à tout contexte de travail. Ainsi, un employé qui voit son patron s'avancer vers lui se montrera beaucoup plus affairé qu'à l'approche d'un subalterne. Par ailleurs, le choix d'utiliser le pronom « tu » ou « vous » dépend en partie de la perception que l'on a de la position sociale de l'interlocuteur.

(Enfin, le recours à des politiciens, à des artistes de renom, à des scientifiques ou à des gens « riches et célèbres » pour véhiculer un message a pour but d'orienter la perception de ceux à qui le message s'adresse.)

L'ambiguïté

(Il est évident que les stimuli complexes, bizarres ou étranges retiennent l'attention et requièrent plus de concentration de la part de celui qui les perçoit.) (L'observateur cherche alors à leur donner une signification cohérente à partir de sa vision du monde et de ses expériences perceptives antérieures.) On peut, par exemple, penser aux tableaux d'artistes tels Escher ou Dalí qui, par leur étrangeté, retiennent l'attention et forcent l'observateur à corriger continuellement sa perception de la configuration des éléments.

Les facteurs internes

(Les caractéristiques de l'objet agissent sur la perception, mais elles n'expliquent qu'en partie le fait que l'expérience perceptive soit unique. En effet, indépendamment de l'acuité des cinq sens, certaines caractéristiques propres à chaque individu influencent également le processus perceptif. Il s'agit des facteurs internes à la perception, qui sont tout aussi importants que les facteurs externes. Nous les présentons dans les paragraphes qui suivent.)

L'expérience et les connaissances

(L'expérience et les connaissances d'un individu orientent grandement la signification qu'il donne à ses perceptions. Les perceptions sont souvent déformées ; chacun leur fait subir des distorsions afin de les concilier avec ce qu'il sait déjà. (Ainsi, parce qu'il possède une expérience de vie et des connaissances qui lui sont propres, chaque individu a tendance à voir les choses d'une façon particulière, en fonction de ses propres schèmes de référence. L'exemple suivant illustre l'influence des connaissances et de l'expérience sur la perception.

En fonction de son expérience et de ses schèmes de référence, on peut percevoir à la figure 2.7 soit une jeune femme, soit une femme âgée. Leeper (1935) a démontré que la jeune femme est généralement perçue en premier par les sujets à qui on a préalablement montré un visage de jeune femme, alors que la vieille femme est perçue d'emblée par les sujets à qui on a d'abord montré un visage de femme âgée. Ainsi, le fait de montrer initialement un visage de jeune femme ou de femme âgée semble créer un cadre de référence qui favorise la reconnaissance d'images similaires.

Les attentes

Les **attentes** se caractérisent par la tendance qu'ont les individus à agir selon leur interprétation de la réalité. Ainsi, les attentes d'un individu à l'égard de son travail orientent ses expériences perceptives; il perçoit ce qu'il s'attend à percevoir. Il est évident que deux personnes qui évoluent dans un même environnement ne perçoivent ni ne décodent les choses de manière identique; en effet, chacune découpe la réalité en fonction de ses attentes du moment.

FIGURE 2.7 | La jeune femme ou la femme âgée?

Source : Leeper (1935).

Kahn (1952) a étudié les différences de perception entre les gestionnaires et leurs employés en fonction des attentes de chaque groupe. Selon lui, les gestionnaires surestiment l'importance que les employés accordent aux salaires élevés : l'étude révèle en effet que seulement 28 % des employés attachent au salaire une grande importance, alors que 61 % des gestionnaires perçoivent les salaires comme étant très importants pour les employés. Par ailleurs, cette même étude a démontré que les dirigeants sous-estiment l'importance des besoins sociaux et psychologiques des employés. Plus récemment, une étude menée par Dumont (1987) auprès de 2 500 fonctionnaires rapporte que ceux-ci, en dépit de la croyance populaire, éprouvent une grande motivation à l'égard de leur travail et de la qualité des services qu'ils offrent au public.

Bien que certains groupes véhiculent une image d'inefficacité, de démotivation et d'insatisfaction chez les fonctionnaires et laissent croire que leurs seuls intérêts résident dans la sécurité d'emploi, la rémunération et les possibilités d'avancement, l'étude de Dumont démontre qu'au contraire, les principaux facteurs de motivation chez ces travailleurs demeurent leurs tâches ainsi que le degré d'autonomie et les responsabilités qui leurs sont accordés. Cette dichotomie entre la perception que les fonctionnaires ont de leur travail et celle véhiculée par certains groupes persistera tant que ces derniers entretiendront des préjugés négatifs sur les fonctionnaires.

La motivation

La motivation (voir le chapitre 3) exerce une influence prépondérante sur la perception. En effet, comme nous l'avons souligné au sujet des attentes, l'individu perçoit ce qu'il veut bien percevoir. Ainsi, ce sont en partie les besoins qu'il ressent ponctuellement qui déterminent ses perceptions. Notons également que lorsque le degré de motivation est très élevé ou encore lorsque l'individu a fortement besoin d'agir, mais que la situation l'en empêche, la perception peut être faussée par l'imagination afin de justifier un comportement. À titre d'exemple, dans la figure 2.8, que préférez-vous percevoir?

| FIGURE 2.8 | Le trident de Penrose |

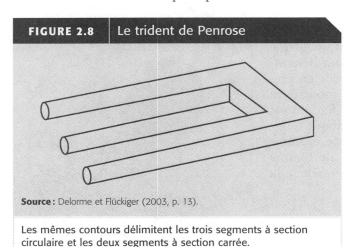

Source: Delorme et Flückiger (2003, p. 13).

Les mêmes contours délimitent les trois segments à section circulaire et les deux segments à section carrée.

Les sentiments

Les stimuli qui ont une connotation émotionnelle positive sont généralement mieux perçus que ceux qui n'éveillent aucune émotion. Par ailleurs, les stimuli qui engendrent des émotions négatives suscitent une réaction de défense ou, au contraire, de sensibilisation perceptive. La défense perceptive rend le stimulus plus difficilement perceptible, alors que la sensibilisation perceptive facilite sa perception.

La culture

La culture influence la perception des individus, et les particularités de chaque culture expliquent les différences perceptives entre les peuples. La fonction des objets, la familiarité et les systèmes de communication sont autant de facteurs culturels qui façonnent la perception, puisqu'ils contribuent à la sélectivité perceptive (voir la figure 2.9).

| FIGURE 2.9 | Les différences perceptives selon la culture |

Source: Delorme et Flückiger (2003, p. 13).

Certains peuples africains ont interprété cette image comme étant une danse, tandis que d'autres y ont vu une scène de combat.

2.2.2 La structure de la perception

Lorsqu'on perçoit visuellement des objets, on a tendance à les organiser en unités, c'est-à-dire qu'on tente de former un tout à partir d'éléments distincts. Plusieurs principes contribuent à cette organisation perceptive. Dans les pages qui suivent, nous traiterons des cinq principes suivants: la distinction figure-fond, la proximité, la **similarité**, la **continuité** et la complémentarité. Nous terminerons cette présentation en expliquant comment les principes d'organisation perceptive peuvent influencer notre représentation de la réalité.

La distinction figure-fond

En observant la figure 2.10, on peut voir ou bien un vase ou bien deux profils humains. Les individus qui perçoivent un vase considèrent la partie noire de l'image comme le fond et la partie blanche, comme la figure ; au contraire, ceux qui perçoivent deux profils choisissent de voir une figure noire sur un fond blanc. La figure 2.11 nous propose un exercice analogue, mais cette fois, on percevra une balustrade ou des silhouettes féminines.

Le principe de distinction figure-fond est fondamental à toute perception d'objets, puisqu'il permet d'observer et de distinguer un objet précis dans un environnement complexe. Ainsi, tenter de percevoir les deux profils en même temps que le vase est un exercice des plus difficiles, parce que la distinction figure-fond privilégie la perception de l'une ou l'autre des images. Le même principe s'applique lorsqu'on observe les cavaliers de Escher (voir la figure 2.12) : il est en effet facile de percevoir simultanément toutes les rangées de cavaliers blancs, mais très difficile de voir en même temps les rangées de cavaliers blancs et de cavaliers noirs.

Les trois exemples que nous venons de présenter reposent sur des figures ambiguës ; on peut choisir volontairement les parties qui constituent le fond et celles qui constituent la figure. Par contre, la réalité quotidienne est tout autre. En effet, il va de soi, par exemple, de percevoir une table comme le fond et les tasses qui s'y trouvent comme une figure ; le contraire serait incohérent.

La figure 2.13 de la page suivante illustre la nécessité de distinguer logiquement le fond de la figure. On doit observer cette image en considérant que le fond est noir et que s'y détache une figure blanche ; de cette façon, on peut lire le mot « sous ». Si l'on tente d'inverser le fond et la figure, l'image n'a plus de signification logique. Selon Delorme (1982), certains traits distinguent la figure du fond : la figure a un

FIGURE 2.10 Le vase-profils de Rubin

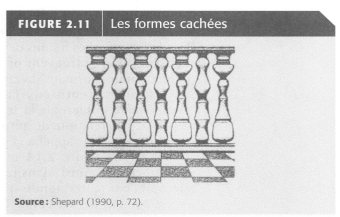

FIGURE 2.11 Les formes cachées

Source : Shepard (1990, p. 72).

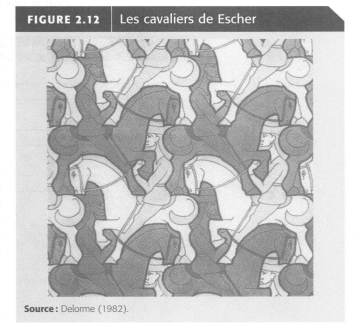

FIGURE 2.12 Les cavaliers de Escher

Source : Delorme (1982).

FIGURE 2.13 | La distinction figure-fond

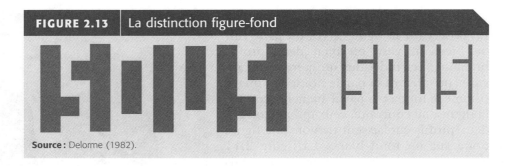

Source : Delorme (1982).

caractère d'objet, tandis que le fond a un caractère de substance ; la figure paraît plus proche que le fond ; le fond semble se continuer derrière la figure ; enfin, la figure possède un contour, alors que le fond n'en a pas.

La proximité

La tendance à organiser les perceptions en regroupant les objets qui sont les plus rapprochés les uns des autres s'appelle le « **principe de proximité** ». Les objets qui se trouvent près les uns des autres sont en effet facilement perçus comme formant un ensemble homogène, même si objectivement il n'y a aucun lien entre eux. Par conséquent, la disposition des stimuli peut grandement influer sur la manière dont on organise les sensations perceptives. La relation de proximité est habituellement illustrée par des exemples qui font appel à la vision, même si l'audition pourrait aussi être sollicitée. La figure 2.14 montre que la simple proximité produit un regroupement. Ainsi, dans les exemples A et B, on a tendance à voir les éléments par paires, tandis que dans l'exemple C, la proximité favorise un regroupement par ensemble de trois. Enfin, dans l'exemple D, le principe de proximité incite à effectuer des arrangements par rangées (regroupements horizontaux) plutôt que par colonnes (regroupements verticaux).

FIGURE 2.14 | La proximité

A _____
  _____

  _____
  _____

  _____
  _____

B •• •• •• •• •• ••

C

D

Source : Les exemples B, C et D sont tirés de Delorme (1982).

La similarité

Selon le principe de similarité, un groupe d'objets sera perçu comme un ensemble uniforme en raison de la ressemblance relative entre chacun des objets. Objets, personnes ou événements possédant des caractéristiques semblables tendent donc à être regroupés. Plus la ressemblance est grande, plus la tendance au regroupement s'accentue. Ce principe joue un rôle majeur dans la genèse des **stéréotypes.**

La recherche de similarité fait que l'on a tendance à percevoir comme un tout les choses qui sont similaires, même si elles ne constituent pas réellement un ensemble. Ainsi, dans l'exemple A de la figure 2.15, on voit les cercles noirs se détacher du fond et former un X. Le principe de similarité entraîne également un regroupement par rangées dans l'exemple B, et un regroupement par colonnes dans l'exemple C.

FIGURE 2.15	La similarité

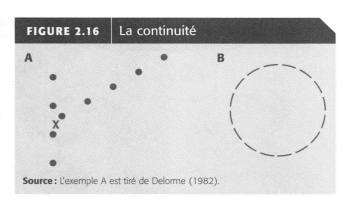

Source : Les exemples B, C et D sont tirés de Delorme (1982).

La capacité de percevoir les objets de façon continue ou uniforme dépend du principe de continuité, qui permet de rattacher chaque élément à celui qui le précède et à celui qui le suit de manière que soient perçues des configurations continues. Ainsi, dans l'exemple A de la figure 2.16, le point X est perçu comme appartenant au segment oblique plutôt qu'à la série verticale de points. De plus, dans l'exemple B, le principe de continuité incite à voir un cercle plutôt qu'un ensemble de traits isolés.

FIGURE 2.16	La continuité

Source : L'exemple A est tiré de Delorme (1982).

La complémentarité (loi de la fermeture)

Le principe de complémentarité organise les sensations de façon que l'on perçoive un tout et non des parties disparates. Ainsi, lorsqu'un stimulus est incomplet, on tend à le compléter afin de percevoir un tout, même s'il n'existe pas concrètement. Par définition, la **complémentarité, ou loi de la fermeture,** consiste à compléter les objets afin d'en obtenir une image claire et stable. À titre d'exemple, on peut aisément percevoir un chien

| FIGURE 2.17 | Avez-vous vu mon chien ? |

dans la figure 2.17 et cela, même si plusieurs éléments de l'image sont manquants.

Toujours pour illustrer le principe de la complémentarité, prenons l'exemple d'un conducteur qui, au volant de sa voiture par une belle journée ensoleillée d'hiver, parvient à circuler sans trop de problèmes, même si les véhicules qui le précèdent éclaboussent son pare-brise et que le soleil est éblouissant. Bien que la visibilité soit réduite, il arrive quand même à compléter l'information visuelle nécessaire à la reconnaissance des voitures, des piétons, des lampadaires ou de tout autre objet.

2.2.3 Les erreurs et distorsions de la perception

Les principes d'organisation perceptive n'ont pas que des avantages. S'ils ont le mérite de faciliter la perception, ils peuvent aussi fausser la lecture de la réalité, c'est-à-dire être source d'erreurs ou de distorsions perceptives qui auront un effet déterminant sur les évaluations subséquentes. Dans le domaine du travail, il importe de prendre conscience de ces phénomènes et, dans la mesure du possible, de les éviter pour ne pas fausser les décisions et agir de façon inéquitable envers les employés. Nous présenterons donc les erreurs et distorsions perceptives les plus fréquentes, soit les stéréotypes, l'effet de primauté/récence, l'**effet de halo**, la **projection**, la dissonance cognitive et les attentes.

Les stéréotypes

Les stéréotypes sont des idées préconçues et non fondées au sujet d'un individu, d'un groupe ou d'une population. Ils ne tiennent pas compte des différences individuelles et prêtent aux individus des croyances, des attitudes et des comportements en se basant sur des considérations telles que l'âge, le sexe, l'occupation, la nationalité ou l'ethnie. Les stéréotypes entraînent des erreurs perceptives en incitant les individus à ne tenir compte que de certaines caractéristiques des personnes qui les entourent, au détriment des différences individuelles et des traits de personnalité. Si les stéréotypes étaient fondés, on aurait alors avantage à en tenir compte. Par exemple, si le stéréotype selon lequel les femmes sont de mauvaises conductrices était vrai, les compagnies d'assurances pourraient en bénéficier en ajustant les primes en conséquence.

En fait, un stéréotype est rarement vrai et la plupart du temps, il fait ressortir une caractéristique négative chez un groupe aisément identifiable. En certaines occasions toutefois, il est avantageux ; par exemple, on a tendance à considérer les personnes attrayantes comme chaleureuses et sensibles.

Les effets de primauté et de récence

Par souci d'économie cognitive et afin de conserver un souvenir global des choses ou des situations, les individus ont tendance à concentrer leur attention, et donc leurs sens, sur le début et la fin des événements. Ainsi, l'**effet** de primauté est associé au phénomène de la **première impression**, très important dans le domaine du travail, et plus particulièrement dans le contexte des entrevues de sélection (Dolan et autres, 2002). En effet, des recherches ont démontré que les trois à cinq premières minutes d'entretien sont déterminantes (Mayfield, Brown et Hamstra, 1980) ; elles suffisent souvent pour qu'un intervieweur se fasse une opinion de la personne interviewée. Le temps qui suivra sera principalement consacré à chercher des éléments qui confirmeront cette première impression. Plusieurs études, dont celles de Asch (1952) et de Sherif (1935), indiquent que quiconque veut se faire aimer, se faire accepter, doit s'efforcer de faire bonne impression dès les premiers instants. Malheureusement, un individu ne peut faire à tous coups une première impression favorable, car sa réputation le précède parfois. Dans le même ordre d'idées, les derniers moments laisseraient aussi une trace mnémonique importante, ce qui inciterait les gens à se forger une appréciation générale à partir de leurs **dernières impressions**. Ce fait, que l'on nomme l'« effet de récence », expliquerait en partie pourquoi le cinéphile fonde souvent son appréciation d'un film sur le dénouement de celui-ci.

L'effet de halo

L'effet de halo se définit comme le fait de se baser sur un trait unique et particulier pour se forger une idée générale, favorable ou non, d'un individu. Webster (1982) rapporte qu'il s'agit de l'un des principaux problèmes liés à l'entrevue de sélection.

En effet, si la caractéristique retenue durant l'entrevue est positive, l'impression générale sera alors positive. Au contraire, si la caractéristique ciblée est négative, ce sera suffisant pour reléguer dans l'ombre les caractéristiques plus positives de l'individu et de s'en faire une idée défavorable. L'intervieweur qui valorise l'ambition, par exemple, et qui rencontre un candidat ambitieux, intéressé aux possibilités de carrière dans l'entreprise, peut interpréter favorablement l'ensemble des renseignements fournis par le candidat et n'y voir que des signes d'ambition.

Autre exemple, celui-ci tiré du milieu scolaire. Un étudiant qui voit que son voisin de pupitre a obtenu 90 % à l'examen de mi-session percevra ce dernier comme un excellent étudiant, alors que son rendement peut être médiocre dans un autre cours. Ainsi, tout comme les stéréotypes, l'effet de halo masque les caractéristiques réelles d'un individu.

La projection

La projection est le fait de juger les autres à partir de ses propres croyances, émotions, tendances, motivations ou besoins, et de reporter sur autrui la responsabilité de ses propres fautes.) Qui n'a jamais entendu un étudiant justifier ses mauvais résultats scolaires par l'absence de qualités pédagogiques chez son professeur ? ou encore un employé tenter d'expliquer son incapacité à atteindre ses objectifs par le manque d'encadrement, de structure ou de méthode de son supérieur ? (Prenons l'exemple d'un gestionnaire qui valorise grandement son pouvoir de prise de décision et qui croit, de ce fait, que ses employés en font de même. Pour partager ce pouvoir, il décide donc de modifier leurs descriptions de tâches, sans même vérifier s'ils sont intéressés à participer davantage à la prise de décision. Le gestionnaire crée donc des tâches à son image et qui satisfont son propre besoin en se projetant sur ses employés, lesquels n'ont peut-être pas envie de participer à la prise de décision… Résultat possible : le gestionnaire fait une lecture erronée des réels désirs de ses employés et se retrouve face à une baisse de motivation) voire un sentiment d'insatisfaction chez ses subalternes.

La dissonance cognitive

Idéalement, une personne qui vise l'efficacité fera preuve d'une certaine cohérence dans son comportement. Elle obtiendra ainsi la reconnaissance de ses pairs et deviendra à leurs yeux une personne fiable dont on recherche la présence. Cette cohérence se traduit par l'atteinte d'un équilibre entre les croyances, les attitudes et les comportements ; la très grande majorité des gens en font un symbole d'efficacité personnelle et un gage de santé psychologique. En effet, sentir que ses comportements sont en accord avec ses croyances est nettement plus rassurant que de vivre le contraire. Dans ce cas, il est possible qu'un sentiment d'inconfort, voire de mal-être s'installe en raison d'une contradiction entre le comportement et les attitudes. Selon Festinger (1957), cette contradiction est difficilement tolérable. Pour rétablir l'équilibre, il est essentiel d'harmoniser les valeurs et les attitudes avec les comportements (voir la figure 2.18), donc d'instaurer une cohérence cognitivo-comportementale.

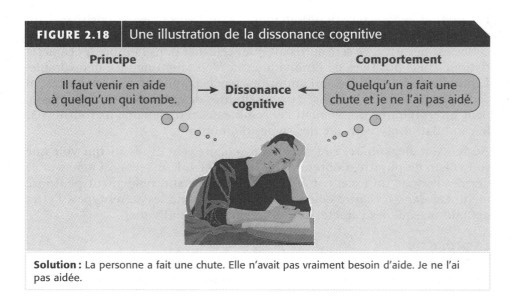

| FIGURE 2.18 | Une illustration de la dissonance cognitive |

Principe

Il faut venir en aide à quelqu'un qui tombe. → **Dissonance cognitive** ← Quelqu'un a fait une chute et je ne l'ai pas aidé.

Comportement

Solution : La personne a fait une chute. Elle n'avait pas vraiment besoin d'aide. Je ne l'ai pas aidée.

Voici le résumé d'une expérience menée par le chercheur Cohen (1962), qui étudie le rôle de la rémunération dans le changement d'attitude. Le postulat de base était que les individus aspirent à éliminer les faits de pensée ou comportementaux présents en eux et qui sont contradictoires. En s'appuyant sur les théories de la consistance et de la rationa-lisation des conduites, il s'agissait d'étudier comment les sujets tentent de réduire cette dissonance en changeant d'opinion.

À la suite d'une intervention policière brutale sur un campus américain, les étudiants s'en-tendirent pour condamner cette intervention. Cohen expliqua à certains étudiants que, dans le cadre d'une étude sur cette intervention, il avait besoin de recueillir des arguments favorables à l'intervention, car il en avait déjà suffisamment contre. Les sujets qui s'en-gageaient à participer apprenaient qu'ils recevraient en échange une rémunération. Mais celle-ci n'était pas la même pour tous ; elle variait entre 0,5 $, 1 $, 5 $ et 10 $.

Cohen faisait l'hypothèse suivante : Les individus ayant reçu une forte rémunération ne seraient pas vraiment en situation de dissonance, car ils auront l'impression de faire ce travail pour de l'argent. Par conséquent, ils ne changeraient pas d'avis quant à l'interven-tion policière. En revanche, les sujets qui avaient reçu une faible somme d'argent ne seraient pas motivés par la rémunération. Mais par leur engagement contracté avec l'expé-rimentateur, ils seraient en dissonance. Le seul moyen, pour eux, de la réduire était de croire davantage à l'intérêt de la tâche, de s'investir davantage dans le rôle proposé. Cette réduction de dissonance amènerait les sujets à changer d'opinion quant à l'intervention policière.

Cohen vérifia cette hypothèse à l'aide d'un questionnaire, administré aux étudiants après le travail d'argumentation. Ainsi, pour changer l'attitude des individus, nul besoin de fortes rémunérations. Par contre, il est fondamental que les sujets participent de leur propre gré dans une expérience.

Source : Adapté de www.multimania.com/psychosociale/Champs/champs-dc.htm

Un étudiant qui croit que la réussite de son cours de statistiques est fonction de l'effort — plutôt que le fruit du hasard — et qui malgré tout ne fournit aucun effort pour réussir, se retrouve en situation de dissonance cognitive. Pour atténuer cette dissonance, l'étudiant peut modifier son comporte-ment et fournir les efforts requis ; il peut aussi modifier ses croyances et se dire que, par son intelligence, il réussira ce cours sans avoir à fournir les efforts nécessaires. Pour appuyer cette nouvelle croyance, il peut alors recourir à la sélection perceptive en s'identifiant à des étudiants qui réus-sissent bien sans trop fournir d'efforts et, par le fait même, oublier ceux qui doivent travailler avec acharnement pour avoir du succès. Face à des résultats qui ne correspondent pas à ses attentes, l'étudiant pourra aussi modifier son attitude face aux études et se dire qu'il est possible de réussir sa vie professionnelle sans avoir obtenu de diplôme.

Les attentes

Schermerhorn et autres (2002) définissent les attentes comme « la ten-dance à percevoir, dans une situation ou chez une personne, ce que l'on s'attend à trouver. » En fait, tout le monde a déjà abordé une situation en s'attendant à ce que certaines choses se produisent ou à ce qu'une personne se comporte d'une certaine façon. Comme nous en avons précédemment dis-cuté, les attentes influent sur le processus perceptif, et donc sur notre façon de voir le monde. Voici un exemple simple qui illustre cette affirmation.

Quand on demande à quelqu'un « Comment ça va ? », on s'attend à ce que cette personne réponde « Très bien, merci ». Si c'est en fait ce qu'elle répond, mais avec la tête basse et l'air piteux, on aura tendance à ignorer cette information non verbale, parce que ce n'est pas ce à quoi on s'attend. En conséquence, on conclura que la personne va très bien, ce qui n'est probablement pas le cas.

Un des effets pervers des attentes en matière de perception est ce qu'on appelle la « **prédiction prophétique** » (*self-fulfilling prophecy*), qui peut être définie comme le fait de s'attendre à ce que certaines choses se produisent et de modifier son comportement de telle sorte que ces choses arrivent. Prenons l'exemple d'un gestionnaire qui croit qu'un de ses employés trouve son travail ennuyeux et que de ce fait, il quittera l'entreprise sous peu. Il se préoccupe peu de cet employé, lui accorde un minimum d'attention et confie aux autres employés les tâches intéressantes. En conséquence, l'employé finit par quitter l'entreprise même si, au départ, il n'en avait nullement l'intention. Conclusion : même si, initialement, il avait une mauvaise perception des intentions de son employé, le départ de ce dernier laisse croire au gestionnaire que sa perception était juste.

2.3 La personnalité

Dans son sens premier, le terme personnalité, qui origine du latin *persona*, signifie simplement « masque de théâtre ». Cependant, même si on utilise familièrement et fréquemment le terme personnalité, lorsqu'on réfléchit à son sens réel, aucune réponse ne vient facilement. Les chercheurs du domaine se butent, eux aussi, à cette difficulté et ne s'entendent pas sur une définition commune. Ainsi, il existerait plus d'une centaine de définitions conceptuelles de cette notion (Clapier-Valladon, 1997). Cependant, deux aspects semblent malgré tout faire consensus, soit la relative stabilité des traits/facteurs de personnalité d'un individu tout au long de son évolution et l'uniformité de sa conduite dans des situations données (Morin et Aubé, 2006).

L'origine même de la personnalité a toujours été objet de controverse chez les chercheurs et les théoriciens, car ces derniers ne parviennent pas à distinguer avec précision les aspects de la nature humaine qui seraient innés de ceux qui seraient acquis. En fait, cette difficulté permet de penser que l'inné et l'acquis influencent sans doute simultanément et de façon continue chacun des aspects d'une personnalité.

Sans considérer qu'elle est nécessairement la meilleure, nous proposons la définition de Bloch et autres (2002) pour circonscrire la notion de personnalité. Pour ces auteurs, la personnalité est « l'ensemble des caractéristiques affectives, émotionnelles et dynamiques relativement stables et générales de la manière d'être d'une personne dans sa façon de réagir aux situations dans lesquelles elle se trouve ».

À la lumière de cette définition, on comprendra que les traits de personnalité qui caractérisent un individu ne sont pas toujours aisés à déterminer. On mesure aisément les traits physiques tels que la taille et le poids, mais la mesure de traits psychologiques comme la sociabilité, la dépendance ou le dynamisme s'avère beaucoup plus complexe. Et si, en plus, on essaie d'expliquer le plus précisément possible ce qui entraîne tant de diversité d'attitudes et de comportements au travail, on se rend compte alors de la difficulté de la tâche. Afin de jeter un peu d'éclairage sur cette complexité, voyons tout d'abord les principaux déterminants de la personnalité.

2.3.1 Les principaux déterminants de la personnalité

Les principaux déterminants de la personnalité sont l'hérédité, la culture, la famille, le groupe, les rôles ainsi que les expériences de vie (voir la figure 2.19). Les multiples combinaisons de ces déterminants expliquent pourquoi les personnes sont si différentes les unes des autres. Dans une situation donnée, les caractéristiques individuelles d'une personne amèneront celle-ci à adopter un comportement qui lui est propre. Étant donné la multitude de possibilités d'agencement des caractéristiques individuelles, il sera possible d'observer plusieurs réactions différentes dans un même contexte. C'est ici que le concept de personnalité entre en jeu, concept central à la psychologie différentielle, d'où émerge la notion que tout individu est psychologiquement unique. Examinons plus en détail chacun des principaux déterminants.

L'hérédité

Nous avons tous vu , un jour ou l'autre, un enfant être comparé à ses parents : « Il est aussi grand que son père », « Il a les mêmes yeux que sa mère ». Lorsque l'enfant est plus vieux, les comparaisons portent davantage sur sa personnalité : « Il est aussi colérique que sa mère », « Il est aussi sociable que son père ».

L'hérédité influence directement et indirectement la personnalité. En effet, les gènes peuvent influer d'une façon directe sur certains facteurs intrinsèques qui deviennent une partie inhérente de la personnalité ; on n'a qu'à penser à l'agressivité, à l'aptitude musicale ou à la facilité pour les mathématiques. Toutefois, il ne faut pas oublier que l'environnement module le

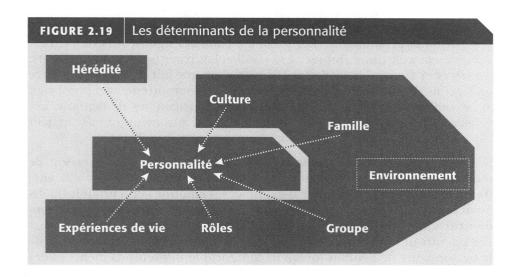

FIGURE 2.19 | Les déterminants de la personnalité

message envoyé par les gènes. Par exemple, la sociabilité d'un individu ne s'exprimera que dans un contexte favorable à une telle caractéristique. Ainsi, les facteurs environnementaux peuvent enrichir le bagage génétique dont nous sommes porteurs. Cela est particulièrement vrai en ce qui concerne les traits de personnalité : les expériences de vie nuancent le développement des prédispositions. Ainsi, l'hérédité peut expliquer la présence de certains traits de personnalité, mais c'est l'expérience de vie qui détermine les limites dans lesquelles ils se manifestent (Schermerhorn et autres, 2006).

Les spécialistes ne prennent pas de position ferme lorsqu'il s'agit de débattre de ce qui est inné ou acquis par l'expérience chez la personne. Cependant, il semble acceptable de considérer qu'une proportion de 40 % à 50 % de la personnalité serait innée. Naturellement, cela varie en fonction des traits/facteurs particuliers de la personnalité. Les études tendent à confirmer que les caractéristiques de la personnalité qui seraient les plus déterminées par l'hérédité seraient la stabilité émotionnelle ainsi que l'orientation sociale (**extraversion** versus **introversion**).

La culture

La culture exerce également une influence marquée sur le développement de la personnalité ; c'est du moins ce qu'ont démontré les culturalistes. On peut définir la culture comme étant l'ensemble des valeurs qui conditionnent les comportements et les attitudes, acceptables ou non, des membres d'une société. Le succès de l'industrie japonaise, par exemple, est en partie attribuable aux valeurs des travailleurs nippons, c'est-à-dire à leur esprit d'équipe et à leur respect de l'autorité.

Les stéréotypes véhiculés sur certains peuples illustrent la manière dont la culture peut agir sur les individus. On parle, par exemple, du flegme britannique et de la galanterie française. Toutefois, si la culture détermine certains aspects généraux du comportement, elle n'efface pas les différences individuelles. Tous les Anglais ne sont pas flegmatiques, ni tous les Français, galants !

La famille

La famille, pour plusieurs raisons, joue un rôle marquant dans le développement de la personnalité. Les premiers contacts significatifs de l'enfant surviennent avec des membres de sa famille. Les parents, les grands-parents, les frères et sœurs, les oncles et les tantes ont tôt fait de lui enseigner ce qu'ils considèrent comme des attitudes ou des comportements appropriés, et ce, sans tenir compte des prédispositions particulières de l'enfant. Les valeurs et les croyances qui lui sont inculquées auront un impact majeur sur le développement de sa personnalité.

L'influence des parents est par ailleurs déterminante ; ceux-ci servent de modèles à l'enfant. L'enfant imite ses parents par apprentissage vicariant ; il calque aisément leur manière d'exprimer les émotions et reproduit fidèlement leur **langage non verbal**. Ce sont d'ailleurs ces imitations qui engendrent des commentaires du genre : « C'est tout le portrait de son père. » Les parents ont aussi une influence considérable sur le développement de la personnalité de l'enfant lorsqu'ils tentent, par des renforcements et des

punitions, de lui enseigner ce qui est bien et ce qui ne l'est pas. À la notion de famille sont aussi étroitement associées celles de classe socioéconomique, de niveau de scolarisation et de milieu de vie des parents.

Par ailleurs, l'influence de la famille se reflète aussi dans le comportement au travail. Souvent, il nous a été donné d'entendre, de la bouche de certains employeurs, qu'il valait mieux laisser les problèmes familiaux à la maison. Il est possible que les changements familiaux influencent la personnalité d'un individu à un point tel que ses comportements au travail en sont modifiés. C'est le cas du professeur d'âge moyen, enseignant dans un établissement collégial qui, à la suite de l'entrée d'un de ses propres enfants au cégep, fait soudainement preuve d'altruisme envers ses nouveaux élèves.

Indépendamment du rôle primordial de la famille dans le développement de la personnalité, on ne doit pas oublier que son influence s'exerce sur un canevas de traits innés qui prédisposent déjà l'individu à se comporter d'une certaine manière, et que le bagage héréditaire provient, bien sûr, exclusivement des parents.

Le groupe et les rôles

Comme la famille, les groupes jouent un rôle prépondérant dans le développement de la personnalité. Rapidement, les enfants font partie de groupes sportifs ou de loisirs et de différents autres groupes à l'intérieur de l'école. Chaque groupe impose ses règles de comportement en récompensant ce qui est jugé approprié et en sanctionnant les comportements qui dévient de la norme. Les normes d'un groupe et les rôles qui leur sont associés favorisent la cristallisation de certains traits de personnalité. L'influence d'un groupe se distingue de l'influence sociale exercée par la culture ; les groupes élaborent des systèmes distincts de règles et de normes, et ils peuvent rallier les individus de différentes cultures. Ainsi, les membres d'un groupe construisent au fil du temps des schèmes d'interactions qui leur sont propres, ce qui a pour conséquence d'engendrer chez eux des caractéristiques communes et des comportements similaires.

Les rôles sociaux influenceront aussi, concurremment aux groupes d'appartenance, la structuration de la personnalité d'un individu. À ce titre, mentionnons que les rôles sociaux sexués, c'est-à-dire relatifs aux hommes ou aux femmes, peuvent avoir une incidence notable sur la construction de la personnalité. Notons aussi, dans cette même veine, l'importance des rôles situationnels, comme ceux pouvant être adoptés au sein de groupes d'appartenance.

Les expériences de vie

Chacun, selon sa personnalité, a intériorisé un bagage de connaissances, d'expériences heureuses ou malheureuses, de succès et d'échecs qui constitue le canevas de l'image qu'il se fait de lui-même. Par exemple, une personne qui a subi de nombreux échecs peut manifester un manque de confiance qui l'empêche de relever des défis et de se recréer un bassin d'expériences positives. D'autre part, une personne qui obtient une reconnaissance manifeste pour ses efforts et qui, concrètement, connaît du succès se construit une bonne confiance en elle.

2.3.2 La personnalité et le comportement au travail

Dans la section précédente, nous avons présenté les principaux déterminants de la personnalité. Nous nous intéresserons maintenant plus particulièrement au comportement, inférant ainsi qu'il est la résultante de la personnalité. Par exemple, on dit de quelqu'un qu'il est colérique (trait de personnalité) parce qu'il réprimande (comportement) ses employés pour des fautes mineures. Plusieurs traits de personnalité agissent sur le comportement ; les psychologues ont mis au point des tests et des instruments de mesure permettant de déceler ceux qui ont une influence sur le comportement au travail. Nous présentons dans cette section cinq traits de personnalité qui font couramment l'objet d'évaluation dans le domaine du comportement organisationnel.

L'estime de soi

Par estime de soi, nous désignons l'opinion qu'un individu a de lui-même. Cette opinion résulte de l'évaluation que le sujet fait de ses comportements, de son apparence, de son intelligence, de son succès social et de l'opinion d'autrui à son endroit.

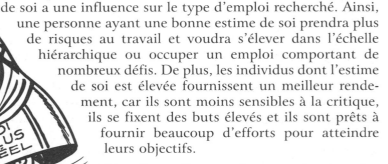

En général, les personnes qui ont une faible estime de soi manquent de confiance en leurs capacités et ne s'accordent que peu de valeur. L'estime de soi a une influence sur le type d'emploi recherché. Ainsi, une personne ayant une bonne estime de soi prendra plus de risques au travail et voudra s'élever dans l'échelle hiérarchique ou occuper un emploi comportant de nombreux défis. De plus, les individus dont l'estime de soi est élevée fournissent un meilleur rendement, car ils sont moins sensibles à la critique, ils se fixent des buts élevés et ils sont prêts à fournir beaucoup d'efforts pour atteindre leurs objectifs.

Par ailleurs, l'estime de soi est fonction des facteurs situationnels. Ainsi, une personne qui subit plusieurs échecs sent son estime d'elle-même diminuer, alors qu'à l'inverse une personne qui obtient du succès la sentira augmenter. De plus, l'estime de soi dépend en partie de l'opinion d'autrui. En conséquence, un supérieur offrira des défis réalistes à ses subordonnés afin qu'ils vivent du succès plutôt que des échecs et qu'ainsi, ils éprouvent un sentiment de compétence qui augmentera leur estime de soi.

Le lieu de contrôle

La notion de **lieu de contrôle** fait référence à la croyance qu'entretient une personne quant à l'influence qu'elle exerce sur sa vie (Rotter, 1966). Le lieu de contrôle peut être interne ou externe. Les individus qui ont un lieu de contrôle interne se considèrent comme les principaux artisans de leur devenir, alors que ceux dont le lieu de contrôle est externe attribuent ce qui leur arrive à la chance, au hasard ou à autrui.

Les spécialistes estiment qu'au travail, une personne dont le lieu de contrôle est interne possède une bonne maîtrise de son comportement, est socialement et politiquement plus active, tend à influencer le comportement des autres et est plus orientée vers l'**accomplissement** de soi et la réalisation des objectifs. À l'inverse, une personne dont le lieu de contrôle est externe est plutôt influençable et préfère travailler sous l'autorité d'un supérieur structuré et directif.

En déterminant le lieu de contrôle des employés, on peut ainsi augmenter leur motivation et leur satisfaction. Par exemple, il est souhaitable de faire participer à la prise de décision les employés dont le lieu de contrôle est interne et de leur offrir plus d'autonomie, alors qu'il sera préférable de structurer davantage le travail d'un employé dont le lieu de contrôle est externe.

L'introversion et l'extraversion

Les termes « introversion » et « extraversion » s'appliquent à la manière de se comporter en société. L'extraversion est associée à un comportement verbal et non verbal expressif, alors que l'introversion fait référence à un comportement retiré et timide. Ainsi, l'introversion peut être définie comme la tendance d'un individu à se tourner vers lui-même. Par ailleurs, les introvertis semblent plus sensibles aux idées abstraites et aux émotions. L'extraversion, pour sa part, est la tendance d'un individu à se tourner vers autrui, les événements et les objets.

Dans le domaine du travail, on constate que les gestionnaires sont souvent extravertis, et ce, sans doute en raison de leur rôle qui consiste à trouver, avec la collaboration du personnel, des solutions aux problèmes de l'entreprise. Les introvertis, de leur côté, seront plus à l'aise dans des tâches solitaires qui demandent moins d'interactions sociales. Soulignons que les extravertis fournissent un meilleur rendement dans un environnement animé, alors que les introvertis sont davantage efficaces dans un environnement plus calme.

Le dogmatisme

La personne dogmatique se caractérise par la rigidité de ses opinions et de ses croyances. Elle a tendance à percevoir l'environnement comme menaçant et considère l'autorité légitime comme le pouvoir absolu. En outre, elle accepte ou rejette autrui selon des critères peu nuancés qui trouvent leurs fondements dans les valeurs les plus couramment acceptées. En conséquence, les dogmatiques se sentent à l'aise dans un groupe très structuré et fonctionnent mieux lorsqu'ils relèvent de figures d'autorité dominantes ayant un style de leadership directif ; ils ont alors à fournir moins d'efforts pour trouver l'information menant à la prise de décision.

L'autoefficacité

Le concept d'**autoefficacité** « concerne la croyance de l'individu en sa capacité d'organiser et d'exécuter la ligne de conduite requise pour produire

Depuis quelques années, de nombreuses entreprises mesurent cinq facteurs (*the Big 5*) de personnalité chez leurs employés. La connaissance de ces facteurs de personnalité permet, entre autres, de mieux identifier les candidats qualifiés pour remplir certains postes et facilite la gestion de leur carrière (promotion, transfert, etc.). Voici ces cinq facteurs et leurs principales caractéristiques, telles qu'elles ont été précisées par Laglaive (1996) :

- *L'extraversion* se caractérise par la sociabilité, l'extériorisation des émotions et l'activité. Elle se manifeste par la recherche de stimulations. Les introvertis seraient plus sensibles aux stimulations et les extravertis les rechercheraient. Les traits particuliers que l'on retrouve sous cette dimension sont : la sociabilité, le besoin de compagnie, l'assurance, la volubilité, l'activité et la recherche de stimulation.

- *L'agréabilité* touche aux aspects humains sensibles de la personnalité, soit l'altruisme, le support émotionnel ou, à l'opposé, l'hostilité et la jalousie. Les traits qui la caractérisent sont la courtoisie, la flexibilité, l'esprit coopératif, le caractère accommodant, l'indulgence, la bienveillance, la tolérance, la confiance en autrui et la docilité.

- *La conscience* est un facteur plus ambigu. Ses caractéristiques sont : le sens de l'ordre et des responsabilités, la persévérance, le contrôle de la conduite, le besoin de réussite, l'implication dans le travail, la minutie et l'organisation.

- *Le névrosisme* (son opposé est la stabilité émotionnelle) fait référence à un état chronique d'irritabilité, à une prédisposition à la détresse psychique et à l'anxiété. Les traits qui caractérisent cette dimension sont l'anxiété, la tendance dépressive, l'irritabilité, le sentiment d'insécurité, la réactivité émotionnelle, la tendance à broyer du noir et l'impulsivité.

- *L'ouverture* fait référence à la créativité et à la pensée divergente, à la curiosité intellectuelle, à l'imagination, à l'ouverture culturelle, à la vivacité d'esprit, à la sensibilité esthétique, à l'indépendance du **jugement** et à la recherche d'expériences nouvelles.

---

des résultats souhaités » (Bandura, 2003, p. 12). Un sentiment d'efficacité personnelle est présent lorsqu'une personne, en raison de ses habiletés et de ses **aptitudes**, considère qu'elle peut s'acquitter honorablement d'un travail. Ainsi, plus une personne se situe à un niveau élevé d'efficacité personnelle, plus elle croit disposer des qualités nécessaires à l'accomplissement d'une tâche, et plus elle croit qu'en produisant un effort et en surmontant les obstacles, elle atteindra ses objectifs.

Le sentiment d'efficacité personnelle est important au travail, parce que plus on croit en ses habiletés, plus on fera preuve d'*agentivité*, c'est-à-dire d'initiatives comportementales afin d'atteindre un objectif. On comprendra qu'alors, les probabilités d'atteindre le succès augmentent. L'efficacité personnelle peut s'acquérir par l'apprentissage ; on posera aux employés concernés des défis réalistes en plus de les jumeler à d'autres employés qui leur serviront de modèles.

2.3.3 La personnalité et la dimension politique

Dans le contexte organisationnel, le **comportement politique** se définit comme un processus d'influence sur le comportement d'autrui et sur le cours des événements, afin de protéger ses propres intérêts et d'atteindre ses objectifs personnels. Cette définition peut laisser croire que de nombreux comportements ont une connotation politique. Cependant, on qualifiera de « politique » le comportement qui permet surtout d'obtenir un avantage au détriment d'autres personnes ou même, parfois, au détriment de l'organisation. Il devient alors évident que ce ne sont pas tous les comportements qui ont une dimension politique. Certaines personnes sont plus susceptibles que d'autres d'adopter des comportements politiques. Cette tendance dépend de certains éléments de personnalité que nous décrivons dans les paragraphes suivants.

Le besoin de pouvoir

La personne qui recherche le pouvoir éprouve un désir intrinsèque d'influencer et de diriger les autres, et de contrôler son environnement. En conséquence, elle se conduira de façon à pouvoir prendre en charge des activités lui assurant un certain leadership sur autrui. Il est intéressant de noter que les gestionnaires qui réussissent éprouvent souvent un grand **besoin de pouvoir.** Un gestionnaire peut désirer deux formes de pouvoir : le pouvoir personnel et le pouvoir organisationnel. Ceux qui recherchent le pouvoir personnel ont besoin de dominer les autres et de s'attacher leur loyauté, indépendamment de l'organisation. Au contraire, les gestionnaires qui sont intéressés au pouvoir organisationnel font preuve de loyauté envers l'organisation et encouragent les employés à faire de même, créant de ce fait un climat de travail efficace. La notion de pouvoir sera étudiée plus en détail au chapitre 6.

Le machiavélisme

Le terme « machiavélisme » fait référence à un ensemble de comportements décrits au XVIe siècle par Niccolò Machiavelli dans un ouvrage intitulé *Le Prince* et d'où provient l'adage « la fin justifie les moyens ». Globalement, les comportements machiavéliques visent l'acquisition et l'utilisation du pouvoir. Selon Machiavelli, la meilleure façon d'acquérir et utiliser le pouvoir, c'est de manipuler les autres. Les gens machiavéliques disposent généralement d'excellentes habiletés pour influencer les autres et ils participent souvent à des activités politiques. D'autres caractéristiques sont liées au machiavélisme, telles la fourberie, la méfiance et l'absence de respect à l'égard des règles. De plus, les gens machiavéliques abordent les situations d'une manière logique et réfléchie ; ils sont capables de mentir pour protéger leurs intérêts et considèrent la loyauté ou l'amitié comme des barrières à leur avancement.

Les comportements risqués

Certaines personnes recherchent activement des situations à haut potentiel de risque, alors que d'autres font tout ce qu'elles peuvent pour les éviter. Il semble que les gens qui aiment le risque ont aussi tendance à s'engager dans des activités politiques, lesquelles comportent de nombreux risques tels qu'une rétrogradation, des évaluations de rendement insatisfaisantes ou une perte d'influence auprès des individus et des groupes. Par ailleurs, puisque les activités politiques ne mènent pas nécessairement au succès, les gens peu empressés à prendre des risques s'en tiennent souvent loin.

Pour résumer, rappelons que les différences de personnalité expliquent pourquoi deux personnes placées dans une même situation réagissent différemment. En fait, plus un gestionnaire est en mesure de tenir compte des différences de personnalité, plus il peut prédire les comportements de ses employés et créer un environnement de travail qui leur soit favorable et qui optimise leur rendement.

2.4 Les attitudes

Le comportement et les conduites étant l'objet de ce chapitre, il est maintenant important d'aborder l'influence que peuvent avoir les attitudes sur les choix comportementaux, et plus particulièrement sur les comportements en milieu de travail.

La notion d'attitude est étroitement associée aux sentiments favorables ou défavorables éprouvés envers quelqu'un ou quelque chose. D'ailleurs, le terme « attitude » est généralement accompagné d'un qualificatif comme « positive » ou « négative ». Quand on dit qu'on aime ou qu'on n'aime pas une personne, on exprime une attitude. Par ailleurs, quand on affirme qu'on n'aime pas l'attitude d'une personne, on veut dire qu'on n'aime pas la façon dont cette personne pense ou se comporte dans un certain contexte.

Par définition, une attitude repose sur « l'évaluation générale et relativement durable que les gens font des objets, des idées ou des personnes » (Petty, Wheller et Tormala, 2003, p. 353). Dans les faits, l'attitude est une microvaleur, les valeurs étant « des buts transsituationnels variant en importance qui servent de principes directeurs dans notre vie » (Schwartz, 1996, p. 2). Ainsi, il faut considérer que les valeurs déterminent les attitudes et qu'une unique valeur peut participer à la formation d'un ensemble d'attitudes. Par exemple, un individu pour qui l'éthique est une valeur fondamentale pourrait développer une attitude négative envers les politiciens, mais positive envers les juges.

Bien que les attitudes soient influencées par les valeurs, d'autres éléments contribuent également à leur formation. Dans les faits, l'attitude est constituée de trois principales composantes interdépendantes :

(Croyance et valeur)

- *La composante cognitive.* L'aspect cognitif d'une attitude englobe les croyances et les opinions d'une personne à propos d'un objet ou d'une classe d'objets. Plus simplement, la composante cognitive fait référence aux conditions antérieures à la formation de l'attitude. Cette composante est influencée par les expériences passées, les amis, la famille, etc.

UNE PERSPECTIVE INTERNATIONALE

Geert Hofstede (1991) s'est livré à une étude comparative des valeurs liées au travail (les pratiques directoriales, la motivation des salariés) dans une cinquantaine de pays. Une enquête au long cours a été entreprise : 116 000 questionnaires ont été traités statistiquement afin de transformer les résultats en indices quantitatifs. En est ressortie une classification en quatre « dimensions » largement indépendantes les unes des autres :

- **L'individualisme/le collectivisme :** À l'une des extrémités de l'échelle (100), des sociétés dans lesquelles les liens entre individus sont extrêmement lâches, une situation rendue possible par la très grande liberté que ce type de société accorde à chacun de ses membres. À l'autre extrémité de l'échelle (0), des sociétés dans lesquelles les liens entre les individus sont extrêmement forts.

- **La distance hiérarchique :** Le degré d'inégalité est mesuré sur l'échelle des distances hiérarchiques, qui va également de 0 (faible distance) à 100 (grande distance). Dans une organisation, le degré de distance hiérarchique est lié aux degrés de centralisation de l'autorité et d'autocratie de la direction.

Les sociétés aussi bien que les organisations sont dirigées de manière aussi autocratique que le permettent leurs membres. L'autocratie existe autant chez les membres d'une société que chez ses dirigeants : les systèmes de valeur des deux groupes sont généralement complémentaires.

- **Le contrôle de l'incertitude :** L'incertitude à l'égard de l'avenir est plus ou moins bien vécue et supportée, ce qui a des conséquences sur l'attitude à l'égard de la prise de risque. Les sociétés à faible contrôle de l'incertitude ont une tendance naturelle à se sentir en sécurité relative. Les sociétés à fort contrôle de l'incertitude cherchent à créer la sécurité et à éviter les risques.

- **La masculinité/la féminité :** Toutes les divisions de rôle d'origine sociale sont plus ou moins arbitraires, et ce qui est considéré comme typiquement masculin ou féminin peut varier d'une société à l'autre. Il est possible de classer les sociétés selon qu'elles cherchent à minimaliser ou à maximaliser la division du rôle des sexes. On peut appeler « masculines » les sociétés qui ont maximalisé la division du rôle social des sexes, et « féminines » celles où cette division est relativement peu marquée.

TABLEAU 2.1	Une comparaison des dimensions culturelles entre divers pays			
	Distance hiérarchique	**Contrôle de l'incertitude**	**Individualisme**	**Masculinité**
Allemagne	35	65	67	66
Autriche	11	70	55	79
Belgique	65	94	75	54
Canada	39	48	80	52
Danemark	18	23	74	16
Espagne	57	86	51	42
Finlande	33	53	63	26
France	68	86	71	43
Grèce	60	112	35	57
Irlande	28	35	70	68
Italie	50	75	76	70
Pays-Bas	38	53	80	14
Portugal	63	104	27	31
Royaume-Uni	35	35	89	66
Suède	31	29	71	5
Hongrie	45	79	83	55
République tchèque	35	60	60	45
Pologne	55	78	60	65
Norvège	31	8	50	69
Suisse	34	58	68	70
Turquie	66	85	37	45
États-Unis	40	46	91	62
Japon	54	92	46	95

Source : Adapté de *Geoconfluences,* « Les dimensions nationales des comportements, points de vue anthropologiques », [en ligne], http://geoconfluences.ens-lsh.fr/doc/etpays/Europe/EurDoc2.htm (page consultée le 12 janvier 2007).

Par exemple, André s'est fait mordre par un gros chien lorsqu'il était jeune; depuis, il croit que les chiens sont agressifs et sont une source de danger. Cette attitude négative à l'égard des chiens est ancrée dans une composante cognitive.

- *La composante affective.* Cet aspect fait référence aux émotions, aux sentiments ou aux états d'âme face à une personne, une idée, un événement, un objet ou une classe d'objets. La composante affective tire son origine des apprentissages issus d'expériences relatives à l'objet attitudinal. Reprenons l'exemple précédent. Lorsqu'il s'est fait mordre par le chien, André a probablement ressenti une gamme d'émotions déplaisantes comme la peur, l'anxiété ou la colère. Donc, l'idée ou la vue d'un chien rappelle ces émotions négatives et l'amène à ne pas vouloir rester dans cette situation. André éprouve automatiquement un sentiment pour le chien. C'est une composante affective de son attitude.

- *La composante conative.* Cette composante est associée aux comportements adoptés antérieurement par la personne envers l'objet attitudinal. Ainsi, nos comportements habituels à l'égard d'une personne, d'une idée, d'un événement, d'un objet ou d'une classe d'objets renforcent nos attitudes. Dans notre exemple, la réaction d'André est de toujours s'enfuir lorsqu'il aperçoit un chien; cela consolide son attitude négative envers les chiens. Sa façon de se comporter avec les chiens est la composante conative de son attitude.

Ce qui est particulièrement intéressant dans cette configuration tripartite de l'attitude, c'est que les composantes peuvent aussi bien être associées aux déterminants de l'attitude qu'aux conséquences de cette dernière, c'est-à-dire aux phénomènes causés par l'attitude. Ainsi, il existe une symétrie entre les sources et les conséquences de l'attitude: la nature des intrants à l'origine d'une attitude est la même que celle des extrants, qui sont des indicateurs de l'influence d'une attitude (voir la figure 2.20).

En fonction de cette réalité, les conséquences d'une attitude peuvent simultanément devenir ses facteurs de croissance ou de consolidation. Ce phénomène d'autoalimentation (les conséquences de l'attitude rétroagissent sur cette dernière) permet d'expliquer la stabilité temporelle de l'attitude. De plus, les conséquences peuvent aussi servir de base au développement d'une attitude voisine. On parle alors d'interalimentation, phénomène à

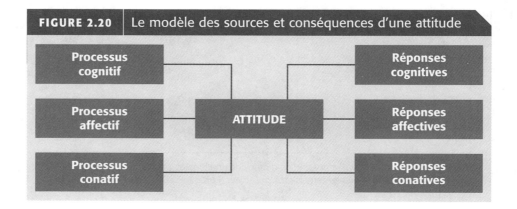

FIGURE 2.20 | Le modèle des sources et conséquences d'une attitude

la base de la stabilité du système attitudinal global de l'individu. Dans un esprit de cohérence cognitive, cette deuxième possibilité nous permet d'entrevoir les relations possibles entre deux attitudes parentes, par exemple entre la satisfaction au travail et la satisfaction dans la vie personnelle. (Gosselin et Dolan, 2003).

2.4.1 Les attitudes et les comportements

Les sociopsychologues affirment que les attitudes sont des prédispositions stables qui guident nos comportements. Pour leur part, les psychologues du comportement soutiennent que les attitudes sont tout simplement les déclarations verbales de nos comportements, qui sont contrôlés par des stimuli externes et, par conséquent, des apprentissages. Actuellement, de plus en plus de psychologues définissent les attitudes comme des prédispositions stables et apprises.

Cependant, les attitudes constituent un phénomène fort complexe. En effet, face à une même personne, on peut adopter des attitudes différentes, chacune se rapportant à certains aspects que présente cette personne. Ainsi, on peut faire preuve d'attitudes favorables quant à la manière dont une personne analyse un problème, gère son personnel et transmet ses ordres, tout en ayant des attitudes défavorables quant à la manière dont elle s'habille, parle à ses collègues et rédige ses rapports. Lorsque la somme des attitudes partielles est positive, l'attitude d'ensemble sera vraisemblablement positive, à moins que le poids accordé à une attitude partielle soit suffisamment important pour déterminer l'attitude globale. Un certain degré d'ambivalence peut exister quant aux attitudes face à des objets, à des personnes ou à des situations, mais généralement cette ambivalence n'entraîne pas d'inertie comportementale.

On ne peut donc affirmer que l'attitude d'une personne est totalement garante de son comportement. Par exemple, on peut bien prétendre que lorsqu'on n'aime pas une personne, on évite de lui parler ; sauf que si cette personne est le professeur, on lui parlera tout de même. Ainsi, même s'il possède une prédisposition négative envers le professeur, l'étudiant est-il libre d'agir en conformité avec cette prédisposition ? Comme nous l'avons présenté à la figure 2.1, en début de chapitre, c'est l'intention qui demeure le meilleur déterminant du comportement. Cependant, l'intention comportementale est largement déterminée par la nature des attitudes de la personne. Donc, retenons que l'influence de l'attitude sur le comportement est indirecte et soumise à de multiples facteurs. Cela étant dit, discutons maintenant des caractéristiques de l'attitude ; elles permettent de mieux circonscrire une attitude particulière et d'en connaître la portée réelle. D'entrée de jeu, les caractéristiques d'une attitude auront une influence sur les comportements spécifiques qui en découleront.

L'intensité

L'intensité de l'attitude peut être associée à la polarisation de cette dernière. On sait déjà qu'une attitude se veut par définition soit positive, soit négative. Chacun de ces pôles évaluatifs peut être, entre autres, estimé en fonction de son intensité. Ainsi, si je possède une attitude positive envers mon professeur, cette attitude peut être faiblement positive, moyennement positive ou très positive. Il en est de même pour une évaluation négative envers une personne, une idée, un objet ou une classe d'objets. Naturellement, plus l'intensité d'une attitude est élevée, plus les comportements de la personne seront en congruité avec cette dernière.

La spécificité

La spécificité d'une attitude relève de la précision de l'objet attitudinal auquel elle réfère. Plus une attitude est spécifique, plus les probabilités de s'y conformer sont élevées. Prenons l'exemple de Tessa et d'André. Tessa manifeste peu d'intérêt pour les animaux, mais si un chien l'approche, elle se laisse renifler et peut même flatter le chien. André, par contre, n'aime pas les chiens, mais les autres animaux ne le dérangent pas. En conséquence, il a mis au point toute une gamme de comportements qui lui permettent d'éviter le contact avec les chiens. Son attitude, est donc très spécifique, puisqu'elle ne concerne que les chiens, contrairement à celle de Tessa, qui a comme objet l'ensemble des animaux.

La centralité

L'importance accordée à une attitude a une influence directe sur l'adoption de certains comportements par l'individu. En d'autres mots, plus l'attitude est centrale, plus le comportement d'un individu aura tendance à être cohérent avec cette attitude. Prenons l'exemple d'un étudiant dont la poursuite des études est liée à l'obtention d'un prêt étudiant et qui entend, à la radio, le ministre de l'Éducation annoncer qu'il veut réduire de moitié les sommes allouées au Programme de prêts et bourses. Ce discours fera certainement naître chez l'étudiant une attitude négative envers le ministre. De plus, puisque cette compression budgétaire revêt pour lui une grande importance, l'étudiant adoptera fort probablement un comportement conforme à son attitude en s'abstenant de voter pour le parti de ce ministre. Par contre, si ce même ministre annonce qu'il veut réduire la masse salariale du personnel non enseignant des universités, l'étudiant pourra être en désaccord avec l'idée et démontrer une attitude négative envers le ministre, mais il est possible qu'au moment de voter, son comportement ne corresponde pas à cette attitude, étant donné que la mesure annoncée n'a pas de conséquence directe pour lui.

L'accessibilité

Le temps qui s'écoule entre le moment où l'attitude prend forme et celui où un comportement émerge influence la détermination du comportement par l'attitude en question. Plus ce temps sera court, plus l'attitude sera accessible et plus elle sera indicative du comportement. Par exemple, un sondage effectué le 25 septembre 2007 prédira mieux le résultat des élections du 30 septembre 2007 qu'un sondage semblable effectué le 5 septembre 2007.

2.4.2 Les attitudes et le comportement au travail

Jusqu'à maintenant, nous avons vu que les attitudes peuvent influencer le comportement sans parfaitement le prédire. Nous aborderons ici quelques-unes de ces attitudes en fonction de leur influence sur le comportement au travail. Nous nous attarderons plus particulièrement sur deux attitudes importantes en milieu de travail, soit la satisfaction au travail et l'**engagement organisationnel.**

La satisfaction au travail

Dans l'ensemble, on peut définir la satisfaction au travail comme « le sentiment positif que le travailleur éprouve, à divers degrés, à l'égard de son emploi et de son milieu de travail » (Schermerhorn et autres, 2006, p. 177). Cette attitude revêt une grande importance pour les gestionnaires, car il y a lieu de croire qu'un travailleur satisfait adoptera un ensemble de comportements dits productifs, c'est-à-dire qu'il offrira un meilleur **rendement au travail,** qu'il aura moins l'intention de quitter son emploi et qu'il s'absentera moins fréquemment du travail.

Ainsi, les employés qui ressentent une insatisfaction marquée au travail risquent davantage d'éprouver des symptômes physiques ou psychologiques de mal-être professionnel. Cette situation aura alors des effets délétères sur la santé de la main-d'œuvre et aussi, par ricochet, un impact négatif sur la santé de l'organisation. C'est pourquoi le monitorage de la satisfaction au travail est utile pour les gestionnaires, car elle permet, dans une perspective diagnostique, d'améliorer l'efficacité organisationnelle en déterminant les aspects du travail ou de l'organisation du travail qui mériteraient d'être modifiés.

Notons que la satisfaction au travail peut être mesurée dans son aspect général (satisfaction globale) ou selon des aspects particuliers (satisfaction dimensionnelle). Dans le second cas, on mesure la satisfaction, par exemple, en fonction de la rémunération, des tâches et des responsabilités, des possibilités de promotion, de la qualité de la supervision et de la qualité des relations avec les collègues. Concrètement, on utilise comme instruments de mesure les questionnaires ou les entrevues structurées. La connaissance du niveau de satisfaction globale au travail d'une personne permettra de prédire, dans une certaine mesure, les comportements professionnels qu'elle adoptera. Cependant, les niveaux de satisfaction dimensionnelle au travail offriront, en vertu de leur spécificité, de meilleures prédictions de comportements plus ciblées au travail. La notion de satisfaction au travail sera étudiée plus en détail au chapitre 3.

L'engagement organisationnel

Porter (1974) définit l'engagement organisationnel comme « l'intensité de l'attachement et de l'identification d'un individu à son organisation ». Cette forme d'engagement, qu'on qualifie d'« affectif », est présente lorsque l'employé se sent impliqué dans l'organisation et qu'il désire fortement en demeurer membre. Plus spécifiquement, l'employé présentera alors les caractéristiques suivantes :

- Il partage les buts et les valeurs de l'entreprise ;
- Il fournit les efforts nécessaires au bon fonctionnement l'organisation ;
- Il désire personnellement être associé à l'entreprise ;
- Il est intéressé à la bonne marche de l'organisation.

L'engagement affectif à l'égard de l'organisation suscite l'intérêt des gestionnaires en raison de son influence positive sur le comportement au travail. À compétences égales, les employés qui démontrent une forte affectivité envers l'entreprise seraient plus productifs, exécuteraient un travail de qualité supérieure et s'absenteraient moins souvent. De plus, ces employés redoubleraient d'efforts pour accomplir leurs tâches et seraient moins enclins à quitter l'entreprise. Considérons l'exemple suivant, tiré du monde du sport et plus particulièrement de l'univers du hockey. Pour expliquer la performance hors de l'ordinaire d'un joueur qui n'est pas une vedette, on dit de lui qu'il a le « CH » (*Canadian Hockey Club*) tatoué sur le cœur. Cette expression laisse supposer que la performance de l'athlète s'explique en partie par sa fierté d'appartenir aux Canadiens de Montréal.

Allen et Meyer (1990) annexeront à ce type d'engagement organisationnel deux autres types d'engagement, indépendants et complémentaires du premier. L'engagement normatif est associé à la loyauté de l'employé qui éprouve de la reconnaissance envers l'organisation. Cet engagement est fondé sur l'obligation morale que ressent le travailleur à l'égard des gestionnaires de l'entreprise. En ce qui concerne l'engagement de continuité, l'employé qui l'affiche demeure au service de l'organisation tout simplement parce qu'il ne peut se permettre de faire autrement. Il craint de perdre les avantages ou les privilèges acquis avec le temps, ou il a simplement peu de possibilités professionnelles. Il s'agit d'un engagement lié à une évaluation stricte des bénéfices retirés de l'emploi, comparativement aux coûts pouvant être engendrés par la rupture du lien d'emploi.

Certaines conditions de travail facilitent l'engagement organisationnel. Ainsi, les organisations qui favorisent la participation à la prise de décision, qui insistent sur la sécurité des travailleurs, qui offrent des emplois intéressants octroyant suffisamment d'autonomie et de responsabilités et qui mettent en place des conditions de travail avantageuses contribuent à l'émergence d'une forme ou l'autre d'engagement.

2.4.3 La modification des attitudes

Les employés qui ont une attitude négative au travail constituent une menace pour l'organisation parce qu'ils peuvent, entre autres, avoir une influence néfaste sur leurs collègues. C'est pourquoi les gestionnaires se demandent s'il est possible de modifier les attitudes et dans quelle mesure il est possible de le faire. Les spécialistes s'entendent pour reconnaître que les attitudes peuvent être modifiées, principalement par le biais de la persuasion. Cependant, pour réussir une telle opération, il faut que celui qui tente de persuader et celui que l'on tente de persuader répondent, tout comme le message, à certaines conditions.

Celui qui tente de persuader doit être perçu comme un expert. Des agences de publicité l'ont compris depuis longtemps, car elles associent souvent un expert à un produit. Par ailleurs, le messager doit aussi être perçu comme relativement désintéressé et présenter des caractéristiques physiques ou psychologiques auxquelles l'auditoire peut s'identifier. La plupart des publicités de bières, de boissons gazeuses ou de voitures mettent ainsi en scène des acteurs possédant des caractéristiques se rapprochant de celles de la clientèle visée.

Par ailleurs, la personne que l'on tente de persuader sera d'autant plus facilement convaincue que son estime de soi sera faible. Dans ce cas, elle aura peu confiance en elle et sera, de ce fait, plus réceptive aux nouvelles idées qui lui seront présentées. Très souvent, les messages publicitaires créent un lien direct entre l'utilisation du produit annoncé et des sentiments de bien-être, de valorisation et de confiance en soi. En outre, et malgré cela, plus l'attitude initiale sera intense, plus il sera difficile de la transformer. Enfin, l'état d'âme de la personne la rend plus ou moins perméable à la persuasion : si elle est de bonne humeur, elle sera plus facile à convaincre que si elle est de mauvaise humeur. On a tous déjà entendu la phrase suivante : « Ce n'est pas le temps d'essayer de le convaincre… »

Le message, quant à lui, ne doit pas prendre le ton d'une menace, car alors le comportement désiré serait communiqué, mais l'attitude risquerait de se cantonner dans la direction opposée. Par exemple, l'adolescent qui range sa chambre uniquement parce qu'on l'a menacé de le priver de son allocation ou de lui retirer un quelconque privilège n'adoptera probablement pas une meilleure attitude face au ménage. Le message sera plus efficace s'il permet de comprendre les aspects positifs de la situation. Dans cet esprit, notons que le message peut amener une modification de l'attitude en fonction d'une intégration réfléchie ou encore par une **assimilation** machinale, voire automatique. En fait, le modèle de la vraisemblance de l'élaboration cognitive (Petty et autres, 2005) précise que les arguments, les connaissances ou les idées véhiculés par un message peuvent servir d'appui à une attitude périphérique, c'est-à-dire peu importante pour la personne ou en construction. Alors, le traitement cognitif de l'information sera rapide et superficiel. À l'inverse, lorsque l'information véhiculée par le message se rapporte à une attitude plus centrale pour l'individu, le traitement de son contenu sera plus raisonné et amènera une modification plus lente de l'attitude.

2.5 L'attribution

Une attribution « est une inférence ayant pour but d'expliquer pourquoi un évènement a eu lieu ou encore qui a pour but d'expliquer le comportement d'autrui aussi bien que notre propre comportement » (Vallerand, 2006, p. 190). Ce processus a une grande importance pour les gestionnaires et les employés, en particulier lors de l'**évaluation du rendement**. Ainsi, lorsqu'un gestionnaire procède à l'évaluation d'un employé, il prend souvent en considération les causes du comportement de ce dernier pour tenter de cerner les raisons d'un rendement insuffisant ou encore d'une situation conflictuelle. On dira que le gestionnaire fait une attribution causale s'il considère que la piètre performance de son employé doit être associée au contexte de travail (par exemple, les ressources disponibles).

Au contraire, si les caractéristiques propres de l'individu sont mises en cause (par exemple, les compétences), il s'agira d'une attribution dispositionnelle.

Au cours du processus d'attribution, il est donc essentiel de déterminer si un comportement relève d'une cause interne ou d'une cause externe. Si on considère que la cause est interne, on présume que la personne maîtrise son comportement, alors que s'il appert que la cause est externe, on suppose qu'un facteur hors de son contrôle provoque son comportement. Par exemple, si un étudiant dit qu'il a échoué son examen parce qu'il n'a pas étudié, la cause est interne, puisque lui seul peut décider du temps et de l'effort à consacrer à l'étude. Par contre, s'il affirme qu'il a échoué son examen parce que celui-ci était trop difficile, la cause est externe, puisque l'étudiant ne peut décider du coefficient de difficulté de l'examen, cette responsabilité étant celle du professeur.

2.5.1 La formation des attributions

Selon Kelley (1992), il est possible d'attribuer un comportement à une cause interne ou à une cause externe en analysant la conduite des individus. Cette observation permet d'évaluer le comportement selon trois paramètres, soit le consensus, la distinction et la consistance, à l'aide des questions suivantes :

- *L'évaluation selon le consensus.* L'observateur se demande : « Est-ce que d'autres personnes placées dans la même situation se comporteraient de la même manière ? »

- *L'évaluation selon la distinction.* L'observateur se demande : « Est-ce que cette personne se comporterait de la même manière si elle était placée dans une autre situation similaire ? »

- *L'évaluation selon la consistance.* L'observateur se demande : « Est-ce que cette personne s'est déjà comportée de cette manière ? »

Si l'évaluation indique que le comportement est fortement distinctif, fait consensus et n'est pas consistant, l'observateur l'attribuera à une cause externe ; au contraire, si les degrés de distinction et de consensus sont faibles et que le niveau de consistance est élevé, l'observateur attribuera le comportement à une cause interne.

L'attribution du comportement à une cause interne ou externe dépend de facteurs situationnels et personnels. Par exemple, il arrive parfois que les examens soient vraiment trop difficiles, mais il arrive aussi que des facteurs personnels entrent en jeu. Ainsi, les individus qui ont une faible estime de soi attribuent davantage leurs échecs à des causes internes et leurs succès, à des causes externes, telles la chance ou la facilité de la tâche ; au contraire, ceux qui ont une bonne estime de soi attribuent leurs succès à des causes internes.

De plus, le lieu de contrôle influe sur le type d'attribution. En effet, les personnes qui ont un degré élevé de contrôle interne attribuent leur comportement à des causes internes. Il a aussi été démontré que les personnes qui éprouvent un fort besoin d'accomplissement ont tendance à attribuer leurs succès à leurs habiletés, et leurs échecs au manque d'effort, qui sont tous deux des causes internes. Enfin, les gens qui s'attendent à échouer ont tendance à attribuer leurs échecs à leur manque d'habiletés, ce qui engendre fréquemment un sentiment d'incompétence.

Très souvent, selon Heider (1958), les attributions que font les employés quant à leur rendement mettent en évidence des causes telles que les capacités, l'effort, la difficulté de la tâche et l'intention. Les exemples suivants illustrent la façon dont se manifestent ces attributions dans un contexte de travail.

- *Les capacités*: « J'ai fait une excellente présentation parce que j'ai un talent naturel pour m'exprimer en public. »
- *L'effort*: « J'ai fait une excellente présentation parce que je n'ai pas ménagé les efforts pour me préparer. »
- *La difficulté de la tâche*: « Mon rapport aurait été plus complet si j'avais eu plus d'expérience en gestion financière. »
- *L'intention*: « J'ai raté mon entrevue parce que je ne désirais pas vraiment obtenir le poste. »

Enfin, il arrive parfois que les employés attribuent leurs insuccès à leur supérieur, à leurs collègues ou à une quelconque déficience organisationnelle, alors qu'ils récoltent bien aisément la responsabilité de leurs succès. Cette tendance à extérioriser ses échecs et à intérioriser ses réussites s'appelle le « biais égocentrique ». Ce biais attributionnel cherche principalement à préserver l'intégrité de l'estime de soi. En contrepartie, l'erreur attributionnelle fondamentale caractérise la facilité avec laquelle on responsabilise les autres pour les événements qu'ils vivent, alors qu'on a de la difficulté à se blâmer personnellement dans des situations similaires. Par exemple, il est plus simple de remettre en cause les compétences d'un collègue qui n'obtient pas une promotion, qu'il ne l'est de faire de même lorsqu'on essuie un échec semblable.

[annotation manuscrite : → effet de complaisance]

CONCLUSION

Le comportement humain est un phénomène complexe façonné par de multiples facteurs sociaux. Entre autres, la personnalité, les valeurs, les attitudes et les attributions, caractéristiques propres à chaque individu, influencent le processus de perception qui, à son tour, détermine l'intention de se comporter. À la lumière de ces variables, et du nombre d'interactions qui peuvent exister entre-elles, on comprendra les difficultés à comprendre et à prédire les conduites des individus.

La personnalité peut modifier la perception en créant des distorsions ou une fausse interprétation de la situation. Le degré de distorsion de la perception varie selon les circonstances : il sera vraisemblablement élevé dans le cas d'une situation ambiguë ou lorsqu'on évolue dans des contextes inhabituels. À cela s'ajoute naturellement l'influence des attitudes ainsi que les risques d'erreur attributionnelle, qui rendent l'interprétation de la réalité difficile. La perception est donc un sujet vaste et compliqué.

Dans ce chapitre, nous avons présenté un résumé des aléas du comportement humain, de la personnalité et de la perception dans ce qu'elles ont de plus complexe. Aussi, pour comprendre le comportement des individus dans leur milieu de travail, il faut considérer l'ensemble des facteurs qui régissent le comportement et tenir compte des interrelations qui existent entre chacun d'eux. Enfin, chaque individu possède en propre sa vision du monde, sa personnalité, ses besoins et ses perceptions, ce qui l'amène à adopter un comportement qui lui est propre dans une situation donnée, selon la perception qu'il en a.

? QUESTIONS DE RÉVISION

1. Qu'est-ce qu'un processus de perception ? Répondez en fonction des éléments qui influencent la perception.

2. Chaque individu possède une personnalité qui lui est propre. Expliquez ce phénomène.

3. Établissez le lien existant entre la personnalité et le comportement. Ce lien permet-il de prédire le comportement d'un individu en fonction de la connaissance de certains traits de sa personnalité ?

4. Qu'est-ce qu'une attitude ? Répondez en fonction des diverses composantes de cette notion et de leurs interrelations.

5. Nommez trois éléments de distorsion perceptive et illustrez chacun d'eux par un exemple concret.

6. Selon Kelley, en quoi le comportement d'autrui est-il important dans la justification de nos propres comportements ?

7. Expliquez brièvement le lien qui existe entre les valeurs, la personnalité, les attitudes et les attributions.

Jusqu'à quel point maîtrisez-vous l'image que vous projetez? Lisez chacun des énoncés suivants et encerclez la lettre V (vrai) ou F (faux) selon qu'il s'applique ou non à votre comportement.

1. J'ai de la difficulté à imiter le comportement d'autrui.	**V**	**F**
2. Lors d'une fête ou d'une réunion amicale, je n'essaie pas de faire ou de dire ce qui plaira aux autres.	**V**	**F**
3. Je ne peux défendre que les idées auxquelles je crois déjà.	**V**	**F**
4. Je peux improviser un discours même sur un sujet que je connais à peine.	**V**	**F**
5. Je joue la comédie pour impressionner ou divertir les autres.	**V**	**F**
6. Je serais probablement un bon acteur.	**V**	**F**
7. C'est rarement sur moi que se concentre l'attention dans un groupe.	**V**	**F**
8. Je modifie souvent mon comportement selon les circonstances et selon les personnes avec lesquelles je me trouve.	**V**	**F**
9. J'ai du mal à me faire aimer des autres.	**V**	**F**
10. Je ne suis pas toujours la personne que je semble être.	**V**	**F**
11. Il n'est pas question que je change ma façon d'être ou d'agir pour plaire aux autres ou pour gagner leur approbation.	**V**	**F**
12. J'ai déjà songé à devenir acteur.	**V**	**F**
13. Je n'ai jamais été très doué pour les jeux comme les charades ou l'improvisation théâtrale.	**V**	**F**
14. J'ai de la difficulté à modifier mon comportement pour m'adapter aux gens et aux situations.	**V**	**F**
15. Lors d'une fête, je laisse aux autres le soin de faire des blagues et de raconter des histoires.	**V**	**F**
16. Je me sens un peu gauche en présence d'autres personnes et je ne fais pas une aussi bonne impression que je le devrais.	**V**	**F**
17. Je peux mentir à n'importe qui sans broncher, en le fixant droit dans les yeux, si c'est pour une bonne cause.	**V**	**F**
18. Il m'arrive de duper quelqu'un en me montrant amical envers lui, alors que je ne l'aime pas du tout.	**V**	**F**

Accordez-vous un point pour chaque V que vous avez encerclé aux énoncés 4, 5, 6, 8, 10, 12, 17 et 18. De même, attribuez-vous un point pour chaque F que vous avez encerclé aux énoncés 1, 2, 3, 7, 9, 11, 13, 14, 15 et 16. Faites le total pour connaître votre résultat.

Si vous avez obtenu 11 points ou plus, vous contrôlez sans doute dans une large mesure l'impression que vous créez. Si vous avez obtenu 10 points ou moins, vous n'exercez qu'un faible contrôle sur l'image que vous projetez.

Source : Traduit de Snyder (1987).

Une banque et son personnel multiculturel

Ce cas a été rédigé par **Me *Garick Chouinard Apollon,*** avocat et consultant en commerce et développement international. Il est president de CDC International inc., une firme de consultants en management international et interculturel. Il a réalisé plusieurs consultations, formations et projets, notamment pour l'ACDI, les Nations Unies, Stikeman Eliott LLP-Toronto, Manufacturiers et Exportateurs du Canada, Exportation et Développement Canada et l'Ambassade des États-Unis au Canada. Il est aussi professeur à temps partiel à l'École de gestion de l'Université d'Ottawa. Pour plus de renseignements, visiter le site Web de CDC International inc.

Les banques canadiennes sont réputées pour leurs activités internationales et la diversité culturelle de leurs clientèles. La présence d'employés de différentes cultures leur donne un avantage comparatif. Suzanne Chouinard vient d'être promue à la direction des services financiers dans une des grandes banques de la région de Montréal. Elle occupe le poste de Directrice régionale des services financiers aux PME exportatrices de la région de Montréal. Suzanne et son équipe doivent composer avec des clients de différentes cultures, mais aussi avec des clients étrangers. De plus, Suzanne et son équipe doivent bien maîtriser le monde du commerce international, qui présente une grande diversité politique, économique, légale et culturelle. Suzanne possède plusieurs années d'expérience et a acquis une excellente réputation dans le secteur banquier. De plus, elle est comptable de formation et détient une maîtrise en administration des affaires (MBA). Actuellement, elle supervise une équipe de consultants en investissement et services financiers. Ses employés sont très bien formés (la plupart détiennent un MBA en management international) et reflètent le multiculturalisme de la société canadienne et québécoise ; des quatre membres de l'équipe, seule Mireille est québécoise. Les autres sont d'origine mexicaine (Ricardo), libanaise (Rania) et haïtienne (Jean Alfred).

Les problèmes de Suzanne débutent deux semaines après son entrée en fonction comme directrice. Le mécontentement s'installe face à l'attitude trop libérale et démocratique qu'elle adopte dans la gestion de l'équipe. Plusieurs se plaignent de l'absence de description de tâches et de directives précises dans l'exercice de leurs fonctions. Par ailleurs, les membres de l'équipe semblent assez bien s'entendre. Il est possible d'affirmer que les Mexicains, les Libanais et les Haïtiens partagent les mêmes valeurs en milieu de travail. Tous appartiennent à une culture qui se distingue par une distance hiérarchique élevée. Cela signifie qu'une très grande importance est accordée au **statut** social et à la reconnaissance de l'autorité du gestionnaire. Ces cultures favorisent la gestion de groupe dite « collectiviste verticale », c'est-à-dire un modèle de gestion où le leader doit superviser et diriger son groupe de façon plus autocratique et aimable, comme le ferait un bon « père de famille » ou une bonne « mère de famille ». Elles préconisent aussi le contrôle de l'**ambiguïté** ou de l'incertitude par la définition précise des tâches de travail. Finalement, il s'agit de cultures plus masculines que féminines. Au Canada et au Québec, les cultures de travail sont diamétralement opposées. La culture québécoise présente une plus faible distance hiérarchique et un haut niveau de tolérance face à l'incertitude et à l'ambiguïté comparativement à la culture canadienne. On la définit ainsi comme une culture plus féminine.

Cela étant dit, il y a une assez bonne complicité entre les membres de l'équipe de Suzanne, mais il arrive souvent que deux d'entre eux, soit Ricardo et Jean-Alfred, se disputent ouvertement le pouvoir. Par ailleurs, Rania et les autres demandent souvent à Suzanne « Qui fait quoi aujourd'hui, boss ? » Cette question trouble profondément Suzanne, car elle lui donne l'impression que ses employés fuient leurs responsabilités et manquent d'initiatives. Suzanne ne comprend plus rien, car ses valeurs de travail prônent la participation et l'initiative et, par ailleurs, elle croit en la délégation des pouvoirs comme moyen de motiver les employés et créer un esprit d'équipe. Elle se demande pourquoi son groupe ne veut pas agir conformément à ces valeurs. Malgré les différences évidentes entre elle et son groupe, Suzanne a la ferme conviction que la gestion du personnel doit reposer sur des principes universels et ce, malgré les différences ethniques, religieuses ou culturelles. Par contre, Suzanne doit composer avec les piètres performances de son groupe et elle commence à réaliser que sa présomption sur les principes de gestion universelle est peut-être fausse.

Suzanne aime bien stimuler la créativité de ses employés. Lors des réunions, elle n'a jamais l'impression que son groupe est à court de nouvelles idées ou « qu'il tourne en rond ». L'enthousiasme manifesté à ces occasions par ses employés en est la meilleure preuve. Toutefois, les belles idées novatrices et créatives de son groupe ne trouvent pas d'applications dans les opérations de la banque.

Par ailleurs, Suzanne a souvent l'impression que son groupe ne lui fait pas confiance. Lors d'une discussion informelle avec Ricardo — devant un bon capuccino, dans un café montréalais —, elle lui a candidement avoué avoir souvent l'impression de ne pas être appréciée, voire ne pas être vraiment « aimée ». Ricardo lui a expliqué que les membres de l'équipe ont beaucoup de respect pour ses grandes connaissances et son expérience dans le secteur bancaire, mais qu'ils ont trop souvent l'impression qu'elle est plus préoccupée par ses tâches administratives que par leurs besoins. Ricardo lui explique aussi que les gens de l'équipe se plaignent souvent de son attitude démesurément permissive ou trop « soft ». Ces remarques ont profondément troublé Suzanne, car elles font état de faits qui vont à l'encontre de ses intentions. Elle répond à Ricardo qu'il y a sûrement un problème de communication entre elle et son équipe et que ce problème a dû fausser la perception que ses employés ont d'elle, car elle est très fière d'eux et a toujours été reconnue pour son efficacité et son leadership.

Les problèmes de gestion de son équipe de travail s'aggravent pourtant de jour en jour et attirent l'attention de la direction générale de la banque. Lors d'une réunion avec Marie Savoie, la vice-présidente régionale de la banque, Suzanne confie qu'elle a de la difficulté à communiquer avec ses employés et à les motiver. La vice-présidente exige des changements rapides afin que la productivité et la motivation de l'équipe de travail de Suzanne augmentent.

Les problèmes qu'éprouve Suzanne dans la gestion de son équipe multiculturelle semblent relever davantage de son incapacité à élaborer une stratégie de **communication interculturelle** appropriée à son groupe et, en conséquence, de son incapacité à motiver ses employés afin qu'ils accomplissent leurs tâches de manière efficace.

Pour répondre aux exigences de la direction générale, Suzanne doit affronter la situation de façon constructive et améliorer la cohésion et l'efficacité de son équipe, mais elle se sent dépassée par les événements. Elle ne sait pas quoi faire. Pourquoi son équipe de travail multiculturelle n'est-elle pas efficace ? Elle contacte donc votre firme pour obtenir vos conseils. À titre de consultant en *management* multiculturel pour CDC International INC, vous devrez aider Suzanne à résoudre certains de ses problèmes.

Questions

1. Définissez les caractéristiques de cette équipe de travail multiculturelle.
2. Trouvez les forces et les faiblesses de l'équipe.
3. Quel type de leadership devrait exercer Suzanne ?
4. Selon vous, si les cultures mexicaine, libanaise et haïtienne préconisent une plus grande distance hiérarchique et un plus grand contrôle de l'incertitude que les cultures canadienne et québécoise, est-il possible que, malgré tout, la création d'une équipe de travail semi-autonome reste la meilleure option pour Suzanne ?

RÉFÉRENCES

Allen, N.J. et Meyer, J.P. (1990). « The measurement and antecedents of affective, continuance and normative commitment to the organization », *Journal of Occupational Psychology,* vol. 63, p. 1-18.

Asch, S.E. (1952). *Social Psychology,* Englewood Cliffs (N.J.), Prentice Hall.

Bandura, A. (2003). *Autoefficacité : le sentiment d'efficacité personnelle,* Paris, DeBoeck.

Birren, F. (1978). *Color in Your World,* New York, MacMillan Publishing.

Bloch, H., Dépret, E., Gallo, A., Garnier, P., Gineste, M.-D., Leconte, P., Le Ny, J.F., Postel, J., Reuchin, M. et Casalis, D. (dir.) (2002). *Dictionnaire fondamental de la psychologie,* Paris, Larousse.

Clapier-Valladon, S. (1997). *Les théories de la personnalité,* Paris, Presses Universitaires de France.

Day, W.C. (1980). « The Physical Environment-Revisited », *CEFP Journal,* mars-avril.

Delorme, A. (1982). *Psychologie de la perception,* Montréal, Études Vivantes.

Delorme, A. et Flückiger, M. (2003). *Perception et réalité : une introduction à la psychologie des perceptions,* Montréal, Gaëtan Morin Éditeur.

Dolan, S.L., Saba, T., Jackson, S.E. et Schuler, R.S. (2002). *La gestion des ressources humaines : tendances, enjeux et pratiques actuelles,* Montréal, ERPI.

Dumont, L. (1987). « Les motivations au travail des agents de la fonction publique », *Actes du 41e Congrès international de psychologie du travail de langue française,* Québec, Presses de l'Université du Québec, p. 360-367.

Festinger, L. (1957). *A Theory of Cognitive Dissonance,* Stanford (Calif.), Stanford University Press.

Fisher, C.D. (1980). « On the Dubious Wisdom of Expecting Job Satisfaction to Correlate with Performance », *Academy of Management Review,* no 5, p. 607-612.

Gosselin, E. et Dolan, S.L. (2003). « Identifier les rapports entre la satisfaction au travail et celle hors travail : vers un modèle polymorphique de la relation », dans R. Foucher, A. Savoie et L. Brunet (dir.), *Concilier performance organisationnelle et santé psychologique au travail.* Montréal, Éditions Nouvelles, p. 205-222.

Heider, F. (1958). *The psychology of interpersonal Relations,* New York, Wiley.

Kahn, R. (1952). *Attitudes and Opinions of Non-Supervisory Factory Employees,* Ann Arbor, Institute for Social Research.

Hofstede, G. (1991). *Culture and Organisations : software of the mind,* UK, McGraw-Hill international.

Kelley, H.H. (1952). « The function of reference groups », *Society for the psychological study of social issues, readings in social psychology,* Guy Swanson, Theodore.

Leeper, R. (1935). « An Experiment with Ambiguous Figures », *Journal of Genetic Psychology,* vol. 46, p. 61-73.

Lewin, K. (1947). « Frontiers of Group Dynamics », *Human Relations,* vol. 1, p. 5-41.

Mayfield, E.C., Brown, S.H. et Hamstra, B.W. (1980). « Selection Interview in the Life Insurance Industry : An Update in Research and Practice », *Personnel Psychology,* vol. 33, p. 725-740.

Morin, E. et Aubé, C. (2006). *Psychologie et Management,* Montréal, Chenelière Éducation.

Myers, D.G. et Lamarche, L. (1993). *Psychologie sociale,* Montréal, McGraw Hill.

Petty, R.E., Cacioppo, J.T., Strathman, A.J. et Prierter, J.R. (2005). « To think or not to think : Exploring two routes to persuasion », dans T. Brock et M. Green (éd.), *Persuasion : Psychological insights and perspectives,* Thousands Oarks, Sage, p. 81-116.

Petty, R.E., Wheeler, S.C. et Tormala, Z.L. (2003). « Persuasion and attitude change », dans T. Millon, M.J. Lerner et I.B. Weiner (éd.). *Handbook of psychology : Personality and social psychology,* New York, Wiley, p. 353-382.

Porter, L.W., Steers, R.M., Mowday, R.T. et Boulian, P.V. (1974). « Organizational commitment, job satisfaction, and turnover among psychiatric technicians », *Journal of Applied Psychology,* vol. 59, p. 603-609.

Rotter, J.B. (1966). « Generalized expectancies for internal versus external control of reinforcement », *Psychological Monographs,* vol. 80, p. 1-28.

Schermerhorn, J.R., Hunt, J.G. et Osbor, R.N. (2002). *Comportement humain et organisation,* 2e éd., Montréal, ERPI.

Schermerhorn, J.R., Hunt, J.G., Osborn, R.N. et de Billy, C. (2006). *Comportement humain et organisation,* 3e éd., Montréal, ERPI.

Schneider, B. (1985). « Organizational Behavior », *Annual Review of Psychology,* no 36, p. 573-611.

Schwartz, S.H. (1996). « Values priorities and behavior : Applying a theory of integrated value systems », dans C. Seligman, J.M., Olson et M.P Zanna (dir.), *Values : The Ontario Symposium,* Mahwah (N.J.), Erlbaum, p. 1-24.

Shepard, R. (1990). *Mindsights,* New York, W.H. Freeman and Co.

Sherif, M. (1935). « A Study of Some Social Factors in Perception », *Archives of Psychology,* vol. 27.

Snyder, M. (1987). *Public Appearances, Private Realities : The Psychology of Self-Monitoring,* New York, W.H. Freeman and Co.

Vallerand, R.J. (2006). *Les fondements de la psychologie sociale,* 2e éd., Montréal, Gaëtan Morin Éditeur.

Webster, E.C. (1982). *The Employment Interview,* Schomberg, SIP Publications.

CHAPITRE 3

La motivation et la satisfaction au travail

PLAN DU CHAPITRE

Les objectifs d'apprentissage

Dans ce chapitre, le lecteur se familiarisera avec :

- les paramètres du concept de motivation (besoins, pulsions, forces, etc.) ;

- le processus d'émergence de la motivation et d'adoption de comportements particuliers ;

- la distinction entre les théories de contenu et les théories de processus ;

- les parallèles et les différences entre les théories de contenu de la motivation ;

- les parallèles et les différences entre les théories de processus de motivation ;

- les types d'applications auxquels se prête chacune des théories de la motivation ;

- les modèles explicatifs de la satisfaction au travail ;

- les sources et les conséquences de la satisfaction au travail ;

- les liens entre le concept de motivation et celui de satisfaction au travail.

De tous les sujets abordés en psychologie du travail et des organisations, la motivation et la satisfaction au travail sont de loin les plus populaires. Les employeurs et les chercheurs se sont toujours intéressés aux facteurs qui poussent les individus à donner ou non le rendement que l'on attend d'eux. Un examen rapide de ce qui se passe dans diverses organisations permet de constater qu'il existe de grandes variations dans le rendement des travailleurs. Comment expliquer que certains individus possédant de remarquables habiletés fournissent un rendement nettement inférieur à celui de travailleurs moins qualifiés ? Comment inciter un individu à fournir un rendement correspondant à son potentiel ou à ses ambitions ? L'examen des éléments entourant les phénomènes de motivation et de satisfaction au travail permettra, entre autres, de mieux répondre à ces questions.

Bien que les concepts de motivation et de satisfaction au travail soient généralement abordés indépendamment l'un de l'autre, il nous semble pertinent de les traiter à l'intérieur d'un même chapitre, comme certains l'ont fait avant nous (par exemple, Lemoine, 2004). Cependant, nous prêterons une attention particulière à la motivation, puisqu'elle est le moteur du comportement. La motivation au travail agit comme déclencheur de l'action et a, de ce fait, une importance cruciale dans l'examen du rendement au travail. Par ailleurs, pour comprendre l'aspect rationnel d'un comportement, il faut en examiner le but et comprendre la notion de satisfaction, objectif recherché de toute action. Nous nous pencherons donc, en fin de chapitre, sur la notion de satisfaction au travail ; il sera ainsi possible d'établir un parallèle entre la motivation et la satisfaction et de mieux comprendre l'origine et la finalité de tout comportement organisationnel.

3.1 Le phénomène de la motivation

Il existe de nombreuses définitions du terme « motivation ». Certaines sont exhaustives alors que d'autres sont rudimentaires. Elles ont cependant toutes en commun de définir la motivation comme l'ensemble des forces qui incitent un individu à adopter un comportement donné. Il s'agit donc d'un concept qui touche tant les facteurs internes (cognitifs) que les facteurs externes (contextuels) d'une conduite particulière.

Certaines définitions mettent l'accent sur les facteurs internes, alors que d'autres se concentrent sur les facteurs externes. On associe les facteurs internes aux motifs ou aux besoins personnels qui poussent un individu à adopter un comportement précis. Par ailleurs, si une personne agit sous la contrainte ou si elle subit de fortes pressions, son comportement sera motivé par des facteurs externes. Taylor (pionnier de l'organisation scientifique du travail), par exemple, misait sur les facteurs externes pour motiver les travailleurs en les récompensant pécuniairement, selon leur rendement. De nos jours, même si on mise encore sur les facteurs externes pour motiver les employés, on souhaite de plus en plus activer les facteurs internes, parce que ces derniers amènent les employés à agir conformément aux besoins de l'entreprise tout en satisfaisant simultanément leurs propres besoins.

Malgré ces précisions, le phénomène de la motivation demeure difficile à cerner concrètement. Il suffit de se reporter aux diverses études publiées dans ce domaine pour constater la difficulté qu'éprouvent les auteurs à saisir toute l'envergure du concept de motivation (Louche, 2005). Toutefois, du point de vue organisationnel, on semble s'entendre pour dire qu'une personne motivée fournit les efforts nécessaires à l'exécution d'une tâche et qu'elle adopte des attitudes et des comportements qui lui permettent d'atteindre à la fois les objectifs de l'organisation et ses objectifs personnels.

Comme définition générale de la motivation, nous proposons celle de Vallerand et Thill (1993, p. 18), qui tient compte de l'état actuel des connaissances et des diverses théories relatives à la motivation au travail. Ainsi, selon ces auteurs, le concept de motivation représente le construit hypothétique utilisé afin de décrire les forces internes et externes produisant le déclenchement, la direction, l'intensité et la **persistance** d'un comportement.

De cette définition ressort la notion de force qui incite les individus à adopter une conduite particulière. En fait, selon l'ensemble des auteurs dans le domaine, la force constitue la pierre angulaire de la motivation. Ainsi, on peut associer la motivation à des forces constantes qui favorisent l'apparition d'un comportement et qui le dirigent afin qu'il réponde à certains besoins. Autrement dit, la motivation découle d'une «énergie» (force ou pulsion) poussant l'individu à adopter une conduite qui, potentiellement, le libérera d'une certaine tension. C'est cette dynamique qui encourage l'employé à poursuivre son travail et à satisfaire ses besoins physiques et psychologiques par l'adoption de certains comportements. La motivation constitue donc un phénomène intériorisé (besoins, valeurs, objectifs) qui incite les individus à agir d'une manière particulière afin d'obtenir une satisfaction.

3.1.1 Pourquoi les gens travaillent-ils ?

En 1960, Douglas McGregor tenta d'expliquer ce qui pousse les gens à travailler en élaborant les **théories X et Y**. Globalement, ces théories présentent les motivations des employés telles qu'elles sont perçues par les gestionnaires. Il ne s'agit donc pas de théories prescriptives ; elles décrivent simplement les présomptions des gestionnaires à l'égard de la motivation au travail.

Selon la théorie X, les gens, en général, n'aiment pas le travail, n'ont pas d'ambition et fuient toute forme de responsabilités. McGregor soutient que les gestionnaires qui adhèrent à cette perspective considèrent qu'il faut continuellement modifier, contrôler et diriger le comportement de leurs subordonnés afin de satisfaire les besoins de l'organisation. Ainsi, si les dirigeants n'exercent pas un contrôle strict et rigoureux, les employés risquent de ne pas adopter les comportements conduisant à l'atteinte des objectifs organisationnels. Une surveillance étroite est donc indispensable afin de motiver les employés, qui, par nature, n'apprécient pas le travail. Le renforcement positif, comme l'octroi de bonus, devient alors un puissant élément de motivation et explique en partie pourquoi les individus effectuent les tâches qui leur sont demandées.

Toutefois, dans la réalité, on constate que ce ne sont pas tous les individus qui détestent le travail. Plusieurs veulent travailler, et ce, indépendamment des punitions ou des récompenses. Ainsi, des personnes admissibles à la retraite, par exemple, préfèrent demeurer actives, que ce soit dans le monde du travail à proprement parler ou à titre de bénévoles dans divers organismes. De plus, comment expliquer que des gens financièrement à l'aise préfèrent occuper un emploi plutôt que mener une vie oisive? Ces quelques observations illustrent les limites de la théorie X de McGregor. En effet, cette théorie surestime l'influence des facteurs extrinsèques et sous-estime celle des facteurs intrinsèques, qui peuvent aussi alimenter la motivation au travail.

La théorie Y de McGregor vient combler les lacunes de la théorie X en cherchant à expliquer la motivation par des facteurs intrinsèques. Selon le postulat Y, les gens aiment travailler, c'est-à-dire qu'ils éprouvent du plaisir à effectuer leur travail. Par conséquent, le travail, au même titre que les loisirs ou les activités récréatives, représente une source potentielle de valorisation et d'émancipation. Les gestionnaires qui adoptent ce point de vue considèrent que les travailleurs recherchent les responsabilités et l'autonomie et qu'ils font preuve d'initiatives et de créativité dans l'accomplissement de leurs tâches.

La théorie Y, quoique intéressante, comporte, elle aussi, des limites. En effet, elle repose sur une vision très optimiste des employés. D'un côté, la théorie X affirme que tous les travailleurs sont paresseux et n'aiment pas travailler et de l'autre, la théorie Y soutient qu'ils sont tous dynamiques et qu'ils aiment le travail autant que les loisirs. Une position intermédiaire serait plus plausible. En effet, on constate habituellement que certaines personnes aiment travailler, alors que d'autres préfèrent les loisirs. Les raisons qui motivent les gens à travailler diffèrent selon les individus : certains travaillent pour gagner l'argent, d'autres pour socialiser, d'autres encore le font par amour du travail. Ainsi, bien qu'ils soient intéressants, les postulats de McGregor ne reflètent que le point de vue des gestionnaires, point de vue dépendant des croyances et connaissances de ces derniers. Ils sont donc réducteurs, puisque la motivation au travail s'explique plutôt par une multitude de facteurs particuliers à chaque individu et à chaque contexte organisationnel. Plusieurs considèrent néanmoins que la théorie Y de McGregor a ouvert la route à de nombreux concepts tels que l'enrichissement des tâches, les groupes semi-autonomes et l'habilitation (Carson, 2005).

3.1.2 La dynamique de la motivation

Motiver les employés n'est pas une tâche facile pour un gestionnaire, car il doit adapter ses efforts aux particularités de chacun en fonction d'attitudes, de comportements, d'objectifs, d'antécédents et surtout de besoins différents.

Les besoins sont les déficiences physiologiques, psychologiques ou sociales qu'un individu ressent ponctuellement. Ces déficiences, qui peuvent interagir ou non, constituent la source des forces et des pressions qui motivent l'individu à adopter une conduite précise. Ainsi, selon certains théoriciens, la motivation est inférée de l'attitude ou du comportement que manifeste l'individu qui s'efforce d'atteindre un objectif déterminé. L'atteinte de l'objectif réduira considérablement l'inconfort résultant du besoin ressenti et, de ce fait, diminuera proportionnellement l'intensité de la motivation. Dans cette optique, le rôle du gestionnaire est de favoriser l'assouvissement des besoins des employés en leur offrant des possibilités réelles et psychologiquement économiques de les combler dans leur environnement de travail.

Le modèle de base présenté à la figure 3.1 illustre la volonté des individus d'atténuer l'inconfort provenant d'un besoin insatisfait. La tension, qui se définit par l'écart entre la situation actuelle et la situation désirée, déclenche la recherche de moyens qui permettront d'éliminer le malaise

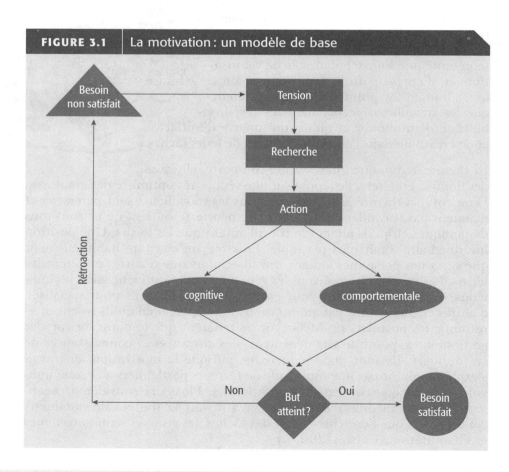

FIGURE 3.1 | La motivation : un modèle de base

ressenti. C'est alors qu'une action potentiellement efficace est retenue et qu'un comportement ou une conduite est adopté en fonction de l'objectif visé. Ce comportement entraînera une résultante quelconque, laquelle sera évaluée en fonction de son efficacité à répondre au besoin existant. Tout le processus de motivation au travail repose donc sur l'orientation des comportements en fonction de leurs conséquences respectives. Ce modèle de base servira de référence tout au long de notre exposé sur les différentes théories de la motivation/satisfaction au travail et permettra de comprendre la portée particulière de chacun des concepts présentés.

3.1.3 Les caractéristiques de la motivation

Le déclenchement (effort), la direction (orientation), l'intensité et la persistance constituent les quatre principales caractéristiques de la motivation (Vallerand et Thill, 1993). Le déclenchement, c'est le passage d'un état d'inactivité à un état d'activité dont l'intensité dépend de l'énergie générée par la motivation. Le déclenchement est donc inhérent à l'effort (physique ou psychologique) fourni par un individu dans la poursuite de ses objectifs. La direction renvoie à la nature des comportements adoptés ainsi qu'à leur qualité et à leur pertinence dans une perspective de satisfaction d'un besoin. L'intensité, quant à elle, fait référence à l'importance de l'énergie consacrée à l'adoption du comportement. Finalement, la persistance se rapporte à la persévérance et à la constance dont fait preuve un individu lorsqu'il adopte un comportement ou accomplit une tâche. Ainsi le déclenchement, l'intensité et la persistance d'un comportement motivé font tous référence à l'énergie déployée pour atteindre un but, alors que la direction concerne l'adéquation entre le choix d'un comportement donné et la réduction réelle de la tension.

Il importe donc qu'il y ait concordance entre les objectifs des employés et ceux de l'organisation. Bien qu'on ait longtemps pensé que ces deux types d'objectifs étaient diamétralement opposés, on constate maintenant qu'il peut exister une certaine convergence entre les besoins individuels et ceux de l'organisation. Outre l'intérêt qu'ils doivent porter au déclenchement, à l'intensité et à la persistance d'un comportement, il est essentiel que les gestionnaires soient attentifs aux besoins particuliers des employés afin que ces derniers puissent être satisfaits par l'adoption de comportements dits productifs. Lorsque les besoins peuvent trouver réponse dans l'organisation, l'énergie générée par la motivation est investie dans l'adoption de comportements préconisés et valorisés par l'entreprise.

3.2 Les théories de la motivation au travail

Il est parfois difficile de motiver une personne. En entreprise, la motivation du personnel exige la prise en compte d'un ensemble de variables, dont certaines sont internes à l'organisation, alors que d'autres lui sont externes ; si bien que le contrôle organisationnel de la motivation est limité et qu'on ne peut espérer un succès instantané. Aucune des théories exposées dans les pages qui suivent ne constitue une panacée aux problèmes de motivation en entreprise ; elles représentent plutôt autant de cadres interprétatifs qui permettent de maintenir ou d'améliorer la motivation au travail. Faisant écho à la typologie de Campbell et autres (1970), nous présentons dans cette section les deux axes théoriques permettant de circonscrire les tenants et les aboutissants de la motivation au travail, soit les **théories de contenu** et les **théories de processus** (voir le tableau 3.1).

TABLEAU 3.1	Une classification des théories de la motivation	
Classification	**Théories**	**Particularités**
Théories de contenu	• Théorie des besoins de Maslow • Théorie ESC d'Alderfer • Théorie des deux facteurs de Herzberg • Théorie des besoins acquis de McClelland	Ces théories ont pour objet d'énumérer, de définir et de classifier les forces qui incitent un individu à adopter un comportement.
Théories de processus	• Théorie des attentes de Vroom • Modèle béhavioriste • Théorie de l'équité d'Adams • Théorie des objectifs de Locke	Ces théories tentent d'expliquer comment les forces interagissent avec l'environnement pour amener l'individu à adopter un comportement particulier.

3.2.1 Les théories de contenu

Les théories de contenu portent sur les facteurs qui incitent à l'action. Elles présentent les divers besoins ressentis par les individus ainsi que les conditions qui motivent ces derniers à satisfaire ces besoins. Ces théories nous permettront d'expliquer les déterminants internes de la motivation en insistant principalement sur le déclenchement et l'intensité de la motivation.

La théorie des besoins de Maslow

La théorie de la motivation la plus connue est sans aucun doute **la théorie des besoins**, aussi nommée théorie de la hiérarchie des besoins, élaborée par Maslow (1943). Bien qu'elle ne fût pas spécifiquement développée pour comprendre la réalité en milieu de travail, cette théorie a rapidement été adaptée par d'autres chercheurs afin de saisir les particularités de la motivation au travail (Muchinsky, 2006). Maslow reconnaît l'existence de cinq catégories de besoins organisés selon une structure hiérarchique. Il y a tout d'abord les **besoins physiologiques**, suivis des besoins de sécurité, des besoins sociaux, des **besoins d'estime** et finalement des besoins d'actualisation. Selon Maslow, ces besoins ne peuvent être ressentis simultanément; ils sont plutôt perçus successivement, selon un ordre précis. La figure 3.2 illustre la séquence d'apparition des besoins définis par Maslow, de la base jusqu'au sommet de la pyramide, et donne des exemples appliqués à l'entreprise.

Les besoins physiologiques

On n'arrive jamais à satisfaire entièrement nos besoins. À peine en a-t-on comblé un qu'un autre apparaît et demande prioritairement à être satisfait,

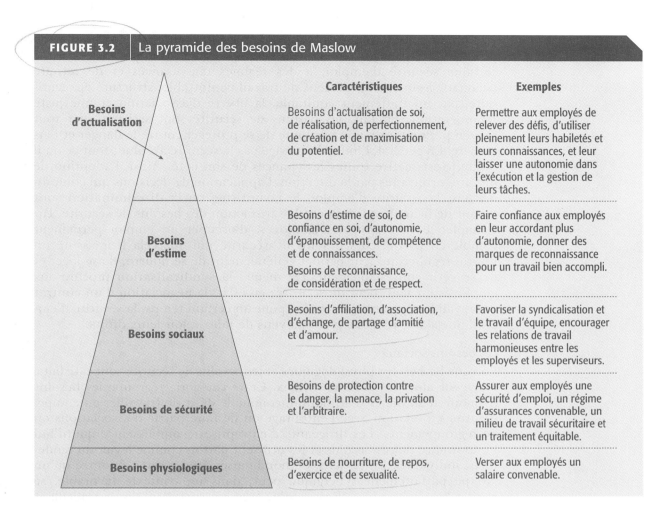

FIGURE 3.2 | La pyramide des besoins de Maslow

	Caractéristiques	Exemples
Besoins d'actualisation	Besoins d'actualisation de soi, de réalisation, de perfectionnement, de création et de maximisation du potentiel.	Permettre aux employés de relever des défis, d'utiliser pleinement leurs habiletés et leurs connaissances, et leur laisser une autonomie dans l'exécution et la gestion de leurs tâches.
Besoins d'estime	Besoins d'estime de soi, de confiance en soi, d'autonomie, d'épanouissement, de compétence et de connaissances. Besoins de reconnaissance, de considération et de respect.	Faire confiance aux employés en leur accordant plus d'autonomie, donner des marques de reconnaissance pour un travail bien accompli.
Besoins sociaux	Besoins d'affiliation, d'association, d'échange, de partage d'amitié et d'amour.	Favoriser la syndicalisation et le travail d'équipe, encourager les relations de travail harmonieuses entre les employés et les superviseurs.
Besoins de sécurité	Besoins de protection contre le danger, la menace, la privation et l'arbitraire.	Assurer aux employés une sécurité d'emploi, un régime d'assurances convenable, un milieu de travail sécuritaire et un traitement équitable.
Besoins physiologiques	Besoins de nourriture, de repos, d'exercice et de sexualité.	Verser aux employés un salaire convenable.

ce que l'on fait naturellement en continuant d'assurer la satisfaction des besoins déjà comblés qui sont, par nature, récursifs. Le processus est continu et se perpétue tout au long de la vie. Nous l'avons dit, dans la pyramide de Maslow, les besoins sont classés par ordre d'importance. Ainsi, les besoins physiologiques, qui se trouvent à la base, deviennent vite, s'ils ne sont pas comblés, une préoccupation de survie. À moins de circonstances très particulières, ils priment à l'origine sur tout autre type de besoin. Comme exemples de besoins physiologiques, mentionnons la nourriture, le repos, l'exercice et la sexualité. Selon le principe de manque, un besoin satisfait n'est plus nécessairement un facteur déterminant du comportement. Par exemple, l'air qu'on respire, à moins d'en être privé, n'aura aucun effet appréciable sur le comportement. Enfin, la société dans laquelle on vit oblige l'individu à travailler ou, à tout le moins, à se procurer de l'argent pour combler ses besoins physiologiques ; sans argent, il est difficile, voire impossible, de satisfaire les besoins primaires.

Les besoins de sécurité

Lorsque les besoins physiologiques ne constituent plus une préoccupation, les besoins de sécurité émergent et motivent l'adoption de comportements visant leur satisfaction. Les besoins de sécurité sont reliés aux besoins de protection et peuvent être satisfaits dans l'organisation par l'accès à une certaine sécurité d'emploi, à des régimes d'assurances et de retraite adéquats, à un environnement de travail confortable, structuré et sécuritaire, par un traitement équitable, la liberté d'association et une juste rémunération. En fait, les besoins de sécurité sont satisfaits par tout moyen permettant à une personne de se protéger contre le danger et l'arbitraire. En général, l'individu n'exige pas la sécurité absolue ; tout ce qu'il désire, c'est mettre toutes les chances de son côté. Ainsi, l'adoption de mesures arbitraires par la direction, l'application de décisions qui compromettent la sécurité d'emploi, le favoritisme ou la **discrimination** sont autant de facteurs qui freinent la satisfaction des besoins de sécurité. Par exemple, le fait, pour les employés, d'occuper un emploi permanent comble en partie leurs besoins de sécurité puisque cela leur assure un revenu régulier qui leur permet généralement de se nourrir, de se loger et de se vêtir convenablement. De même, la **syndicalisation** procure aux employés un sentiment de sécurité ; en effet, la négociation d'un **contrat** de travail leur garantit, du moins pour un certain temps, la sécurité d'emploi, un salaire adéquat et les moyens de faire valoir leurs droits.

Les besoins sociaux

Lorsque les besoins physiologiques et les besoins de sécurité sont satisfaits, émergent alors les besoins sociaux. Cette catégorie regroupe les besoins d'amour, d'amitié et d'affiliation, comme le désir de travailler en équipe, d'entrer en relation avec l'entourage ou de faire partie d'associations ou de regroupements. Les dirigeants d'entreprise reconnaissent aujourd'hui l'importance de ces besoins et les utilisent parfois comme levier du rendement individuel. En ce sens, de nombreuses études ont démontré qu'un groupe parfaitement synergique peut, dans un contexte favorable, se révéler beaucoup plus efficace qu'un nombre égal d'employés travaillant chacun de leur côté à l'atteinte des objectifs de l'organisation. L'esprit d'équipe, le sentiment d'appartenance, un contexte propice à la collaboration sont autant de caractéristiques organisationnelles qui permettent de satisfaire les besoins sociaux.

Les besoins d'estime

Dans l'entreprise, les besoins d'estime sont satisfaits dans la mesure où les employés éprouvent un sentiment de fierté lorsqu'ils maîtrisent les tâches qu'on leur confie et qu'ils reçoivent en retour la reconnaissance de leurs pairs et de l'organisation. Ces besoins, une fois satisfaits, entraînent normalement une meilleure productivité, d'où leur importance pour les dirigeants et les travailleurs. Les besoins d'estime se partagent en deux catégories. D'une part, il y a les besoins qui concernent l'estime de soi, tels les besoins de confiance en soi, d'autonomie, d'épanouissement, de compétence et de connaissances. D'autre part, il y a les besoins reliés à la reconnaissance des compétences par les collègues et la direction ; cette reconnaissance peut se traduire par des marques de considération et de respect, par une promotion ou par la valorisation des tâches. À l'instar des autres catégories de besoins, les besoins d'estime sont pratiquement insatiables, puisque les éléments de valorisation s'effritent dans le temps. Cependant, ils ne se

La reconnaissance au travail attire de plus en plus l'attention en contexte de santé mentale au travail. Les employés s'attendent à recevoir plus qu'un salaire ; ils s'attendent également à ce que leur travail soit reconnu. Il peut s'agir, par exemple, de souligner leurs bons coups, d'offrir des encouragements ou des marques d'appréciation. La reconnaissance se manifeste aussi par la création d'un espace de discussion permettant aux personnes d'exprimer leur point de vue sur le travail. Deux éléments essentiels à la reconnaissance sont le jugement d'utilité du travail réalisé (reconnaître le respect des échéanciers, l'atteinte des objectifs, les obstacles surmontés, etc.) et le jugement de beauté du travail (reconnaître la qualité du service, la pertinence des décisions, l'ingéniosité des solutions, etc.). Ceux qui ne se sentent pas estimés et reconnus dans leur travail, et ce, tant par leurs supérieurs que par leurs collègues, risquent davantage de se voir affligés de problèmes de santé mentale au travail. Plusieurs études démontrent que la reconnaissance est liée à la motivation et à la satisfaction au travail, au niveau de détresse psychologique et aux risques de maladies cardiovasculaires.

Source : Adapté de « La reconnaissance au travail », [en ligne], www.cgsst.com/reconnaissance/fra/defaut.asp (page consultée le 10 décembre 2006).

manifesteront que lorsque les besoins physiologiques, de sécurité et sociaux auront été raisonnablement satisfaits. Dans les organisations où l'on applique des méthodes de gestion traditionnelles, les employés ont généralement peu d'occasions de satisfaire leurs besoins d'estime, puisque les dirigeants accordent peu d'importance à cet élément de motivation.

Les besoins d'actualisation

Au sommet de la pyramide des besoins prennent place les besoins d'actualisation. Il s'agit du désir qu'éprouve une personne de réaliser ses projets, de se perfectionner et d'exploiter son plein potentiel. Soulignons que les impératifs rattachés à la satisfaction des besoins situés aux niveaux précédents de la pyramide obligent souvent les individus à remettre à plus tard leurs projets de réalisation. Maslow soutient que les gens ayant satisfait les besoins les plus élevés de la pyramide ont une juste perception de la réalité. De plus, ils s'acceptent et acceptent les autres plus facilement, font preuve d'autonomie et de **maturité**, se montrent plus créatifs et regardent le monde avec sérénité. Par conséquent, ils sont souvent des modèles de motivation pour leur entourage, permettant ainsi à d'autres personnes de poursuivre leur cheminement vers l'accomplissement de soi.

Par-delà la nature particulière des divers besoins, deux principes fondamentaux régissent la dynamique de la pyramide de Maslow. Le premier est le principe de progression, qui régule la progression des individus à travers l'ensemble des groupes de besoins. Comme nous l'avons déjà mentionné, les personnes évoluent de façon ordonnée, de la base de la pyramide jusqu'au haut. Ainsi, nous devons satisfaire nos besoins physiologiques, nos besoins de sécurité, nos besoins sociaux et d'estime avant de satisfaire nos besoins d'actualisation. Le principe de la progression détermine donc la séquence unique d'apparition des besoins, selon l'ordre établi par la pyramide des besoins de Maslow. Le second principe est celui de manque. Selon ce principe, on ne ressent un besoin que s'il est insatisfait ; une fois comblé, il perd son acuité. Ainsi, le groupe de besoins qui sera le plus à même d'amener l'individu à adopter tel ou tel comportement est celui où cette personne se situe dans la hiérarchie. Cela ne veut pas dire que les besoins précédents ne sont plus motivants, mais plutôt qu'ils le sont moins que ceux qui cherchent prioritairement satisfaction.

La théorie de la motivation de Maslow jouit d'une popularité importante qui trouve écho en gestion des ressources humaines. Cependant, force est de constater que la validité scientifique de cette théorie est plus apparente que réelle. En fait, peu d'études ont mis cette conception de la motivation à l'épreuve et rares sont celles qui appuient les postulats de Maslow. Certaines ont mis en doute la nature des besoins, la séquence obligatoire de satisfaction ou encore l'universalité du modèle, même si Maslow n'a jamais eu la prétention de développer un tel modèle (Dye et autres, 2005). Cela étant dit, il demeure que la théorie de Maslow offre un éclairage certain sur le phénomène de la motivation au travail (Muchinsky, 2006). Elle offre, entre autres aux gestionnaires, un cadre d'analyse permettant de mieux saisir les besoins des travailleurs et de mettre en place des réponses appropriées (Louche, 2005).

La théorie des besoins de Maslow peut aussi être utile à la compréhension de différents comportements. Par exemple, il y a plusieurs années, un gestionnaire a tenté d'expliquer la montée au pouvoir du Parti québécois, alors dirigé par René Lévesque, à l'aide de cette théorie. Voici son explication :

Dans les années qui ont précédé l'accession au pouvoir du Parti québécois, de nombreuses mesures économiques et sociales (syndicalisation, hausse des salaires, régimes d'accès à la propriété et à l'éducation supérieure, etc.) ont permis d'améliorer la qualité de vie des Québécois. Aussi la conjoncture socioéconomique favorisait-elle ce parti qui offrait la possibilité de satisfaire des besoins d'ordre supérieur par l'entremise du nationalisme. Les Québécois ont alors majoritairement voté pour le parti qui leur offrait la possibilité de combler ces nouveaux besoins. Par la suite, la détérioration de la conjoncture économique a engendré un climat d'insécurité, ce qui a amené la population à vouloir d'abord assurer ses besoins physiologiques et de sécurité, l'éloignant du même coup des besoins sociaux et d'estime qu'aurait pu satisfaire le nationalisme.

La théorie ESC d'Alderfer

Alderfer (1969, 1972) reconnaît que les besoins sont étroitement associés à la motivation. Cependant, ses recherches ne lui permettent pas d'établir une hiérarchie des besoins comparable à celle de Maslow, même si, dans certains cas particuliers, il admet qu'une progression a pu être observée. Par ailleurs, Alderfer classe les besoins en trois ensembles composés respectivement des **besoins d'existence** (E), des **besoins de sociabilité** (S) et des **besoins de croissance** (C), d'où la **théorie ESC** (voir la figure 3.3).

Les besoins d'existence

Il s'agit des besoins primaires qui trouvent satisfaction par l'entremise, d'une part, de la nourriture, de l'air et de l'eau et, d'autre part, du salaire, des **avantages sociaux** et des conditions de travail. En somme, cette catégorie correspond aux besoins fondamentaux ou physiologiques et de sécurité de la pyramide de Maslow. Un individu ayant la possibilité de s'assurer

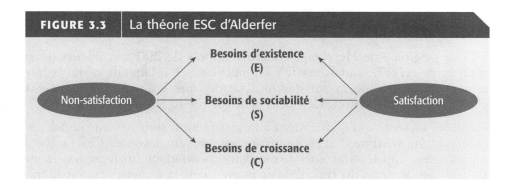

FIGURE 3.3 | La théorie ESC d'Alderfer

Besoins d'existence
(E)

Non-satisfaction

Besoins de sociabilité
(S)

Satisfaction

Besoins de croissance
(C)

un bien-être physique et matériel aura généralement comblé ces besoins (Schermerhorn et autres, 2002).

Les besoins de sociabilité

Ces besoins sont satisfaits lorsque l'individu établit des relations interpersonnelles significatives. Ils regroupent les besoins de reconnaissance, d'appartenance et d'affiliation qui poussent une personne à créer des liens avec son entourage et à rechercher la reconnaissance et l'estime d'autrui. Cette catégorie de besoins s'apparente principalement aux besoins sociaux et d'estime qu'on retrouve chez Maslow.

Les besoins de croissance

Ces besoins sont comblés lorsqu'un individu parvient à créer ou à réaliser des projets significatifs tout en ayant le sentiment d'utiliser son plein potentiel et de s'épanouir. Ces besoins s'apparentent aux besoins d'actualisation dans la pyramide de Maslow.

Essentiellement, la théorie d'Alderfer se distingue de la théorie de Maslow en rejetant le postulat de la préséance stricte des besoins (principe de progression) et le postulat de l'unidimensionnalité de la satisfaction (principe de manque). En effet, contrairement à Maslow, Alderfer soutient qu'un individu peut aussi bien régresser que progresser dans la satisfaction des besoins, lesquels ne sont soumis à aucun ordre prédéterminé. Ainsi, une personne qui ne parvient pas à satisfaire ses besoins de croissance pourra canaliser ses énergies vers la satisfaction de ses besoins de sociabilité. Alderfer explique ce phénomène de régression par le sentiment de frustration qu'engendre l'impossibilité de combler les besoins supérieurs, et qui amène l'individu à focaliser ses énergies sur des besoins pouvant être satisfaits. De plus, l'individu pourra chercher à satisfaire simultanément plusieurs besoins, car ils coexistent continuellement.

La théorie des deux facteurs de Herzberg

La publication de l'ouvrage *The Motivation to Work* (Herzberg et autres, 1959) a provoqué une réaction immédiate dans le domaine de la psychologie du travail et du comportement organisationnel, réaction que, jusque là, bien peu d'événements avaient suscitée. En fait, cet ouvrage jetait les bases d'une conception alors fort différente de la motivation et de la satisfaction au travail, conception nommée « **théorie des deux facteurs** » ou encore, « théorie bifactorielle ».

L'étude originale de Herzberg, effectuée auprès de 200 travailleurs de la compagnie AT&T, voulait vérifier l'hypothèse selon laquelle certains facteurs procuraient de la satisfaction, tandis que d'autres provoquaient plutôt de l'insatisfaction. L'étude a confirmé cette hypothèse.

Ainsi, les facteurs qui contribuent à la satisfaction sont liés au travail lui-même et au sentiment d'épanouissement qui en découle. Ces facteurs intrinsèques, appelés « facteurs de motivation » ou « facteurs moteurs », sont associés au contenu du travail ; ils comprennent la réussite, la considération, l'autonomie, les responsabilités et l'avancement.

En contrepartie, d'autres facteurs contribuent à amoindrir les attitudes négatives au travail sans toutefois entraîner un rendement accru et soutenu de la part de l'employé. Ces facteurs extrinsèques, appelés « facteurs d'hygiène » ou « facteurs d'ambiance », sont liés au contexte de travail ; ils comprennent les politiques organisationnelles, la supervision (aspect technique), la politique salariale, les relations interpersonnelles, les conditions de travail et la sécurité d'emploi (voir la figure 3.4).

En somme, selon la théorie de Herzberg, il y aurait chez l'être humain deux grandes catégories de besoins. D'une part, en tant qu'élément du règne animal, l'homme éprouve le besoin de se prémunir contre le danger, la privation et la douleur ; d'autre part, en tant que membre de l'espèce humaine, il ressent le besoin de s'épanouir et de se développer.

Ainsi, il existe des similitudes entre les théories de Maslow, d'Alderfer et de Herzberg. On peut comparer les besoins extrinsèques (facteurs d'hygiène) de Herzberg aux besoins physiologiques et de sécurité de Maslow ainsi qu'aux besoins d'existence et de sociabilité d'Alderfer. Les besoins intrinsèques tels que Herzberg les définit (facteurs de motivation) correspondent simplement aux besoins d'estime et d'actualisation de Maslow ainsi qu'aux besoins de croissance d'Alderfer. Notons que Herzberg souscrit

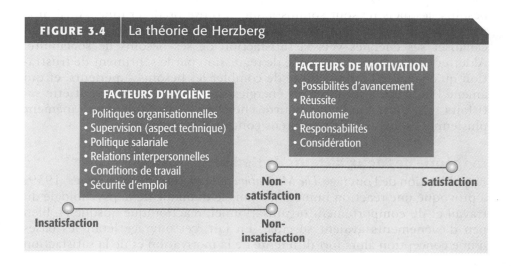

FIGURE 3.4 | La théorie de Herzberg

FACTEURS D'HYGIÈNE
- Politiques organisationnelles
- Supervision (aspect technique)
- Politique salariale
- Relations interpersonnelles
- Conditions de travail
- Sécurité d'emploi

FACTEURS DE MOTIVATION
- Possibilités d'avancement
- Réussite
- Autonomie
- Responsabilités
- Considération

Insatisfaction — Non-insatisfaction

Non-satisfaction — Satisfaction

au principe de progression et au principe de manque, tels que formulés par Maslow.

Il existe cependant une distinction fondamentale entre les trois théories. Les modèles traditionnels, comme ceux privilégiés par Maslow et Alderfer, soutiennent que tout ce qui n'est pas insatisfaisant est forcément satisfaisant, et vice-versa. Donc, si le salaire est bon, on est satisfait ; s'il ne l'est pas, on devient alors insatisfait. Pour Herzberg, cette logique ne tient pas : il existe pour lui une dichotomie nette entre l'insatisfaction et la satisfaction. Ainsi, selon la théorie des deux facteurs, les catégories de besoins s'étendent sur des continuums indépendants les uns des autres. Les éléments de l'environnement de travail ou du contenu du travail agissent donc très différemment sur la dynamique de satisfaction. Les premiers peuvent réduire l'insatisfaction, alors que seuls les seconds ont la capacité de générer une réelle satisfaction au travail.

Les exemples suivants montrent la façon dont la théorie des deux facteurs de Herzberg explique certaines situations courantes dans un contexte de travail.

Exemple 1

Les faits : Jacques Picard ne reçoit aucune marque de considération pour le travail qu'il accomplit comme comptable.

Sa réaction : La considération est un facteur de motivation qui, à un niveau peu élevé, n'entraîne pas d'insatisfaction, mais suscite chez Jacques Picard un état de non-satisfaction.

Exemple 2

Les faits : Pierre Bigras travaille sous une surveillance étroite et sévère.

Sa réaction : La surveillance étant un facteur d'hygiène, Pierre Bigras éprouve un sentiment d'insatisfaction. Les facteurs d'hygiène, à un niveau peu élevé, engendrent un état d'insatisfaction.

Exemple 3

Les faits : Jean Lafortune est au service d'une entreprise qui offre à ses employés de nombreux avantages sociaux.

Sa réaction : Les conditions de travail constituent un facteur d'hygiène qui, à un niveau élevé, engendre chez Jean Lafortune un sentiment de non-insatisfaction.

Exemple 4

Les faits : Paul Lizotte occupe un poste comportant de nombreuses responsabilités et des tâches très intéressantes.

Sa réaction : Le travail lui-même étant un facteur de motivation, Paul Lizotte sera satisfait. Un facteur de motivation, à un niveau élevé, procure de la satisfaction.

*
*   *

En résumé, le constat le plus significatif de Herzberg est qu'il existe deux catégories de besoins fondamentaux qui sont comblés par deux groupes de facteurs, soit les facteurs d'hygiène, qui suivent un continuum insatisfaction/ non-insatisfaction, et les facteurs de motivation, qui suivent le continuum non-satisfaction/satisfaction. Par conséquent, le dirigeant qui désire améliorer la motivation d'un employé adaptera les tâches de ce dernier afin qu'elles engendrent un sentiment de satisfaction et un degré de motivation accrus, augmentant du même coup le rendement et la productivité.

Malgré le grand intérêt qu'il suscite et sa mise en application par les gestionnaires, le modèle de Herzberg n'est pas sans taches. Ainsi, deux critiques majeures définissent ce que l'on nomme la *Herzberg controversy.* Ces critiques concernent la méthodologie qui a permis l'élaboration des concepts et le manque de validité ou d'universalisme du modèle des deux facteurs. Cependant, malgré ces critiques, le modèle des deux facteurs demeure indispensable à la compréhension de la nature de la motivation et de la satisfaction au travail

La théorie des besoins acquis de McClelland

McClelland (1971) est surtout connu pour ses travaux portant sur les besoins situés au sommet de la pyramide de Maslow. Toutefois, il n'établit pas de hiérarchie formelle des besoins. Il ne cherche pas tant à déterminer une séquence d'apparition des besoins que d'expliquer comment ces derniers influencent le comportement en milieu de travail. Par conséquent, l'attention de McClelland s'est portée plus particulièrement sur trois besoins manifestement liés au milieu du travail, soit le **besoin de réalisation**, le **besoin d'affiliation** et le besoin de pouvoir. Selon la **théorie de McClelland**, chaque individu éprouve une dépendance persistante à l'égard de l'un ou l'autre de ces besoins. Toutefois, au gré des circonstances, il peut également ressentir les deux autres besoins, mais dans une moindre mesure. L'intensité d'un besoin et les comportements qui en découlent varient d'une situation à l'autre. Plus un besoin se manifeste avec force, plus l'individu s'engage dans des comportements qui pourront le satisfaire.

Une des particularités de la théorie de McClelland est qu'elle soutient que les besoins proviennent de la culture, des normes et des expériences personnelles et qu'ils ont, de ce fait, un caractère acquis. Par conséquent, de variable indépendante, la motivation passe à l'état de variable dépendante ; en outre, elle peut s'acquérir par la **formation et le perfectionnement** (McClelland, 1971). Définissons maintenant chacun des trois besoins énumérés précédemment, soit les besoins de réalisation, d'affiliation et de pouvoir.

Le *besoin de réalisation* se définit comme la volonté d'un individu d'exceller dans les activités dans lesquelles il s'engage. Ce besoin incite le travailleur à accomplir ses tâches avec efficience et efficacité.

Le *besoin d'affiliation* concerne le désir d'établir et de maintenir des relations conviviales avec autrui. Certains individus recherchent l'approbation sociale, d'autres aiment s'intégrer et se sentir appréciés dans un groupe. Il est réaliste de croire que les individus davantage motivés par le besoin d'affiliation sont très communicatifs et réussissent bien dans des emplois où la qualité des contacts interpersonnels est primordiale.

Le *besoin de pouvoir* se rapporte au désir d'un individu d'influencer son entourage. Malheureusement, ce terme est tellement associé à des abus de pouvoir qu'il est difficile, lors d'une entrevue de sélection, d'évaluer sans méfiance les candidats qui expriment ce besoin. Pourtant, ces derniers exercent une influence notable dans leur milieu parce qu'ils aiment maîtriser les situations et stimuler les gens. Ces personnes aiment travailler et sont attirés par la discipline que le travail impose.

En conclusion, les quatre théories de contenu exposées dans cette sous-section ont pour objet de cerner les besoins et d'expliquer l'influence qu'ils exercent sur la motivation. Les chercheurs qui ont élaboré ces théories ont tenté de décrire les facteurs qui poussent un individu à agir, mettant l'accent davantage sur la catégorisation des besoins et des facteurs de motivation plutôt que sur le processus de motivation lui-même. Ainsi, Maslow et Alderfer énoncent les besoins susceptibles de motiver les employés, et Herzberg ajoute que la motivation est en partie fonction de certaines variables organisationnelles. Pour sa part, McClelland fait preuve d'originalité en soutenant que les besoins tirent leur origine de la culture, des normes et des expériences personnelles et donc, qu'ils peuvent être façonnés par le contexte organisationnel (Miron et McClelland, 1979). Le tableau 3.2, à la page suivante, fait une synthèse des principales composantes de ces quatre théories.

3.2.2 Les théories de processus

Comme nous venons de le mentionner, les théories de contenu tentent de déterminer la nature des besoins ainsi que le rôle de ceux-ci dans l'enclenchement d'un cycle de motivation. Elles soulignent les facteurs internes qui dynamisent le comportement. Toutefois, ces théories présentent des modèles plutôt universels de la motivation, en ce sens qu'elles tiennent pour acquis que tous les travailleurs agissent selon le même principe et que, par conséquent, il doit y avoir une façon unique et générale de les motiver. Somme toute, dans les théories de contenu, les facteurs internes de motivation ont été surestimés, alors que les facteurs contextuels ont été sous-estimés.

Les théories de processus envisagent la motivation sous un autre angle. Dans ces théories, ce qui motive une personne dans une situation donnée peut ne pas être approprié pour une autre personne ou dans une autre situation. Sans nier l'importance des besoins et des autres forces internes, les théories de processus s'attardent davantage aux facteurs situationnels et à la relation qui existe entre les besoins et les divers aspects de l'environnement. En ce sens, ces théories portent davantage sur l'orientation et la persistance d'un comportement motivé que sur l'émergence de la motivation.

La théorie des attentes de Vroom

Selon la **théorie des attentes, ou théorie de l'expectative**, élaborée par Vroom (1964), le comportement individuel s'explique par la valeur perçue

TABLEAU 3.2	La synthèse des théories de contenu
Théorie	**Principales composantes**
Théorie des besoins de Maslow	• Cinq catégories de besoins motivent les individus : – les besoins physiologiques ; – les besoins de sécurité ; – les besoins sociaux ; – les besoins d'estime ; – les besoins d'actualisation. • Les besoins sont ressentis selon une hiérarchie stricte débutant avec les besoins physiologiques. • Un seul continuum.
Théorie ESC d'Alderfer	• Trois catégories de besoins motivent les individus : – les besoins d'existence ; – les besoins de sociabilité ; – les besoins de croissance. • Une certaine progression est généralement observée dans l'apparition des besoins, sans qu'ils soient soumis à une hiérarchie stricte. • Un seul continuum.
Théorie des deux facteurs de Herzberg	• Deux catégories de facteurs motivent les individus : – les facteurs d'hygiène ; – les facteurs de motivation. • Il s'agit de deux types de facteurs bien distincts agissant de façon indépendante. • Deux continuums.
Théorie des besoins acquis de McClelland	• Trois catégories de besoins motivent les individus : – les besoins de réalisation ; – les besoins d'affiliation ; – les besoins de pouvoir. • Aucune progression, aucune préséance hiérarchique. Ces trois types de besoins sont ressentis indépendamment de la satisfaction des autres, et cela en fonction des caractéristiques de la situation dans laquelle évolue l'individu. • Trois continuums.

de ses conséquences. Cette théorie suppose également que l'individu opère un choix conscient et raisonné des moyens qui lui permettront d'atteindre ses objectifs, de sorte que les efforts individuels ne sont pas fournis de manière routinière, mais plutôt selon une perspective stratégique. Ainsi, l'individu réfléchit et évalue les options possibles, ce qui l'amène à prendre une décision fondée sur des considérations liées aux particularités de la situation dans laquelle il se trouve.

La théorie des attentes se différencie des différentes théories de contenu par l'importance qu'elle accorde au choix rationnel des comportements susceptibles d'engendrer certaines conséquences. Ainsi, selon cette théorie, les individus choisissent délibérément les comportements qu'ils estiment les plus appropriés pour atteindre leurs objectifs, plutôt que d'adopter automatiquement des comportements déclenchés par l'émergence d'un besoin à satisfaire.

Dans sa forme la plus simple, la théorie des attentes renvoie au choix d'une stratégie comportementale. Plus précisément, elle postule que l'individu évaluera un ensemble de comportements possibles et choisira celui qui lui semble le plus prometteur afin d'obtenir les récompenses auxquelles il attache une certaine importance ou une certaine valeur. Ainsi, si l'individu estime qu'un accroissement soutenu de la qualité de son travail lui procurera une augmentation de salaire et de meilleures possibilités d'avancement, la théorie suppose que l'individu adoptera ce comportement. La figure 3.5 illustre les principales composantes de la théorie des attentes, qui se résume essentiellement comme suit : c'est la perception qu'a l'individu de la relation qui existe entre, d'une part, ses efforts au travail et son rendement et, d'autre part, les récompenses susceptibles d'être obtenues qui motive le comportement. Notons que les capacités individuelles viennent naturellement pondérer ce modèle. En somme, en plus d'impliquer un choix rationnel de comportement, cette théorie soutient que les attentes, l'**instrumentalité** et la **valence** déterminent la stratégie comportementale qui sera adoptée par chaque individu.

FIGURE 3.5	L'équation de la motivation selon Vroom

MOTIVATION = **Attentes** × **Instrumentalité** × **Valence**

Ainsi, dans ce modèle, les attentes correspondent à la croyance que des efforts accrus entraîneront une amélioration du rendement ou de la productivité. L'instrumentalité, ou l'utilité, renvoie à une estimation de la probabilité que le rendement visé entraîne des conséquences ou des résultats. Plus simplement, il s'agit pour l'individu d'évaluer ses chances d'obtenir une récompense (par exemple, une promotion, une augmentation de salaire, etc.) s'il améliore son rendement. Enfin, la valence est associée à l'attrait ou à la valeur symbolique que l'individu accorde à la récompense ou aux conséquences finales. Ainsi, la valence est surtout déterminée par l'espoir qu'a l'individu que les conséquences finales sauront répondre aux besoins qu'il cherche à combler par l'adoption d'un comportement particulier. Plus précisément, selon la théorie des attentes, l'individu tente de déterminer de façon rationnelle si la récompense (ou la conséquence) sera proportionnelle à l'effort (au coût) à fournir ; il fera un effort supplémentaire à la condition que la récompense le justifie.

En résumé, les attentes correspondent à la probabilité que les efforts entraînent une amélioration du rendement et l'instrumentalité correspond à la probabilité que l'amélioration du rendement entraînera des conséquences. La probabilité des attentes et de l'instrumentalité peut varier sur une échelle graduée de 0 à 1. Quant à la valence, elle équivaut à la valeur des conséquences pour l'individu et est évaluée sur une échelle de −1 à 1 ; une conséquence peut être jugée indésirable (−1), sans valeur (0) ou attrayante (+1), selon les préférences de l'individu et la situation dans laquelle il se trouve. Naturellement, une valence négative engendrera un état de démotivation plutôt que de motivation.

On sait maintenant que c'est à partir de leur expérience et de leur jugement que les individus évaluent les conséquences de leur comportement. L'exemple donné ci-après illustre le raisonnement que suivent les individus en vue d'adopter une conduite particulière.

Pierre, qui travaille au service d'entretien d'une usine depuis quelques années, se demande s'il devrait fournir plus d'efforts au travail. Il se pose alors certaines questions :

1. Si j'augmente le niveau d'effort que je fournis au travail, quelle est la probabilité que j'améliore mon rendement ? (Attentes)
2. Si les efforts que je prévois fournir permettent d'améliorer mon rendement, quelles conséquences puis-je espérer ? (Instrumentalité)
3. Quelle valeur puis-je attribuer à chacune de ces conséquences ? (Valence)

Ainsi, sur une échelle graduée de 0 à 1, les attentes de Pierre se situeront à 0 s'il croit que son comportement (augmentation du niveau d'effort) n'entraînera pas les conséquences (rendement) espérées. Au contraire, s'il croit que son effort se traduira par une amélioration du rendement, ses attentes tendront vers le 1. De plus, si Pierre croit qu'il n'a aucune chance de recevoir une récompense à la suite de l'amélioration de son rendement, il attribuera un 0 à l'instrumentalité de son nouveau comportement. À l'opposé, s'il croit qu'une amélioration de son rendement lui vaudra assurément une ou plusieurs récompenses, la **valeur instrumentale** tendra vers le 1. Enfin, la valence, qui est évaluée sur une échelle de −1 à 1, pourra être négative si Pierre considère comme indésirables les conséquences liées à une amélioration du rendement, et positive s'il désire recevoir les récompenses en question ; Pierre peut également attribuer une valeur nulle à la valence s'il est indifférent à ces récompenses.

Comme nous l'avons précédemment mentionné, le degré de motivation de Pierre résultera du calcul suivant : Attentes × Utilité × Valence. Ce calcul est d'ailleurs effectué pour évaluer chaque conséquence pouvant résulter du comportement que Pierre prévoit adopter. On comprend aisément que si Pierre attribue la valeur 0 à l'un des facteurs de l'équation, le résultat obtenu sera nul, selon la logique de la multiplication, et Pierre trouvera peu de motivation dans le comportement en question. Toutefois, étant donné que la plupart des comportements entraînent plusieurs conséquences, Pierre effectuera le calcul plusieurs fois et c'est la somme des résultats qui déterminera l'adoption ou non du comportement. Dans notre exemple, si Pierre déploie plus d'énergie au travail en vu d'améliorer son rendement, il est possible qu'il reçoive une augmentation de salaire ou de l'avancement (valence positive). Toutefois, Pierre peut également prévoir une diminution de la qualité de sa vie familiale ou un rejet de la part de ses collègues de travail (valence négative). C'est donc après avoir évalué l'ensemble des conséquences potentielles que Pierre pourra décider d'accroître ou non l'effort qu'il fournit au travail.

La motivation au travail

Voici les faits saillants d'une enquête effectuée en 2004 par OfficeTeam, entreprise de recrutement international, auprès de 777 responsables des ressources humaines dans 9 pays (Australie, Belgique, République tchèque, France, Allemagne, Irlande, Pays-Bas, Nouvelle-Zélande et Royaume-Uni) afin de mieux connaître les ressorts de la motivation du personnel.

Plus efficace le matin

À la question: «Quelle est la période de la journée durant laquelle vous êtes le plus efficace au travail?», la grande majorité des personnes interrogées (85%) répondent le matin. Les Français partagent cet avis (87%), notamment les femmes (91%), au même titre que les Australiens et les Anglais (88%). Seuls les Tchèques (20%) et les Hollandais (12%) se disent plus efficaces en après-midi. Est-ce parce que nos collègues des Pays-Bas accordent très peu de temps à la pause déjeuner, préférant consommer un sandwich à leur bureau tout en poursuivant leur travail?

Le téléphone, élément perturbateur

Le bruit reste le premier ennemi de la concentration. Lorsqu'on interroge les responsables des ressources humaines sur les principales sources de nuisance au travail, ils désignent d'abord les appels téléphoniques (56% des réponses). Les Français sont d'ailleurs les plus incommodés par ces appels (63%), notamment les femmes (67%). Les bavardages et commérages de bureaux sont désignés comme sources de nuisance par 15% de nos compatriotes, principalement des hommes (20%) et... surtout des Néo-Zélandais (24%)! Les Australiens, quant à eux, sont nettement plus perturbés par les courriels (31%), alors que les Hollandais le sont par les réunions (10%). Voilà qui devrait relativiser le caractère supposément français de la «réunionnite aiguë»!...

La motivation, mode d'emploi

Les sources de motivation diffèrent d'un pays à l'autre. Si les bonnes relations avec les collègues sont primordiales, notamment pour les Hollandais (64%), les Australiens (63%) et les Irlandais (58%), les Français sont plus nombreux à s'attacher aux possibilités d'avancement (24%, femmes et hommes confondus). En République tchèque, c'est le salaire qui est déterminant (53%) contrairement à l'Australie (1 %) et à la Hollande (4%). La France est d'ailleurs le seul pays, avec l'Angleterre, où les hommes accordent plus d'importance à leur rémunération que les femmes (31% des hommes contre 19% des femmes).

La compétitivité française en berne

Alors que la majorité des personnes interrogées (52%), tous pays confondus, s'estiment aussi compétitives que l'année dernière, voire plus encore (34%), les Français sont plus pessimistes: 22% d'entre eux déclarent se trouver moins compétitifs, en particulier les femmes (26%). L'Allemagne et la Nouvelle-Zélande se démarquent très nettement en affichant le moral le plus haut: respectivement 44% et 42% des personnes interrogées dans ces deux pays déclarent être plus compétitives.

Source: Adapté de *OfficeTeam,* [en ligne], www.officeteam.fr/press_corner/FRA/OFT/2004/ FRAOFT_motivation.pdf (page consultée le 10 décembre 2006).

Le modèle béhavioriste

Contrairement à la plupart des théories de la motivation, le béhaviorisme, ou comportementalisme, a été élaboré à partir d'expériences en laboratoire. L'objet de l'approche expérimentale qui caractérise le béhaviorisme consiste à prévoir un phénomène en déterminant les conditions contextuelles qui permettent de le reproduire et de le contrôler. Dans ce contexte, l'observation du comportement d'un individu en interaction avec son milieu est prépondérante.

La théorie béhavioriste, utilisée surtout pour expliquer le phénomène de l'apprentissage, peut aussi, par extension, expliquer le phénomène de la motivation au travail. Le principe de base de l'approche béhavioriste est semblable à celui de la théorie des attentes de Vroom, exposée plus haut : le comportement est fonction des conséquences qu'il entraîne. Toutefois, plutôt que d'envisager le comportement comme l'objet d'un choix individuel et rationnel, comme le fait Vroom, on l'envisagera comme objet des conditionnements.

Le béhaviorisme porte peu d'attention aux raisons ou aux besoins internes dans l'explication des comportements. L'accent est mis sur les motifs extrinsèques qui expliquent comment, et non pourquoi, un comportement est adopté et répété. Les béhavioristes accordent peu d'importance, du moins dans la formulation initiale de leur modèle, aux motifs intrinsèques, parce qu'ils estiment que ceux-ci sont subjectifs et difficilement observables, alors que les comportements et leurs conséquences, eux, sont objectifs et quantifiables. Aussi, à la différence des théories du contenu, pour lesquelles les besoins internes sont à l'origine des comportements, la théorie béhavioriste affirme que ce sont les conséquences externes qui déterminent principalement le comportement. Il n'est donc plus nécessaire de tenir compte des besoins de l'individu, puisqu'on peut influencer son comportement en modifiant les conséquences qui en découlent.

La théorie béhavioriste se distingue de la théorie des attentes sur un autre point. On se souvient que, selon la théorie de Vroom, l'individu fait un raisonnement logique lorsqu'il évalue les conséquences que peut entraîner un comportement particulier. La théorie béhavioriste, quant à elle, ne soutient rien de tel. Au contraire, selon cette théorie, l'individu adopte automatiquement les comportements qui ont entraîné des conséquences heureuses dans le passé et il évite, un peu mécaniquement, les comportements dont ont découlé des effets fâcheux.

En adoptant le point de vue béhavioriste, il est possible d'expliquer la probabilité d'apparition des comportements par la loi de l'effet. Ainsi, puisque le comportement dépend de ses conséquences, il faut s'attendre à ce que les comportements dont les conséquences sont souhaitables aient plus de chances de se reproduire que les comportements dont les conséquences ne sont pas souhaitables. C'est en contrôlant les conséquences qu'on peut façonner les comportements. Tout cela est mis en lumière dans le modèle SRC élaboré par Skinner (1974), qui définit les paramètres du conditionnement opérant.

Ainsi, en fonction d'une stimulation environnementale (S), l'individu émettra une réponse ou réaction comportementale (R), qui sera suivie d'une conséquence quelconque (C). C'est la nature de la conséquence d'un comportement donné qui prédisposera l'individu à adopter ou non le même comportement dans une situation identique ou semblable. Bref, c'est la relation entre la réponse (R) et la conséquence (C) qui détermine la probabilité d'apparition d'un comportement particulier dans un même contexte (S).

Dans cet esprit, le modèle béhavioriste offre un ensemble de techniques servant à modifier le comportement des individus, soit le **renforcement positif**, le **renforcement négatif**, la punition et l'extinction (ou la suppression) du comportement (voir la figure 3.6).

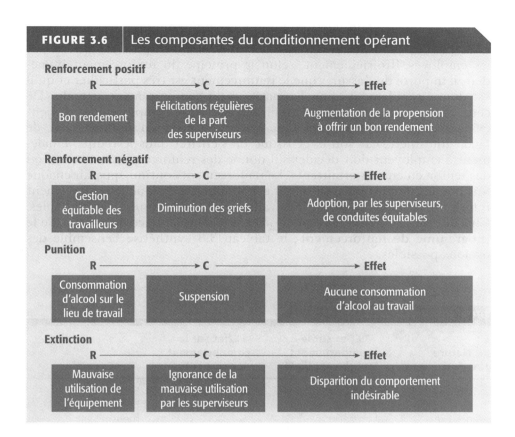

FIGURE 3.6 | Les composantes du conditionnement opérant

Renforcement positif

R ————————→ C ————————————→ Effet

| Bon rendement | Félicitations régulières de la part des superviseurs | Augmentation de la propension à offrir un bon rendement |

Renforcement négatif

R ————————→ C ————————————→ Effet

| Gestion équitable des travailleurs | Diminution des griefs | Adoption, par les superviseurs, de conduites équitables |

Punition

R ————————→ C ————————————→ Effet

| Consommation d'alcool sur le lieu de travail | Suspension | Aucune consommation d'alcool au travail |

Extinction

R ————————→ C ————————————→ Effet

| Mauvaise utilisation de l'équipement | Ignorance de la mauvaise utilisation par les superviseurs | Disparition du comportement indésirable |

Le renforcement positif

Quel que soit le comportement qu'il adopte, l'être humain s'attend à ce qu'il en découle un certain nombre de conséquences. Parmi celles-ci, certaines sont souhaitables pour l'individu, d'autres le sont moins. Le renforcement positif est associé aux conséquences heureuses qu'entraîne, pour un individu, l'adoption d'un comportement particulier. Ainsi, les dirigeants d'entreprise qui appliquent la méthode du renforcement positif souhaitent augmenter la probabilité d'apparition d'un comportement particulier en lui attribuant des conséquences souhaitables ou des récompenses. Par exemple, féliciter un employé pour son travail ou lui donner une augmentation de salaire sont des renforcements positifs.

Toutefois, afin de maximiser l'effet du renforcement positif, les gestionnaires doivent respecter certaines règles. Tout d'abord, ils doivent déterminer et évaluer les comportements qu'ils désirent voir apparaître et strictement renforcer les comportements cibles. Ces comportements doivent être mesurables, en plus d'être connus et compris des employés. Par la suite, il leur faut bien clarifier la méthode de renforcement qu'ils entendent utiliser pour

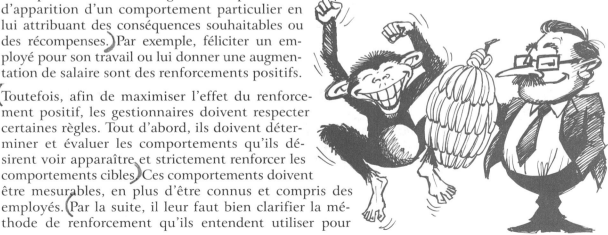

amener les employés à adopter les comportements définis au départ.) En effet, pour être efficace, le renforcement doit être recherché et apprécié par les employés. (Troisièmement, selon le principe du renforcement immédiat, il importe de s'assurer que le renforcement est très particulier et qu'il est donné rapidement après l'apparition du comportement attendu. De cette façon, la relation entre le renforcement et le comportement devient évidente. Quatrièmement, il faut éviter d'utiliser un renforcement de façon routinière, car son effet risque de s'effriter dans le temps. Finalement, l'employeur doit décider s'il donne des renforcements continus ou des renforcements intermittents. Le renforcement continu apparaît chaque fois que le comportement attendu est adopté, tandis que le renforcement intermittent apparaît soit à intervalles fixes, soit à intervalles variables. Chacune de ces modalités de renforcement représente ce qu'on appelle le **programme de renforcement**; le tableau 3.3 synthétise l'ensemble des options possibles.)

TABLEAU 3.3	Les programmes de renforcement			
Programme de renforcement	**Nature du renforcement**	**Effet sur le comportement lorsque appliqué**	**Effet sur le comportement lorsque retiré**	**Exemples**
Intervalles fixes	Récompense attribuée à fréquence fixe	Entraîne un rendement moyen et irrégulier	**Extinction** rapide **du comportement**	Salaire hebdomadaire, mensuel, etc.
Ratio fixe	Récompense toujours associée aux résultats	Entraîne rapidement un rendement très élevé et stable	Extinction rapide du comportement	Système de paie à l'unité
Intervalles variables	Récompense attribuée à des intervalles irréguliers	Entraîne un rendement modérément élevé et stable	Extinction lente du comportement	Inspections et récompenses occasionnelles chaque semaine
Ratio variable	Récompense attribuée après un nombre variable de résultats	Entraîne un rendement très élevé et stable	Extinction lente du comportement	Vente à commission

Source : Traduit et adapté de R.M. Steers, *Introduction to Organizational Behavior,* 3e éd., Glenview (Ill.), Foresman and Co., 1988, p. 225.

EN PRATIQUE...

Le tout a commencé par un innocent vendredi décontracté. Vinrent ensuite les étés relaxes. Puis, comme une traînée de poudre, les organisations sont passées du *Casual Friday* au *Casual Everyday.* En 10 ans à peine, les sociétés sont devenues plus permissives que jamais quant à la façon dont les employés peuvent se présenter au travail. Alors que l'économie allait bien, des *whiz kids* de Silicon Valley ont fait la preuve tous les jours que le succès ne passait pas obligatoirement par le port de la cravate. Mais voilà, après des années de libertinage vestimentaire, plusieurs entreprises reculent sur la question et songent sérieusement à resserrer la vis (ou plutôt le nœud de cravate).

Fini les chandails polo, les pantalons en toile kaki, les jupes courtes et camisoles moulantes au bureau !

Une étude réalisée en 1999 par la Society for Human Resource Management, un groupe de recherche de la Virginie, a démontré que 95 % des entreprises américaines acceptent la tenue décontractée. L'an dernier, ce même pourcentage était tombé à 87 %, chiffre qui fut immédiatement interprété comme un signe précurseur du retour du balancier. Les entreprises du Québec ne semblent pas encore touchées par ce courant américain. On peut prévoir cependant que les entreprises qui choisiront de faire demi-tour ne le crieront pas sur les toits, car l'argument le plus solide en faveur du retour de la cravate est la baisse du rendement des travailleurs.

Un récent sondage mené par Jackson Lewis, un important cabinet d'avocats américain spécialisé en droit du travail, démontre que le relâchement vestimentaire des dernières années n'est pas sans conséquence pour les organisations. Réalisé en 2000, le sondage révèle que près de la moitié (45 %) des patrons ont remarqué une augmentation des retards et de l'absentéisme au travail depuis le relâchement du code vestimentaire. Bien sûr, une tenue décontractée avait atteint l'objectif de créer des liens plus amicaux entre les travailleurs. Mais surprise, selon Jackson Lewis, 25 % des patrons interrogés ont aussi remarqué une augmentation du flirt entre travailleurs ! De plus, il semble que le port de vêtements plus décontractés puisse autoriser dans l'inconscient des travailleurs certains comportements plus ou moins convenables, comme mâcher de la gomme, se montrer désintéressé face aux clients, leur parler de façon inappropriée ou faire des blagues d'un goût douteux.

Source : Martin Jolicoeur, «Resserrez la cravate et ressortez vos tailleurs !», *Les Affaires,* 23 juin 2001, p. 27.

Le renforcement négatif

Le renforcement négatif est une autre technique qui vise à modifier le comportement d'un individu. Il s'agit ici d'augmenter la probabilité d'apparition d'un comportement désiré en éliminant ses conséquences désagréables. Par exemple, la hausse du nombre de griefs est une conséquence négative qui s'atténue ou disparaît lorsque le comportement des gestionnaires est équitable. Le renforcement est donc négatif lorsqu'un comportement permet l'élimination d'une conséquence non souhaitable ou aversive.

Les divers programmes de prévention conçus par les entreprises sont basés sur le principe du renforcement négatif. Prenons, par exemple, les programmes de prévention des accidents du travail. De tels programmes illustrent clairement ce qu'est le renforcement négatif, car leur objectif est d'orienter le comportement des employés de manière à éviter les accidents. En prévenant les accidents, l'entreprise élimine donc les conséquences malheureuses d'un accident du travail : le renforcement est négatif.

La punition

Qu'il soit positif ou négatif, le renforcement augmente toujours la probabilité qu'un comportement se répète. Toutefois, il arrive que pour augmenter la probabilité d'apparition d'un comportement, on doive réduire celle d'un autre comportement. C'est ici qu'entre en jeu une technique vieille comme le monde : la punition. Cette technique peut s'exercer soit en éliminant la conséquence positive d'un comportement, soit en lui donnant une conséquence désagréable. L'exemple le plus connu de cette approche fait partie de notre folklore culturel et s'énonce de la manière suivante : « Si tu ne manges pas tes pommes de terre, tu seras privé de dessert ! » (retrait d'une conséquence positive) ou encore « Mange tes pommes de terre ou tu feras la vaisselle ! » (application d'une conséquence négative). Dans un contexte de travail, la réduction de salaire ou le retrait de privilèges, tout comme l'application de mesures disciplinaires (par exemple, un avertissement verbal ou écrit, une suspension ou un **congédiement**) sont des punitions.

Pour être efficace, la punition doit respecter certaines règles. La sévérité de la punition ainsi que sa proximité dans le temps avec le comportement puni déterminent son efficacité. De plus, une punition sera plus efficace si on suggère à l'employé fautif une réponse ou un comportement de remplacement et si on lui explique les motifs justifiant la punition qu'on lui inflige.

L'extinction

Privé d'un renforcement positif ou négatif, un comportement tendra à disparaître. La technique visant l'extinction ou la suppression d'un comportement s'apparente à la punition parce qu'il y a apparition d'une contingence négative, et s'en distingue parce qu'il y a absence de renforcement positif ou négatif plutôt que production d'une conséquence négative. Donc, en omettant de renforcer un comportement non souhaitable, on favorise sa disparition.

Par exemple, il arrive qu'un comportement non souhaitable fasse l'objet d'une attention positive de la part des collègues de travail. Cette attention particulière agit comme renforcement positif et accroît ainsi la probabilité que le comportement non souhaitable se reproduise. On doit donc s'efforcer de supprimer l'attention accordée à ce comportement afin que soit adopté un comportement plus approprié. En somme, il est primordial de n'accorder une attention soutenue qu'aux comportements désirables.

*

* *

En résumé, le modèle béhavioriste vise à modifier, renforcer ou éliminer un comportement en contrôlant ses conséquences. L'individu auquel on donne un renforcement positif ou négatif à la suite de l'adoption d'un comportement particulier aura tendance à reproduire ce comportement aussi longtemps que le renforcement durera. Au contraire, si le comportement adopté est puni ou si on omet de le renforcer, il disparaîtra.

Ainsi, dans l'entreprise, plusieurs techniques de renforcement positif peuvent être appliquées. Il s'agit, entre autres, des félicitations, des promotions, des primes de production, des augmentations de salaire, etc. Les renforcements négatifs, quant à eux, peuvent consister en diminution ou disparition des réprimandes à l'endroit d'un employé lorsqu'il respecte les règles et les normes de l'entreprise. On parle de punition, par exemple, lorsque l'employeur diminue le salaire d'un employé qui arrive en retard ou lorsqu'un employé est suspendu ou congédié pour mauvaise conduite. Enfin, la méthode de suppression du comportement consiste à omettre de renforcer le comportement d'un employé en vu de voir ce comportement disparaître. Le tableau 3.4 présente une synthèse de ces quatre techniques.

TABLEAU 3.4	Une synthèse des techniques behavioristes	
Technique	**Définition**	**Exemples**
Renforcement positif	Fait de favoriser l'adoption d'un comportement précis par des récompenses.	• Féliciter un travailleur assidu ou lui offrir une prime d'assiduité. • Offrir une promotion, une prime ou une augmentation de salaire à un employé dont le rendement respecte ou dépasse les normes de l'entreprise.
Renforcement négatif	Fait de favoriser le maintien d'un comportement désirable par l'élimination de conséquences potentiellement désagréables.	• Ne pas diminuer le salaire d'un employé qui s'absente occasionnellement lorsque celui-ci en avertit son supérieur et qu'il présente une justification valable. • Cesser de talonner un employé qui agit de façon responsable et autonome et qui fournit un bon rendement.
Punition	Retrait de conséquences positives ou application de conséquences négatives lorsqu'un comportement non souhaitable est adopté.	• Réduire le salaire d'un employé qui s'absente sans raison valable ou qui arrive en retard. • Avertir ou suspendre un employé qui se présente au travail en état d'ébriété.
Extinction	Omission de renforcer positivement ou négativement un comportement que l'on veut voir disparaître.	• Omettre de féliciter un employé qui a obtenu un bon rendement si, pour y parvenir, il a négligé certaines règles de sécurité. • Ne pas nettoyer les salles à manger lorsque les employés laissent traîner leurs déchets.

La théorie de l'équité d'Adams

Certaines théories de la motivation soutiennent qu'un comportement est amorcé, dirigé et maintenu par l'effort que fournit un individu pour rétablir ou conserver un certain équilibre psychologique. Ainsi, c'est lorsqu'un individu ressent des tensions psychologiques ou un déséquilibre quelconque qu'il agit de façon à les réduire.

Cette conception de la motivation provient des théories de l'équilibre qui ont, pour la plupart, été élaborées à partir des fondements de la théorie de la dissonance cognitive de Festinger (1957). Le modèle de Festinger est simple : il pose que lorsqu'un individu se trouve en présence de cognitions (idées) contradictoires, il ressent des tensions psychologiques désagréables qu'il tente de réduire en adoptant un comportement particulier. Les dissonances cognitives constituent donc les forces motrices qui incitent un individu à agir ; ce sont elles qui motivent l'individu à adopter un comportement particulier.

Parmi les variantes de la théorie de la dissonance cognitive, il en existe une qui est plus connue que les autres et c'est la **théorie de l'équité**, développée par Adams (1963, 1965). Ce chercheur affirme que les individus préfèrent en général l'équité, c'est-à-dire être traités d'une façon juste et impartiale dans leurs relations avec l'organisation.

La théorie de l'équité est fondée sur le rapport intrants-extrants en milieu de travail. Les intrants consistent essentiellement en l'apport de l'individu à l'organisation : la compétence, l'engagement, la loyauté et le rendement. Les extrants sont tout ce que l'individu reçoit de l'organisation en échange de sa contribution, comme le salaire, la formation, la reconnaissance, les défis et la progression de sa carrière. Ce que l'employé reçoit forme sa rétribution, alors que les efforts qu'il fournit en raison de sa formation et de son expérience constituent sa contribution.

Ainsi, un individu engagé dans une relation d'échange avec d'autres personnes ou avec une organisation évalue l'équité des gains qu'il retire de cet échange en comparant son rapport intrants-extrants à celui de ses collègues de travail ou de toute personne ou groupe avec qui la comparaison est possible et sensée. Lorsque le rapport de l'individu A correspond au rapport de l'individu B, il perçoit un état d'équité. Toutefois, lorsque les rapports ne sont plus égaux, un état d'**iniquité** apparaît et l'individu peut croire, par exemple, qu'il est sous-payé (iniquité négative) ou surpayé (iniquité positive). La figure 3.7 schématise les postulats de la théorie de l'équité.

Ces postulats illustrent clairement les paramètres qui incitent les individus à agir. On y retrouve, en effet, le concept de dissonance cognitive et le processus de comparaison sociale. En résumé, lorsqu'un individu se compare à ses collègues de travail, il se forme une idée assez précise de l'équité de la situation dans laquelle il se trouve. S'il perçoit un déséquilibre, l'individu sera motivé à entreprendre une action quelconque afin de rétablir l'équilibre.

L'individu peut tenter de réduire l'iniquité au moyen de certains mécanismes. Dans le cas où l'individu se croit sous-payé, il peut soit demander une révision salariale, soit diminuer ses efforts et réduire son rendement. Il peut également envisager d'autres solutions : démissionner, changer de personne de référence, réduire l'iniquité par un processus cognitif. À l'inverse, lorsque l'individu s'estime surpayé, il peut réduire ses extrants (par exemple, écourter ses périodes de repos) ou augmenter ses intrants (par exemple, améliorer son rendement). Nous devons souligner que l'iniquité apparaît plus révoltante et est naturellement plus motivante lorsqu'elle est négative que lorsqu'elle

FIGURE 3.7	Les postulats de la théorie de l'équité		
Équité	$\dfrac{\text{Extrant A}}{\text{Intrant A}}$	$=\dfrac{\text{Extrant B}}{\text{Intrant B}}$	Équilibre : l'individu ne ressent aucune tension et il n'est pas motivé à agir.
Iniquité	$\dfrac{\text{Extrant A}}{\text{Intrant A}}$	$<\dfrac{\text{Extrant B}}{\text{Intrant B}}$	Déséquilibre : l'individu ressent une tension qui le motive à agir.
Iniquité	$\dfrac{\text{Extrant A}}{\text{Intrant A}}$	$>\dfrac{\text{Extrant B}}{\text{Intrant B}}$	Déséquilibre : l'individu ressent une tension qui le motive à agir.

est positive. Un employé est satisfait lorsqu'il ne perçoit aucune iniquité. Par conséquent, il ne tentera pas de changer sa situation, puisqu'elle lui semble convenable.

Somme toute, la théorie de l'équité fait ressortir le fait qu'une récompense prend toute sa valeur aux yeux d'un individu lorsqu'il la voit comme un gain équivalent à ses contributions et comparable aux gains et aux contributions de son entourage. Soulignons cependant que le sentiment d'équité ou d'iniquité est strictement ancré dans la perception de l'individu, et non dans la réalité objective telle qu'elle peut être observée par les autres (Muchinsky, 2006).

La théorie des objectifs de Locke

Au cours d'une série d'expériences en laboratoire, Locke (1968 ; Locke et Latham, 1990) a démontré que le rendement et le comportement d'un individu sont influencés par les objectifs qu'il se fixe. Ainsi, Locke a établi que le rendement est plus élevé chez les individus qui se fixent des objectifs difficiles à atteindre que chez les individus qui préfèrent viser des objectifs faciles à réaliser.

C'est dans la foulée de ces expériences en laboratoire qu'a été élaborée la **théorie des objectifs.** Cette théorie met en évidence la capacité de l'être humain à choisir les buts ou les objectifs qu'il désire atteindre et soutient que les objectifs fixés influencent fortement ses cognitions et ses comportements. Ainsi, pour motiver un employé, il suffit de l'encourager à se fixer des objectifs de rendement élevés ou du moins de l'amener à accepter les objectifs qui lui sont proposés. Une fois que l'individu a l'intention d'atteindre ces objectifs, il consentira à fournir les efforts requis pour y parvenir. La figure 3.8 illustre les constatations de Locke sur le lien entre le rendement et la difficulté des objectifs.

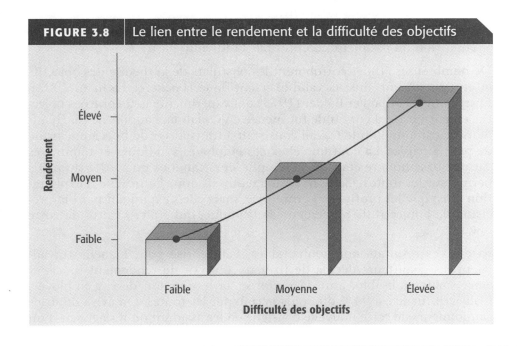

FIGURE 3.8 | Le lien entre le rendement et la difficulté des objectifs

Soulignons qu'au départ, Locke fondait sa théorie sur deux principes seulement. En effet, il affirmait qu'un individu qui se fixe des objectifs arrive, premièrement, à un meilleur rendement et, deuxièmement, obtient de meilleurs résultats que ce à quoi il parviendrait sans objectif précis. Toutefois, par la suite, Locke a enrichi sa théorie en y ajoutant les notions de spécificité, de difficulté et d'acceptation des objectifs.

- La notion de *spécificité* fait référence à la clarté et à la précision des objectifs. Selon la théorie des objectifs, plus les objectifs sont clairs et précis, plus les chances qu'ils soient atteints sont grandes.
- La notion de *difficulté* renvoie au fait que plus les objectifs sont élevés ou difficiles à atteindre, plus le rendement est élevé.
- Enfin Locke affirme, par le biais de la notion d'*acceptation,* qu'il est primordial que l'individu souscrive aux objectifs fixés. En effet, seuls les objectifs acceptés et réalistes motiveront l'individu à fournir un rendement élevé. Le rejet des objectifs se traduira par une baisse de la motivation et l'individu n'atteindra pas un niveau de rendement élevé.

Les propositions suivantes résument les principaux principes de la théorie des objectifs de Locke :

- Un individu qui se fixe ou adopte des objectifs a un rendement plus élevé qu'un individu qui ne poursuit aucun objectif ;
- Un individu qui se fixe ou adopte des objectifs clairs et précis a un rendement plus élevé qu'un individu qui poursuit des objectifs mal définis ;
- Un individu qui se fixe ou adopte des objectifs difficiles à atteindre a un rendement plus élevé qu'un individu qui poursuit des objectifs faciles à atteindre ;
- Les objectifs difficiles que se fixe ou adopte un individu doivent être d'un niveau de difficulté réaliste afin qu'il consente à fournir les efforts lui permettant de les atteindre ;
- Les objectifs difficiles et réalistes conduiront à un rendement élevé à la condition qu'ils soient acceptés par l'individu.

De nombreuses études corroborent les postulats de la théorie des objectifs et en démontrent ainsi la validité scientifique (Locke et Latham, 2002). Entre autres, Latham et Balder (1975) ont expérimenté la théorie des objectifs en entreprise. Leur étude fut menée en Oklahoma auprès de 36 chauffeurs de camion dont le travail consistait à transporter du bois à une usine de pâte à papier. La coutume chez ces employés syndiqués et rémunérés sur une base horaire était de ne remplir leurs camions qu'à 60 % du poids permis sur les routes. Cette habitude réduisait donc l'efficacité d'exploitation ainsi que les profits de l'entreprise, mais elle s'expliquait par l'imprécision de l'objectif de rendement de l'époque, qui était : « Faites de votre mieux. »

Face à ces résultats non souhaitables, l'entreprise pour laquelle travaillaient les chauffeurs décida de fixer un objectif de rendement précis et élevé, mais réalisable, afin de renforcer la motivation de ses employés. L'objectif fut fixé à 94 % du poids permis sur les routes. On avisa donc les camionneurs de cette nouvelle consigne en les assurant qu'il s'agissait d'un essai et qu'ils ne seraient pas pénalisés si leur rendement ne respectait pas toujours l'objectif fixé.

Les résultats furent très satisfaisants. Durant le premier mois, les employés ont transporté des charges moyennes atteignant 80 % du poids permis. Par la suite, ils ont diminué leurs charges à 70 % du poids permis, probablement pour s'assurer que l'entreprise tiendrait sa promesse de ne pas les obliger à maintenir une charge d'au moins 80 %. L'entreprise a ainsi gagné la confiance des camionneurs en n'appliquant aucune mesure disciplinaire. Dès le troisième mois, les employés ont atteint des charges de 90 % du poids permis, augmentant ainsi considérablement leur rendement. Par la suite, ce rendement a été maintenu et souvent dépassé, ce qui évita à l'entreprise de devoir acheter de nouveaux camions.

*
*   *

En résumé, les théories de processus complètent les théories de contenu en s'attardant aux cognitions de l'individu et aux conditions situationnelles qui l'incitent à agir et en délaissant les modèles généraux qui tendent à considérer les besoins et les facteurs internes comme semblables chez tous les individus. Ainsi, tandis que les théories de contenu mettent en évidence des facteurs généraux de motivation, les théories de processus envisagent la motivation sur une base plus individuelle. Nous avons présenté les quatre modèles les plus importants, soit la théorie des attentes (ou de l'expectative) de Vroom, le modèle béhavioriste, la théorie de l'équité d'Adams et la théorie des objectifs de Locke. Le tableau 3.5 résume les composantes essentielles de ces quatre modèles.

TABLEAU 3.5 Le sommaire des théories de processus			
Théorie des attentes (Vroom)	**Modèle béhavioriste**	**Théorie de l'équité (Adams)**	**Théorie des objectifs (Locke)**
Les individus font un choix rationnel des comportements qu'ils prévoient adopter pour atteindre leurs objectifs. Afin d'évaluer l'indice de la force de motivation de l'individu à s'engager dans un comportement particulier, on multiplie les attentes, la valeur instrumentale et la valence de la récompense. Motivation = Attentes × Valeur instrumentale × Valence	Les individus adoptent presque automatiquement les comportements qui ont été suivis de conséquences agréables dans le passé et évitent ceux qui ont été suivis de conséquences désagréables. Quatre techniques peuvent être utilisées pour modifier un comportement : • le renforcement positif ; • le renforcement négatif ; • la punition ; • l'extinction.	Les individus sont stimulés par les iniquités qu'ils perçoivent lorsqu'ils comparent leur rapport intrants-extrants à celui d'autres personnes ou groupes. Plusieurs possibilités s'offrent aux employés qui désirent rétablir l'équité : • modifier les extrants ; • modifier les intrants ; • changer le référent de comparaison ; • réduire l'iniquité de façon cognitive ; • changer d'emploi.	Les individus auront un rendement plus élevé si les objectifs qu'ils acceptent de poursuivre sont difficiles mais réalistes. Donc, l'établissement d'objectifs incite l'individu à agir. Pour qu'un individu soit motivé : • il doit poursuivre des objectifs ; • les objectifs doivent être clairs et précis ; • les objectifs doivent être difficiles mais réalistes ; • les objectifs doivent être acceptés par l'individu.

3.3 Le phénomène de la satisfaction au travail

La satisfaction au travail est l'une des plus anciennes thématiques de recherche en psychologie du travail et des organisations ; avec le choix de carrière et la motivation, la satisfaction au travail est un des sujets de prédilection des chercheurs dans ce domaine. À preuve, des milliers d'articles et de textes ont été publiés sur le sujet. Une telle popularité n'est évidemment pas le fruit du hasard : le travail constitue une activité dominante dans la recherche de l'assouvissement des besoins individuels.

Il n'est donc pas étonnant que toutes les dimensions, tant en aval qu'en amont, du concept de satisfaction au travail aient été scrutées. Que l'on parle de ses causes (conditions de travail, traits de personnalité, indices sociodémographiques, etc.) ou de ses conséquences (rendement, absentéisme, accident du travail, roulement du personnel, etc.), chaque « microréalité » de la satisfaction au travail se prête à l'analyse.

3.3.1 Les modèles explicatifs de la satisfaction au travail

En raison de l'étendue de la littérature sur la satisfaction au travail il serait ambitieux de vouloir rendre compte de l'ensemble des théories et de leurs multiples ramifications. Néanmoins, il est relativement facile de relever les principaux courants de pensée et d'identifier les auteurs qui y ont contribué. Bien que les nomenclatures divergent, la plupart des auteurs reconnaissent deux tendances théoriques précises : celles qui reposent sur la comparaison intrapersonnelle et celles qui s'intéressent davantage à la comparaison interpersonnelle.

Selon les théories axées sur la comparaison *intrapersonnelle,* la satisfaction au travail résulte de la concordance entre des standards individuels et des facteurs environnementaux. Les processus comparatifs s'accomplissent de façon autonome, c'est-à-dire sans que soient prises en considération les réalités externes à l'individu. Seule l'adéquation entre ce qui est requis et ce qui est vécu ou accessible est considérée : une bonne adéquation donne lieu à une grande satisfaction et une mauvaise adéquation commande une faible satisfaction. Cette conception de la satisfaction au travail renvoie à ce qui est couramment appelé la « théorie de l'assouvissement », selon laquelle, l'intensité de la satisfaction ou de l'insatisfaction dépend de l'atteinte du standard. Les modèles conceptuels de la satisfaction au travail reposant sur la théorie de l'assouvissement des besoins posent comme postulat que le standard d'évaluation est fondé sur les besoins. Ces derniers découlent directement de la nature psycho-organique de l'être humain. Chaque individu est par conséquent à la merci de besoins qui demandent contentement, qu'ils soient conscients (par exemple, le besoin de nourriture) ou inconscients (par exemple, le besoin de stimulation). Ainsi, c'est l'assouvissement des besoins qui crée l'état de satisfaction. Plus précisément, l'assouvissement des besoins dépend des qualités propres à l'environnement de travail, qui conditionnent le degré de satisfaction individuelle.

Selon une variante de la théorie de l'assouvissement, certains facteurs perceptuels interviennent dans la détermination des standards. Les standards ne sont alors plus stables et objectifs, mais bien perméables aux situations contextuelles et donc subjectifs. La théorie de la distanciation soutient ainsi que la satisfaction est fonction de l'évaluation de l'environnement, laquelle dépend de ce que la personne se croit en droit de recevoir ou aimerait recevoir. La théorie de la distanciation illustre le processus de comparaison intrapersonnelle. Dans cette perspective, le standard d'évaluation de base ne se rattache plus aux besoins. Ce sont les valeurs particulières à chaque individu qui constituent le pôle d'évaluation de la qualité de l'environnement de travail, puisqu'elles déterminent ce que la personne désire ou cherche à atteindre. Le concept de valeur diffère du concept de besoin par sa nature, qui est privée, ainsi que par sa possible souplesse événementielle. Alors que la notion de besoin renvoie à une certaine uniformité interindividuelle et temporelle, les valeurs sont, par définition, fort variables d'un individu à l'autre. Néanmoins, soulignons que les valeurs et les besoins ne sont pas indépendants les unes des autres et qu'on doit les considérer comme deux notions parentes.

Les théories du processus de comparaison *interpersonnelle* voient, pour leur part, l'évaluation de la satisfaction au travail s'effectuer à l'intérieur de paramètres définis par un système social. Ces théories postulent que l'évaluation de la satisfaction ne dépend pas uniquement d'une appréciation intrapersonnelle autonome, mais aussi du niveau de satisfaction observé chez des individus composant notre entourage.

Il s'agit en fait de reconnaître, dans l'évaluation de l'état de satisfaction, l'influence du groupe. La satisfaction éprouvée par les individus constituant ce qu'on appelle communément le «groupe de référence» influence en effet l'évaluation qu'un individu fera de son propre niveau de satisfaction. La théorie du groupe de référence pose donc comme postulat que la satisfaction au travail d'un individu est le reflet de la satisfaction qu'éprouve le groupe auquel il s'identifie. Le groupe de référence est habituellement composé de personnes qui ont des caractéristiques semblables (sexe, âge, état civil) et il a comme fonction de confirmer le bien-fondé des sentiments ou des états vécus individuellement. Ce groupe agit ainsi comme ancre de soutien évaluatif.

Dans ce modèle, les critères de comparaison issus du groupe sont intériorisés. L'exemple le plus connu de ces critères de comparaison interpersonnelle est le concept d'équité (voir la théorie d'Adams); chaque individu, dans l'appréciation de sa satisfaction au travail, définit un standard à la lumière duquel il porte un jugement sur l'équité de la rétribution qu'il reçoit en échange de son travail. Façonnées par ce qu'on désigne comme le contrat psychologique, les attentes de l'employé sont pondérées par les situations particulières que vivent ses collègues de travail ou les opinions qu'ils expriment. Ainsi, effectuant une appréciation intersubjective selon un ratio efforts-récompenses, chaque travailleur se compare aux autres et éprouve par la suite un sentiment de satisfaction ou d'insatisfaction. La satisfaction dépend plus du résultat de l'examen de l'équité organisationnelle que de la conformité avec certains critères particuliers.

Outre l'équité, d'autres normes interpersonnelles peuvent aussi servir de critères comparatifs en contexte de travail. Que l'on pense aux stimulations (par exemple, les possibilités d'accomplissement personnel et d'autonomie) qu'offre un emploi particulier ou encore au prestige social lié à un poste. Cependant, peu importe le ou les critères retenus, il demeure que la satisfaction au travail est déterminée par des variables extérieures à l'individu et régie par des jugements de comparaison sociale. Ce modèle de satisfaction au travail fait donc appel aux connaissances issues des théories relatives aux jugements humains, telles la théorie de la déprivation relative, la théorie de la comparaison sociale, la théorie du niveau d'adaptation et la théorie du niveau d'aspiration.

Somme toute, bien que le modèle intrapersonnel et le modèle interpersonnel s'inscrivent tous deux dans une logique comparative, la source des standards d'évaluation diffère. Alors que les standards sont individuels dans le modèle intrapersonnel, ils sont sociaux dans la version interpersonnelle des processus de comparaison.

3.3.2 Les déterminants et les conséquences de la satisfaction au travail

Les déterminants de la satisfaction au travail

Une multitude de variables ont été isolées et désignées comme étant des déterminants de la satisfaction au travail. De façon générale, on peut diviser ces variables indépendantes en deux catégories : celles qui se rapportent directement à des caractéristiques personnelles des travailleurs et celles qui appartiennent en propre à l'environnement organisationnel. La première catégorie est principalement constituée d'éléments biographiques (âge, sexe, état civil, etc.), d'éléments psychologiques (traits de personnalité, professionnalisme, valeurs, etc.) et d'éléments relatifs à des qualités personnelles (niveau de productivité, salaire, rang hiérarchique, etc.). Cette catégorie de variables, qu'on qualifie d'individuelles, est de loin celle qui a suscité le plus l'intérêt des chercheurs.

La seconde catégorie de variables, nommément variables organisationnelles, regroupe des caractéristiques propres à l'environnement de travail ou sur lesquelles l'organisation exerce, souvent par le biais de sa gestion, une influence (par exemple, culture organisationnelle, style de gestion, syndicalisation). Ces indicateurs ont surtout une portée macroscopique, en ce sens qu'ils influent sur la satisfaction au travail de l'ensemble des personnes travaillant dans une organisation ou remplissant des fonctions similaires. Ces variables interviennent donc de façon beaucoup plus généralisée dans le niveau de satisfaction au travail. Elles sont en quelque sorte des dénominateurs communs sur lesquels s'effectuent les variations particulières issues des variables individuelles.

Un nombre important de variables ont été étudiées, mais nous nous limiterons à cinq variables influant sur le niveau de satisfaction au travail, soit l'âge, le sexe, la scolarité, la personnalité et la syndicalisation.

L'âge

L'âge joue un rôle de premier plan dans la satisfaction au travail, par comparaison avec les autres variables sociodémographiques comme le sexe, la scolarité, le salaire et l'origine ethnique. Malgré cette prépondérance, une certaine ambiguïté demeure quant à la nature exacte de la relation entre cette variable et la satisfaction au travail. En effet, les recherches qui ont porté sur l'influence de l'âge aboutissent à des résultats distincts selon l'époque au cours de laquelle le phénomène a été étudié. Les études réalisées avant les années 1960 concluent que la relation entre la satisfaction au travail et l'âge est curvilinéaire (en forme de U) : les jeunes travailleurs et les travailleurs les plus âgés seraient généralement satisfaits au travail, alors que ceux qui se trouvent à mi-carrière seraient les plus insatisfaits. Pendant les décennies 1960 et 1970, les études font état d'une relation linéaire entre la satisfaction et l'âge. Ainsi, il semble que, durant cette période, la satisfaction au travail a crû proportionnellement au vieillissement des travailleurs. Finalement, les études les plus récentes reconfirment l'hypothèse de la relation curvilinéaire, soit en forme de U. Il apparaît donc que, de nos jours, les travailleurs les plus jeunes et les travailleurs les plus âgés seraient ceux qui sont les plus enclins à être satisfaits au travail.

Le sexe

La relation entre le sexe et la satisfaction au travail est elle aussi ambiguë. Certaines études avancent que les femmes sont plus satisfaites que les hommes au travail, d'autres affirment l'inverse, alors que quelques-unes ne relèvent aucune différence dans les niveaux de satisfaction entre les sexes. Il semble cependant que la nature même de la relation entre le sexe et la satisfaction au travail soit dépendante de variables connexes. Ainsi, ce seraient les caractéristiques associées au sexe qui conféreraient à ce facteur sa puissance explicative en ce qui concerne la satisfaction au travail. Les disparités entre les hommes et les femmes relativement à divers indicateurs, comme les chances d'avancement, le salaire, la scolarité, le niveau hiérarchique, expliqueraient ainsi mieux la relation entre le sexe et la satisfaction au travail.

La scolarité

L'influence du niveau de scolarité sur la satisfaction au travail n'est pas, elle non plus, élucidée. En effet, aucune relation n'a été clairement circonscrite, et les résultats de recherches empiriques proposent, au gré des époques et des populations étudiées, diverses explications de la relation entre scolarité et satisfaction au travail. Principalement, ce sont des relations linéaires, positives ou négatives, qui sont les plus fréquemment rapportées. Sitôt réalisées les premières études sur l'influence de la scolarité sur la satisfaction au travail, un débat opposant les tenants d'une relation linéaire positive aux tenants d'une relation linéaire négative s'est fait jour. Pour les premiers, la satisfaction augmente proportionnellement à l'accroissement de la scolarité. Cette hypothèse est soutenue par l'amélioration des conditions concrètes de travail dans les postes nécessitant un niveau plus élevé d'instruction. En revanche, les tenants de la relation négative avancent l'inverse, c'est-à-dire une diminution de la satisfaction associée à l'augmentation de la scolarité, principalement en raison de la multiplication des attentes conformément aux principes de la théorie du capital humain. Bien que l'influence du niveau d'instruction sur la satisfaction au travail soit inévitablement pondérée par l'adéquation personne-environnement, il demeure que la majorité des études récentes sur le sujet tendent à confirmer l'hypothèse de la relation linéaire positive. Ainsi, les individus les plus scolarisés seraient ceux qui manifestent la plus grande satisfaction par rapport à leur travail.

La personnalité

La personnalité est un indicateur qu'on disait très prometteur dans l'explication de la satisfaction au travail. En ce sens, les intérêts à l'endroit de cette variable ont été multiples et plusieurs études, suivant des perspectives diverses, ont tenté d'évaluer les qualités de cette variable pour la compréhension de la satisfaction au travail. Force est de constater que les espoirs dépassaient la réalité. Ainsi, bien que la personnalité soit un facteur déterminant de la satisfaction, il n'en demeure pas moins que son influence est modeste et qu'elle n'explique au plus que 5 % de la variation de la satisfaction au travail (Tokar et Mezydlo-Subich, 1997). Plus particulièrement, selon des études récentes, l'influence globale de la personnalité sur la satisfaction au travail reposerait principalement sur deux facteurs de second ordre : l'extraversion et le névrosisme. Ces facteurs de personnalité apportent la meilleure explication de la variation de la satisfaction au travail. Bref, les personnes extraverties seraient plus satisfaites au travail que les personnes introverties. Pour ce qui est du névrosisme, la stabilité émotionnelle aurait un effet positif sur la satisfaction au travail, alors que l'instabilité déterminerait l'insatisfaction.

La syndicalisation

Les premières études s'étant intéressées à l'effet de la syndicalisation sur la satisfaction au travail ont conclu presque unanimement que les travailleurs syndiqués étaient moins satisfaits. Cependant, plus récemment, des études ont laissé entendre que la satisfaction au travail des employés syndiqués est supérieure à celle des travailleurs qui ne le sont pas. Bien que cette relation soit plus évidente pour certaines dimensions de la satisfaction au travail, particulièrement la dimension salariale, il reste que la satisfaction globale au travail est influencée positivement par la syndicalisation. Ces résultats remettent en question le «paradoxe de l'effet de la syndicalisation» selon lequel, comme le démontraient les études précédentes, les syndiqués expriment une plus faible satisfaction, mais manifestent aussi, parallèlement, une plus faible tendance à quitter leur emploi. Quoi qu'il en soit, l'hypothèse la plus couramment admise désormais est que la syndicalisation contribue à l'accroissement de la satisfaction au travail et à l'attachement à l'emploi des syndiqués. Néanmoins, d'autres auteurs constatent une absence de relation ou une influence minime de la syndicalisation sur la satisfaction et soulignent, de ce fait, l'effet marginal de la représentation syndicale sur la satisfaction au travail.

Les conséquences de la satisfaction au travail

Du côté des conséquences de la satisfaction au travail, plusieurs éléments retiennent l'attention. En effet, au-delà du rendement brut, plusieurs autres conséquences que l'on peut considérer comme des indices du rendement indirect ont été étudiées. Que l'on parle d'absentéisme, de roulement du personnel, d'accidents du travail ou d'autres comportements contre-productifs, chacun de ces thèmes a été étudié en association avec la satisfaction au travail afin de comprendre leur dynamique interrelationnelle. Nous aborderons dans cette section le rendement, l'absentéisme et le roulement du personnel.

Le rendement

L'intérêt scientifique pour la satisfaction au travail a été de tout temps indissociable de l'étude du rendement ou de la productivité des travailleurs. Avec l'émergence de l'école des relations humaines, plusieurs ont mis leurs espoirs dans le concept de satisfaction afin de comprendre les causes du rendement. Cependant, bien qu'elle paraisse *a priori* indiscutable, la relation entre la satisfaction au travail et le rendement s'est révélée limitée, et ce, dans la multitude d'études sur la question. Force est d'admettre que la relation satisfaction-rendement est moins évidente qu'on le laissait entrevoir. Il s'ensuit que certains auteurs réfutent l'hypothèse satisfaction = rendement et énoncent l'hypothèse inverse : le rendement d'un individu serait une condition de sa satisfaction au travail. Autrement dit, selon une logique causale, le rendement précéderait la satisfaction et agirait comme facteur déterminant de celle-ci. Le système de récompenses organisationnelles aidant, l'individu réussirait mieux à répondre à ses besoins et valeurs et serait donc plus satisfait lorsque son rendement est élevé que dans le cas contraire. Mais que ce soit dans un sens ou dans l'autre, la relation entre la satisfaction au travail et le rendement demeure nébuleuse. Bien que l'hypothèse rendement = satisfaction ait eu droit à une plus grande attention récemment et qu'elle semble mieux fondée que l'hypothèse inverse, il convient de reconnaître que la question de la relation entre la satisfaction et le rendement au travail demeure controversée.

L'absentéisme

Il est tout naturel de penser que la satisfaction au travail est étroitement liée à l'assiduité des travailleurs. Il est raisonnable de croire que les employés satisfaits de leur travail auront moins tendance à s'absenter que ceux qui ne trouvent pas satisfaction dans leur environnement professionnel. Cependant, la réalité empirique ne permet pas, encore une fois, de soutenir une telle idée. En effet, plusieurs études démontrent que la corrélation entre la satisfaction au travail et l'absentéisme demeure relativement faible. De façon générale, la relation entre la satisfaction et l'absentéisme demeure difficile à saisir. Cependant, les auteurs s'entendent pour affirmer qu'il ne faut pas sous-estimer le rôle de la satisfaction dans le manque d'assiduité, car la fragilité des résultats auxquels ont abouti les études tient probablement davantage à des circonstances d'ordre méthodologique que factuel.

Le roulement du personnel

La notion de satisfaction au travail est incontournable lorsqu'on s'intéresse au roulement du personnel. En témoigne le fait que la majorité des modèles explicatifs du roulement du personnel fait appel au concept de satisfaction afin d'évaluer la propension à quitter l'organisation. Le niveau de satisfaction au travail joue un rôle déterminant dans la décision de quitter un emploi. De toutes les variables étudiées, le roulement du personnel est assurément celle qui peut trouver dans la satisfaction au travail le meilleur indicateur prévisionnel. Néanmoins, malgré ce qui précède, la satisfaction au travail n'est qu'un des déterminants du comportement de retrait. Dans une moindre mesure, l'intention de démissionner, l'existence d'emplois substitutifs, l'**ancienneté**, le comportement de recherche d'emploi, les dispositions affectives, etc., sont autant d'indicateurs permettant de prévoir le roulement du personnel. En ce sens, certains auteurs affirment que l'influence de la satisfaction au travail sur le roulement du personnel est plus forte lorsque le contexte économique est favorable à un tel roulement. Cette affirmation renvoie directement à la complexité de la dynamique du roulement du personnel, et ce, malgré l'influence marquante de la satisfaction au travail.

Comme on peut le constater, beaucoup d'indicateurs ont été explorés afin de comprendre les sources ainsi que les répercussions potentielles de la satisfaction au travail. Malgré la quantité impressionnante d'études, peu de certitudes en ressortent. En somme, la thématique de la satisfaction au travail offre un éventail fort étendu d'applications et d'extrapolations pragmatiques. Cette ouverture n'est pas sans entraîner certains imbroglios, tant dans l'élaboration du concept que dans la définition de ses tenants et aboutissants. La croissance de l'intérêt pour la satisfaction au travail a empêché l'élaboration d'un cadre capable d'intégrer toutes les connaissances et on assiste davantage à une accumulation désorganisée de renseignements qu'à une complémentarité des savoirs.

CONCLUSION

Au terme de cet exposé détaillé sur les différents modèles théoriques de la motivation et de la satisfaction au travail, une question fondamentale se pose : Quel est le modèle le plus apte à augmenter de façon significative la motivation et la satisfaction des travailleurs ? Malheureusement, aucune réponse précise ne peut être fournie, puisque chaque modèle a ses forces et ses faiblesses, et ce, peu importe le contexte organisationnel où il est appliqué. Cependant, certaines lignes directrices permettent d'évaluer la pertinence de chacun des modèles en fonction de situations précises.

Premièrement, les théories de contenu sur la motivation au travail sont plus appropriées lorsqu'on cherche à agir sur un grand nombre de travailleurs. En définissant certains besoins de base, identiques chez tous les travailleurs, ces théories permettent de mettre au point une stratégie d'intervention pour régler certains problèmes généralisés de motivation. Bien que tous les modèles renferment des éléments explicatifs essentiels, le modèle de Herzberg présente un cadre opératoire détaillé et facile à utiliser. De plus, la théorie bidimensionnelle de Herzberg fait la synthèse de différentes conceptualisations (principalement celles de Maslow et d'Alderfer) et permet d'incorporer les différentes composantes du contenu de la motivation à l'intérieur d'une intervention précise.

Lorsque le problème de motivation est restreint (il ne touche qu'un travailleur ou un petit groupe de travailleurs), les théories de processus permettent de rechercher plus en profondeur les causes de la lacune motivationnelle. Cependant, il est impossible de statuer sur la théorie la plus efficace. Chacun des modèles s'intéressant au processus de la motivation renferme une partie du problème. Néanmoins, il semble logique de considérer que certains modèles seront mieux adaptés à un contexte particulier ou à un type de travail. Par exemple, le modèle béhavioriste semble plus approprié lorsque le problème de motivation touche les employés de la production, tandis que la théorie des objectifs s'applique plus facilement aux cadres. Cependant, cela ne constitue en rien un absolu, et l'application de différents principes issus de chacune des théories peut, dans plusieurs cas, s'avérer une formule gagnante.

Deuxièmement, le choix d'un modèle doit être ancré dans la finalité poursuivie par les travailleurs. Tout comportement motivé est prioritairement orienté vers la satisfaction d'un besoin, d'une valeur ou d'une attente. Ainsi, par la détermination des objectifs personnels et la mise en évidence de leur complémentarité avec les objectifs organisationnels, il est possible de détecter les rouages propres à une certaine population de travailleurs. Un tel exercice permet de construire un programme de motivation sur mesure qui favorisera l'atteinte d'un réel état de satisfaction ; cela incitera les travailleurs, lors de la réapparition des mêmes besoins, à reproduire les comportements à caractère productif. Il est important de le souligner, tout comportement motivé qui ne débouche pas sur un état de satisfaction sera ignoré subséquemment. L'organisation qui veut assurer la permanence des comportements souhaitables doit donc veiller à ce que l'effort fourni par les travailleurs trouve une réponse adéquate.

Somme toute, aucune technique n'est formellement plus efficace qu'une autre. Les différents modèles correspondent à autant de facettes d'une même réalité. C'est au moyen de l'analyse, de la compréhension et de la mise en perspective qu'un gestionnaire réussira à concevoir une stratégie qui contribuera à améliorer substantiellement la motivation et la satisfaction des travailleurs.

? QUESTIONS DE RÉVISION

1. Décrivez le processus de la motivation, de ses origines à son influence sur le comportement.

2. Distinguez les deux courants de pensée qui mettent l'accent sur la motivation au travail et commentez la synergie (complémentarité) existant entre ces deux visions de la motivation.

3. Démontrez le lien unissant la théorie des besoins de Maslow et la théorie des deux facteurs de Herzberg.

4. Relevez la contradiction entre le modèle béhavioriste et la théorie des attentes (Vroom) en ce qui a trait aux conséquences entraînant la modification des comportements.

5. Faites une synthèse des diverses techniques en conditionnement opérant et donnez un exemple de leur application en milieu organisationnel.

6. Quelle est, selon vous, la théorie de la motivation la plus pertinente et la plus efficace ? Justifiez votre réponse en relevant les forces et les faiblesses apparentes de chacune des théories exposées dans le chapitre.

7. Quelles sont les principales différences entre les processus de comparaison intra-personnelle et les processus de comparaison interpersonnelle dans l'évaluation de la satisfaction au travail ?

8. Quels liens peut-on établir entre la motivation et la satisfaction au travail ? Argumentez.

Une application de la théorie des attentes

Partie 1

Songez à une décision que vous devez prendre et qui revêt une certaine importance dans votre vie. Cette décision peut être au centre de vos préoccupations (carrière, emploi, famille) ou relever d'une situation plus factuelle (abandon d'un cours, choix d'une automobile, rencontre). De plus, le processus de réflexion lié à cette décision n'est pas important ; votre décision peut être déjà prise (court terme) ou vous pouvez commencer seulement à y penser (long terme). Cependant, gardez en tête que cette décision fera l'objet d'une discussion de groupe, donc ne choisissez pas une question qui pourrait vous placer dans une situation inconfortable.

Maintenant que vous avez fait votre choix, suivez ces étapes :

1. Faites une liste de toutes les options relatives à cette décision. Écrivez-les dans la colonne de gauche de la table des attentes.

2. Pour chacune des options retenues, déterminez les conséquences (extrants) possibles. Il est important de noter tant les conséquences positives que les conséquences négatives. Écrivez ces conséquences « potentielles » dans la table.

3. Évaluez la puissance de chacune des conséquences potentielles selon l'attrait qu'elles exercent sur vous. Pour ce faire, vous devez leur attribuer un pointage entre −1 (conséquence que vous jugez très défavorable) et 1 (conséquence que vous jugez très favorable). Indiquez chacune de vos évaluations dans la colonne « valence » de la table.

4. Évaluez les probabilités de chacune des conséquences désignées. Il s'agit de se poser la question suivante : « Si je prends telle ou telle autre décision, quelle est la probabilité d'apparition de chacune de ses possibles conséquences ? » Ainsi, pour chacune des conséquences, vous devez déterminer une probabilité se situant entre 0 (certitude absolue que cette conséquence n'apparaîtra pas) et 1 (certitude absolue que cette conséquence apparaîtra). Indiquez chacune des probabilités dans la colonne « utilité » de la table.

5. Calculez vos résultats. Premièrement, multipliez la valence par l'utilité pour chacune des conséquences désignées. Et deuxièmement, additionnez l'ensemble des conséquences citées pour chacune des options choisies. Cela vous permettra de connaître votre propension à l'action pour chacune des options se rapportant à la décision que vous devez prendre.

Partie 2

Une fois que votre table des attentes est complétée, groupez-vous en équipe de deux, préférablement avec quelqu'un qui vous est déjà familier. Chacun des participants doit alors présenter sa table à son coéquipier afin de discuter du réalisme et de la pertinence des solutions et des conséquences citées en fonction de leur valence et de leur utilité respectives.

Le rôle du coéquipier est de comprendre la dynamique de la décision à prendre et de questionner l'évaluation de chacune des options. Cette deuxième partie se termine par une prise de décision par chacun des deux coéquipiers.

Table des attentes					
Option	**Conséquences**	**Valence**	**Utilité**	**V x U**	**Résultat**

Source : Traduit de R.J. Lewicky et autres, *Experiences and Management and Organizational Behavior,* 3ᵉ éd., New York, John Wiley & Sons, 1988, p. 14-16.

Employés productifs, dociles et sans ambition demandés !

Richard Pépin, Ph.D. en sciences de l'éducation, est professeur de comportement organisationnel au Département des sciences de la gestion de l'Université du Québec à Trois-Rivières depuis 1989. Ses principaux champs d'intérêt sont le **changement** et le **développement organisationnels,** et d'une façon plus particulière la mobilisation des employés, la gestion du stress au travail et la gestion des équipes de travail.

Lydia travaille depuis plusieurs années au service d'assemblage d'une entreprise québécoise qui se spécialise dans la fabrication d'équipement informatique. À ses débuts, elle faisait partie de ceux qui s'investissaient dans l'organisation et offraient un rendement plus élevé que la moyenne de ses collègues. Elle a vite appris les rudiments de son travail et proposa même, au cours des premières années, plusieurs suggestions à ses gestionnaires afin d'améliorer la productivité. Même si elle aimait son travail sur la chaîne de montage, au bout de quelques années celui-ci lui parut davantage monotone, répétitif et sans défi ; d'autant plus que son supérieur immédiat était de ceux qui ne laissent aucune latitude aux employés, surveillent étroitement ces derniers au travail et ne prennent pas les suggestions des employés vraiment au sérieux. Donc Lydia s'est graduellement désintéressée de son travail et a rejoint le rang de la majorité de ses collègues qui cherchent à satisfaire leurs besoins à l'extérieur de l'organisation.

La philosophie de gestion de cette entreprise est simple : les employés doivent s'en tenir aux méthodes de travail qu'on leur a apprises et respecter à la lettre les spécifications d'assemblage associées à chacun des produits. Chaque commande est traitée en vase clos et les gestionnaires doivent s'acquitter de la formation nécessaire lorsque des travailleurs ont à assembler de nouveaux produits. Aucun écart de qualité n'est toléré par rapport au normes d'assemblage, et des pénalités monétaires peuvent être attribuées aux travailleurs trop souvent fautifs. Ainsi, malgré l'interdépendance élevée de leurs tâches, chacun assume pleinement les erreurs de production, amenant certains conflits interpersonnels entre les employés. Les employés travaillant sur la chaîne d'assemblage touchent tous le même salaire, et ce, peu importe le nombre d'années de service. À cela s'ajoute une prime mensuelle basée sur les profits réalisés par l'entreprise. La prime, qui varie entre 5 % et 40 % du salaire, crée beaucoup d'insatisfaction chez les employés. En principe, la prime est basée sur la production totale de l'usine pendant le mois et est répartie de façon « équitable » entre les employés. Cependant beaucoup d'employés ont un doute là-dessus et croient plutôt que le patron fait preuve de favoritisme et récompense davantage les employés dociles qui respectent l'autocratie hiérarchique. Récemment, des employés ont exercé des pressions auprès de la direction pour qu'on leur explique la manière de calculer le montant mensuel des primes. Offusqué par l'indiscrétion de ces employés, le directeur se limita à leur dire : « C'est moi qui est le mieux placé pour décider. Vous autres, les employés, contentez-vous de faire ce qu'on vous demande sans poser de questions ! » Et il somma les plus récalcitrants à quitter l'entreprise si cela ne leur convenait pas…

Les employés réalisent qu'en dépit de l'insistance de la direction en faveur de la qualité et de la productivité, on ne les récompense pas vraiment pour les efforts supplémentaires qu'ils déploient au travail. D'ailleurs, aucun d'entre eux ne pourrait dire actuellement si son travail fait vraiment une différence dans la qualité du produit final, puisque personne ne les informe sur les résultats de leur travail, sauf pour les réprimander lors d'écarts aux standards. Les employés se contentent donc de s'en tenir aux normes minimales de production et, de plus en plus expriment ouvertement leur insatisfaction et leur désengagement face à l'entreprise. Même qu'un bon nombre d'entre eux songent à quitter l'entreprise dès qu'une occasion se présentera ailleurs.

Très consciente de ce contexte d'insatisfaction, et puisqu'elle suit une formation en gestion à l'université de la région, Lydia se dit que la situation a assez duré et cherche des moyens afin d'améliorer les conditions de travail au sein de son entreprise. En ce sens, elle a récemment contacté une centrale syndicale pour obtenir du support afin d'organiser un **syndicat.** La majorité de ses collègues l'appuient dans sa démarche et se disent qu'une fois syndiqués, les gestionnaires n'auront plus le choix de réellement les écouter !

Question

En fonction de ce qui est présenté dans ce cas, et tenant compte des modèles discutés dans le chapitre, comment peut-on expliquer les attitudes très négatives que les travailleurs entretiennent envers leur travail ?

RÉFÉRENCES

Adams, S. (1963). « Toward an Understanding of Inequity », *Journal of Abnormal and Social Psychology*, vol. 67, n° 5, p. 422-436.

Adams, S. (1965). « Inequity in Social Exchange », dans L. Berkowitz (dir.), *Advance in Experimental Social Psychology*, 2e éd., New York, Academic Press, p. 202-210.

Alderfer, C.P. (1969). « An Empirical Test of a New Theory of Human Needs », *Organizational Behavior and Human Performance*, vol. 4, p. 142-175.

Alderfer, C.P. (1972). *Existence, Relatedness and Growth : Human Needs in Organizational Settings*, New York, Free Press.

Campbell, J.P. et autres. (1970). *Managerial Behavior, Performance, and Effectiveness*, New York, McGraw-Hill.

Carson, C.M. (2005). « A historical view of Douglas McGregor's theory Y », *Management Decision*, vol. 43, p. 450-460.

Dye, K., Mills, A.J. et Weatherbee, T. (2005). « Maslow : man interrupted : reading management theory in context », *Management Decision*, vol. 43, p. 1375-1395.

Festinger, L. (1957). *A Theory of Cognitive Dissonance*, Stanford, Standford University Press

Herzberg, F., Mausner, B. et Snyderman, B. (1959). *The Motivation to Work*, New York, John Wiley & Sons.

Latham, G. et Balder, T. (1975). « The Practical Significance of Locke's Theory of Goal Setting », *Journal of Applied Psychology*, n° 60, p. 122-124.

Lemoine, C. (2004). « Motivation, satisfaction et implication au travail », dans E. Brangier, A. Lancry et C. Louche, *Les dimensions humaines du travail : théories et pratiques de la psychologie du travail et des organisations*, Nancy, Presses Universitaires de Nancy, p. 389-414.

Locke, E. (1968). « Toward a Theory of Task Motivation and Incentives », *Organizational Behavior and Human Performance*, n° 3, p.157-189.

Locke, E. et Latham, G.P. (1990). *A Theory of Goal Setting and Task Performance*, Englewood Cliffs (N.J.), Prentice-Hall.

Locke, E.A. et Latham, G.P. (2002). « Building a practically useful theory of goal setting and task motivation : A 35 year odyssey », *American Psychologist*, vol. 57, p. 705-717.

Louche, C. (2005). « La motivation au travail : bilan critique de la recherche », dans P. Gilbert, F. Guérin et F. Pigeyre, *Organisation et comportements : nouvelles approches, nouveaux enjeu*, Paris, Dunod, p. 91-113.

Maslow, A.H. (1943). « A Theory of Human Motivation », *Psychological Review*, vol. 50, n° 3, p. 370-396.

McClelland, D. (1971). *Assessing Human Motivation*, New York, General Learning Press.

McGregor, D. (1960). *The Human Side of Enterprise*, New York, McGraw-Hill.

Miron, P. et McClelland, D.C. (1979). « The impact of achievement motivation training in small businesses », *California Management Review*, vol. 21, n° 4, p. 13-28.

Muchinsky, P.M. (2006). *Psychology applied to work*, Belmont (Calif.), Thomson Wadsworth.

Pépin, R. (1994). *Motiver et mobiliser ses employés*, Montréal, Éditions Transcontinental.

Roussel, P. (2000). *La motivation au travail : concept et théories* (document de recherche 00-26), Laboratoire interdisciplinaire de recherche sur les ressources humaines et l'emploi (LIRHE).

Schermerhorn, J.R., Hunt, J.G. et Osborn, R.N. (2002). *Comportement humain et organisation,* Montréal, ERPI.

Skinner, B.F. (1974). *About Behaviorism,* New York, Knopf.

Tokar, D.M. et Mezydlo-Subich, L. (1997). « Relative Contributions of Congruence and Personality Dimensions to Job Satisfaction », *Journal of Vocational Behavior,* vol. 50, p. 482-491.

Vallerand, R.J. et Thill, E.E. (dir.) (1993). « Introduction au concept de motivation », dans *Introduction à la psychologie de la motivation,* Laval, Éditions Études Vivantes — Vigot, p. 3-39.

Vroom, V.H. (1964). *Work and Motivation,* New York, Wiley.

CHAPITRE 4

La gestion des équipes de travail

Les objectifs d'apprentissage

Dans ce chapitre, le lecteur se familiarisera avec :

- l'importance et les avantages d'un groupe à l'intérieur d'une organisation ;

- la différence entre le groupe et l'équipe en milieu de travail ;

- les raisons justifiant la formation d'un groupe ;

- les classes et types de groupes ;

- les étapes de l'évolution d'un groupe ;

- l'influence de diverses variables sur la cohésion d'un groupe ;

- les effets positifs et négatifs de la cohésion sur l'efficacité du groupe ;

- le phénomène de la « pensée de groupe » ;

- le fonctionnement des équipes de travail semi-autonomes ;

- le fonctionnement des équipes interfonctionnelles ;

- le fonctionnement des équipes virtuelles.

Une documentation abondante illustre le grand intérêt que les spécialistes des sciences humaines accordent au phénomène du groupe. Cet intérêt est d'ailleurs justifié, car «être humain», c'est être presque constamment en interaction avec ses semblables, et c'est aussi appartenir à des groupes tels que la famille, le parti politique, le cercle d'amis, l'équipe sportive ou l'équipe de travail.

Les groupes exercent une influence prépondérante sur chaque individu. En fait, le sort de la société repose sur eux, puisque des décisions ayant un effet direct sur la vie des gens sont prises chaque jour par des comités, des associations, des partis, des ministères, etc. Toutefois, même s'ils occupent une place importante dans la vie de chacun et que leur influence est indéniable, on prend rarement le temps d'observer ce qui se passe dans les groupes. Comment les individus s'y comportent-ils? Comment les rôles s'y répartissent-ils? Quelle est l'influence du groupe sur l'individu et quelle est celle de l'individu sur le groupe? Pourquoi certains groupes sont-ils plus efficaces que d'autres? De quelle manière les conflits sont-ils **arbitrés**?

Devant autant d'interrogations, on devine facilement l'importance d'étudier le groupe en psychologie du travail et des organisations. Par conséquent, nous traiterons principalement, dans ce chapitre, du phénomène de groupe en milieu de travail. Nous examinerons l'effet du groupe sur l'employé qui, en raison de ses tâches et responsabilités, est souvent amené à collaborer avec d'autres membres de l'organisation. Car en plus de rendre des comptes à son supérieur, l'employé entretient généralement des rapports avec ses collègues et ses subordonnés. Nous parlerons également de la manière dont le comportement d'un individu influe sur celui de ses collègues et de l'influence du groupe sur l'individu, sur le rendement global de l'entreprise, sur la satisfaction au travail, sur le taux de roulement et sur le taux d'absentéisme (Battenhausen, 1991; Hackman, 1990). Nous examinerons le phénomène de groupe sous diverses facettes, toutes liées au milieu du travail. Mais avant d'aller plus loin, définissons de façon précise le phénomène de groupe.

Le groupe est un système organisé composé d'individus qui partagent des normes, des besoins et des buts et qui interagissent de manière à influencer mutuellement leurs attitudes et leurs comportements.

Il est important de souligner la présence d'un élément clé dans la définition du groupe que nous venons de donner: les membres du groupe partagent des normes, des besoins et des buts. Donc un rassemblement d'individus ne constitue pas nécessairement un groupe. Les passagers d'un vol entre Montréal et New York, par exemple, ne forment pas un groupe, alors qu'une équipe de hockey, qu'elle se trouve ou non dans un avion nolisé, constitue bien un groupe.

4.1 Les équipes de travail par opposition aux groupes de travail

Les groupes et les équipes sont deux éléments très importants pour les organisations. Les groupes sont constitués de « leaders » et de « suiveurs » qui ont habituellement un objectif commun à atteindre dans un temps limité. Les équipes diffèrent des groupes en ce sens que tous les membres d'une équipe partagent la responsabilité des objectifs, alors que dans le groupe, c'est le leader qui assume cette responsabilité[1]. Les organisations ont de plus en plus fréquemment recours aux équipes, surtout dans les situations exigeant créativité et flexibilité. Une équipe de travail génère une énergie positive par ses efforts de **coordination** ; l'effet de synergie explique que la somme des efforts de toute l'équipe soit plus élevée que la somme des efforts d'individus travaillant chacun de son côté.

4.2 La formation d'une équipe

La question à laquelle nous tenterons de répondre dans cette section est celle-ci : Pourquoi les individus se joignent-ils à un groupe ou qu'est-ce qui les incite à en former un ?

Il semble difficile de trouver une raison unique qui pousserait l'individu à devenir membre d'un groupe. Les motifs les plus courants sont liés aux besoins de sécurité, d'appartenance sociale et d'engagement dans des tâches communes.

Les travailleurs peuvent faire partie d'un groupe afin d'accomplir une tâche ou résoudre un problème ; dans la majorité des cas, c'est alors la direction qui met le groupe sur pied. Par ailleurs, ce sont parfois les objectifs poursuivis par un groupe déjà formé qui incitent un individu à le joindre. Un contremaître peut adhérer volontairement à une association de cadres de son organisation parce qu'il est attiré, par exemple, par les activités de formation organisées régulièrement par cette association. Le même contremaître pourrait aussi s'unir à d'autres contremaîtres afin de former un groupe de pression. L'appartenance à ce groupe pourrait lui permettre de satisfaire un **besoin d'appartenance** sociale. La possibilité d'exercer un leadership au sein d'un groupe favorise aussi la satisfaction des besoins d'estime, de pouvoir et d'accomplissement.

En définitive, les raisons qui amènent une personne à se joindre à un groupe sont très variées et peuvent satisfaire plusieurs besoins. Il est toutefois rare que les besoins d'un individu soient comblés entièrement par un seul groupe. C'est pourquoi les individus appartiennent à plusieurs groupes : si un groupe ne parvient pas à satisfaire tous les besoins d'un individu, ce dernier pourra cesser d'appartenir au groupe ou investir plus de temps ou d'énergie dans d'autres groupes.

---

1. Même si nous reconnaissons la différence qui existe entre un groupe et une équipe, nous utiliserons les deux termes de façon interchangeable dans ce chapitre.

Le travail policier par équipe

Au Canada, le concept de « travail policier par équipe » tire son origine des années 1970, alors qu'on cherchait un remède à l'ennui et à la solitude des policiers. Au cours de ces années, un certain nombre de services de police canadiens ont reconnu que les pressions nombreuses qui s'exerçaient sur eux imposaient des changements importants dans leur mode d'opération. De façon générale, le coût du travail policier croissait plus vite que le nombre d'habitants ou la somme des revenus fiscaux. Parallèlement à ce phénomène, la qualité des relations entre la police et les citoyens se détériorait. Le moral des policiers était à la baisse et leur sentiment de satisfaction au travail diminuait. Le taux de roulement du personnel progressait à un rythme inacceptable et il était de plus en plus difficile de maintenir la qualité des services policiers. Un certain nombre de services de police commencèrent à étudier l'efficacité du travail policier par équipe, espérant trouver une solution à ces problèmes. Ils conclurent que cette approche leur permettait d'améliorer, à peu de frais, la qualité des services à la collectivité, les relations entre la police et la communauté et le sentiment de satisfaction au travail des agents membres des équipes.

Source : Adapté de Wasson (1977).

4.3 Les types de groupes

De manière générale, la notion de groupe se rattache à l'idée de réalisation d'une tâche ou d'interaction sociale. La plupart des auteurs s'entendent pour distinguer les groupes selon des catégories illustrant cette différenciation. Certains auteurs subdivisent les types de groupes en trois catégories, tandis que d'autres préfèrent n'en retenir que deux. Les tableaux 4.1 et 4.2 illustrent les deux principales classifications.

La classification en deux catégories se prêtant davantage à l'étude des groupes en milieu de travail, c'est sur cette dernière que nous mettrons l'accent. Voyons maintenant les caractéristiques de chacun des types de groupes de cette classification.

TABLEAU 4.1 La classification des groupes en trois catégories

Les catégories de groupes et les types en faisant partie	Exemples
1. Le groupe social Le groupe orienté vers une tâche	Le club de bridge L'équipe de travail
2. Le groupe formel Le groupe informel	Le service de marketing L'équipe de hockey de l'entreprise
3. Le groupe primaire Le groupe secondaire	La famille L'association de protection de l'environnement de la ville

TABLEAU 4.2	La classification des groupes en deux catégories
Les catégories de groupes et les types en faisant partie	**Exemples**
1. Le groupe formel Le groupe informel	Le conseil d'administration Une équipe de baseball constituée d'employés de l'entreprise
2. Le groupe fonctionnel Le groupe de tâche ou de projet Le groupe d'intérêts	Le service financier Le comité chargé de l'organisation de la fête de Noël Le syndicat

4.3.1 Première catégorie : les groupes formels et les groupes informels

Les directions d'entreprise organisent des **groupes formels** qui ont pour mandat d'exécuter des tâches qu'elles commandent en conformité avec les objectifs déjà établis. Afin de favoriser l'atteinte de ces objectifs, les directions déterminent également des normes de rendement et le rôle de chacun des membres à l'intérieur des différents groupes.

Les **groupes informels**, quant à eux, se constituent spontanément, au fil du temps et des interactions entre les membres de l'organisation. Les membres d'un groupe informel partagent généralement les mêmes idées, valeurs, croyances et besoins sociaux. On peut facilement constater l'existence de tels groupes lors des pauses-café : des personnes travaillant dans différents services en profitent alors pour se réunir et discuter.

4.3.2 Deuxième catégorie : les groupes fonctionnels, les groupes de tâche et les groupes d'intérêts

Les groupes fonctionnels ressemblent aux groupes formels en ce sens que la direction les structure en définissant les tâches et les responsabilités. Ces groupes sont relativement permanents et ont une fonction organisationnelle. Par exemple, le personnel d'unités administratives telles que le service des finances et le service des achats appartient à des groupes fonctionnels.

Les groupes de tâche et de projet, par ailleurs, sont formés dans les entreprises afin de remplir une tâche particulière. La durée de vie de ces groupes est généralement limitée, car une fois le travail terminé, la raison d'être du groupe disparaît. On considère ces groupes comme formels, puisqu'ils sont mis sur pied par la direction dans un but précis. Par exemple, un comité qui aurait pour mission d'évaluer l'efficacité des activités de coordination du service des finances et du service des achats correspondrait à ce type de groupe.

Les **groupes d'intérêts** ou d'amitié sont constitués de personnes qui ont des caractéristiques, des valeurs, des croyances, des objectifs ou des besoins semblables. Prenons l'exemple d'employés qui souhaitent soumettre des demandes particulières à leur employeur ; si les employés se regroupent au sein d'un syndicat, un groupe d'intérêts sera alors formé.

4.4 Les étapes de l'évolution d'un groupe

Un groupe est un organisme dynamique qui, tout comme une personne, évolue au fil du temps. Certains facteurs non négligeables influeront sur cette évolution de façon significative (voir la figure 4.1).

Il y a d'abord les caractéristiques personnelles de chaque membre du groupe : des individus possédant des affinités évidentes se lieront plus facilement et l'évolution de leur groupe sera plus rapide que s'ils n'ont aucune affinité. L'existence d'intérêts et d'objectifs communs, l'influence mutuelle des membres ainsi qu'une fréquence élevée d'interactions favoriseront aussi l'évolution du groupe.

Plusieurs études démontrent que la majorité des groupes se développent suivant quatre phases : l'orientation, le conflit, la cohésion, l'évaluation et le contrôle (Obert, 1983 ; Tuckman et Jensen, 1977 ; Tuckman, 1965). Le passage d'une phase à l'autre reflète le degré de maturité du groupe.

4.4.1 L'orientation

La première étape de la formation d'un groupe est la phase d'orientation. Les membres se cherchent alors des affinités possibles avec leurs confrères. Ils font en quelque sorte des tests qui leur permettront de découvrir les comportements jugés acceptables et les comportements réprouvés par le groupe, et ce, en étudiant les réactions des autres membres au sein du groupe.

Lorsqu'il s'intègre à un nouveau groupe, l'individu ne s'engage pas spontanément. Il le fait plutôt avec réserve, se familiarisant peu à peu avec la nouvelle situation. À ce stade, le nouveau membre ressent une certaine dépendance envers ses compagnons et envers les règlements appliqués dans le milieu de travail. En effet, il tente d'éviter le conflit et garde ses opinions et croyances pour lui-même.

Les comportements axés sur la tâche sont définis par le groupe, de même que la mission et les objectifs à atteindre. Si le groupe a déjà un leader, ce dernier établit aussitôt des directives claires et précises qui guideront les activités du groupe.

FIGURE 4.1 Le groupe en milieu de travail

Caractéristiques personnelles

Intérêts et buts communs

Influence mutuelle

Occasions d'interagir

4.4.2 Le conflit

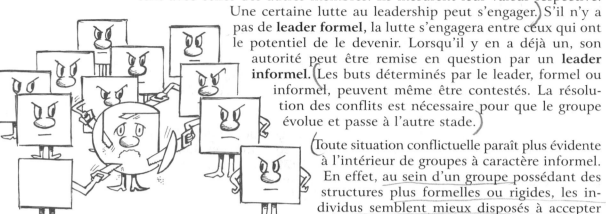

Vient ensuite la phase des conflits. À ce stade, les membres ne tiennent plus en réserve leurs idées et leurs opinions. Ils les défendent et les confrontent avec celles des autres membres. Ils mesurent leur valeur respective. Une certaine lutte au leadership peut s'engager. S'il n'y a pas de **leader formel**, la lutte s'engagera entre ceux qui ont le potentiel de le devenir. Lorsqu'il y en a déjà un, son autorité peut être remise en question par un **leader informel**. Les buts déterminés par le leader, formel ou informel, peuvent même être contestés. La résolution des conflits est nécessaire pour que le groupe évolue et passe à l'autre stade.

Toute situation conflictuelle paraît plus évidente à l'intérieur de groupes à caractère informel. En effet, au sein d'un groupe possédant des structures plus formelles ou rigides, les individus semblent mieux disposés à accepter l'autorité.

4.4.3 La cohésion

La troisième étape est celle de la cohésion. La cohésion d'un groupe dépend de la force d'attraction qu'exercent ses membres l'un sur l'autre et de leur volonté de continuer à appartenir au groupe. Attractivité et volonté ont pour effet de maintenir ensemble les membres d'un groupe et de faire obstacle aux forces de désintégration. De nouveaux rôles sont alors définis et un leader est choisi ou confirmé dans son rôle. Petit à petit, les membres du groupe se sentent plus à l'aise et plus solidaires; ils expriment plus facilement leurs opinions quant aux actes à accomplir ou aux attitudes à adopter pour favoriser l'atteinte des buts communs. Les membres comprennent et respectent davantage les rôles et responsabilités de chacun et sont plus soucieux de s'entendre et d'éliminer les conflits et les obstacles.

4.4.4 L'évaluation et le contrôle

Finalement, la quatrième étape voit naître des relations interpersonnelles plus intimes. Un climat de confiance et d'acceptation s'installe. À cette étape, les membres créent des liens plus solides, puisque les questions concernant les relations interpersonnelles, la division des tâches et le partage des responsabilités sont déjà réglées. En conséquence, le groupe peut concentrer la plus grande partie de ses énergies sur la réalisation des tâches. On peut donc dire qu'à ce stade, le groupe a atteint une certaine forme de maturité.

*
* *

Le tableau 4.3 et la figure 4.2 résument le processus de maturation d'un groupe ainsi que les activités du groupe selon l'étape de développement à laquelle il se situe.

TABLEAU 4.3	Les étapes et les activités de l'évolution du groupe
Les étapes	**Les activités du groupe**
L'orientation	• L'établissement des structures, des règlements et des schèmes de communication • L'éclaircissement des relations et de l'interdépendance entre les membres du groupe • La détermination des rôles et le choix d'un leader • L'élaboration d'un plan afin d'atteindre le but donné
Le conflit	• La mise en lumière et la résolution des conflits interpersonnels • L'éclaircissement plus poussé des règlements, des buts et des relations structurelles • La création d'un climat favorable à la participation des membres du groupe
La cohésion	• La mise sur pied d'activités orientées directement vers les objectifs • L'établissement d'un système de **rétroaction** (*feedback*) adapté à la tâche • Le développement de l'esprit d'équipe
L'évaluation et le contrôle	• Les démarches du leader pour faciliter l'exécution de la tâche et assurer la rétroaction et l'évaluation • Le renforcement des rôles et des relations personnelles • La consolidation de la détermination à accomplir la tâche et, par conséquent, à atteindre le but visé

Source : Traduit et adapté de Wallace (1983).

Il est à noter qu'il est possible que le groupe soit dissous à l'une ou l'autre des étapes de son évolution. De plus, l'établissement de nouveaux objectifs ou l'intégration de nouveaux membres peuvent déclencher un nouveau cycle et obliger le groupe à revivre les quatre étapes de son développement. Ajoutons finalement que, même si elle peut se produire à tout moment, la dissolution du groupe peut être considérée comme une cinquième étape formelle qui comporte un certain nombre de rites. Pensons, par exemple, au bal de fin d'études au cégep ou à l'université, ou encore à la tradition qui consiste à offrir une petite fête ou un repas aux personnes qui quittent un groupe.

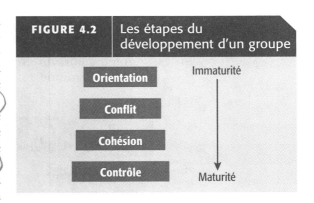

FIGURE 4.2 — Les étapes du développement d'un groupe

Avant de clore le sujet, un commentaire s'impose : l'évolution d'un groupe suivant les étapes susmentionnées illustre un point de vue intéressant sur le plan théorique, mais difficile à démontrer concrètement. En dépit de cette mise en garde, le gestionnaire doit essayer de tenir compte des étapes susmentionnées afin de déterminer le type de leadership qui s'avérera le plus efficace pour mener le groupe vers l'accomplissement de ses objectifs.

4.5 L'efficacité du groupe

Lorsqu'on étudie le fonctionnement d'un groupe, on doit prêter attention aux facteurs qui influent sur son rendement et sur le comportement de ses membres.

Évidemment, plusieurs facteurs sont susceptibles de stimuler ou d'inhiber l'évolution du groupe. Un facteur présent dans l'environnement externe telle une compression budgétaire deviendra une menace pour la survie même du groupe et entraînera, de ce fait, un certain resserrement des liens. Les individus se rapprocheront afin d'affronter et de vaincre l'obstacle plus efficacement. Un environnement stable, paisible et rassurant aura l'effet contraire sur un groupe.

Dans les sous-sections qui suivent, on verra qu'outre l'environnement externe, des variables situationnelles (la taille, la tâche, la **densité sociale**, la composition du groupe et le style de leadership) et des éléments caractéristiques de la structure (les rôles, les normes et le statut des membres) ou de la dynamique du groupe peuvent influencer l'efficacité de ce dernier.

4.5.1 Les variables situationnelles

La taille, la densité sociale, la tâche à accomplir, la composition du groupe et le style de leadership constituent les variables situationnelles qui influent sur le fonctionnement et l'efficacité du groupe (voir la figure 4.3). Il faut toutefois souligner que l'effet de ces variables est fonction de la tâche et de la nature du projet que le groupe se voit confier.

La taille du groupe

Bien que la taille ait fait l'objet de plusieurs études, elle ne nous semble pas être le facteur le plus déterminant de l'efficacité d'un groupe. Mentionnons toutefois certains effets de la taille sur le fonctionnement d'un groupe.

Premièrement, un groupe de petite taille évoluera plus facilement qu'un groupe de grande taille. En effet, il semble que les membres d'un petit

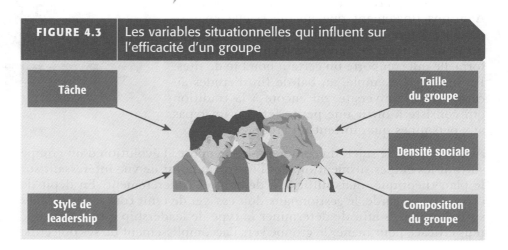

FIGURE 4.3 | Les variables situationnelles qui influent sur l'efficacité d'un groupe

Tâche

Style de leadership

Taille du groupe

Densité sociale

Composition du groupe

groupe possèdent une plus grande liberté d'action. Dans un groupe de trois à cinq personnes, les échanges d'idées sont plus faciles et la satisfaction des membres est plus grande. Toutefois, la taille restreinte d'un groupe risque de créer des tensions internes, car chacun a des responsabilités accrues et cela accroît leur visibilité respective au sein du groupe.

Deuxièmement, la taille restreinte d'un groupe favorise les prises de décision rapides. Dans un grand groupe, des communications plus difficiles et la tendance à former des sous-groupes ralentissent le processus de décision. En contrepartie, la diversité des connaissances des membres d'un grand groupe joue en faveur de la qualité des décisions.

Finalement, il semble que la taille d'un groupe ait un effet sur le taux d'absentéisme et le taux de roulement des membres. Dans l'ensemble, les recherches indiquent que les membres d'un petit groupe s'absentent moins souvent et enregistrent un taux de roulement plus faible que les membres d'un grand groupe.

La densité sociale

En psychologie du travail et des organisations, la densité sociale se rapporte directement à la quantité d'individus qualifiés disponibles dans une région géographique. Elle concerne donc, indirectement, la distance physique qui sépare les membres d'un groupe. Il est réaliste de croire que la proximité géographique des personnes favorise l'augmentation des interactions sociales. Il est donc important de tenir compte de la distance qui sépare physiquement les membres d'un groupe, puisque cela détermine le succès avec lequel une tâche sera accomplie. Cependant, les progrès technologiques (courrier électronique, télécopieur, conférence téléphonique, etc.) permettent de réduire les difficultés traditionnellement liées à l'éloignement géographique.

La tâche

Plus une tâche est complexe, plus les membres d'un groupe prennent de temps à l'accomplir et plus les probabilités d'en arriver à un consensus sont faibles. Plus l'accomplissement de la tâche requiert l'accès à des

---

LE SAVIEZ-VOUS ?

Le rapport entre la taille du groupe et son rendement dépend du genre de tâche réalisé (Steiner, 1982). Les **tâches additives** sont celles où le rendement collectif équivaut à la somme du rendement de chaque membre du groupe. Ainsi, le rendement potentiel d'une tâche additive peut être prédit en additionnant le rendement de chaque membre du groupe. Comme dans les tâches additives, le rendement potentiel s'accroît avec la taille du groupe dans les **tâches disjonctives,** mais il dépend alors du rendement du meilleur membre. Le rendement potentiel d'un grand groupe sera supérieur à son rendement réel en raison des pertes collectives dues aux activités de motivation et de coordination inhérentes à ce type de groupes. Dans les **tâches conjonctives,** le rendement du groupe est limité par celui du membre le moins performant. Dans ce cas, tant le rendement potentiel que le rendement réel du groupe devraient diminuer à mesure que le groupe s'agrandit et que la probabilité d'intégrer un membre plus faible augmente.

Source : Traduit et adapté de Johns et Saks (2005).

renseignements diversifiés et complexes, plus le risque d'erreurs augmente à cause des difficultés de coordination et d'organisation de ces informations.

La composition du groupe

La composition d'un groupe est généralement relative à l'homogénéité ou à l'hétérogénéité de ses membres. Dans un groupe dit homogène, la compatibilité des besoins, des motivations ainsi que des personnalités est synonyme de plus grande efficacité, et ce, parce que la coopération et la communication sont particulièrement favorisées. Toutefois, il est important de retenir que l'homogénéité du groupe n'est pas nécessairement synonyme d'efficacité. En effet, si plusieurs membres du groupe possèdent des traits de personnalité qui les incitent à exercer fortement un leadership, le groupe sera composé de plusieurs «chefs» et de peu d'«indiens», et il en résultera une plus faible productivité.

Dans un groupe de type hétérogène, la variation des caractéristiques individuelles et la stimulante interaction entre les membres accroissent la qualité des réponses aux problèmes éventuels. Par contre, l'hétérogénéité peut aussi engendrer des situations conflictuelles qui auront pour effet de nuire à l'épanouissement du groupe.

Le style de leadership

Le style de leadership exerce une influence sur le cheminement du groupe. Les caractéristiques du leader, tels son expérience, son âge, son sexe, son ancienneté dans l'entreprise, son niveau de scolarité et son intelligence, entrent en interaction avec celles des membres du groupe et influent sur sa capacité de coordonner les efforts axés sur la réalisation d'un but commun.

4.5.2 La structure du groupe

La **structure du groupe** est définie par les normes qui le régissent ainsi que par les rôles et les statuts des membres qui le composent. C'est la structure qui dynamise les relations entre les membres et qui incite le groupe à diriger ses actions vers l'atteinte des objectifs organisationnels. Cette structure peut correspondre à un simple organigramme. Toutefois, l'organigramme ne représente que l'aspect statique d'une structure ; s'y juxtaposent certains facteurs qui, eux, donnent à un groupe son dynamisme. En effet, au sein d'un groupe, des relations de différents types s'établissent entre les individus ; des normes sont définies et des rôles sont graduellement attribués à chacun des membres.

Les rôles

Les rôles au sein du groupe correspondent à des comportements attendus. Des rôles sont formellement attribués ou désignés par un organisme afin de répartir le travail et les responsabilités. L'attribution de rôles permet d'assigner les diverses tâches et d'établir l'autorité au sein du groupe. De

Les équipes de travail multiculturelles sont de plus en plus fréquentes dans les milieux de travail contemporains. Les équipes multiculturelles peuvent être de trois types : ne compter qu'un seul membre d'une autre culture ; être biculturelle et avoir des membres de deux cultures ; être multiculturelle et compter des membres appartenant à trois cultures ou plus. La diversité culturelle peut avoir des répercussions positives et négatives sur la productivité d'une équipe. La diversité augmente le potentiel de productivité, mais accroît de façon significative la complexité des procédés qu'un groupe de travail doit employer afin de réaliser son plein potentiel. Les équipes multiculturelles ont la possibilité d'atteindre un niveau de productivité plus élevé que les équipes homogènes, mais risquent également d'essuyer de plus grandes pertes, parce que leur fonctionnement laisse à désirer. Par exemple, par leur accès à des points de vue multiples, elles peuvent mieux comprendre une situation donnée et, conséquemment, accroître leur productivité. Cependant, elles éprouvent de plus grandes difficultés que les équipes homogènes lorsqu'il s'agit d'intégrer et évaluer ces points de vue multiples, ce qui entraîne des pertes de productivité. Si les membres d'une équipe sont de cultures semblables, ils ont plus de facilité à communiquer. Au contraire, de mauvaises perceptions, communications, interprétations et évaluations abondent au sein d'équipes culturellement diversifiées. Des désaccords sur les attentes, la pertinence des renseignements et le besoin de prendre certaines décisions surviennent plus fréquemment à l'intérieur des équipes multiculturelles. Le niveau de stress est donc plus élevé pour leurs membres que pour ceux d'équipes culturellement homogènes.

La diversité culturelle accentue l'ambiguïté, la complexité et la confusion inhérentes au travail d'équipe. Comme l'indique le tableau qui suit, la méfiance, le stress et les mauvaises communications propres aux équipes multiculturelles réduisent leur degré de cohésion, mais par dessus tout, gênent souvent leur productivité.

La diversité au sein d'équipes multiculturelles : avantages et inconvénients

Les avantages	Les inconvénients

La diversité augmente la créativité
  Des perspectives plus variées
  Des idées plus nombreuses et meilleures
  Moins de «pensée de groupe»
 	
La diversité oblige à consentir plus d'efforts pour mieux comprendre les autres
  Idées
  Perspectives
  Sens
  Arguments
 	
Une augmentation de la créativité peut produire :
• une meilleure définition des problèmes ;
• plus de possibilités ;
• de meilleures solutions ;
• de meilleures décisions.
 	
Les équipes peuvent devenir :
• plus efficaces ;
• plus productives.
	La diversité suscite un manque de cohésion
	  Méfiance
	    Peu d'affinité entre les membres
	    Des stéréotypes erronés
	    Plus d'échanges entre membres d'une même culture
	  Une mauvaise communication
	    Une expression plus lente : problèmes de traduction et locuteurs étrangers
	    Moins d'exactitude
	
	Stress
	  Plus de conduites contre-productives
	  Moins de désaccords sur le contenu
	  Une tension
	
	Le manque de cohésion cause une incapacité à :
	• valider les idées ;
	• se mettre d'accord lorsque nécessaire ;
	• prendre des décisions par consensus ;
	• engager des actions concertées.
	
	Les équipes peuvent devenir :
	• moins efficientes ;
	• moins efficaces ;
	• moins productives.

Comme l'illustre le tableau suivant, la productivité des équipes multiculturelles dépend de leurs tâches et de la façon dont elles gèrent leur diversité. La diversité devient plus intéressante lorsque le besoin d'innover l'emporte sur le besoin d'en arriver à une entente (cohésion). La diversité représente un avantage seulement si l'équipe sait à quel moment miser sur sa diversité et à quel moment ne pas le faire et si elle sait équilibrer créativité et consensus. Le chef d'équipe doit évaluer chaque situation avec justesse et faire les choix qui répondent le mieux aux buts et objectifs globaux de l'équipe et aux exigences de la tâche en cours.

La gestion efficace de la diversité au sein d'une équipe	
Efficace	**Inefficace**
La diversité est plus efficace en présence des conditions de travail suivantes :	La diversité est moins efficace en présence des conditions de travail suivantes :
Tâches Novatrices	Routinières
Conditions Différences reconnues Membres choisis pour leurs compétences Respect d'autrui Pouvoir égal Objectif prioritaire Rétroaction externe	Différences ignorées Membres choisis pour leur origine ethnique Ethnocentrisme Dominance culturelle Objectifs individuels Aucune rétroaction (autonomie)

Source : Traduit et adapté de Adler (2002).

nouveaux rôles voient le jour spontanément pour répondre aux besoins socio-émotifs des membres d'un groupe ou pour faciliter le travail de manière informelle.

En contexte de travail, les rôles correspondent étroitement aux fonctions des membres d'un groupe. Plus concrètement, les rôles sont attribués aux personnes conformément aux comportements qu'on attend d'elles. En fait, les rôles ont pour fonction de rendre prévisibles les comportements. Dans une entreprise, la description de tâches et les directives encadrent l'exercice des fonctions et précisent les rôles des employés (Ancona et autres, 1996). Quand ils ont des comportements qui ne correspondent pas à ceux qui sont normalement associés à leurs rôles, les employés donnent l'impression de se comporter de façon inappropriée. Par exemple si, au cours d'un match de hockey, un gardien de but s'emparait de la rondelle, déjouait les joueurs adverses en traversant la patinoire et comptait un but, on aurait l'impression qu'il ne respecte pas son rôle.

Par ailleurs, une personne peut jouer plusieurs rôles au sein d'une entreprise. Par exemple, elle peut se situer à différents points de la hiérarchie de telle sorte qu'elle se trouve, d'une part, dans un rôle d'autorité face à ses subalternes et, d'autre part, dans un rôle de subordination face à son supérieur immédiat. Qui plus est, elle peut appartenir à d'autres groupes (comité, association, etc.) au sein desquels elle joue des rôles différents.

En général, on note deux principaux types de rôles en entreprise : le premier est directement lié à la tâche, alors que le second est d'ordre socio-émotif. Les rôles liés à la tâche sont généralement assignés ou prescrits par l'organisation afin de déterminer « qui fait quoi ». Cependant, au-delà de l'assignation formelle, les comportements des individus font émerger des rôles qui correspondent à une manière d'être, à un style personnel. Ainsi, parmi les rôles associés à la tâche, on peut trouver celui de l'individu qui introduit des sujets et des idées, qui suggère des méthodes ou propose des objectifs, celui qui consiste à exiger des renseignements supplémentaires et chercher des solutions ou encore à prendre des notes, faire clarifier les idées ou les propositions et organiser l'information.

Les rôles socio-émotifs correspondent à des comportements qui visent la gestion des émotions, des éventuelles tensions et des aspects sociaux du groupe. Dans cette catégorie, on peut inclure le rôle de la personne qui renforce les liens sociaux en encourageant les autres membres du groupe, qui fait des commentaires positifs sur leurs idées et sur les solutions qu'ils proposent et qui encourage leur participation. On trouve aussi le rôle de la personne qui formule des synthèses et des compromis permettant d'atténuer les divergences et les éventuels conflits au sein du groupe. Peut aussi faire partie de cette catégorie le rôle de la personne qui voit à ce que le café soit prêt, fait les réservations pour les repas et s'assure du confort général des gens. D'autres rôles socio-émotifs peuvent aussi émerger. Pensons au rôle de clown, soit celui de la personne qui utilise l'humour de différentes façons, ou encore le rôle de bouc émissaire, qui permet de canaliser les tensions et l'hostilité entre les membres.

La majorité de ces rôles, tant ceux qui sont associés à la tâche que ceux qui ont un caractère socio-émotif, ne sont pas formels, mais émergent selon les besoins du groupe ou les besoins particuliers des individus composant le groupe. Ces rôles ont leur importance et permettent de réduire l'ambiguïté. On observe en effet que, dans la plupart des organisations, il existe des problèmes associés à l'attribution de rôles. Ces problèmes résultent d'une certaine ambiguïté ou d'un manque de clarté dans l'exercice de l'autorité et dans la répartition des tâches et des responsabilités de chacun. À cet égard, des recherches ont prouvé que l'ambiguïté d'une situation est proportionnelle à la complexité d'une tâche. Il faut aussi tenir compte du fait que certaines caractéristiques personnelles créent d'elles-mêmes des situation nébuleuses ; généralement, un individu très confiant perçoit plus clairement les situations que ses collègues moins sûrs d'eux-mêmes.

D'autres problèmes peuvent surgir lorsqu'il y a **conflit de rôles** ou, plus précisément, lorsque des demandes multiples et des attentes divergentes sont exprimées simultanément, par une ou plusieurs personnes. Une incertitude s'installe alors dans l'esprit du travailleur et celui-ci doit établir un ordre de priorités. On trouve ainsi deux types de conflits : les conflits intra-rôles — soit les conflits internes, lorsque l'employé ne peut satisfaire à toutes les demandes à la fois — et les conflits interrôles — soit les conflits qui découlent du cumul des rôles et des attentes.

Les normes

Les différentes normes auxquelles adhèrent les membres d'un groupe constituent une autre facette intéressante de l'étude des groupes. Dans ce contexte, une norme est un standard auquel se reporte l'individu pour évaluer ses propres attitudes, conduites et opinions. Tous les groupes possèdent leurs propres normes relatives aux comportements acceptable et aux lignes de conduite à respecter.

Les normes touchent différents aspects du comportement des individus, tels que la façon de s'habiller, de parler, d'agir et même l'importance et la qualité du rendement. En uniformisant les comportements des membres, les normes assurent le maintien d'un certain rendement et l'atteinte des objectifs fixés par le groupe. Les normes varient selon les circonstances et les objectifs à atteindre. De plus, certaines normes s'appliquent à tous les membres, tandis que d'autres ne régissent le comportement que de quelques-uns d'entre eux. Ainsi, il est possible qu'un nouvel employé soit tenu de respecter certaines normes précises (par exemple, être ponctuel), alors que le leader du groupe n'y est pas tenu.

Une fois acceptées par le groupe, les normes influencent le comportement des membres et remplissent une fonction externe, soit de type formel, soit de type informel. Les normes ou règles formelles sont écrites. On les trouve dans les diverses clauses d'une convention collective. Elles décrivent principalement la **politique administrative** et les droits et obligations des employés. Cependant, la majorité des normes sont informelles. Dans des situations bien précises, certains comportements sont socialement plus acceptables que d'autres. Prenons, par exemple, une entrevue de sélection : il va de soi que certains sujets, tels que les conflits de personnalité survenus au cours d'un travail précédent, les raisons d'un départ ou les défauts du candidat seront évités, alors que d'autres sujets, tels que l'expérience, les habiletés acquises et les qualités personnelles seront placés au premier plan.

La majorité des individus apprennent rapidement à se conformer aux différentes normes établies dans un groupe. Seuls les individualistes solidement déterminés à agir selon leurs propres critères oseront défier les croyances et valeurs véhiculées par le groupe.

Le statut

Le statut découle du rang ou de la position d'un employé dans l'organisation. Cela est aussi vrai pour l'ensemble du groupe, car le rang ou la position du groupe dans l'organisation peut grandement favoriser son influence et son efficacité.

Or si, en général, le statut renvoie à la position hiérarchique formelle d'un individu, il peut aussi dépendre des qualités personnelles de ce dernier. Les principaux marqueurs du statut d'un individu sont : le titre d'emploi (directeur, vice-président, etc.), le titre professionnel (architecte, dentiste, etc.), l'importance des relations (travailler avec une personne qui a un très haut statut, comme un ministre, etc.), le salaire direct et indirect (salaire très élevé, compte de dépenses important, etc.) et la disponibilité d'espace (stationnement réservé, grand bureau, etc.).

« Le conformisme dans la marginalité »

La **paresse sociale** est la tendance à ménager ses efforts physiques ou intellectuels dans un travail de groupe (Shepperd, 1993 ; George, 1992). Elle est une des causes des pertes collectives au sein de grands groupes et se présente sous deux formes : l'***effet parasite*** et l'***effet compensatoire.*** L'effet parasite se produit lorsque des membres du groupe (« profiteurs ») diminuent leurs efforts aux dépens des autres. C'est le cas de ceux qui ne font pas leur part dans un projet collectif. Il y a effet compensatoire lorsque certains membres du groupe diminuent leurs efforts en s'apercevant que d'autres sont profiteurs. Ils veulent ainsi restaurer l'équité au sein du groupe.

On peut faire échec à la paresse sociale de différentes façons :

- en accroissant la visibilité du rendement individuel. La façon la plus simple d'y arriver est de conserver une petite taille au groupe ;

- en s'assurant que le travail est intéressant. Toute tâche exigeante sera porteuse de motivations qui feront échec à la paresse sociale ;

- en intensifiant chez les membres du groupe le sentiment de leur propre importance. Formation et statut peuvent leur donner la possibilité d'apporter une contribution unique à l'organisation ;

- en augmentant la rétroaction sur le rendement. Des commentaires plus fréquents de la part du chef, des pairs et des clients devraient favoriser l'autocorrection ;

- en récompensant le rendement collectif. Les membres sont plus enclins à surveiller et à maximiser leur rendement individuel lorsque le groupe est récompensé pour son efficacité.

Source : Traduit et adapté de Johns et Saks (2005).

Le statut détermine la façon dont l'individu ou le groupe est perçu par le reste de l'organisation, ainsi que son prestige et son influence. Les individus qui ont les statuts les plus élevés communiquent avec les autres membres d'un groupe et les influencent beaucoup plus que ceux dont le statut est moins élevé. En ce qui a trait au groupe (ou à l'équipe) de travail, il appert que, lorsqu'il possède certaines caractéristiques, il optimise ses potentialités et, par le fait même, acquiert un plus haut statut dans l'organisation.

4.5.3 Les facteurs de cohésion du groupe

Dans un ensemble de personnes, un processus d'influence mutuelle se met graduellement en place de telle sorte qu'une certaine cohésion s'installe entre chacune. Les membres d'un groupe en viennent à éprouver une certaine affection mutuelle et à se respecter. Comme l'indique la figure 4.4, à la page suivante, huit facteurs influent sur la cohésion du groupe ; nous les examinons dans les paragraphes qui suivent.

L'homogénéité

L'homogénéité d'un groupe favorise sa cohésion interne. Les individus sont plus enclins à se joindre à un groupe si des membres partagent leurs intérêts, valeurs et croyances. Ainsi, on remarque que des individus exerçant une même fonction dans une entreprise se regroupent souvent afin de partager leurs expériences. Un phénomène semblable peut être observé dans une salle de cours. Lorsque des élèves issus de différents établissements scolaires se trouvent, au collège ou à l'université, dans une même classe pour la première fois, la cohésion du groupe qu'ils forment est plutôt faible parce que personne ne sait encore avec qui s'associer. Mais rapidement,

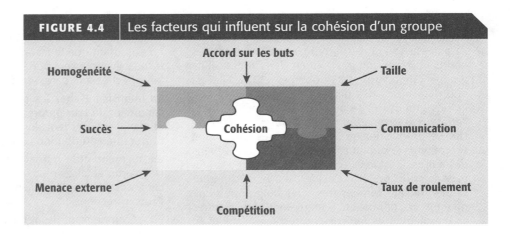

FIGURE 4.4 Les facteurs qui influent sur la cohésion d'un groupe

Homogénéité

Accord sur les buts

Taille

Succès

Cohésion

Communication

Menace externe

Compétition

Taux de roulement

des sous-groupes se formeront en raison des affinités qui émergeront graduellement. On pourra voir se former au fond de la classe, à gauche, un groupe d'élèves qui partagent les mêmes intérêts pour les parties de cartes et à droite, un groupe d'élèves originaires d'une région ou d'un établissement scolaire particulier, alors qu'au centre, un groupe se formera autour des mêmes goûts vestimentaires. Ces sous-groupes seront plus homogènes et on y remarquera une plus grande cohésion. Cependant, leur cohésion peut être contrariée par des luttes pour le pouvoir que se livreraient des sous-groupes d'amis ou des clans (scissions). Soulignons que dans une organisation, il est important que l'homogénéité du groupe traduise un intérêt commun pour la tâche plutôt qu'une attirance interpersonnelle ou une amitié, car l'accomplissement de la tâche pourrait alors être négligé au profit d'interactions à caractère social.

L'accord sur les buts

Plus les membres du groupe s'entendent sur les buts et les objectifs à atteindre, plus la cohésion du groupe augmente. Si le groupe n'arrive pas à se rallier à un objectif commun, même après l'intervention du leader, il est probable que des sous-groupes se formeront et qu'une scission se produira. C'est, par exemple, ce qui pourrait arriver dans l'équipe sportive dont les joueurs ne suivraient pas le même plan de match, ou encore dans un groupe de travailleurs divisés sur les objectifs, certains préconisant une forte productivité au détriment de la qualité, les autres privilégiant une production moindre pour une qualité supérieure.

La taille

Un groupe de taille restreinte présente généralement une plus grande cohésion qu'un groupe comptant beaucoup de membres, car dans ce dernier cas, la probabilité que chacun exprime des opinions différentes est plus forte. De plus, dans un petit groupe, les buts, les rôles et les responsabilités peuvent être définis beaucoup plus aisément.

La communication

Une communication de qualité entre les membres d'un groupe favorise sa cohésion. La qualité de la communication peut se mesurer par la fréquence des interactions. À cet égard, il semble que plus les membres d'un groupe interagissent, plus le groupe est cohérent. Toutefois, il existe une limite au nombre d'interactions possibles, et celle-ci doit être définie en fonction de la capacité individuelle des membres d'apporter des renseignements significatifs lors des réunions du groupe. Trop de réunions amène souvent une stagnation de la productivité du groupe.

La menace externe

En réaction à une menace externe, le groupe a tendance à faire preuve de cohésion, à mobiliser ses membres afin qu'ils unissent leurs efforts vers un but commun. En guise d'exemple, pensons à un groupe d'employés dont la sécurité d'emploi est menacée par des changements technologiques ou des compressions budgétaires.

La compétition intergroupe

Comme la menace externe, la compétition intergroupe favorise la cohésion d'un groupe. En effet, la compétition intergroupe force les membres d'un groupe à unir leurs efforts, à améliorer leur productivité, leur communication et l'organisation de leur travail. À l'inverse, la compétition intragroupe divise les membres plutôt que d'accroître la cohésion de leur groupe.

Le succès du groupe

Les membres d'un groupe qui n'atteint pas ses objectifs tentent généralement d'attribuer la cause de leur échec à un des leurs. Cette situation mine la cohésion du groupe et, dans une situation compétitive, le rend plus vulnérable. Il suffit de lire les pages sportives d'un quotidien pour se rendre compte qu'à la suite d'une défaite, un bouc émissaire, qui n'est pas nécessairement le leader de l'équipe, doit essuyer quelques sarcasmes. De plus, les gens n'aiment pas s'identifier à une équipe perdante, si bien que les groupes qui ont une bonne réputation sont recherchés et reconnus pour leur succès. La cohésion d'un groupe est ainsi renforcée par le succès, lequel rejaillit sur chaque membre en vertu d'un système de récompenses coopératives plutôt que compétitives. On reconnaît d'ailleurs souvent l'esprit d'équipe d'un travailleur productif aux commentaires élogieux qu'il fait sur ses coéquipiers plutôt que sur l'excellence de son propre rendement.

Le taux de roulement

Lorsque les employés vivent des tensions et des situations stressantes au sein de leur groupe de travail, ils réagissent inévitablement : certains vont contester, d'autres vont diminuer leur rendement et même, parfois, quitter leur emploi parce que le groupe ne satisfait plus leurs besoins ; ce qui entraîne un déséquilibre et, par conséquent, un fléchissement de la cohésion du groupe, qui peut conduire à sa dissolution. On peut donc associer à un fort taux de roulement une faible cohésion du groupe. Il y a tout de même des cas où le départ d'un employé joue en faveur de la cohésion du groupe. Pensons, par exemple, au groupe qui, pour améliorer son rendement, rejette les individus qu'il juge non productifs.

*

* *

Dans l'ensemble, on peut dire que la cohésion entre les membres d'un groupe est d'autant plus grande que le groupe réussit à atteindre ses buts, qu'il est menacé de l'extérieur, qu'il est en compétition avec d'autres groupes ou qu'il a adopté un système de récompenses coopératives plutôt que compétitives. Dans les groupes de travail, la cohésion fortifie le moral et rehausse l'estime de soi tout en contribuant à l'amélioration du rendement.

EN PRATIQUE...

Non seulement la cohésion du groupe se trouve-t-elle renforcée lorsque celui-ci se sent menacé de l'extérieur (l'« union sacrée »), mais même en dehors de toute menace, le groupe peut spontanément exprimer sa solidarité en s'attaquant à ses voisins ou en cherchant des situations de compétition. Il existe une certaine corrélation entre le renforcement de la cohésion intragroupe et les possibles tensions intergroupes.

Au cours des années 1940, Muzafer Sherif, un des pères de la dynamique des groupes, a expérimenté des méthodes (dont certaines se sont révélées peu efficaces) visant à atténuer ces tensions :

- Une méthode consiste à mobiliser les efforts de tous contre un autre groupe pris comme adversaire commun ; cette mesure peut avoir une efficacité provisoire sur la cohésion du groupe, mais elle risque d'intensifier le problème des tensions intergroupes.

- Une autre méthode consiste à provoquer des contacts entre les deux groupes dans des situations agréables (séances récréatives, goûters communs, etc.) ; elle se révèle toutefois fort décevante, car les membres des deux groupes s'installent séparément dans les locaux communs et les seuls échanges ont lieu sur le mode agressif.

- Pour atténuer l'agressivité entre plusieurs groupes, la seule méthode qui peut avoir un effet décisif consiste à provoquer une interaction entre eux à l'occasion d'une urgence qui exige des ressources supérieures à celles des groupes pris isolément. On assiste alors à une évolution des attitudes et au rétablissement progressif de la communication et de la coopération entre les groupes.

Source : Adapté de M. Sherif, *In Common Predicament,* Boston, Houghton Mifflin, 1966.

4.6 La « pensée de groupe » (*groupthink*)

Le psychologue Irving Janis a développé le concept de « pensée de groupe ». Lorsque les membres d'un groupe se trouvent dans un processus de prise de décision, la cohésion élevée peut, dans certains cas, intervenir négativement et entraîner un conformisme excessif qui se manifeste par une intolérance à l'endroit de tout comportement dit déviant, c'est-à-dire qui ne respecte pas les normes établies par le groupe. Un tel conformisme fait en sorte que, lors d'une prise de décision, tous les membres du groupe se rallient aux opinions dominantes plutôt que d'émettre leur propre opinion.

Trois facteurs expliquent les phénomènes de conformisme et de déviationnisme : la complaisance ou la conformité aux normes par pure bienveillance ; l'identification ou la conformité aux normes par respect ; l'intériorisation ou la conformité aux normes par l'intégration des valeurs du groupe. Ces facteurs permettent ainsi d'expliquer la forte cohésion d'un groupe. Voici les principaux symptômes du conformisme :

- l'illusion d'invulnérabilité, qui se manifeste par un optimisme excessif ;
- une conviction inébranlable quant à la pureté ou à la moralité de ses choix et de ses actions ; un sentiment de supériorité et l'illusion de moralité ;
- l'étiquetage de ceux qui s'opposent au groupe ;
- une pression directe exercée sur les membres qui remettent en question ces stéréotypes, pression fondée sur la certitude qu'un membre loyal ne s'oppose pas à la volonté du groupe ; un besoin d'exclusivité ;
- l'autocensure de ce qui dévie du consensus apparent du groupe ;
- l'illusion d'unanimité ; le silence est interprété comme un assentiment ;
- la formation de barrières mentales ayant pour objet de protéger le groupe contre l'information défavorable (Janis, 1972).

4.7 Les équipes de travail semi-autonomes

Le principe des **équipes de travail semi-autonomes** consiste à donner aux groupes de travailleurs l'autonomie nécessaire à l'autocontrôle ou à l'auto-régulation de leur système de production.

La première caractéristique d'une équipe semi-autonome est que ses membres travaillent ensemble afin de fabriquer un produit final donné. Les membres du groupe ont un certain contrôle sur leur travail et sur la ré-gulation du système de production ; ils organisent eux-mêmes le travail qu'ils ont à accomplir en se le répartissant. Ils peuvent également avoir un droit de regard sur les questions de discipline, de salaires, d'évaluation du rende-ment, d'embauche et de congédiement. Pour qu'un groupe semi-autonome soit efficace, les travailleurs doivent posséder certaines aptitudes, soit :

- avoir les compétences liées à l'emploi ;
- savoir communiquer et prendre des décisions ;
- être habiles à extraire l'information provenant de l'environnement (par exemple, des autres groupes) ;
- connaître la structure du travail ;
- être capables d'effectuer certaines activités de gestion ;
- savoir créer et maintenir une atmosphère de travail productive.

De ce principe découlent donc une autonomie plus grande pour les tra-vailleurs, des tâches réaménagées, des mécanismes de prise de décision modifiés, une formation adéquate, un **processus de consultation**, etc.

La mise en place expérimentale d'équipes de travail semi-autonomes in-dique que, pour qu'il y ait réussite, la structure organisationnelle doit demeurer très ouverte. Les changements de rôles semblent inévitablement entraîner une modification des statuts. L'expérience de la mise en place des équipes semi-autonomes demeure toutefois une façon intéressante, pour l'ensemble des gestionnaires, de diagnostiquer les problèmes à l'intérieur de l'entreprise. De plus, cette **nouvelle forme d'organisation du travail** a des répercussions non négligeables sur le fonctionnement de l'organisation (processus de communication), sur la satisfaction des employés (autono-mie et responsabilisation) et sur la rentabilité de l'entreprise (diminution des taux d'absentéisme et de roulement, augmentation de la productivité).

Le modèle des équipe de travail semi-autonomes repose sur un l'énoncé explicite des valeurs qui ont des impacts évidents sur la pratique. Un consensus préliminaire sur ces valeurs est nécessaire au succès de l'intervention : la définition et l'exploration préalables des valeurs sont indispensables à la réussite de l'action. Six principes sont essentiels à une approche autogérée :

1. Il faut percevoir positivement les personnes avec lesquelles nous travaillons, en refusant les étiquettes négatives et en reconnaissant que toutes ont des habiletés, des connaissances et des compétences.

2. Les personnes ont des droits, dont celui d'être entendues et de contrôler leur propre vie. Il s'en suit qu'elles ont le droit de choisir leurs interventions. Elles doivent toujours avoir le droit de participer ou non à une action autogérée, de développer leur propre problématiques et de choisir les actions conséquentes.

3. Les problèmes auxquels font face les membres du cercle sont complexes et les réponses doivent refléter cette complexité. Ils ne doivent pas être compris comme de simples résultantes de déficits personnels. Des forces importantes comme l'oppression, les politiques sociales, l'environnement et l'économie doivent être intégrées dans l'analyse et la pratique doit s'inspirer des résultats de cette analyse.

4. Il faut appuyer la pratique sur la reconnaissance du principe « l'union fait la force. » Les personnes peuvent s'approprier un pouvoir en travaillant ensemble.

5. Les méthodes de travail doivent refléter des principes égalitaires. D'abord, les intervenants ne dirigent pas le groupe, mais facilitent les prises de décision collectives et l'appropriation des choix ; les connaissances et les habiletés utiles n'appartiennent pas seulement à l'intervenant et ne lui accordent pas de privilèges spéciaux.

6. L'intervention doit remettre en question l'oppression, qu'elle porte sur la race, le genre, l'orientation sexuelle, l'âge, la classe sociale, la capacité physique ou toute autre forme de différenciation sociale. Historiquement, de telles caractéristiques ont permis l'élaboration des concepts de supériorité ou d'infériorité raciale, sexuelle ou sociale et bien qu'erronés, ces concepts continuent de rencontrer une certaine écoute.

Source : Adapté de Lindsay (1992).

4.8 Les équipes de travail interfonctionnelles [2]

Les **équipes de travail interfonctionnelles** sont de plus en plus présentes dans les organisations. Il s'agit de groupes de travail réunissant des personnes de différentes spécialités dans le but de mieux créer, concevoir ou livrer un produit ou un service (Farnham, 1994 ; Dumaine, 1993). Dans l'ensemble, ces équipes visent l'innovation, la rapidité et la qualité qui découlent d'une coordination entre diverses spécialités (Waterman, 1987).

Selon les études de Henke (1993) et de Pinto et autres (1993), six facteurs peuvent contribuer à l'efficacité des équipes interfonctionnelles : la composition, les objectifs prioritaires, la proximité, l'autonomie, les règlements et le leadership. Premièrement, la composition doit être telle que l'équipe comportera tous les spécialistes pertinents, y compris des représentants

---

2. Traduit et adapté de Johns et Saks (2005).

Un **cercle de qualité** est un mécanisme formel, institutionnalisé, destiné à favoriser une interaction productive et participative entre les membres du personnel afin de leur permettre de résoudre eux-mêmes leurs problèmes. Un petit groupe d'ouvriers ou d'employés s'engage dans un processus coopératif d'étude permanent afin de découvrir et résoudre des problèmes liés au travail. Chaque cercle agit aussi comme instance de surveillance et aide l'entreprise à s'adapter à son environnement et à suivre les opportunités.

Les réunions sont présidées par un *animateur* de groupe. Dans la plupart des cas, ce rôle est assumé par le chef du premier degré. L'animateur n'a pas de position d'autorité par rapport aux autres membres ; c'est un modérateur de débats qui facilite le processus de résolution de problèmes.

La plupart des entreprises recourent aussi à un *facilitateur.* Celui-ci conçoit les programmes de formation et offre une formation permanente et des conseils aux animateurs ; sur demande, il propose des programmes de formation des membres. Lorsque le nombre des cercles devient important, certaines entreprises recourent aussi à un *coordinateur.* Celui-ci assure la liaison entre les facilitateurs, le comité de pilotage et les cadres.

Les cercles de qualité ont les caractéristiques suivantes :

Objectifs

- Améliorer la communication, particulièrement entre ouvriers, employés et cadres.
- Découvrir et résoudre des problèmes.

Organisation

- Le cercle est composé d'un animateur et de 8 à 10 membres appartenant à une même unité de travail.
- Les cercles sont dotés aussi d'un coordinateur et d'un ou plusieurs facilitateurs.

Sélection des membres du cercle

- La participation des membres est volontaire.
- La participation des animateurs peut être volontaire ou non.

Nature des problèmes analysés par le cercle

- Le cercle sélectionne ses propres problèmes.
- Il est encouragé à les choisir dans son environnement immédiat.
- Les problèmes peuvent concerner la qualité du rendement, les coûts de production, la sécurité, le moral des travailleurs, l'entretien, l'environnement et d'autres domaines.

Formation

- Une formation aux techniques de résolution de problèmes occupe habituellement une partie des réunions.

Réunions

- Habituellement, une heure par semaine.

Récompenses

- Habituellement, aucune récompense en espèces.
- La récompense la plus efficace réside dans la satisfaction que les membres éprouvent en résolvant des problèmes et en observant l'application des solutions qu'ils ont imaginées.

Source : Crocker et autres (1991).

---

syndicaux ou des fournisseurs, s'il y a lieu. Deuxièmement, les cultures propres à différentes fonctions peuvent parfois entrer en conflit, alors que les *objectifs prioritaires* ne peuvent être atteints que par la collaboration. Les objectifs prioritaires aident donc à neutraliser les possibles conflits fonctionnels. Troisièmement, les membres de l'équipe doivent travailler à proximité les uns des autres afin de favoriser les contacts informels. Quatrièmement, les équipes interfonctionnelles ont besoin d'une certaine autonomie dans l'organisation et les spécialistes doivent avoir l'autorité nécessaire à la réalisation du projet. Cinquièmement, des règlements et des procédures de base doivent être établis afin d'éviter l'anarchie lors des prises de décision. Enfin, pour éviter l'émergence de conflits, les chefs d'équipes interfonctionnelles doivent avoir de fortes compétences en leadership, en plus du savoir-faire exigé par la tâche à accomplir.

4.9 Les équipes de travail virtuelles [3]

Une **équipe virtuelle** est un groupe de travail qui communique et collabore dans le temps et l'espace grâce aux nouvelles technologies (Lipnack et Stamps, 2000 ; Willmore, 2000). En plus du recours aux ordinateurs et aux technologies informatiques, ces équipes ont pour principale caractéristique l'absence de contacts physiques entre leurs membres en raison de leur dispersion géographique (Joinson, 2002). Ces équipes sont souvent de nature interfonctionnelle. Les équipes virtuelles comportent plusieurs avantages et inconvénients. Parmi les avantages, il y a le travail 24 heures sur 24. C'est-à-dire qu'une équipe virtuelle comptant des membres aux quatre coins de la planète ne dort jamais. Second avantage : le temps et les coûts de déplacement sont réduits ; les équipes virtuelles n'ont pas à assumer les coûts de déplacement inhérents aux réunions en personne. Enfin les équipes virtuelles assurent à l'organisation l'accès à une plus grande réserve de talents. C'est-à-dire que les entreprises peuvent élargir leur bassin de ressources humaines et aller chercher les personnes les plus compétentes là où elles sont, même si celles-ci ne veulent pas déménager (Vallas, 2003 ; Tudor, Trumble et Diaz, 1996).

Les équipes virtuelles comportent aussi certains inconvénients (Kirkman et autres, 2002). Par exemple, l'absence de communication en personne entraîne certains risques ; il peut s'avérer difficile d'établir une relation de confiance entre les membres de l'équipe virtuelle. L'isolement peut aussi devenir une difficulté ; l'absence d'interaction informelle entre collègues peut causer un sentiment d'isolement et de détachement chez les membres de l'équipe. Une équipe virtuelle peut aussi entraîner des coûts élevés. Il faut comparer les économies réalisées en déplacements non effectués aux coûts des technologies de pointe, qui peuvent être élevés au départ. Enfin, pour les gestionnaires, les équipes virtuelles peuvent poser de nouveaux défis, notamment lorsqu'il s'agit de traiter avec des employés qu'on ne voit pas.

On peut tirer quelques leçons d'expériences vécues et ainsi savoir quelles quelles précautions les gestionnaires devraient prendre lorsqu'ils mettent sur pied des équipes virtuelles :

Le recrutement. Choisissez soigneusement les membres de l'équipe, en faisant attention à l'attitude et à la personnalité de chacun. Choisissez des personnes qui ont de l'entregent et non seulement des compétences techniques.

La formation. Investissez dans la formation technique et dans les relations humaines.

La personnalisation. Encouragez les membres de l'équipe à faire connaissance, soit de façon informelle, par voie technologique, soit lors de rencontres en personne.

Les buts et les règles de base. Les chefs d'équipe doivent définir clairement les buts, établir des règles de communication et assurer la rétroaction afin de tenir les membres au courant des progrès et leur donner une vision d'ensemble.

---

3. Traduit et adapté de Johns et Saks (2005).

CONCLUSION

Divers groupes coexistent au sein des organisations. Les membres d'un **groupe fonctionnel** sont ceux d'unités administratives durables, tandis que les membres d'un **groupe de tâche ou de projet** ont pour mandat d'accomplir une tâche particulière, à la suite de quoi le groupe est généralement dissous. Des groupes d'intérêts peuvent également réunir les travailleurs qui partagent des valeurs, des croyances, des objectifs et des besoins communs.

Au cours de son évolution, le groupe passe par quatre phases avant d'atteindre le plus haut niveau de maturité : l'orientation, le conflit, la cohésion ainsi que l'évaluation et le contrôle du rendement. Bien que l'efficacité d'un groupe soit liée à la façon dont il franchit ces différentes étapes, d'autres facteurs entrent en jeu, tels l'environnement externe, les variables situationnelles ou encore la structure et la dynamique du groupe.

? QUESTIONS DE RÉVISION

1. Qu'est-ce qu'un groupe ? Nommez ses paramètres et précisez l'utilité que peut avoir le groupe à l'intérieur de la réalité organisationnelle.

2. Distinguez les notions de groupe formel et de groupe informel en utilisant des exemples tirés de votre situation personnelle.

3. Comparez les deux grandes classes de groupes présentées dans ce chapitre et établissez un parallèle entre les groupes appartenants à chacune.

4. Quelles sont les étapes de l'évolution d'un groupe et quels effets ont-elles sur la maturation et sur l'efficacité du groupe ?

5. Pour créer un groupe efficace, quelles variables situationnelles et structurelles devrait-on prendre en considération ?

6. La cohésion d'un groupe est souvent considérée comme un indice de son efficacité. Un tel énoncé est-il toujours vrai ? Justifiez votre réponse.

7. Qu'est-ce qu'un groupe semi-autonome ? Indiquez ses paramètres en précisant l'utilité que peut avoir ce type de groupe à l'intérieur de la réalité organisationnelle.

8. Présentez des arguments pour et contre la notion du groupe virtuel en utilisant des exemples tirés de d'une situation de travail.

L'évaluation des aptitudes sur le plan interpersonnel

Le questionnaire qui suit constitue un outil d'apprentissage et un moyen d'évaluer vos aptitudes actuelles sur le plan interpersonnel. Prenez le temps d'y répondre avec soin et en toute franchise. Vos réponses devraient refléter votre comportement tel qu'il est et non tel que vous souhaitez qu'il soit. Ce questionnaire a pour but de vous aider à faire le point afin que vous puissiez ensuite améliorer vos aptitudes sur le plan interpersonnel.

L'inventaire des aptitudes sur le plan interpersonnel

Si vous n'avez jamais occupé de poste cadre, songez à un groupe au sein duquel vous avez œuvré, soit en classe, soit à l'intérieur d'un organisme tel qu'un club récréatif ou une organisation de bienfaisance. Vous verrez que ce questionnaire peut s'appliquer à vous, même si vous n'êtes pas encore gestionnaire.

Directives

Reportez-vous à l'échelle ci-après pour inscrire devant chaque énoncé le nombre (de 1 à 7) qui correspond à la fréquence de ce comportement dans vos relations avec les autres.

Il s'agit pour moi d'un comportement:

RARE	IRRÉGULIER	OCCASIONNEL	HABITUEL	FRÉQUENT	PRESQUE CONSTANT	CONSTANT
1	2	3	4	5	6	7

_____ **1.** Je suis disponible lorsque quelqu'un veut me parler.

_____ **2.** J'accueille les autres d'une façon amicale.

_____ **3.** Je fais appel à l'humour pour détendre l'atmosphère au besoin.

_____ **4.** Je laisse voir aux autres que je me soucie d'eux lorsque je leur parle.

_____ **5.** Je suis ouvert au point de vue et à l'opinion des autres, même lorsqu'ils s'opposent aux miens.

_____ **6.** Je me tiens en face de la personne avec qui je parle et je maintiens avec elle un contact visuel.

_____ **7.** Je me penche vers la personne qui me parle.

_____ **8.** Je répète ce qu'on me dit en le reformulant pour être certain d'avoir bien compris.

_____ **9.** Je suis à l'affût de tout message sous-jacent aux propos formulés.

_____ **10.** Je remarque l'expression faciale, les mouvements, la posture, les inflexions et autres caractéristiques des gens avec qui je parle.

_____ **11.** J'accepte facilement les différences individuelles.

_____ **12.** Je respecte le droit à la vie privée.

_____ **13.** Je laisse voir aux autres que je comprends leurs problèmes, bien que j'évite de m'en mêler.

_____ **14.** J'essaie d'éviter que les problèmes personnels d'autrui causent des difficultés au travail.

_____ **15.** Je laisse savoir aux autres que je me soucie de leur bien-être.

_____ **16.** J'encourage les autres à faire connaître leurs idées, leurs sentiments et leurs perceptions.

_____ **17.** Je crée un climat où les gens ne craignent pas de faire connaître leurs idées, leurs sentiments et leurs perceptions.

_____ **18.** Je pose des questions qui aideront les autres à bien réfléchir au problème à l'étude.

_____ **19.** Je favorise la libre circulation de l'information ; je formule des questions ouvertes plutôt que des questions exigeant une réponse précise.

_____ **20.** Je laisse savoir aux autres que leurs idées, leurs sentiments et leurs perceptions ont de l'importance.

_____ **21.** Je reconnais les aspects positifs du rendement et des réalisations d'autrui et je les renforce au moyen de compliments et d'encouragements.

_____ **22.** Je parle des comportements négatifs d'une manière objective, en faisant mention des directives établies et des normes en vigueur.

_____ **23.** Je fournis une rétroaction qui se veut utile et qui s'accompagne au besoin d'un plan d'amélioration réalisable.

_____ **24.** Je demande aux autres de procéder à une autoévaluation.

_____ **25.** Je prends soin de ne pas porter atteinte à l'estime que les autres ont d'eux-mêmes lorsque je leur fournis une rétroaction.

Vos résultats et leur évaluation

Le tableau ci-après vous permettra d'obtenir une vue d'ensemble de vos résultats. Il vous aidera à reconnaître vos points forts et à déterminer ce qu'il vous faut améliorer.

1. Calculez votre résultat pour chaque aptitude en additionnant les nombres que vous avez indiqués devant chacun des énoncés.

2. Faites le total des cinq résultats obtenus et indiquez-le dans la case appropriée.

3. Comparez vos résultats à ceux des autres membres de votre équipe ou de votre groupe. Si votre professeur ou animateur établit une moyenne de groupe pour l'ensemble de ces aptitudes et pour chacune d'entre elles, servez-vous-en pour comparer vos résultats.

4. Discutez avec les autres membres de votre groupe ou avec des compagnons de classe de vos forces et de vos faiblesses respectives sur le plan interpersonnel.

5. Examinez avec eux divers moyens d'améliorer les aptitudes pour lesquelles vous avez obtenu un résultat relativement faible par rapport à l'ensemble du groupe ou de la classe.

Aptitude	Énoncés	Évaluation - Résultat
Établir une relation favorable avec autrui et la maintenir	1, 2, 3, 4, 5	
Écouter les autres	6, 7, 8, 9, 10	
Se montrer sensible aux besoins des autres	11, 12, 13, 14, 15	
Amener les autres à faire connaître leurs idées, leurs sentiments et leurs perceptions	16, 17, 18, 19, 20	
Offrir une rétroaction	21, 22, 23, 24, 25	
Résultat total		

Source : Traduit de P. M. Fandt, *Management Skills : Practice and Experience,* St. Paul (Minn.), West Publishing Co., 1994, p. 4-5.

L'équipe semi-autonome : de la parole aux actes

Ce cas a été rédigé par **Vincent Rousseau,** professeur à l'École de relations industrielles de l'Université de Montréal. Il a obtenu un doctorat recherche/intervention en psychologie industrielle et organisationnelle. Ses activités de recherche touchent notamment la gestion, le fonctionnement et l'efficacité des équipes de travail, la santé psychologique et la formation en entreprise. Le professeur Rousseau enseigne le comportement organisationnel, la formation et le développement des ressources humaines ainsi que la gestion du changement.

Il y a deux ans, la direction du Centre jeunesse de la Haute-Région a décidé, conjointement avec des représentants syndicaux, d'implanter des équipes semi-autonomes dans ses différents points de service. Ce changement dans le mode d'organisation du travail consistait à regrouper les intervenants au sein d'équipes naturelles, auxquelles seraient attribuées des fonctions de planification, d'organisation, de direction et de contrôle. Cette forme d'organisation du travail visait à permettre aux membres d'une équipe de participer à la gestion du service afin qu'ils se sentent responsables de la qualité des services à rendre à l'ensemble de leurs clients. Cette réorganisation du travail résultait de certains constats sur les effets négatifs d'un trop grand nombre de niveaux hiérarchiques sur la rapidité du processus de prise de décision et, du même souffle, sur les coûts de gestion. De plus, le Centre jeunesse devait répondre aux besoins grandissants de sa population dans un contexte où les ressources financières étaient grandement limitées et le niveau de roulement de personnel, assez élevé.

L'équipe semi-autonome du centre Meilleur-Avenir de Belleville est composée de 12 intervenants (éducateurs et psychoéducateurs), qui offrent des services de réadaptation à des adolescents de 12 à 17 ans. Plus spécifiquement, la mission de cette équipe consiste à offrir des services d'adaptation ou de réadaptation et d'intégration sociale à des jeunes qui éprouvent des difficultés d'ordre comportemental, psychosocial ou familial. Ces services sont rendus principalement dans un contexte d'hébergement. Dès son implantation, l'équipe s'est dotée d'un mécanisme de répartition du travail entre ses membres. Ainsi, dès qu'un jeune doit être reçu au centre, son dossier est attribué rapidement à l'un des membres, qui prend en charge les activités d'accueil du jeune et de sa famille, telles que la visite des lieux, la présentation des services disponibles et des droits et devoirs des usagers. De plus, tous les jeunes reçoivent des services de réadaptation en fonction d'un plan d'intervention personnalisé. L'actualisation de ce plan est sous la responsabilité d'un membre de l'équipe. Les plans sont révisés tous les trois mois avec la coordonnatrice professionnelle. Selon Julie, une des intervenantes de l'équipe : « Nous avons convenu d'une façon de répartir équitablement le travail entre les membres de l'équipe. Chacun des membres est responsable d'un certain nombre de dossiers et consulte ses collègues au besoin. » Jean-Philippe, un autre intervenant, ajoute : « Nous savons que nous pouvons compter sur l'aide de nos collègues en cas de difficultés. Personne, dans l'équipe, ne voudrait se retrouver dans la situation antérieure à l'implantation de l'équipe semi-autonome. »

Par ailleurs, les membres de l'équipe décident eux-mêmes qui, parmi eux, assumera le rôle de coordonnateur professionnel. Il revient au coordonnateur professionnel d'assurer le bon fonctionnement de l'équipe et de s'occuper des aspects administratifs. À sa nomination, cette personne reçoit un mandat de trois ans, qui peut être renouvelé plusieurs fois. Léa agit à titre de coordonnatrice professionnelle depuis la constitution de l'équipe semi-autonome du centre Meilleur-Avenir. Elle estime que cette réorganisation du travail est une réussite, parce que les relations entre les intervenants se sont grandement améliorées. En effet, depuis plus d'un an et demi, les membres organisent tous les mois des activités sociales, telles que des randonnées en montagne, des soupers au restaurant et des visites dans des musées. Selon Léa : « Grâce à ces activités, les membres sont devenus très unis. La solidarité est une valeur importante dans notre équipe. » Après plus de 15 ans de travail dans le réseau de la santé et des services sociaux, elle est, de tous les membres de l'équipe, l'intervenante qui a le plus d'expérience. Léa considère que son équipe est un modèle à suivre. « Ma philosophie de gestion est basée sur la transparence. Lorsque j'ai quelque chose à dire, je le dis. Je pense que les autres membres aiment savoir où on s'en va », dit-elle. Pour éviter de perdre du temps, elle a tendance à réserver peu de temps aux réunions hebdomadaires et à suivre un ordre du jour serré. Pour justifier cette façon de faire, elle explique : « Je préfère rencontrer individuellement chacun des intervenants afin de connaître leurs besoins et leurs problèmes au travail ; ainsi, je peux leur faire profiter directement de mon expérience. »

Il revient à l'équipe de déterminer l'horaire de travail de chacun des membres. Cependant, au cours de la première année d'existence de l'équipe, de nombreuses mésententes sur la répartition des congés annuels, fériés et sans solde ont surgi. Afin de résoudre ces mésententes, Léa a incité les membres à accepter la règle de l'ancienneté. Elle soutient : «Après tout, il est normal que les plus vieux membres de l'équipe aient priorité sur les plus jeunes, puisqu'ils se sont investis davantage dans l'organisation au fil des ans.» L'équipe a donc décidé d'appliquer la règle de l'ancienneté, même si les plus jeunes membres de l'équipe ne sont pas tout à fait d'accord avec cette façon de procéder.

Dernièrement, suite à l'augmentation des comportements agressifs chez les jeunes, l'équipe du centre Meilleur-Avenir a révisé le code de vie, les règlements et les mesures disciplinaires de l'établissement. Au début de la rencontre, Léa a d'entrée de jeu insisté sur l'importance de resserrer les règles et d'adopter des mesures disciplinaires plus sévères. Elle explique : «Les jeunes d'aujourd'hui ne sont pas suffisamment encadrés. C'est notre devoir de leur fournir un encadrement approprié. Nous sommes des professionnels après tout, et personne d'autre ne peut le faire.» Après que quelques membres eurent donné leur accord à la proposition de Léa, tous les membres ont accepté de mettre en place un régime de vie plus sévère pour réduire la fréquence des comportements agressifs chez les jeunes.

Quelques semaines après l'entrée en vigueur des nouveaux règlements, Olivier et Josianne ont commencé à investir moins d'efforts dans leur travail d'éducateur. Ils tendent à allonger la durée de leurs pauses, à laisser passer certains incidents commis par les jeunes et à faire plusieurs appels personnels durant les heures de travail. Cette situation crée beaucoup de tensions au sein de l'équipe, parce que les autres intervenants ne se sentent pas en confiance lorsqu'ils travaillent en même temps qu'Olivier et Josianne. Ces derniers estiment que le nouveau régime de vie est beaucoup trop sévère. Selon eux, d'autres membres de l'équipe pensent la même chose, mais personne ne veut en parler.

Après deux années d'existence des équipes semi-autonomes, les membres de la direction du Centre jeunesse de la Haute-Région estiment qu'il est temps de dresser un bilan et de dégager des pistes d'amélioration.

Questions

1. Quelles sont les lacunes dans le mode de fonctionnement de l'équipe semi-autonome du centre Meilleur-Avenir ?

2. Que faudrait-il faire pour améliorer le mode de fonctionnement de l'équipe semi-autonome du centre Meilleur-Avenir ?

RÉFÉRENCES

Adler, N. J. (2002). *International dimensions of organizational behavior,* Cincinnati (Ohio), South-Western.

Ancona, D. et autres (1996). « Team Processes », dans P.F. Drucker, *Managing for the Future,* Cincinnati (Ohio), South Western.

Bales, R.F. et Slater, P.E. (1955). « Role Differentiation in Small Groups », dans T. Parsons et R. Bales (dir.), *Family Socialization and Interaction Process,* Glencoe (Ill.), Free Press, p. 35-132.

Battenhausen, K.L. (1991). « Five Years of Group Research : What We Have Learned and What Needs to Be Addressed », *Journal of Management,* vol. 17, p. 345-381.

Berger, J., Cohen, B.B. et Zelditch, M. (1972). « Status Characteristics and Social Interaction, *American Sociological Review* », n° 51, p. 241-254.

Cascio, W.F. (2000). « Managing a virtual workplace », *Academy of Management Executive,* août, p. 81-90.

Crocker, O.L., Charney, C. et Sik Leung Chiu, J. (1991). *Guide pratique des cercles de qualité. L'expérience des États-Unis et du Japon au service des entreprises françaises,* Paris, Eyrolles.

Fandt, P.M. (1994). *Management Skills : Practice and Experience,* St. Paul (Minn.), West Publishing.

Farnham, A. (1994). « America's most admired company », *Fortune,* février, p. 50-54.

George, J.M. (1992). « Extrinsic and intrinsic origins of perceived social loafing in organizations », *Academy of Management Journal,* vol. 35, p. 191-202.

Gergen, K.J. et Gergen, M.M. (1984). *La psychologie sociale,* Montréal, Études Vivantes.

Hackman, R. (1990). « Creating more Effective Work Groups in Organizations », dans R. Hackman (dir.), *Groups that Work (and Those that Don't)* : *Creating Conditions for Effective Teamwork,* San Francisco, Jossey-Bass, p. 479-504.

Hackman, R. et Vidmar, N. (1970). « Effects of Size and Task on Group Performance and Member Reaction », *Sociometry,* n° 33, p. 37-54.

Henke, J.W., Krachenberg, A.R. et Lyons, T.F. (1993). « Cross-functional teams : Good concept, poor implementation ! », *Journal of Product Innovation Management,* vol. 10, p. 216-229.

Hill, G.W. (1982). « Group versus individual performance : Are n+1 heads better than one ? », *Psychological Bulletin,* vol. 91, p. 517-539.

Irving, J. (1972). *Victims of Groupthink : Psychological Study of Foreign-Policy Decisions and Fiascoes,* 2e éd., Boston, Houghton Mifflin.

Janis, I. (1972). *Victims of Group Thinking,* Boston, Houghton Mifflin.

Johns, G. et Saks, A.M. (2005). *Organizational Behaviour : Understanding and managing Life at Work,* 6e éd., Toronto, Pearson Education Canada Inc.

Joinson, C. (2002). « Managing virtual teams », *HR Magazine,* juin, p. 68-73.

Kidwell, R.E., III, et Bennett, N., (1993). « Employee propensity to withhold effort : A conceptual model to intersect three avenues of research », *Academy of Management Review,* vol.18, p. 429-456.

Kirkman, B.L., Rosen, B., Gibson, C.B., Telusk, P.E. et McPherson, S.O. (2002). « Five challenges to virtual team success : Lessons from Sabre, Inc. », *Academy of Management Executive,* août, p. 67-79.

Lindsay, J. (1992). « Une description et une analyse du modèle de groupe autogéré », dans *Textes de base sur le modèle de groupe autogéré,* Québec, Université Laval.

Lipnack, J. et Stamps, J. (2000). *Virtual teams : People working across boundaries with technology,* 2e éd., New York, Wiley.

Mayo, E. (1971). « Hawthorne and the Western Electric Company », dans D.S. Pugh (dir.), *Organization Theory,* Middlesex (Angl.), Penguin Books, p. 215-229.

McElroy, J. (1985). « Ford's new way to build cars », *Road & Track,* avril, p. 156-158.

Moreno, J.L. (1947). « Contribution of Sociometry to Research Methodology in Sociology », *Sociological Review*, no 12, p. 287-292.

Obert, S.L. (1983). « Developmental Patterns of Organizational Task Groups : A Preliminary Study », *Human Relations,* janvier, p. 37-52.

Pinto, M.B., Pinto, J.K. et Prescott, J.E. (1993). « Antecedents and consequences of project team cross-functional cooperation », *Management Science,* vol. 39, p. 1281-1297.

Reitz, H.G. (1981). *Behavior in Organizations,* édition revisée, Homewood (Ill), Richard D. Irwin.

Robbins, S. et Langton, N. (2007). *Organizational Behavior,* 4e éd. canadienne, Upper Saddle River (N.J.), Prentice-Hall.

Roethlisberger, F.J. et Dickson, W.J. (1939). *Management and the Worker,* New York, Wiley.

Schermerhorn, J.R., Templer, A.J., Cattaneo, R.J., Hunt, J.G. et Osborne, R.N. (1994). *Comportement humain et organisation,* adaptation française de Bernard Garnier, Montréal, ERPI.

Shepperd, J.A. (1993). « Productivity loss in small groups : A motivation analysis », *Psychological Bulletin,* vol. 113, p. 67-81.

Tuckman, B.W. (1965). « Developmental Sequence in Small Groups », *Psychological Bulletin,* vol. 63, no 6, p. 384-399.

Tuckman, B.W. et Jensen, M.R.C. (1977). « States of Small Group Development Revisited », *Group and Organizational Studies,* no 2, p. 419-427.

Tudor, T.R., Trumble, R.R. et Diaz, J.J. (1996). « Work-teams : Why do they often fail ? » *S.A.M. Advanced Management Journal,* automne, p. 31-39.

Vallas, S.P. (2003). « Why teamwork fails : Obstacles to workplace change in four manufacturing plants », *American Sociological Review,* vol. 68, p. 223-250.

Wallace, M. (1983). *Organizational Behavior and Performance,* 3e éd., Glenview (Ill.), Scott, Foresman.

Wasson, D.K. (1977). *Les services de police préventive assurés par des équipes locales : un tour d'horizon,* Toronto, John D. Crawford.

Waterman, R.H., Jr. (1987). *The renewal factor,* New York, Bantam Books.

Willmore, J. (2000). « Managing virtual teams », *Training Journal,* février, p. 18-21.

CHAPITRE 5

La communication et son rôle dans l'organisation

PLAN DU CHAPITRE

Dans ce chapitre, le lecteur se familiarisera avec :

■ le processus de communication et ses composantes de base ;

■ le réseau de communication formel et le réseau de communication informel dans l'organisation ;

■ trois modèles de communication, soit la communication vers le bas, la communication vers le haut et la communication horizontale ;

■ les avantages et les inconvénients de ces modèles de communication en fonction de certains objectifs de communication ;

■ les différents types de distorsion (bruit) pouvant s'introduire dans le processus de communication ;

■ les éléments nécessaires à l'instauration d'un programme de communication ;

■ les éléments de la communication persuasive ;

■ les effets de la technologie sur le processus de communication en milieu organisationnel ;

■ les divergences entre les styles de communication propres aux hommes et aux femmes.

Une organisation est un milieu social dont le but est de produire des biens et des services en s'appuyant sur la coordination des efforts des individus et des groupes qui la constituent. La communication y est d'une importance capitale. Au fil des années, plusieurs changements ont été apportés aux relations interpersonnelles au sein des organisations. Les modèles mécanistes de Taylor et Fayol et la théorie X de McGregor ont cédé le pas à des modèles organiques basés sur une conception plus humaniste de l'environnement de travail. De nos jours, en raison de leur niveau de scolarité plus élevé, les employés veulent participer activement aux décisions et s'intéressent de plus en plus à la **qualité de vie au travail.** Ils souhaitent désormais évoluer dans un milieu qui favorise leur épanouissement personnel et social.

En général, on peut attribuer deux fonctions principales à la communication au sein d'une organisation. La première fonction est informative ; elle est d'ailleurs aisément identifiable, parce qu'elle épouse les situations les plus évidentes pour tous. En fait, l'information facilite la prise de décision. Informer son adjoint à la direction de ses priorités et de sa disponibilité fait en sorte que ce dernier peut gérer plus efficacement son temps. L'information facilite également le contrôle en ce qu'elle permet d'établir clairement les tâches, les rôles, les objectifs, les responsabilités et l'autorité. La deuxième fonction de la communication au sein d'une organisation est une fonction de motivation. Toutes les formes de communication verbale et non verbale qui ont pour objectif d'encourager les employés participent de cette fonction.

La communication se trouve au cœur de plusieurs processus organisationnels que nous présentons dans ce volume. Que nous traitions de la motivation, du leadership, de la prise de décision, de la perception, des attitudes ou du fonctionnement des groupes, la communication est inhérente à chacun de ces aspects de la vie organisationnelle. Plus le poste qu'occupe une personne est élevé dans la hiérarchie, plus le temps que passe cette personne à communiquer est important. Il est donc primordial d'étudier et de comprendre le processus de communication et les moyens utilisés afin de s'assurer de son efficacité.

Dans ce chapitre, nous traiterons donc des principes de base d'une bonne communication, des réseaux et des modèles de communication ainsi que des obstacles susceptibles d'entraver son cours.

5.1 Les éléments de base de la communication

La communication se définit comme un processus bilatéral d'échange et de compréhension de l'information entre au moins deux personnes ou deux groupes : échange, puisqu'une personne ou un groupe transmet (**émetteur**) une information à au moins une autre personne ou un autre groupe, qui la reçoit (récepteur) ; compréhension, parce que l'information doit avoir une signification pour le récepteur.

Nous présentons à la figure 5.1 un modèle général du processus de communication qui comprend six étapes. À la première étape, l'émetteur conçoit l'idée de transmettre à quelqu'un d'autre une information. À la deuxième étape, l'émetteur encode l'idée : il la transforme en un langage composé de symboles, de signes ou de mots. Les symboles doivent être choisis pour leur pertinence et leur capacité de transmettre adéquatement l'idée initiale. L'encodage est influencé par l'habileté, l'expérience, les connaissances et le rôle organisationnel de l'émetteur. Le message est le résultat de l'encodage. Le contenu de l'information est exprimé sous la forme de messages verbaux et non verbaux.

La transmission du message constitue la troisième étape. Le message emprunte alors le canal choisi pour sa diffusion. Le canal est le moyen de transmission du message. Les organisations fournissent l'information aux employés à travers différents canaux comme les réunions, les appels téléphoniques ou les notes de service. La «richesse» du canal correspond à sa capacité de transmettre le véritable contenu du message au récepteur. Ainsi, plus le canal choisi pour transmettre le message est riche, plus il est probable qu'il transmette le contenu du message.

La communication en tête-à-tête est sans doute le canal le plus riche dans la mesure où il rend possible une rétroaction immédiate et permet au récepteur et à l'émetteur d'étudier le langage non verbal, qui renforce le langage verbal. Notons que les **indices non verbaux** (par exemple, les attitudes corporelles, la gestuelle globale, le regard, le ton et le timbre de la voix, l'odeur, la posture, la distance, le mouvement, les gestes et le toucher) jouent un rôle de premier plan en communication. Selon certaines études,

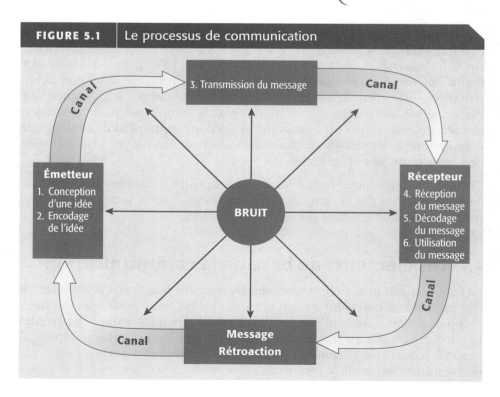

FIGURE 5.1 | Le processus de communication

3. Transmission du message

Canal

Canal

Émetteur
1. Conception d'une idée
2. Encodage de l'idée

BRUIT

Récepteur
4. Réception du message
5. Décodage du message
6. Utilisation du message

Canal

Message Rétroaction

Canal

80 % de l'information qui circule entre deux personnes qui sont en présence l'une de l'autre est non verbale. Bien que cette information soit difficile à interpréter, elle revêt une importance certaine puisque si le récepteur perçoit une incohérence entre le verbal et le non-verbal, c'est généralement sur ce dernier qu'il s'attardera, parce qu'il est souvent inconscient et involontaire. De plus, le langage non verbal a la particularité de transmettre des renseignements relatifs aux émotions de l'émetteur et du récepteur. Les gestes, les poses et les expressions faciales sont tous des exemples de signes non verbaux. On a constaté que jusqu'à 80 % du message est transmis par voie non verbale. L'échange non verbal n'a pas nécessairement lieu dans une situation de communication directe ; au cours d'une conversation téléphonique, par exemple, le ton de voix peut en dire beaucoup plus long que le message énoncé lui-même (Richmond, McCronsky et Payne, 1990).

Le comportement non verbal n'est pas instinctif. Il varie souvent en fonction du sexe et de l'âge des personnes ainsi que du groupe culturel auquel elles appartiennent. Les communications non verbales que nous établissons avec notre entourage influent sur l'opinion que celui-ci a de nous. Par exemple, les candidats à un poste qui présentent certains comportements non verbaux tels qu'un contact visuel soutenu et un bon maintien reçoivent une meilleure évaluation que ceux qui baissent les yeux et se tiennent mal. De nombreux cabinets d'experts-conseils qui aident les personnes à la recherche d'un emploi leur apprennent à maîtriser certains aspects de la **communication non verbale,** dont l'apparence, la posture et les manières, afin qu'elles puissent impressionner les employeurs potentiels.

Les messages non verbaux ont de nombreuses fonctions. Ils peuvent compléter, accentuer ou même contredire le message verbal, ou encore attirer l'attention, comme lorsqu'on lève le doigt pour demander le silence à son interlocuteur. Ces signes peuvent également remplacer les mots, comme lorsqu'on lance un regard furieux à quelqu'un au lieu de proférer des menaces. Lorsqu'une personne dit « Je vais t'avoir ! », il suffit d'observer ses signes non verbaux pour comprendre son intention réelle.

Les membres d'un organisme devraient apprendre à prêter attention aux signes non verbaux, car ceux-ci fournissent des renseignements sur le sens du message transmis. Les modes de communication non verbale sont répartis dans quatre catégories : l'utilisation de l'espace, les mouvements du corps, les variations de la voix et les expressions du visage.

En milieu organisationnel, la manière dont on utilise l'espace peut transmettre des messages. Les façons dont on occupe l'**espace interpersonnel,** on organise son bureau et on dispose les sièges constituent des signes. L'espace interpersonnel est celui constitué entre soi et les autres personnes. Il se divise en quatre zones précises d'interactions.

La **zone intime,** qui comprend tout l'espace situé entre le corps et une distance de 45 cm, est habituellement réservée aux relations avec les êtres chers et les membres de la famille. La **zone personnelle,** qui sert généralement aux rapports amicaux, s'étend entre 45 cm et 1,20 m de distance depuis le corps. La **zone sociale,** qui englobe l'espace situé entre 1,20 m et 3,60 m de distance, se prête généralement aux échanges avec des partenaires d'affaires, des connaissances et des vendeurs. La **zone publique** commence à environ 3 m du corps et s'étend vers l'extérieur. Nous nous sentons généralement mal à l'aise lorsque des étrangers franchissent les limites de cette zone.

La disposition des sièges peut également influer sur la communication. Par exemple, si l'on souhaite favoriser la coopération entre deux personnes, on doit les placer côte à côte de manière qu'elles regardent dans la même direction. En revanche, asseoir deux personnes face à face favorise entre elles un rapport de compétition.

Finalement, la façon dont on organise son bureau fournit des renseignements sur soi aux visiteurs. Les gens se sentent généralement moins à l'aise lorsqu'un bureau les sépare de la personne à qui ils rendent visite. Les œuvres d'art et la décoration influent aussi sur la capacité du visiteur à se détendre. Dans la conception des bureaux, la tendance actuelle consiste à communiquer des messages plus engageants et moins autoritaires grâce à des plans d'étage ouverts, à des tables de réunion de forme arrondie et à des meubles créant moins d'isolement.

Les mouvements du corps, tels les signes de tête affirmatifs, la posture et le fait de croiser les bras ou les jambes, transmettent aussi des messages de nombreuses façons. Se frotter les mains, serrer les poings et se gratter le front sont tous des gestes traduisant une tension nerveuse. On peut également communiquer sa nervosité en faisant les cent pas et en faisant tinter sa monnaie. Les personnes qui baillent ou qui tambourinent avec leurs doigts essaient certainement de dire qu'elles s'ennuient.

Les variations de la voix, notamment dans l'intensité, la hauteur et le ton, ainsi que le fait de rire ou de pleurer, peuvent servir à communiquer des messages précis. Par exemple, quelqu'un qui parle très fort exprime peut-être de la colère. Par ailleurs, les rires et les pleurs sont généralement perçus de la même façon d'une culture à l'autre. Le débit (parler rapidement traduit parfois la nervosité) et les interruptions (on s'en sert quelquefois pour presser son interlocuteur) constituent également des variations de la voix.

Les expressions du visage et les mouvements des yeux sont deux des modes de communication non verbale les plus courants. Le sourire, le froncement des sourcils et toutes les autres expressions faciales s'avèrent utiles pour comprendre les sentiments et l'attitude de son interlocuteur. Dans certains cas, les expressions du visage traduisent des émotions que la personne tente de dissimuler. Le regard peut également transmettre un large éventail de messages. Par exemple, faire rouler ses yeux vers le haut indique l'exaspération, tandis qu'un regard direct peut être un gage d'honnêteté et d'ouverture. Cependant, le message communiqué par le regard dépend, comme tous ceux portés par des mouvements corporels, des antécédents culturels de la personne.

À quel point réussissons-nous à interpréter les signes non verbaux susmentionnés? Dans la plupart des cas, les gens croient pouvoir lire ces signes mieux qu'ils n'y parviennent en réalité. Cela est particulièrement vrai lorsqu'on tente de déterminer les motivations d'une personne en se fiant à ses messages non verbaux. En effet, des études ont démontré que les intervieweurs sont beaucoup plus aptes à déterminer le caractère social d'une personne (extraversion, amabilité et capacité de communiquer) qu'à deviner ses motivations en interprétant son langage non verbal.

Si la rencontre en tête-à-tête constitue le canal de communication le plus riche, d'autres canaux ont également une forte capacité de transmission de messages. La richesse de ces canaux suit l'ordre décroissant suivant : le téléphone, les notes de service personnalisées et les messages électroniques personnalisés. Il semble que les moyens de communication les moins personnalisés (par exemple, les notes de service générales et les journaux d'entreprise) soient les canaux de communication les plus pauvres.

Par ailleurs, il est possible que le « bruit » dérange le processus de communication. On définit comme bruit tout facteur pouvant déformer la signification du message. Le bruit peut se produire à toutes les étapes du processus. Par exemple, un abus d'alcool pourrait entraîner des difficultés dans l'encodage, la conception ou la transmission d'une idée. Des émotions fortes pourraient produire le même effet. Des idées contradictoires ou la nécessité de suivre plusieurs événements simultanés peuvent perturber la communication. Pensons à une voix trop faible ou trop forte, aux caractères typographiques trop petits ou pas assez foncés, à une écriture illisible ou une incohérence entre le verbal et le non-verbal. De plus, un gestionnaire peut transmettre une information par écrit alors que la complexité de cette information aurait requis une communication verbale.

La quatrième étape est la réception du message par le récepteur, soit la personne ou le groupe à qui le message est destiné. Cette étape sera immédiatement suivie du décodage du message (cinquième étape), soit son interprétation par le récepteur. La phase du décodage est essentielle, car c'est à ce moment que la communication prend un sens. Si le récepteur ne comprend pas le message, tout le processus de communication aura été inutile. Encore une fois, les aptitudes, les connaissances et le système socioculturel du récepteur entrent en jeu au moment de l'interprétation du message.

À la dernière étape, le destinataire a reçu le message et lui a attribué une signification lui permettant de l'utiliser.

Le cycle peut maintenant être complété par la réaction du destinataire. En effet, il ne peut pas y avoir de communication véritable si le récepteur ne fait pas part à l'émetteur de sa compréhension du message. Par le biais de la rétroaction, le récepteur montre qu'il a interprété le message conformément ou non aux intentions de l'émetteur. La rétroaction permet donc de réduire les erreurs de compréhension et d'interprétation que le bruit aurait favorisées. Ainsi, grâce à la rétroaction, la boucle de la **communication bidirectionnelle** est bouclée.

En milieu de travail, les interférences (bruit) peuvent survenir tout au long du processus de communication et être si nombreuses qu'il est souvent préférable d'utiliser un modèle de communication plus complexe, qui tient compte de variables telles que les caractéristiques individuelles, les objectifs de l'organisation et de la communication, les moyens de transmission

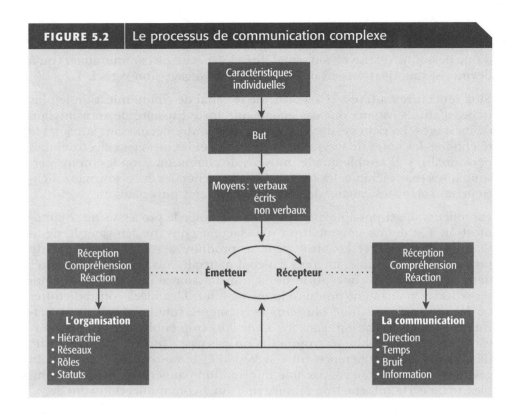

FIGURE 5.2 | Le processus de communication complexe

Caractéristiques individuelles

But

Moyens : verbaux
écrits
non verbaux

Réception
Compréhension
Réaction

Émetteur **Récepteur**

Réception
Compréhension
Réaction

L'organisation
• Hiérarchie
• Réseaux
• Rôles
• Statuts

La communication
• Direction
• Temps
• Bruit
• Information

du message, la composition de la main-d'œuvre et sa stratification hiérarchique (voir la figure 5.2).

5.2 Les réseaux de communication

Dans une organisation, il existe deux types de réseaux de communication, soit le **réseau formel** et le **réseau informel.** Ils sont illustrés à la figure 5.3.

Le réseau de communication formel correspond à tous les réseaux établis officiellement lors de la structuration de l'organisation ; son objectif est de canaliser les mouvements d'information à l'intérieur et à l'extérieur de l'entreprise.

Le réseau de communication informel, quant à lui, représente une courroie non structurée de communication essentielle à l'efficience organisationnelle. Ce réseau permet d'assurer une plus grande coordination entre les diverses unités de l'entreprise situées à un même niveau hiérarchique ou entre des personnes situées à des niveaux hiérarchiques différents, mais qui n'ont aucun lien d'autorité. Le gestionnaire peut même amener le réseau informel à faciliter la réalisation des objectifs visés par le réseau formel. Si l'organisation désire réellement partager l'information avec tous ses membres, l'intégration des deux réseaux est préférable. Il est donc essentiel d'utiliser le réseau informel de communication afin de transmettre et de recevoir des messages. L'efficacité de la communication

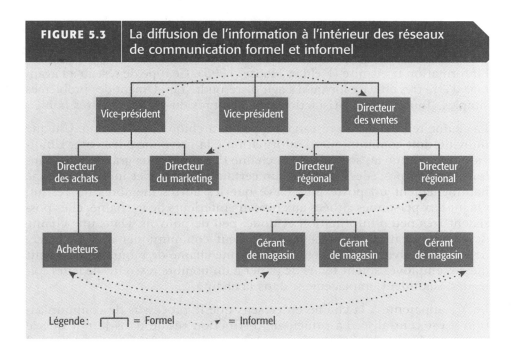

FIGURE 5.3 La diffusion de l'information à l'intérieur des réseaux de communication formel et informel

Légende : ⌐⌐ = Formel ....▼ = Informel

s'accroît lorsque les gestionnaires utilisent le réseau informel pour renforcer le réseau formel de communication.

5.2.1 Le réseau formel

Il existe plusieurs types de réseau de communication formel ; la figure 5.4 illustre les cinq principaux, soit la **roue**, la **chaîne**, le **Y**, le **cercle** et l'**étoile**. Ces réseaux déterminent la structure à l'intérieur de laquelle l'information est transmise d'un individu à un autre.

La roue structure les rapports entre les individus de telle façon que l'information est toujours dirigée vers l'individu du centre. Ainsi, aucune transmission officielle d'information n'est permise entre les membres du groupe : ces derniers doivent nécessairement s'adresser à la personne du centre afin d'interagir. Dans une telle situation de communication, la personne placée au centre peut communiquer avec chacune des personnes disposées autour

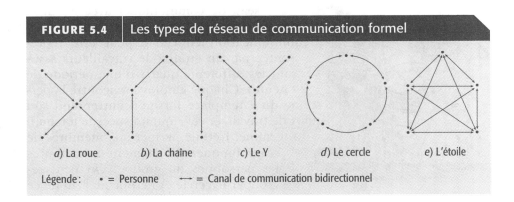

FIGURE 5.4 Les types de réseau de communication formel

a) La roue *b*) La chaîne *c*) Le Y *d*) Le cercle *e*) L'étoile

Légende : • = Personne ⟷ = Canal de communication bidirectionnel

d'elle, mais ces dernières ne peuvent communiquer entre elles, sinon par l'intermédiaire de celle du centre. Un répartiteur de services de taxis, par exemple, se situe au centre d'une roue et exerce un contrôle élevé sur l'information transmise (Field et House, 1995). Ce type de réseau a l'avantage d'être très efficace lorsqu'il s'agit de résoudre rapidement des problèmes simples. Toutefois, la satisfaction des membres du groupe est très faible.

La chaîne représente un réseau de type hiérarchique traditionnel. Chaque individu doit communiquer l'information à la personne adjacente. L'individu qui se situe au sommet de la chaîne détient la plus grande part d'information et possède, de ce fait, un certain pouvoir. Cet individu occupe habituellement un poste plus élevé que les autres membres du réseau. Quant aux personnes situées aux niveaux inférieurs de la chaîne, elles possèdent très peu d'information et donc, peu de pouvoir. Dans une chaîne de communication, chaque personne peut communiquer avec la précédente et la suivante. Par exemple, dans une chaîne de montage, il se peut que les employés soient tenus de parler à un nombre restreint de leurs collègues, selon leur emplacement dans la chaîne.

Le Y s'apparente à la chaîne en ce sens que le processus de communication y est centralisé. La principale distinction réside dans le fait que le réseau en Y place deux membres égaux au niveau supérieur. Toutefois, il est possible d'inverser le Y et de placer ainsi une seule personne au sommet et deux membres égaux au niveau inférieur.

La roue, la chaîne et le Y peuvent être regroupés au sein de ce qu'on appelle les **réseaux de communication centralisés**, puisque l'information est invariablement dirigée vers une seule personne dans le cas de la roue et de la chaîne ou bien vers deux personnes dans le cas du Y. Ces types de réseaux permettent donc généralement d'identifier la personne centrale comme étant le leader du groupe. Enfin, les réseaux centralisés favorisent l'exécution rapide et précise des tâches plutôt que la satisfaction et la participation des membres.

Lorsqu'un groupe adopte le cercle ou l'étoile comme réseau de communication, il s'assure que tous les membres possèdent un statut équivalent. Le cercle permet aux membres du réseau de communiquer avec les deux personnes qui leurs sont adjacentes. Une communication en cercle peut être représentée par un groupe de travailleurs assurant les différents quarts d'une période de 24 heures. Chaque employé rencontre la personne qu'il remplace lorsqu'il entreprend son quart de travail, et celle qui lui succède lorsqu'il a terminé. L'étoile permet aux membres de communiquer directement avec toutes les personnes du groupe. On peut regrouper le cercle et l'étoile au sein de ce

J'te jure p'pa, un poisson grand comme ça !!!

| | Les réseaux centralisés | | | Les réseaux décentralisés | |
	La roue	La chaîne	Le Y	Le cercle	L'étoile
La vitesse de la résolution de problèmes					
• Les problèmes simples	Rapide				Lente
• Les problèmes complexes	Lente				Rapide
La précision de la résolution de problèmes					
• Les problèmes simples	Plus précise				Moins précise
• Les problèmes complexes	Moins précise				Plus précise
La satisfaction des membres	Faible				Élevée

qu'on appelle des **réseaux de communication décentralisés** : il est impossible de déterminer un leader formel dans ces groupes, puisque les membres possèdent un statut équivalent et que l'information n'est dirigée vers aucune personne en particulier.

Il semble que l'efficacité de ces réseaux de communication soit relative à quatre facteurs : la vitesse de la résolution des problèmes, la précision de cette résolution, la complexité de la tâche et la satisfaction des membres du réseau (voir le tableau 5.1). Toutefois, étant donné que la majorité des recherches visant à vérifier l'efficacité de ces réseaux ont été faites en laboratoire plutôt qu'en entreprise, il est difficile d'établir avec exactitude lequel est le plus efficace. Néanmoins, certaines caractéristiques ressortent. En effet, comme nous l'avons déjà mentionné, les réseaux centralisés favorisent l'exécution de tâches simples en moins de temps et avec plus de précision que les réseaux décentralisés. En contrepartie, la satisfaction des membres qui évoluent dans les réseaux centralisés est faible. Le réseau décentralisé, quant à lui, permet de résoudre efficacement des problèmes complexes et procure une plus grande satisfaction à ses membres. Les avantages du réseau décentralisé sont accompagnés d'un seul inconvénient, soit une augmentation du temps pris pour communiquer.

Avant de choisir un type de réseau de communication formel, il importe de bien cerner les principaux critères associés à une tâche et ensuite de déterminer l'option la plus appropriée compte tenu du groupe et de l'entreprise et en gardant à l'esprit l'effet possible du type de réseau sur le rendement et la satisfaction des membres.

5.2.2 Le réseau informel

La **communication informelle** émerge naturellement des interactions sociales entre les membres d'une organisation. Le réseau formel ne parvient pas à satisfaire tous les besoins de communication et d'information des individus, c'est pourquoi un réseau informel d'interactions s'y juxtapose.

Dans une étude menée en 1984, Jewell a tenté de circonscrire les différents types de réseau informel, comme cela avait été fait pour les réseaux formels. Bien que le réseau informel n'ait pas les caractéristiques fonctionnelles du réseau formel, particulièrement en ce qui a trait au rôle d'autorité,

Jewell constate que (la rumeur prend plus d'importance lorsqu'on peut l'attribuer à «quelqu'un de bien placé dans l'organisation». Ainsi, deux types de réseau informel sont définis: le réseau linéaire et le réseau en grappe).

Dans un réseau linéaire, A transmet une information à B, qui la passe à C, qui la passe à D, et ainsi de suite. (Dans le réseau en grappe, A transmet l'information à une ou plusieurs personnes qui, elles-mêmes, la retransmettent à une ou plusieurs personnes ou encore ne la retransmettent pas.)

La curiosité a poussé les chercheurs à vérifier l'exactitude des messages transmis par le réseau informel. Les résultats indiquent que moins le contenu du message est émotif, plus l'exactitude est grande, et ce, dans une proportion variant de 78% à 90% (Davis, 1953). De plus, il a été démontré que le réseau informel est extrêmement rapide, parce que beaucoup plus flexible et personnel que le réseau formel. La démission d'un vice-président, par exemple, peut être connue de tous les membres de l'organisation et même à l'extérieur de l'organisation bien avant la confirmation officielle de l'événement.

(Dans le réseau informel, l'information circule en fonction des intérêts communs et des liens d'amitié qui unissent les individus. Les gestionnaires doivent être conscients de la présence de ce réseau de communication et l'accepter; ils peuvent même l'utiliser pour vérifier l'effet et la compréhension des messages transmis par le réseau formel.) Le réseau informel est aussi celui par lequel les fausses rumeurs sont diffusées; comme celles-ci peuvent être très dommageables à l'entreprise, il importe qu'elles soient neutralisées (Difonzo, Bordia et Rosnow, 1994).

5.3 Les modèles de communication dans l'organisation

Le réseau formel de communication comprend implicitement la notion de direction de l'information. La direction de l'information tient compte de la position d'autorité et de la position hiérarchique. Nous appelons «modèles de communication» les différentes façons dont est dirigée l'information dans une organisation. (Trois modèles sont définis: la **communication vers le bas**, la **communication vers le haut** et la **communication horizontale**. La) figure 5.5 illustre la fréquence d'utilisation de ces différents modèles en entreprise. (Comme on le voit, les gestionnaires utilisent souvent la communication vers le bas, alors que la communication vers le haut et la communication horizontale sont utilisées plus rarement. Soulignons toutefois que le choix d'un modèle plutôt qu'un autre n'est pas une garantie de succès et que cette représentation graphique des modèles simplifie une réalité fort complexe.)

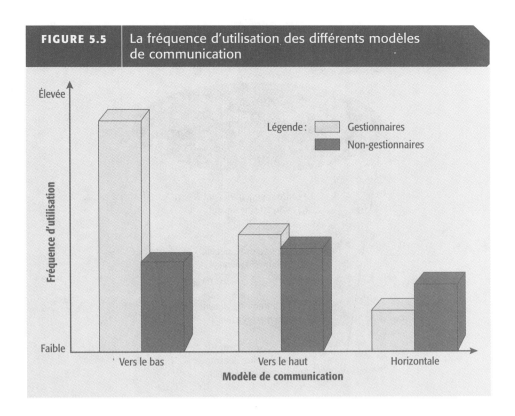

FIGURE 5.5 | La fréquence d'utilisation des différents modèles de communication

Légende : Gestionnaires / Non-gestionnaires

Élevée

Fréquence d'utilisation

Faible

Vers le bas — Vers le haut — Horizontale

Modèle de communication

5.3.1 La communication vers le bas

La communication vers le bas consiste à transmettre de l'information d'un niveau hiérarchique supérieur de l'entreprise vers un niveau hiérarchique inférieur. Ce modèle de communication est celui qui est le plus utilisé au sein des entreprises. Katz et Kahn (1978) ont relevé les principaux types de messages véhiculés par la communication vers le bas :

- les directives au sujet de la tâche à accomplir et les instructions particulières au poste ;
- l'information qui vise la compréhension de la tâche en fonction des objectifs de l'organisation ;
- les politiques et les méthodes de l'organisation ;
- la rétroaction aux employés ;
- l'information à caractère idéologique qui vise à favoriser l'engagement et la loyauté de l'employé envers l'organisation.

On peut donc constater que le principal objectif de ce modèle de communication est de transmettre de l'information axée sur la tâche afin de faciliter la coordination des différents paliers hiérarchiques.

L'information transmise vers le bas est fréquemment déformée et mal comprise : en fait, le trop grand nombre de niveaux hiérarchiques à travers lesquels un message doit circuler avant d'atteindre le récepteur occasionne de multiples distorsions et la communication perd ainsi de son efficacité.

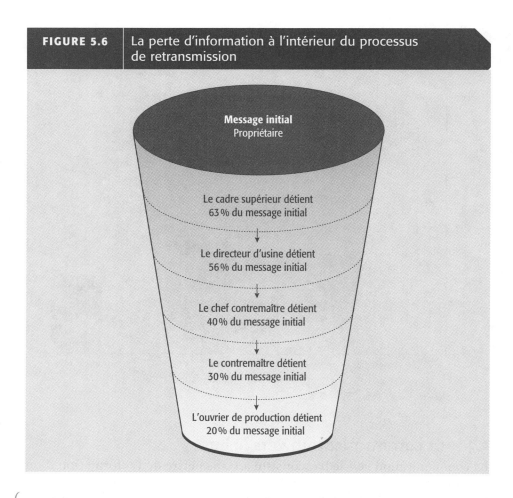

FIGURE 5.6 La perte d'information à l'intérieur du processus de retransmission

Message initial
Propriétaire

Le cadre supérieur détient
63 % du message initial

Le directeur d'usine détient
56 % du message initial

Le chef contremaître détient
40 % du message initial

Le contremaître détient
30 % du message initial

L'ouvrier de production détient
20 % du message initial

Comme l'illustre bien la figure 5.6, une grande partie de l'information s'effrite tout au long du processus de retransmission de l'information.

Nous présenterons plus loin les différents moyens utilisés pour empêcher l'information de se déformer, de prendre du retard ou encore de se perdre.

5.3.2 La communication vers le haut

La communication vers le haut fait passer l'information d'un niveau hiérarchique inférieur vers un niveau hiérarchique supérieur. De nos jours, la plupart des entreprises utilisent ce modèle de communication. Katz et Kahn (1978) ont retenu les principales catégories de messages transmis vers le haut de la hiérarchie par les subordonnés :

- l'information relative à leurs problèmes et à leur rendement ;
- l'information concernant d'autres personnes et leurs problèmes ;
- l'information touchant les politiques et les méthodes organisationnelles ;
- l'information sur le travail à effectuer et sur la manière de le faire.

L'information transmise vers le haut subit des distorsions au même titre que celle qui est transmise vers le bas. De plus, parce que les gestionnaires

Les lettres et les notes de service se différencient de deux façons. D'abord, bien évidemment, elles n'ont pas le même format. Ensuite, les lettres sont adressées aussi bien à des personnes de l'extérieur qu'à des gens faisant partie de l'organisme, tandis que les notes de service sont exclusivement destinées à l'usage interne : elles sont envoyées à des employés au sein de divers services, divisions ou entreprises.

Dans le cadre de communications à caractère plutôt officiel, on aura tendance à préférer la lettre à la note de service pour s'adresser à ses collègues. Par exemple, un directeur du personnel peut faire parvenir une lettre de félicitations à un employé qui a accompli 10 ans de service ; un superviseur peut écrire une lettre de condoléances à une travailleuse qui a perdu un membre de sa famille ; un cadre supérieur peut envoyer une lettre à tout le personnel pour annoncer l'adoption d'une nouvelle politique importante. Comme vous pouvez le constater, le recours à la lettre plutôt qu'à la note de service indique que la situation est peu courante par rapport aux activités quotidiennes de l'organisme.

Source : Traduit et adapté de Newman, Danziger et Cohen (1987).

ont accès à une grande quantité d'informations, ils retiennent et transmettent à leurs patrons uniquement celles qu'ils jugent pertinentes à la réalisation de tâches prioritaires. Les subordonnés, quant à eux, aiment bien faire état de ce qu'ils ont fait, de ce que leurs collègues ont fait et de ce qui devrait être fait, selon eux, pour améliorer le rendement général de l'entreprise.

5.3.3 La communication horizontale

La communication horizontale permet des échanges entre les membres d'un même service ou entre les différents services de l'organisation. Ces échanges s'effectuent principalement entre les individus qui occupent le même niveau hiérarchique. Bien qu'elle soit utilisée moins fréquemment que la communication vers le bas ou vers le haut, la communication horizontale est importante, parce qu'elle permet la coordination des activités et la transmission d'informations servant à résoudre des problèmes conjoints. Le modèle de communication horizontale est également celui qu'utilisent les individus pour transmettre leur appui (social et émotionnel) à leurs collègues.

Généralement, l'information transmise horizontalement est moins filtrée que celle qui est transmise verticalement, car elle n'a pas à traverser les différents paliers hiérarchiques. Toutefois, en certaines occasions, la communication horizontale pourra également subir des distorsions, par exemple s'il existe une rivalité entre collègues.

5.4 La communication bidirectionnelle et la communication unidirectionnelle

Comme nous l'avons souligné au début de ce chapitre, une communication complète implique un échange bidirectionnel d'information : une fois que le message est reçu et compris par le récepteur, celui-ci retransmet un message à l'émetteur afin de s'assurer qu'il a bien compris. C'est ce que nous appelons une communication bidirectionnelle, c'est-à-dire un circuit complet de communication. Non seulement la compréhension du message est-elle vérifiée, mais l'échange est, de ce fait, enrichi. La communication bidirectionnelle nécessite la rétroaction. En contrepartie, lorsque le récepteur ne peut intervenir directement dans le processus de la communication, il s'agit d'une **communication unidirectionnelle**. Dans ce contexte, il est impossible de vérifier si le message a bel et bien été compris, puisqu'il s'agit d'un simple transfert d'information. Lorsqu'une note de service est distribuée aux employés, par exemple, on ne peut être assuré que le message sera bien reçu et bien compris par tous les employés.

La communication unidirectionnelle est fréquemment adoptée dans les entreprises pour transmettre l'information, car elle est rapide et facile à utiliser. Cependant, elle convient surtout à la transmission de renseignements simples. En effet, lorsqu'il s'agit de faire circuler des informations importantes ou complexes, il est risqué d'adopter un modèle de communication unidirectionnel, puisqu'il ne permet pas de vérifier la compréhension du message. Pour cette raison, le recours à ce type de communication exige que le message soit très bien formulé et facilement compréhensible pour tous. Soulignons également que la qualité de la communication est souvent faible en raison du manque de rétroaction et que, de ce fait, la compréhension du message peut être déficiente.

Contrairement à la communication unidirectionnelle, la communication bidirectionnelle consiste en un échange d'information permettant aux employés d'émettre leurs opinions et de poser des questions susceptibles d'améliorer la compréhension du message. Elle requiert donc une plus grande disponibilité de la part du gestionnaire. De plus, la communication bidirectionnelle a un effet positif sur la satisfaction des employés de même que sur la qualité de la communication et sur la compréhension du message.

5.5 Les obstacles à la communication

Il ne faut pas se surprendre que les obstacles à la communication soient nombreux. Réussir à transmettre un message qui sera reçu et interprété exactement comme l'émetteur l'a souhaité constitue en soi un exploit. De nombreuses interférences peuvent survenir à n'importe quelle étape du processus de communication et limiter la compréhension du message. Nous examinons ci-après les principaux obstacles.

5.5.1 Le cadre de référence

Dès l'enfance, nous vivons des expériences qui contribuent à façonner notre manière d'appréhender la réalité et de réagir aux événements. Se construit ainsi un cadre de référence qui constitue un des aspects les plus importants de notre personnalité. Ce cadre de référence constitue la principale base du jugement, mais aussi le principal obstacle lorsqu'il s'agit d'aborder créativement une

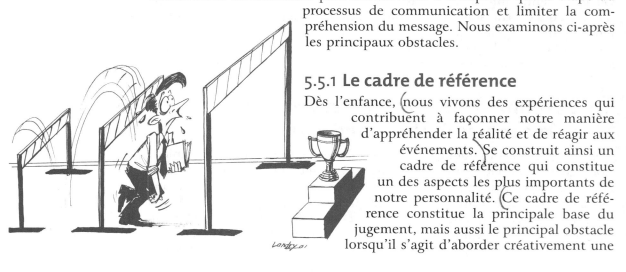

nouvelle situation. Chaque individu possède un cadre de référence unique et tend à émettre ou interpréter les messages en fonction des paramètres de ce cadre. Par conséquent, des personnes qui remplissent des fonctions distinctes dans une organisation peuvent interpréter la même information différemment, ce qui causera très souvent une distorsion involontaire de la communication. Pensons, par exemple, aux réactions différentes d'un représentant patronal et d'un représentant syndical face aux mises à pied, au gel des salaires, à l'augmentation de la productivité ou encore au travail à temps partiel.

5.5.2 L'écoute sélective

Directement reliée au cadre de référence, l'écoute sélective représente un deuxième type d'**obstacle à la communication** situé du côté du récepteur. Ainsi, les individus ont tendance à percevoir et à entendre ce qu'ils espèrent percevoir et entendre. Toute information dissonante, c'est-à-dire qui ne correspond pas à leurs attentes ou à leurs croyances, tend à être rejetée si bien que le message risque toujours d'être interprété à l'aulne de leurs préjugés et de leurs expériences. En effet, si le récepteur a un préjugé négatif sur l'émetteur, il est fort probable qu'il rejettera ou déformera l'information que ce dernier désire lui communiquer. Il faut constater aussi que l'écoute, même si elle n'est pas sélective, pose en plusieurs occasions de sérieux problèmes, car il n'est pas rare de voir plusieurs personnes parler en même temps, s'interrompre et finir les phrases des autres. On en vient alors rapidement à ne plus savoir exactement quelle information devait être communiquée. Par ailleurs, il arrive souvent que le récepteur adopte une attitude qui semble attentive, mais en réalité, plutôt que d'écouter vraiment les propos de son interlocuteur, il prépare une réplique qu'il s'empressera de lancer dès qu'il en aura la chance.

5.5.3 Le filtrage de l'information

Le **filtrage de l'information** consiste à manipuler l'information de manière que le récepteur la perçoive de façon positive. Le filtrage de l'information se produit autant dans les communications qui vont vers le haut de la hiérarchie que dans les communications qui vont vers le bas.

L'employé au bas de la hiérarchie ne communiquera pas tous les renseignements à son supérieur immédiat, parce que certains ne sont d'aucun intérêt. De plus, d'autres renseignements, ceux-là importants, pourront ne pas être communiqués au supérieur immédiat, parce qu'ils pourraient servir à évaluer négativement le rendement et l'attitude de celui qui les transmet. On peut donc s'attendre à ce que, chaque fois que des renseignements franchiront un niveau hiérarchique supérieur, une partie sera filtrée, voire modifiée.

Le même phénomène se produit lorsque l'information part du haut de la hiérarchie pour aller vers le bas. On ne s'attend pas, par exemple, à ce que le vice-président d'une usine dévoile les plans stratégiques de l'entreprise à tous les travailleurs, même s'il doit s'assurer que certains renseignements essentiels au fonctionnement se rendent jusqu'à la base.

La communication interculturelle

La communication entre groupes culturels présente de nombreux défis ; elle amplifie les difficultés qui découlent des différences existant à l'intérieur même de ces groupes (Adler, 1992). Les échanges infructueux entre représentants de diverses cultures résultent souvent de problèmes de communication interculturelle. Voici quelques facteurs importants à considérer dans une telle situation.

Les différences de langues

Les différences de langues constituent l'obstacle le plus flagrant à la communication interculturelle. En outre, la communication s'avère généralement plus facile entre personnes ou groupes partageant des valeurs culturelles semblables. Cela est encore plus vrai lorsque ces personnes ou ces groupes parlent la même langue. Bien que l'anglais soit en voie de devenir la langue du commerce international, l'apprentissage d'une autre langue permet de mieux comprendre les nuances propres à la culture d'un partenaire commercial (Landis et Brislin, 1983).

La communication interculturelle non verbale

Si les diverses cultures présentent certaines similitudes en matière de communication non verbale, elles comportent aussi de nombreuses différences.

Les expressions faciales : Quelle que soit leur origine culturelle, les personnes arrivent généralement à reconnaître les émotions de base dans les expressions faciales (Ekman et Rosenberg, 1997).

Les gestes : Les gestes ne se traduisent pas aisément d'une culture à l'autre, car ils ont une signification symbolique qui n'est pas la même dans toutes les cultures. Les Canadiens présument parfois qu'à défaut de pouvoir communiquer verbalement avec une personne qui ne parle ni français ni anglais, ils peuvent s'exprimer par des gestes. Mais comme l'a indiqué Birdwhistell, « bien que nous ayons mené des recherches durant 15 ans (de 1950 à 1965), nous n'avons trouvé aucun geste ou mouvement du corps ayant la même signification dans toutes les sociétés. » Les gestes signifiant l'approbation au Canada peuvent avoir des sens complètement différents à l'étranger. Celui qui consiste à fermer le poing et à pointer le pouce vers le haut et qui signifie « bon travail » ou « vas-y, continue » au Canada, aux États-Unis et dans la plupart des pays d'Europe de l'Ouest constitue une insulte vulgaire en Grèce. De même, le signe « OK », que l'on fait au Canada en formant un cercle avec le pouce et l'index, est jugé obscène dans le sud de l'Italie et au Brésil, et peut vouloir dire « tu ne vaux rien » en France et en Belgique (Furnham et Bocher, 1986).

Le toucher : Dans certains pays, les gens se tiennent près les uns des autres et se touchent, tandis que dans d'autres, ils préfèrent maintenir une certaine distance entre eux (Argyle, 1982).

Le langage corporel : Les messages transmis par le corps varient d'une culture à l'autre. Par exemple, hocher la tête de haut en bas signifie « oui » en Amérique du Nord, tandis qu'en Grèce, la relever veut dire « non ». En Amérique du Nord, s'incliner vers l'avant, garder les bras et les jambes décroisés et éloigner les bras du tronc constituent des positions corporelles ouvertes. En revanche, se pencher vers l'arrière, croiser les bras et les jambes et mettre les mains dans ses poches sont des positions corporelles fermées ou défensives. Comme leur nom l'indique, les positions ouvertes veulent dire que la personne est ouverte aux nouvelles idées et les accepte. Les positions fermées, qui trahissent un inconfort physique ou psychologique, signifient que la personne tente de se défendre ou de se fermer aux autres.

Comme les Orientaux valorisent la capacité de s'asseoir en silence, ils peuvent percevoir l'agitation et les trémoussements des Nord-Américains comme un manque d'équilibre mental ou spirituel. Même les intervieweurs et les auditoires canadiens réagissent habituellement mal aux gestes de nervosité, comme jouer avec ses cheveux, tripoter sa cravate ou ses bijoux, marteler un meuble avec son stylo ou faire balancer son pied.

Le contact visuel : Regarder quelqu'un droit dans les yeux est loin de faire l'unanimité des groupes culturels. En Occident, l'échange d'un regard direct entre un homme et une femme est souvent perçu comme un signe d'ouverture et d'honnêteté, tandis que chez les musulmans, seuls les époux peuvent se regarder dans les yeux ; en toute autre circonstance, les contacts visuels entre hommes et femmes sont proscrits. Si le contact visuel direct entre deux étrangers peut sembler impoli ou menaçant au Canada, il en va autrement dans les pays de culture latine, comme ceux d'Amérique latine, l'Espagne et l'Italie. Pour les gens d'affaires européens et canadiens, le contact visuel est un gage d'honnêteté. Dans de nombreuses cultures cependant, baisser les yeux est une marque de déférence tout à fait appropriée à l'égard d'un supérieur. D'ailleurs, on apprend aux enfants portoricains à ne pas regarder les adultes dans les yeux et aux Japonais à porter leur regard vers le cou de leur interlocuteur plutôt que vers ses yeux. En Corée, il est jugé inconvenant de maintenir un contact visuel prolongé. La personne occupant le rang inférieur doit baisser le regard en premier.

Dans tout milieu de travail multiculturel, ces différences peuvent occasionner des problèmes de communication. En effet, des superviseurs pourraient percevoir les regards directs que leur adressent leurs employés comme un manque de respect quand, ces derniers se comportent pourtant tout à fait correctement, selon leurs propres valeurs culturelles.

L'espace : La notion d'espace constitue également une valeur culturelle. L'espace personnel est celui qu'une personne souhaite maintenir entre elle et les autres dans les rapports courants et non intimes. L'observation et une expérience à petite échelle ont démontré que la majorité des Nord-Américains, des Européens du Nord et des Asiatiques exigent un espace personnel plus grand que les Latino-Américains, les Français, les Italiens et les Arabes. Lorsqu'ils sont contraints à avoir des contacts étroits avec les autres, soit dans un ascenseur ou un wagon de métro bondé, les gens qui jouissent habituellement d'un vaste espace personnel réagissent de manière rituelle et prévisible : ils adoptent une posture rigide et évitent tout contact visuel.

Même au sein d'une même culture, certaines personnes préfèrent disposer d'un espace personnel plus étendu que d'autres. Une étude a révélé que les hommes demandent plus d'espace personnel que les femmes. Dans de nombreuses cultures, l'espace personnel est moins important entre les personnes de même sexe et de même âge qu'au sein de groupes mixtes et d'âges divers. En outre, les Latino-Américains se tiennent plus près des personnes de même sexe et les Nord-Américains, des personnes de sexe opposé.

L'étiquette et la politesse d'une culture à l'autre

Puisque la culture définit le langage non verbal, les malentendus sont encore plus courants dans les rapports interculturels. Un étudiant de culture arabe présumait que son camarade de chambre nord-américain le détestait, car il s'assoyait en posant les pieds sur les meubles, les semelles tournées vers lui. Dans la culture arabe, le pied (en général) et la semelle (plus particulièrement) sont considérés malpropres ; montrer ses semelles à quelqu'un constitue donc une insulte.

L'étiquette et l'expression de la politesse varient aussi considérablement d'une culture à l'autre. Elles consistent souvent à dire des choses que l'on ne pense pas

véritablement. Le problème, c'est que la forme exacte de ce discours change selon la culture et nécessite un décodage soigné. Pour les gestionnaires désireux de traiter avec leurs homologues d'autres pays, il est primordial de se familiariser avec ces différences. Par exemple, dans les rapports sociaux, les Japonais sont particulièrement soucieux de maintenir des sentiments d'interdépendance et d'harmonie. Pour ce faire, ils utilisent une multitude de locutions figées ou d'« expressions lubrifiantes » afin d'exprimer la sympathie et la compréhension, d'adoucir le refus, de dire non de manière indirecte et de faciliter les excuses.

Les conventions sociales d'une culture à l'autre

Les diverses cultures ont des conventions sociales différentes, notamment en ce qui concerne le franc-parler dans les relations d'affaires, l'accueil et les salutations, l'intensité « convenable » de la voix, la ponctualité, le rythme de vie et la pratique du népotisme. Il importe de considérer tous ces facteurs lorsque l'on traite avec des personnes d'autres pays.

Le contexte culturel

Le contexte culturel est la somme des facteurs d'ordre culturel entourant une situation de communication. Certains pays, en grande partie asiatiques, latino-américains, africains et arabes, ont une culture très contextuelle, c'est-à-dire que la communication est grandement influencée par le contexte dans lequel elle se déroule. Ce type de culture s'oppose aux cultures peu contextuelles, courantes en Amérique du Nord, en Australie, en Europe du Nord (sauf en France) et en Scandinavie, où le sens réside davantage dans le message que dans le contexte. Ces nuances peuvent influer sur de nombreuses situations d'affaires, surtout dans le cadre de négociations entre partenaires de cultures différentes (Hall et Hall, 1990).

S'adresser à un auditoire international

La majorité des cultures comptent plus de règles officielles que la nôtre. Lorsque l'on s'adresse à un auditoire international, il faut appeler les gens par leur titre plutôt que par leur nom, éviter les élisions, l'argot et les métaphores liées aux sports.

Il se peut que les modèles organisationnels convenant aux auditoires canadiens doivent être modifiés avant de servir à la correspondance extérieure au continent nord-américain. Dans la plupart des cultures, il faut atténuer l'aspect négatif des messages et adresser ses demandes de manière indirecte. On peut également devoir changer de style et de stratégie lorsque l'on communique avec des personnes de pays divers. En outre, il faut soigneusement éviter les phrases que les destinataires pourraient juger arrogantes ou grossières. En matière de faux pas culturels, il est bon de se rappeler que les paroles s'envolent, mais que les écrits restent.

Puisque les cultures présentent tant de différences, comment peut-on en savoir suffisamment sur la communication interculturelle ?

D'abord, il faut se montrer sensible et flexible. La première chose à faire pour comprendre les personnes appartenant à une autre culture est de se rendre compte qu'elles peuvent avoir des coutumes très différentes des nôtres et qu'elles valorisent leurs façons de faire autant que nous chérissons les nôtres. De plus, il faut se rappeler que tous les membres d'une même culture ne se ressemblent pas nécessairement.

En conclusion, un communicateur international doit, pour réussir :

- réaliser que la conduite et les valeurs qu'il privilégie lui sont dictées par sa culture et ne sont pas nécessairement « correctes » ;
- se montrer souple et ouvert au changement ;
- être attentif aux langages verbal, paraverbal et non verbal ;
- prendre conscience des valeurs, des croyances et des pratiques propres aux autres cultures ;
- se soucier des différences entre les représentants d'une même culture.

Source : Traduit et adapté de Auerbach et Dolan (1997) et de Johns et Saks (2005).

5.5.4 Les problèmes sémantiques

Si la capacité de communiquer par le biais du langage constitue une marque distinctive de l'homme, il n'en demeure pas moins que de nombreuses erreurs sont rattachées à l'usage des mots. Si on considère que les 500 mots les plus fréquemment employés en anglais possèdent plus de 14 000 acceptions au dictionnaire, il est aisé de comprendre que les mots peuvent parfois être un obstacle à la communication (Haney, 1967). En outre, au-delà des mots employés, il y a la signification du message. Prenons, par exemple, la situation suivante : Assis à la cafétéria, un employé est en train de déguster son repas, quand un autre employé arrive près de la table voisine de la sienne et demande : « Y a-t-il quelqu'un sur cette chaise ? » Si on s'arrêtait au sens strict des mots, on émettrait de sérieux doutes sur les capacités visuelles du nouveau venu ; pourtant, au-delà des mots employés, tout le monde comprend le sens global de la question et chacun répondrait à l'individu adéquatement. Le problème est que, dans des situations moins évidentes, les gens portent trop souvent attention aux mots, sans se demander ce que l'émetteur veut dire.

De plus, il arrive fréquemment que certains groupes se servent d'un langage particulier à leur profession ou à leur occupation. Un jargon n'a de signification que pour les membres du groupe concerné. Si on demande, par exemple, à un géologue de sensibiliser les employés à l'importance d'effectuer leur travail avec prudence et qu'il le fait de la façon qui suit, bien peu saisiront le message : « Étant donné que les roches des épontes supérieures et inférieures du gisement sont composées d'unités séquentielles répétitives de komatiites et de tholéiites intercalées, nous devons renforcer les mesures de sécurité. » Il est donc important que les gestionnaires s'adressent aux employés en des termes simples, clairs, précis et que tout le monde peut comprendre.

5.5.5 La position hiérarchique de l'émetteur

La position hiérarchique de l'émetteur joue souvent un rôle dans la réception du message. En général, plus la position hiérarchique de l'émetteur est élevée, plus le récepteur donne foi au contenu du message. C'est d'ailleurs un des problèmes que l'on éprouve fréquemment au sein des entreprises. Les employés du niveau hiérarchique inférieur ont moins de crédibilité et, en conséquence, leurs commentaires et leurs suggestions ont moins d'échos que ceux qui proviennent des employés d'échelons plus élevés. Or, l'expérience quotidienne de certains problèmes de fonctionnement du système devrait faire des employés de niveau hiérarchique inférieur des personnes dignes de confiance auxquelles on prête attention.

5.5.6 La quantité d'information

Une conséquence des progrès technologiques de la dernière décennie est que les gestionnaires sont ensevelis sous une masse de plus en plus importante de renseignements et de données, qu'ils doivent ensuite trier afin de faciliter leur décisions. Par ailleurs, cette grande quantité d'informations, souvent obtenues dans un court laps de temps, fait en sorte que les gestionnaires ne peuvent pas donner suite aux diverses demandes. Ils ne rendent pas leurs appels téléphoniques, ne répondent pas aux notes de service et ne vérifient pas l'information. Il est vrai que la multiplication de renseignements risque de créer un engorgement et de paralyser les processus décisionnels. Voulant éviter cette situation, les gestionnaires ne prennent pas le temps de consulter tous les renseignements qui leur parviennent. Aussi l'émetteur doit-il préalablement sélectionner les renseignements pour ne transmettre que les plus pertinents et éviter de les insérer dans une masse de renseignements inutiles. L'émetteur doit envisager le message du point de vue du récepteur.

5.5.7 La rétroaction

La rétroaction est présente à différents niveaux dans le processus de communication. Bien qu'elle soit essentielle, on l'élimine parfois. Les communications unidirectionnelles font partie intégrante de certains types d'échange, mais parfois, elles sont créées de toutes pièces par l'attitude de l'émetteur. La communication écrite est une communication à sens unique au moment de l'émission du message. Il n'y a alors aucune rétroaction et l'émetteur doit, lorsqu'il s'exprime, se mettre dans la peau du récepteur afin d'éviter les distorsions. Dans une autre situation, c'est l'émetteur qui empêche la rétroaction en interdisant au récepteur de réagir, de poser des questions ou de faire des commentaires ; il se prive donc d'un moyen de contrôler la réception de son propre message. Nous l'avons expliqué précédemment, la rétroaction est indispensable à une communication complète.

5.6 Les rouages de la communication efficace

La communication est efficace seulement si le message est complètement transmis par l'émetteur et compris par le récepteur. Comme nous l'avons vu dans la section précédente, plusieurs obstacles — sources de distorsions — peuvent compromettre l'efficacité de la communication organisationnelle, qui devrait être de préférence bidirectionnelle. Certes, une communication efficace n'est pas un objectif facile à atteindre. Il n'empêche que les gestionnaires comprennent l'importance d'une bonne communication dans l'atteinte des objectifs organisationnels de rendement et des objectifs individuels de satisfaction et d'épanouissement. Toutefois, ils auraient avantage à s'inspirer des recommandations de plusieurs auteurs (Dupré, 1988; Alessandra, 1987; Tellier, 1986; Chartrand, 1985) afin de maximiser l'efficacité de leurs communications. Plusieurs de ces suggestions sont présentées dans les sous-sections suivantes.

5.6.1 Les qualités de communicateur

Selon Chartrand (1985), il est possible d'améliorer les qualités de communicateur du gestionnaire. Plusieurs entreprises font appel à des consultants en communication pour élaborer des programmes précis de formation à l'intention de leurs cadres. Dans une perspective d'amélioration de la communication verbale en tête-à-tête, les cadres peuvent recevoir une formation sur la transmission d'un message clair et unique, sur la façon de diriger efficacement des réunions de groupe, sur les habiletés d'écoute et sur la facilitation de la rétroaction.

L'accent sera mis tout particulièrement sur le développement des habiletés d'écoute à l'aide de jeux de rôles et de présentations audiovisuelles. À première vue, la majorité des individus semblent posséder naturellement une certaine habileté à écouter. Au cours d'une entrevue de sélection, par exemple, le gestionnaire sans expérience reste silencieux lorsque l'interviewé répond à la question qu'il a posée. Toutefois, le gestionnaire n'écoute que partiellement le message de l'interviewé, car il se sert de cette période de silence pour préparer mentalement sa prochaine question ou encore pour analyser des bribes d'information.

5.6.2 Le contenu de la communication

Une fois que le gestionnaire a terminé sa formation et que ses qualités de communicateur sont perfectionnées, il doit s'assurer que les bonnes informations parviennent aux employés. La plupart des entreprises voient à ce que leurs employés connaissent la politique de gestion des ressources humaines. Plusieurs d'entre elles publient également un journal d'entreprise. Toutefois, il semble qu'une minorité d'entreprises seulement informent leurs employés des principaux enjeux auxquels elles font face. Pourtant, comme le rapporte Tellier (1986), les résultats de sondages réalisés par l'Association internationale des professionnels de la communication (AIPC) indiquent que, lorsqu'on demande aux employés quels sont

L'écoute active

L'**écoute active** consiste à formuler des commentaires sur le sens littéral ou sur le contenu émotionnel des propos tenus par son interlocuteur et à lui montrer activement que le message transmis a été entendu et compris. D'autres méthodes d'écoute active consistent à demander plus de détails à son interlocuteur et à exprimer ses propres sentiments.

Voici cinq stratégies d'écoute active :

- Paraphrasez le contenu. Émettez des commentaires sur le sens du message transmis tel que vous le comprenez et dans vos propres mots.
- Reflétez les sentiments de votre interlocuteur. Cernez les émotions que vous croyez percevoir en lui.
- Verbalisez vos propres sentiments. Cette stratégie fonctionne particulièrement bien lorsqu'on éprouve de la colère.
- Demandez de plus amples renseignements ou des éclaircissements.
- Demandez à votre interlocuteur comment vous pouvez l'aider.

Au lieu de traduire ce que leur interlocuteur tente de dire, beaucoup de gens tâchent de répondre à leurs propres besoins en essayant d'analyser, résoudre ou éviter le problème. Les personnes en difficulté doivent avant tout sentir que l'on comprend qu'elles se trouvent dans une mauvaise passe. Le fait de leur donner des ordres et de les interroger leur indique seulement que l'on ne tient pas à écouter ce qu'elles ont à dire.

Faire la morale à une personne constitue une attaque à son endroit. Minimiser l'importance de son problème laisse sous-entendre que ses préoccupations sont futiles. Lui prodiguer des conseils peut même l'inciter à se taire. Lui répondre en vitesse montre que l'on fait peu de cas de ses sentiments ; de plus, elle se sentira humiliée de ne pas avoir trouvé elle-même une solution qui paraît pourtant évidente à quelqu'un qui n'est pas aux prises avec le problème. Même si on lui donne une réponse juste et objective, il se peut qu'elle ne soit pas prête à l'entendre. Parfois, la première réponse qui vient à l'esprit n'est pas la plus appropriée.

L'écoute active demande du temps et de l'énergie. Même les personnes douées en écoute active ne peuvent la pratiquer en tout temps, car leurs émotions viennent parfois entraver la réception du message.

De plus, comme des spécialistes l'ont souligné, l'écoute active fonctionne uniquement si on accepte véritablement les idées et les sentiments de l'autre. L'écoute active peut remédier aux conflits découlant de problèmes de communication, mais elle ne permet pas de résoudre l'opposition entre deux parties si l'une veut changer l'autre ou que les volontés exprimées sont contradictoires.

les sujets sur lesquels ils aimeraient avoir de l'information, ils mentionnent majoritairement les plans de l'entreprise, les possibilités d'avancement et les façons d'accomplir leur travail et d'augmenter la productivité.

Si on se fie à ces sondages, les besoins en information des employés ne sont donc pas entièrement comblés. Afin de satisfaire leurs besoins, il est important de sélectionner, parmi un ensemble de sujets, ceux qui sont les plus susceptibles de motiver les employés à faire converger leurs efforts dans la direction souhaitée. Ce n'est pas un exercice des plus aisés, particulièrement dans un contexte où coexistent deux sources officielles d'information, l'une provenant de la partie patronale (journal d'entreprise) et l'autre, des employés (bulletin syndical).

Que font les bons auditeurs ?

Ils utilisent sciemment quatre pratiques distinctes.

Les bons auditeurs prêtent attention à leurs interlocuteurs, se concentrent sur leurs propos en s'oubliant eux-mêmes, évitent toute présomption et se montrent attentifs tant aux sentiments exprimés qu'aux faits rapportés.

Il existe plusieurs moyens d'éviter les erreurs d'écoute attribuables au manque d'attention :

- Avant d'amorcer une conversation, anticipez les réponses dont vous avez besoin. Dressez une liste mentale ou écrite de vos questions. À quelle date doit-on avoir terminé le projet ? De quelles ressources dispose-t-on ? Quel est l'aspect le plus important du projet, aux yeux de l'interlocuteur ? Durant la conversation, portez attention aux réponses à vos questions.

- Au terme de la conversation, vérifiez auprès de votre interlocuteur si vous avez bien compris et surtout, si vous savez qui fera quoi par la suite.

- Une fois la conversation terminée, notez les éléments essentiels aux échéances et à l'évaluation du travail.

Il y a aussi plusieurs façons d'éviter les erreurs d'écoute dues à la distraction :

- Concentrez-vous sur la teneur du message formulé, et non sur l'apparence de la personne qui parle ou sur la manière dont elle s'exprime.

- Prenez le temps d'évaluer les propos de votre interlocuteur ; ne vous contentez pas d'en planifier la réfutation.

- Efforcez-vous d'apprendre quelque chose de toutes les personnes avec qui vous discutez.

Vous pouvez également éviter les erreurs d'écoute causées par de fausses hypothèses :

- Tenez compte des expériences et des antécédents de votre interlocuteur. Pourquoi insiste-t-il sur tel ou tel point ? Qu'entend-il par là ? Comment pouvez-vous profiter de l'importance accordée par votre interlocuteur à cette question ?

- Ne faites pas abstraction d'une directive que vous jugez inutile. Avant de poursuivre vos activités, vérifiez auprès de la personne responsable si la directive en question a une raison d'être.

- Paraphrasez ce que votre interlocuteur vient de dire pour lui permettre de corriger votre interprétation.

Vous pouvez apprendre à éviter les erreurs commises lorsqu'on s'en tient uniquement aux faits rapportés :

- Portez une attention consciente aux sentiments exprimés.

- Soyez attentif au ton de la voix, aux expressions du visage et au langage corporel.

- Ne présumez pas que le silence équivaut à un consentement, mais encouragez plutôt votre interlocuteur à parler.

Source : Traduit et adapté de Locker et autres (2005).

Les bons communicateurs réussissent à classer le contenu des messages dans trois catégories distinctes : neutres, positifs et négatifs, selon la réaction attendue des destinataires. Lorsqu'on transmet une information que les lecteurs devraient recevoir de façon neutre, le message est jugé informatif. Si on s'attend à ce que les lecteurs réagissent positivement au message, ce dernier est considéré comme positif ou annonciateur de bonnes nouvelles.

Les messages positifs et informatifs n'exigent aucune collaboration, en temps ou en argent, de la part des destinataires, bien que leurs auteurs puissent leur demander de prendre connaissance de l'information transmise et d'agir en conséquence. Quelle que soit l'intention poursuivie, la communication écrite doit engendrer chez ses destinataires une attitude favorable envers le message et son auteur afin de maintenir en eux un sentiment de bonne volonté et d'entraîner les résultats souhaités. Par conséquent, les messages informatifs et positifs comportent des éléments persuasifs, soit :

- des nouvelles avantageuses pour les lecteurs ;
- des annonces d'acceptations ;
- des réponses favorables aux demandes des lecteurs ;
- des renseignements sur les procédures, les produits, les services et les possibilités offertes ;
- des annonces de changements neutres ou positifs.

Comment doit-on structurer les messages positifs et informatifs ?

Considérez les besoins des lecteurs : commencez par les bonnes nouvelles et un résumé du message en son entier.

Utiliser le modèle approprié permet d'accélérer la rédaction et d'obtenir une version définitive plus efficace. Les modèles de rédaction décrits ci-dessous conviendront aux communications d'affaires écrites dans 70 % à 90 % des cas.

Assurez-vous de comprendre le fondement des différents modèles afin de pouvoir les modifier au besoin. (Par exemple, lorsque vous rédigez des directives, les mises en garde devraient figurer au début et non au milieu du message.)

Selon le cas, vous pouvez énoncer plusieurs éléments d'information dans un même paragraphe ou consacrer plusieurs paragraphes à un seul élément d'information.

Rédigez les messages informatifs et positifs en suivant l'ordre indiqué ci-dessous :

1. *Annoncez les bonnes nouvelles et résumez les principaux éléments d'information.* Faites connaître les bonnes nouvelles immédiatement. Ajoutez des détails, comme la date d'entrée en vigueur d'une politique ou le pourcentage d'un rabais. Si vous donnez suite aux commentaires des lecteurs, mentionnez-le clairement.

2. *Donnez des détails, des éclaircissements et des renseignements contextuels.* Ne répétez pas les renseignements donnés dans le premier paragraphe. Répondez à toutes les questions que les lecteurs pourraient se poser ; fournissez toute l'information nécessaire à la réalisation de vos objectifs ; présentez les détails selon leur ordre d'importance pour les lecteurs.

3. *Présentez les éléments négatifs aussi positivement que possible.* Il se peut qu'une politique comporte des limites, que l'information transmise soit incomplète ou que les lecteurs doivent satisfaire à certaines exigences pour profiter d'un rabais ou d'un avantage. Indiquez clairement ces points négatifs, mais présentez-les aussi positivement que possible.

4. *Expliquez tous les avantages offerts aux lecteurs.* La majorité des notes de service informatives doivent annoncer des avantages offerts aux lecteurs. Montrez à ces derniers que la politique ou la procédure récemment adoptée profitera non seulement à l'entreprise, mais aussi à son personnel. Fournissez suffisamment de détails et expliquez les avantages offerts de façon claire et convaincante. Dans les lettres, vous pouvez indiquer en quoi il est profitable de traiter avec votre entreprise et faire ressortir les caractéristiques positives de vos produits et de vos politiques. Dans un message annonçant de bonnes nouvelles, il est souvent possible de combiner, dans le dernier paragraphe, un court résumé des avantages offerts aux lecteurs et une conclusion visant à maintenir la bonne volonté des destinataires.

5. *Terminez par une conclusion empreinte de bienveillance, à la fois positive, personnelle et optimiste.* Délaissez le message pour insister sur le fait que répondre aux besoins des lecteurs constitue votre véritable préoccupation.

Les messages sont jugés positifs ou négatifs en fonction de la réaction qu'ils suscitent chez leurs destinataires. Les messages négatifs annoncent aux lecteurs qu'ils devront sacrifier confort, temps, argent, égards ou ressources. Lorsqu'on s'attend à ce que les lecteurs soient déçus ou fâchés, c'est que l'on rédige un message négatif.

Les messages négatifs comprennent ce qui suit :

- des annonces de rejets et de refus ;
- des annonces de changements sur le plan des politiques qui désavantageront les clients ou les consommateurs ;
- des demandes que les lecteurs trouveront agaçantes, insultantes ou dérangeantes ;
- des évaluations négatives du rendement et des avis disciplinaires ;
- des rappels de produits ou des avis de défectuosités.

Comment doit-on structurer les messages négatifs ?

Cela dépend de vos intentions et des personnes visées. Cependant, pour assurer l'efficacité de l'échange, respectez les modèles de rédaction des messages indirects, inductifs et réservés aux mauvaises nouvelles.

Le « sens » repose sur les personnes, et non sur les mots. Quelle que soit votre intention (conformité, consensus, action), la réponse émotionnelle ou affective de vos lecteurs est essentielle à l'obtention des résultats visés. Que vous avisiez un client d'une hausse de prix ou que vous annonciez par courriel à des collègues qu'ils doivent exécuter du travail supplémentaire, vous devez transmettre l'information de manière à nourrir la bonne volonté de vos destinataires. Autrement, vous perdrez des clients, perturberez vos relations de travail et, en fin de compte, gaspillerez temps et argent.

L'annonce de mauvaises nouvelles à des clients et à d'autres personnes à l'extérieur d'un organisme

Les modèles suivants aideront les rédacteurs à nourrir la bonne volonté de leurs destinataires :

1. *Débutez par un énoncé neutre en guise d'amortisseur.* Ce genre d'entrée en matière oriente les lecteurs et les prépare psychologiquement à recevoir des nouvelles qui ne leur plairont pas. À l'oral comme à l'écrit, les meilleures phrases tampons sont les affirmations à propos desquelles les deux parties s'entendent. Répondre à une plainte ou à une demande en commençant par une phrase tampon telle que «Merci pour votre lettre…» montre que vous avez lu et compris le message et que vous donnez suite aux préoccupations exprimées par son auteur.

2. *Expliquez.* Donner une bonne raison aux lecteurs les prépare à essuyer un refus.

3. *Annoncez la mauvaise nouvelle clairement et ne la répétez pas.* Des refus équivoques laisseront peut-être les lecteurs dans le doute et vous obligeront à dire «non» une seconde fois.

4. *Offrez toujours une solution de rechange ou une possibilité de compromis, le cas échéant.* En proposant une solution de rechange aux lecteurs, vous leur montrez une autre manière d'obtenir ce qu'ils désirent et leur prouvez que vous vous souciez de leur bien-être et que vous souhaitez les aider à résoudre leurs problèmes.

5. *Terminez par un énoncé positif et optimiste.*

5.6.3 Les préalables

L'implantation d'un programme visant à améliorer la qualité et l'efficacité de la communication organisationnelle ne peut atteindre ses objectifs que si certains préalables sont remplis. Le premier est l'obtention d'un engagement officiel de la part de la haute direction. Cet engagement doit découler d'une volonté réelle d'améliorer les communications et reposer sur la conviction qu'il est indispensable à l'amélioration de la productivité et de la satisfaction au travail. Selon Dupré (1988), l'autre préalable est l'accès à des renseignements sur les réseaux informels de communication, sur l'importance accordée aux rumeurs, sur l'image de l'entreprise et de ses dirigeants auprès des employés, sur la quantité et la qualité des messages échangés dans l'organisation, sur les attentes des employés envers l'organisation, à brève et à longue échéance, sur les fondements de la culture organisationnelle, ainsi que sur l'attitude des cadres à l'égard de toutes ces questions. Ces renseignements, qui peuvent être obtenus par sondages, permettront à l'organisation de se fixer des objectifs de communication clairs, et surtout réalistes.

5.6.4 Les programmes de communication

L'information que l'entreprise doit recueillir avant d'implanter un programme de communication lui permet de cerner les préoccupations de ses employés et de définir précisément ses priorités en fonction des enjeux liés aux préoccupations relevées.

Une fois cette étape franchie, il s'agit de mettre en place un ou plusieurs programmes de communication qui sauront répondre aux besoins de l'organisation et de ses employés. Afin d'atteindre cet objectif, les entreprises

Une enquête réalisée par Alessandra (1987) a permis de dresser une liste des griefs formulés par les employés à l'endroit de leurs supérieurs, parmi lesquels on trouve les suivants :

- « Il parle tout le temps ; j'arrive avec mon problème et je n'ai pas la chance de dire un mot. »
- « Elle m'interrompt lorsque je parle. »
- « Mon chef de service ne me regarde jamais lorsque je lui parle ; je ne suis pas sûr qu'il prête attention à ce que je lui dis. »
- « Ma directrice me fait sentir que je lui fais perdre son temps. »
- « Mon directeur est trop facilement distrait lorsque je lui parle de mes problèmes. »
- « Il marche de long en large quand je lui parle. »
- « Elle ne sourit jamais. Je suis mal à l'aise de lui parler. »
- « Mon directeur s'esquive pendant que je lui parle. »
- « Mon chef d'atelier ne cesse de sourire ou de tout tourner à la blague, même lorsque je lui fais part d'un problème sérieux qui me préoccupe. »

Ces griefs démontrent clairement que l'écoute est un des fondements principaux d'une communication efficace. Les gestionnaires doivent, par conséquent, acquérir et cultiver cette habileté s'ils veulent établir un climat de confiance et satisfaire les employés qui travaillent au sein de leur organisation.

ont élaboré divers programmes de communication, que nous avons classés en trois catégories, décrites ci-dessous.

Les moyens utilisés pour transmettre l'information

Comme on le sait, l'information peut être transmise aux membres d'une organisation verbalement ou par écrit. La transmission verbale peut prendre la forme de réunions ou de rencontres avec les employés, ou encore de programmes de formation intégrant des cours magistraux, des vidéos ou des films. La transmission écrite de l'information peut, quant à elle, se faire sous forme de notes de service, de journaux internes, de brochures ou de bulletins d'information.

Les moyens utilisés pour assurer le contrôle et clarifier les responsabilités

Les entreprises contrôlent les activités de leurs membres afin de s'assurer que ceux-ci agissent en fonction des buts organisationnels. Au moyen de rapports journaliers et des rapports de ventes, de recettes et de matières utilisées, on peut vérifier si les normes de productivité sont respectées par les travailleurs.

Il est également important de clarifier les responsabilités de chacun dans une organisation. L'organigramme et les définitions de tâches constituent deux moyens de communication qui donnent une idée des responsabilités de chacun.

Les moyens utilisés pour permettre aux membres de s'exprimer

Plusieurs entreprises, IBM par exemple, ont élaboré des programmes de communication qui permettent aux employés d'exprimer leurs sentiments, leur satisfaction et leurs besoins. Parmi ces programmes, on trouve les suivants :

- *Les programmes de consultation* (ou **programmes d'aide aux employés**). Une personne est engagée par l'entreprise pour être à l'écoute des employés qui ont des problèmes personnels ou professionnels. Cette personne-ressource doit orienter les individus vers des solutions possibles. Dans certaines entreprises, c'est l'infirmière qui joue ce rôle.

- *Le système de représentation des employés.* Un groupe d'employés élus siège à un comité, avec la direction, dans le but de représenter les intérêts des employés.

- *Les réunions avec les employés.* Certaines entreprises organisent régulièrement des rencontres avec les employés afin de discuter des problèmes auxquels ces derniers font face dans leur travail (pensons, par exemple, aux cercles de qualité). Au cours de ces réunions, on parle des problèmes des employés et des pratiques de gestion qui influent sur les résultats du travail.

- *Les entrevues avec les employés.* Dans certaines entreprises, les gestionnaires rencontrent individuellement tous les employés sur une base périodique et discutent des problèmes que vivent ces employés, de leurs satisfactions et de leurs insatisfactions, ainsi que de leurs besoins et attentes.

- *La politique de la porte ouverte.* Cette politique vise, elle aussi, à favoriser la communication dans l'entreprise. Les organisations qui adoptent ce programme (par exemple, IBM et Cascades) encouragent les employés à rencontrer les cadres ou les gestionnaires de leur choix (que ce soit leur supérieur immédiat ou la haute direction) pour discuter de leurs insatisfactions ou de leurs problèmes. Dans ce type d'entreprise, les portes des bureaux des cadres et des gestionnaires sont réellement ouvertes et les gestionnaires sont disponibles en tout temps.

- *Les sondages d'opinion.* Grâce aux sondages, la haute direction a la possibilité de connaître le point de vue des employés sur plusieurs sujets. Les employés peuvent s'exprimer en toute confidentialité au sujet des méthodes et des pratiques de l'entreprise, que ce soit en ce qui a trait à la supervision ou aux possibilités d'avancement, aux responsabilités, etc.

5.7 La communication persuasive

Dans l'introduction du chapitre, nous avons reconnu à la communication deux fonctions principales : informer et motiver. Jusqu'à présent, nous avons concentré nos propos sur la première fonction de la communication. Néanmoins, les employés tout autant que les gestionnaires doivent parfois motiver d'autres membres de l'organisation (subordonnés, collègues, etc.) et les inciter à adopter certains comportements et certaines attitudes spécifiques par rapport au travail. Lorsque l'objectif est de convaincre, la connaissance des éléments de la **communication persuasive** peut s'avérer utile (Freeland, 1993). Trois éléments augmentent la probabilité que l'émetteur réussisse à convaincre un récepteur d'accepter son message (et non seulement le comprendre) : les caractéristiques de l'émetteur, le contenu du message et le canal de communication utilisé (voir le tableau 5.2).

TABLEAU 5.2	Les éléments de la communication persuasive	
Caractéristiques de l'émetteur	**Contenu du message**	**Canal de communication**
Fait preuve de confiance en soi Évite les pauses Est respecté par ses pairs et possède une expertise dans le domaine (crédibilité)	Le sujet est important aux yeux du récepteur L'émetteur présente tous les aspects de la question Le récepteur est averti qu'un autre émetteur tentera de le convaincre autrement (effet d'inoculation)	Tête-à-tête (permet à l'émetteur de s'assurer que le récepteur comprend et accepte le message) Document écrit (permet de soutenir le point de vue)

EN PRATIQUE...

La rédaction de messages électroniques persuasifs

Lorsque vous demandez à des personnes une faveur sans grande importance ou un service faisant partie de leurs fonctions courantes, vous pouvez procéder de façon directe.

Dans le corps du texte, fournissez aux destinataires tous les renseignements dont ils ont besoin pour agir.

À la fin du message, expliquez clairement aux lecteurs ce que vous voulez qu'ils fassent, facilitez-leur les choses et précisez le moment auquel vous souhaitez obtenir une réponse. Il se peut que vous exigiez une réponse immédiate («Faites-moi savoir dès que possible si vous pouvez rédiger un article pour le bulletin afin que je réserve un espace à cet effet.») ou une réponse plus complète à une date ultérieure («Nous devons recevoir le texte au plus tard le 4 mars»).

Lorsque vous demandez à des personnes une faveur importante ou un service ne faisant pas partie de leurs fonctions courantes, votre premier paragraphe devrait non seulement préciser votre demande, mais aussi amener vos destinataires à envisager cette dernière d'un œil favorable. Dans le deuxième paragraphe, donnez un aperçu de ce que le reste du message vise à démontrer : «Voici pourquoi nous devrions agir ainsi. Laissez-moi d'abord vous décrire le projet en question. Ensuite, si vous souhaitez y participer, je vous ferai parvenir une copie de la proposition.» Servez-vous de l'analyse d'auditoire pour trouver une raison qui convaincra vos lecteurs d'accéder à votre demande. Tous vos destinataires sont déjà occupés, alors vous devrez faire en sorte qu'ils souhaitent vous rendre service. Assurez-vous de leur fournir tous les renseignements dont ils ont besoin pour agir en fonction de votre demande. Indiquez les mesures à prendre.

Les demandes importantes exigeant des modifications sur le plan des valeurs, de la culture et du mode de vie ne devraient pas être adressées par courrier électronique.

Source : Traduit et adapté de Locker et autres (2005).

5.8 Les nouvelles technologies et le processus de communication en milieu organisationnel

Depuis plus de 50 ans, les progrès technologiques promettent de transformer radicalement la nature du travail et des organisations. Les premiers macro-ordinateurs des années 1950 et 1960 permettaient déjà aux employeurs à la fine pointe de la technologie de lire l'information plus rapidement et laissaient entrevoir la disparition de certaines catégories de travailleurs, que des composantes robotiques, informatiques et électroniques viendraient remplacer. Libérés de la contrainte quotidienne du travail, les humains pourraient finalement se consacrer entièrement à une vie de loisirs.

Évidemment, ces prévisions ne se sont pas concrétisées, mais la technologie a toutefois eu des répercussions importantes sur les travailleurs et les organisations. Aucun processus organisationnel n'a autant été touché par les progrès technologiques que la communication. En fait, les technologies des télécommunications continuent à se développer à un rythme époustouflant et à transformer les réseaux organisationnels de communication.

5.8.1 La télécommunication

Les effets de la technologie sur le processus de communication se font sentir depuis déjà plusieurs années, mais c'est au cours des années 1980 que la cadence des changements dans le domaine des télécommunications a augmenté. L'usage des premiers équipements modernes de télécommunication, en l'occurrence les télécopieurs, se généralise. La plupart des organisations ont en effet profité de la possibilité d'accélérer le processus de communication en substituant la télécopie au courrier postal.

C'est également au cours de cette décennie que se perfectionnent les technologies d'audioconférence et de vidéoconférence. Il va sans dire que tous ces procédés de télécommunication réduisent significativement les coûts et le temps requis pour communiquer avec des acteurs (employés, clients, fournisseurs, etc.) extérieurs à l'organisation.

Au cours des années 1990, les boîtes vocales se répandent, allégeant la tâche des téléphonistes-réceptionnistes. Si la possibilité de laisser des messages sans passer par un intermédiaire assure une plus grande confidentialité à la communication, la dépersonnalisation du processus peut, en revanche, causer des frustrations. Sensibles à ce phénomène, certaines organisations (par exemple, la ville d'Ottawa) ont même interdit à leurs employés d'utiliser leur boîte vocale pendant les heures de bureau afin de permettre à toutes les personnes qui appellent de communiquer directement avec eux, au besoin.

Les années 1990 voient aussi augmenter la popularité des téléphones cellulaires. Dès lors, les employeurs peuvent communiquer avec tous les membres de l'organisation en tout temps et en tout lieu. Le téléphone cellulaire réussit à éliminer (ou presque) les obstacles de temps (heures fixes de bureau) et d'espace (confinement au bureau) liés aux moyens traditionnels de communication.

5.8.2 Les intranets, le courrier électronique et Internet

Malgré l'importance des procédés de télécommunication décrits plus haut, ce sont les intranets et le courrier électronique, privilégiés au cours de la dernière décennie, qui ont eu la plus forte incidence sur le processus de

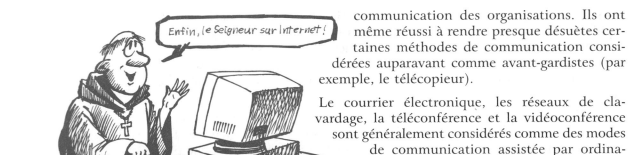

communication des organisations. Ils ont même réussi à rendre presque désuètes certaines méthodes de communication considérées auparavant comme avant-gardistes (par exemple, le télécopieur).

Le courrier électronique, les réseaux de clavardage, la téléconférence et la vidéoconférence sont généralement considérés comme des modes de communication assistée par ordinateur, car ils font appel à la science informatique pour faciliter la transmission d'information. Grâce à ces outils, des employés peuvent discuter entre eux et prendre des décisions sans se trouver au même endroit, ce qui leur permet d'économiser temps et argent et leur évite les tracas liés aux déplacements.

Bien que le courrier électronique soit, de loin, le mode de communication assistée par ordinateur le plus utilisé, peu de recherches rigoureuses sur ses répercussions ont été menées. La majorité des recherches ont surtout porté sur les réseaux de soutien à la prise de décisions en groupe de type « clavardage », où la conférence électronique permet aux utilisateurs d'émettre des idées et de prendre des décisions. On a démontré que de tels systèmes augmentent le nombre d'idées relatives à une question précise trouvées lors de « remue-méninges » (Dennis et Wixom, 2001).

Internet permet à une organisation de mieux communiquer avec les acteurs de son environnement externe (les clients, les fournisseurs, le public, la main-d'œuvre, etc.) par l'entremise de son site Web et du courrier électronique. Notons qu'environ 200 millions de messages électroniques sont acheminés quotidiennement par Internet, et ce nombre ne cesse d'augmenter.

Il n'y a pas si longtemps, les sites Web étaient relativement rares, et seules les entreprises avant-gardistes dans le domaine de la haute technologie les exploitaient. Actuellement, la plupart des organisations possèdent un site Web ou sont en voie d'en avoir un. Le Web donne à une organisation la possibilité d'améliorer l'efficacité et l'efficience du processus de communication avec tous les acteurs clés. Par exemple, le fait qu'une organisation puisse publier son curriculum vitæ organisationnel par l'entremise d'un site Web lui permet de promouvoir et de vendre ses produits et services en tout temps. Grâce au commerce électronique, les clients d'une organisation peuvent se renseigner en tout temps sur la gamme des produits et des services offerts et les acquérir à leur gré sans devoir passer par un intermédiaire. Parallèlement, les clients peuvent facilement communiquer les problèmes éprouvés et faire des suggestions qui permettront à une organisation d'améliorer la qualité de ses produits et services.

Par ailleurs, Internet permet aux organisations de réduire certains coûts reliés au processus de communication. Par exemple, l'information que donne un site rend moins nécessaires les rencontres entre vendeurs et clients. Par exemple, s'il coûte en moyenne 140 $ pour aller porter de la

À quelle nétiquette devons-nous nous conformer?

Pour devenir un internaute modèle, suivez les lignes directrices suivantes :

Utilisez un vocabulaire, une syntaxe et une structure convenant à vos lecteurs, car une fois que vous aurez appuyé sur le bouton «Expédier», votre message sera publié, peut-être à l'échelle internationale.

Évitez d'écrire seulement en lettres majuscules. Utilisez les minuscules et les majuscules dans la ligne «objet» et n'écrivez en lettres majuscules que pour mettre l'accent sur un mot ou deux. Lorsqu'on rédige tout un texte en majuscules, c'est qu'on veut transmettre son message en criant.

Ne faites jamais parvenir de messages vindicatifs par courrier électronique. Si vous êtes en conflit avec quelqu'un, abordez la question directement et non par voie électronique.

N'envoyez que les messages utiles aux destinataires. Faites-en parvenir une copie à votre patron ou au chef de la direction seulement s'ils le demandent.

Tâchez de savoir comment fonctionne le système de courrier électronique de vos destinataires et adaptez vos messages en conséquence. La plupart des gens préfèrent recevoir plusieurs messages courts portant chacun sur un seul sujet, qu'ils peuvent répartir dans différentes boîtes aux lettres. En revanche, les personnes qui paient des frais de téléchargement pour chaque courriel reçu aimeront peut-être mieux les longs messages traitant de plusieurs questions.

Lorsque vous répondez à un message, n'en citez que les passages qui sont essentiels à la compréhension de votre réponse et supprimez le reste. Si ces passages sont plutôt longs, copiez-les à la suite de votre réponse.

Lorsque vous utilisez un logiciel de traitement de texte avec l'intention de convertir votre document en courriel, assurez-vous que les lignes sont assez courtes (fixez la marge de droite à 5 cm). Cela évitera les sauts de ligne indésirables.

Badaudez avant de plonger

Si vous vous passionnez pour un sujet donné et que vous souhaitez faire part de votre intérêt à d'autres personnes, vous pouvez vous joindre à un forum de discussion. Il s'agit d'un groupe ou d'une communauté électronique où l'on peut consulter les messages de chaque membre. Les forums établissent leurs propres normes. Si vous en avez la possibilité, badaudez dans un forum de discussion (observez ce qui s'y déroule) avant d'y participer. Contentez-vous de lire les messages qui circulent avant de commencer vous-même à écrire.

Source : Traduit et adapté de Locker et autres (2005).

---

documentation à un client et répondre à ses questions, ces coûts seront réduits si l'information demandée est transmise par Internet.

Les moyens de communication électroniques diffèrent-ils des autres moyens de communication?[1] Une manière judicieuse d'aborder cette question est de considérer la richesse de l'information transmise, soit la capacité potentielle de transmission d'un moyen de communication (Lengel et Daft, 1988). Par exemple, la communication directe permet de transmettre une information très riche (voir **richesse de l'information**), car elle implique la présence réelle de l'émetteur, l'utilisation des modes audio et visuel ainsi que des langages verbal, paraverbal et non verbal, de même que

---

1. Pour la suite de la section 5.8.2, traduit et adapté de Johns et Saks (2005).

la transmission immédiate et continue des réactions du récepteur. La communication électronique, en revanche, manque de richesses, puisqu'elle est impersonnelle et s'effectue seulement en langage numérique. De plus, les rétroactions ne parviennent parfois jamais à l'expéditeur.

La richesse de l'information transmise repose sur deux dimensions importantes : le synchronisme de l'échange d'information entre l'expéditeur et le destinataire, et l'étendue des signaux paraverbaux et non verbaux que les deux parties peuvent recevoir (Daft et Lengel, 1984). Un mode de communication très synchrone est le discours direct et réciproque, qui se déroule en temps réel. Les notes de services, les lettres et même les courriels, étant de simples messages unilatéraux, n'offrent qu'un faible synchronisme (le courrier électronique peut permettre toutefois des échanges rapides). La communication directe et par vidéoconférence est riche en signaux paraverbaux (le ton de voix, par exemple) et non verbaux (le langage corporel, par exemple), tandis que la communication écrite en est dépourvue.

En ce qui concerne les différences générales entre les sexes, les recherches ont révélé que les hommes s'intéressent davantage aux ordinateurs que les femmes et montrent plus d'assurance lorsqu'ils les utilisent (McGuire et autres, 1987). Cependant, plus les hommes et les femmes acquièrent de l'expérience en messagerie électronique, plus leurs niveaux d'assurance s'équivalent. On peut donc conclure que le genre perd progressivement son importance au fur et à mesure qu'augmente l'expérience en communication assistée par ordinateur (O'Mahony et Barley, 1999).

EN PRATIQUE...

Lorsque vous débutez dans un nouvel emploi, votre patron s'attend sûrement à ce que vous soyez à l'aise avec la technologie électronique. Il est fort probable que, dès votre première semaine de travail, vous ayez à répondre à des messages électroniques ou à en faire parvenir. Bien que le courrier électronique ait réinventé la correspondance traditionnelle en offrant un moyen de communiquer instantanément et à peu de frais sans tenir compte des distances géographiques, les rédacteurs chevronnés font toujours preuve de prudence quand ils composent des messages électroniques.

Lorsque vous écrivez un courriel, gardez en tête les lignes directrices suivantes :

Rappelez-vous que tous les documents écrits peuvent être conservés et qu'on peut dès lors s'y reporter. Bien que les gens jugent le courriel aussi officiel que la simple conversation, ce n'est pas le cas. Le courriel n'a aucunement le caractère privé d'une conversation. Tous les écrits ont des implications intellectuelles, psychologiques et juridiques. Vos courriels peuvent être imprimés et distribués à n'importe qui, à votre insu et sans votre autorisation. Les courriels que vous faites parvenir dans le cadre de vos fonctions peuvent être retrouvés et votre employeur peut y jeter un coup d'œil en toute légalité. Les écrits, même lorsqu'ils sont envoyés par courrier électronique, restent. Soyez donc discret.

Prenez en considération les limites de ce mode de communication. Contrairement aux documents imprimés, les messages électroniques ou virtuels n'ont aucune composante tactile. Ils ont l'avantage de pouvoir être reçus « juste à temps », ce qui les rend idéaux pour transmettre une confirmation, mais ils sont inappropriés lorsque les communications sont lourdes de sens, par exemple lorsqu'il s'agit de négocier et de régler des conflits. Le format des messages électroniques évolue constamment ; ceux-ci circulent sur une voie dépourvue de censure et de réglementation. Par conséquent, il est essentiel de connaître et d'observer l'étiquette des communications électroniques. L'humour, par exemple, se transmet difficilement par courriel.

Relisez et corrigez votre message avant de l'expédier. Comme toutes vos communications écrites, vos messages électroniques représentent ce que vous êtes. Afin qu'ils soient crédibles et convaincants, assurez-vous qu'ils ne comportent pas de coquilles et qu'ils soient compréhensibles (ajoutez tous les renseignements pertinents). Comme les rédacteurs de courriels ont l'impression de parler à leurs destinataires plutôt que de leur écrire, certains d'entre eux tendent à négliger l'orthographe, la grammaire et ne révisent pas leurs textes. De nombreux progiciels de courrier électronique sont dotés d'un correcteur orthographique ; n'hésitez pas à vous servir de cet outil.

Utilisez un langage clair et concis. Les messages électroniques doivent piquer la curiosité des lecteurs dès la ligne « objet » et le premier paragraphe. Si votre message ne tient pas dans l'écran, écrivez plutôt une note de service ou une lettre que vous ajouterez à votre message sous forme de pièce jointe.

Source : Traduit et adapté de Locker et autres (2005).

5.8.3 Les inconvénients des nouvelles technologies dans le processus de communication

Malgré les nombreux avantages des nouvelles technologies de communication, il arrive qu'elles nuisent à l'efficacité du processus de communication dans les organisations. Les réseaux créés par le courrier électronique sont parfois qualifiés de statiques et de « pauvres » en ce qui touche leur capacité de transmettre le véritable contenu d'un message. Certaines personnes soutiennent même que les employés ont tendance à lire moins attentivement un message transmis électroniquement qu'un message acheminé par un canal plus traditionnel. En outre, l'intranet est susceptible de nourrir le réseau informel de communication et de contribuer à la propagation des rumeurs.

Un autre inconvénient est lié aux achats en ligne et réside dans les risques associés aux transactions financières. Les cas de fraudes signalés (par exemple, le vol de numéros de cartes de crédit) effraient les consommateurs et font en sorte que plusieurs hésitent à effectuer des achats sur Internet.

Il faut aussi mentionner le phénomène des virus électroniques, capables de paralyser les systèmes informatiques d'une organisation, qui dépend pourtant des nouvelles technologies pour communiquer avec son environnement. Certains prédisent que la fréquence de tels virus augmentera au cours des prochaines années. Par ailleurs, ces virus sont de plus en plus perfectionnés et réussissent à déjouer les systèmes de sécurité mis en place par les organisations. Ils sont même conçus pour endommager des programmes d'ordinateur, supprimer des fichiers ou reformater le disque dur. D'autres ne créent aucun dommage mais se dupliquent et se manifestent sous forme de texte, de vidéo et de messages audio. Ces virus bénins sont toutefois truffés d'erreurs pouvant provoquer des défaillances de système et des pertes de données[2].

5.9 La communication et les différences entre les sexes [3]

Selon Tannen (1994), les styles de communication varient d'un sexe à l'autre et ces différences influent sur la façon dont les hommes et les femmes sont perçus et traités au travail. Les différences entre les sexes en matière de communication reposent sur ce que Madame Tannen appelle les positions «ascendante et descendante». Les hommes, généralement plus sensibles aux rapports de pouvoir, communiquent de manière à se trouver en position ascendante et à éviter la position descendante. Les femmes, davantage soucieuses d'établir des liens, communiquent en évitant d'abaisser les autres. Elles se retrouvent donc souvent en position descendante, ce qui peut avoir des répercussions négatives sur la reconnaissance qui leur est accordée et sur leur carrière.

Les styles et les rituels de communication propres à chacun des deux sexes présentent certaines différences fondamentales qui placent souvent les femmes en position descendante.

À titre d'exemple, les hommes ont davantage tendance à se vanter de leurs réalisations que les femmes et, par conséquent, ont plus de chances d'être reconnus pour leurs contributions. Il s'agit là de la quête de reconnaissance.

Les hommes tendent aussi à s'enorgueillir de leurs aptitudes et à minimiser leurs doutes, ce qui les fait paraître plus sûrs d'eux-mêmes que leurs collègues du sexe opposé. Ils ont plus d'assurance et de vanité. D'autres différences concernent les questions, les excuses, les rétroactions et l'opposition rituelle:

---

2. Adapté de *Symantec*, «Quelle est la différence entre les virus, les vers et les chevaux de Troie», [en ligne], http://service1.symantec.com/support/inter/navintl.nsf/fr_docid/20020219115924905 (page consultée le 15 décembre 2006).

3. Traduit et adapté de Johns et Saks (2005).

- Les hommes sont moins portés que les femmes à poser des questions dans les situations où ils peuvent se retrouver en position descendante et perdre leur indépendance ;
- Les hommes et les femmes ne s'excusent pas de la même façon. Les hommes ont tendance à éviter les excuses rituelles, celles-ci étant un signe de faiblesse qui les placerait en position descendante ;
- Les compliments constituent un rituel courant chez les femmes. Étant davantage soucieux de demeurer en position ascendante et de placer leur entourage en position descendante, les hommes sont plus avares de compliments ;
- Les hommes recourent souvent à l'opposition ou à l'affrontement comme moyens rituels de communiquer et d'échanger des idées avec autrui. De nombreuses femmes trouvent difficile d'évoluer dans un tel milieu de travail, y éprouvent de l'insécurité et se sentent incapables de défendre leurs idées.

Les hommes et les femmes gèrent aussi différemment les rapports de supériorité et de subordination. Les hommes passent beaucoup plus de temps que les femmes à communiquer avec leurs supérieurs et à leur parler de leurs réalisations, alors que les femmes tendent à minimiser leur supériorité, laissant ainsi croire à leurs collègues qu'elles sont incapables d'exercer leur autorité et, par conséquent, qu'elles sont incompétentes.

Les femmes en position d'autorité ont tendance à formuler leurs directives de manière indirecte. Elles manquent de franc-parler par rapport aux hommes.

Les différences entre les styles de communication des hommes et des femmes désavantagent presque toujours ces dernières et les placent en position descendante (Koonce, 1997). Lorsque des gens discutent sans comprendre leurs rituels de communication respectifs, des problèmes et des malentendus peuvent survenir. Il importe donc de reconnaître que chaque personne adopte un style de communication qui lui est propre et qu'il faut, par conséquent, choisir soi-même un style flexible que l'on peut adapter au besoin.

CONCLUSION

Toute communication remplit une fonction informative. La communication peut, en outre, avoir d'autres fonctions. En effet, comme nous venons de le voir, la communication peut servir aussi bien de moyen de contrôle que de motivation des membres de l'organisation. Une étude menée par Foulkes (1980) a relevé au moins six autres fonctions de la communication dans l'entreprise :

- comprendre les problèmes des employés et y répondre de façon constructive ;
- créer un climat où les employés se sentent à l'aise de formuler leurs plaintes et de faire des suggestions à la haute direction ;

- éviter que seules les bonnes nouvelles ne soient transmises à la haute direction ; en effet, les superviseurs des niveaux hiérarchiques inférieurs ont tendance à filtrer l'information et à rapporter seulement les bonnes nouvelles ;
- faire connaître aux employés les progrès et les problèmes de l'entreprise ;
- amener les superviseurs à prêter une attention particulière aux relations humaines, s'ils ne veulent pas que des problèmes surgissent et que la haute direction en soit avertie ;
- éviter que les problèmes des employés n'entravent leur productivité.

La communication implique un processus d'échange et de compréhension de l'information engageant au moins deux personnes. La communication peut être bidirectionnelle ou unidirectionnelle. La communication unidirectionnelle est la simple transmission d'information d'un émetteur à un récepteur. Bien qu'elle entre dans la définition générale de la communication, la communication unidirectionnelle ne peut être considérée comme un véritable acte de communication, car elle exclut la rétroaction. La rétroaction permet de s'assurer qu'un message est bien compris et qu'aucune distorsion ne l'a déformé entre le moment de son émission et celui de sa réception. On parle alors de communication bidirectionnelle.

Dans une organisation, la communication emprunte essentiellement deux types de réseaux. Le premier est le réseau formel, qui correspond à la structure organisationnelle. La transmission de l'information s'effectue du haut vers le bas de la hiérarchie ou inversement. De plus, la transmission peut s'effectuer horizontalement, soit entre les employés de même niveau hiérarchique.

Le second réseau est le réseau informel. L'information y est transmise indépendamment de la structure organisationnelle officielle. C'est sur ce réseau que circulent les potins et les rumeurs.

Dans tous les cas, l'information risque de subir des déformations. Celles-ci peuvent survenir à n'importe quelle étape du processus de communication. Elles découlent d'une formulation boiteuse, d'un canal inapproprié ou d'une mauvaise compréhension. Toutefois, il est possible de corriger ces lacunes en améliorant les habiletés de communication des gestionnaires à l'aide de programmes de formation.

En somme, la meilleure façon d'assurer l'efficacité de la communication dans l'entreprise consiste à amener le gestionnaire à développer ses aptitudes en la matière. Celui-ci, en vertu de son rôle d'émetteur, a la responsabilité de concevoir un message direct, de définir l'objectif visé par la communication, de choisir le canal le plus approprié et de mettre au point des techniques propres à susciter la rétroaction. De plus, à titre de récepteur, le gestionnaire devra apprendre à se concentrer et à écouter activement ses subordonnés.

Dans certains cas, le gestionnaire peut devoir convaincre plutôt qu'informer les destinataires d'un message. Afin d'atteindre cet objectif, il doit faire preuve d'assurance et paraître crédible aux yeux des récepteurs.

Les nouvelles technologies apparues au cours des dernières décennies ont réussi à transformer le processus organisationnel de communication. Les outils de télécommunication comme Internet et l'intranet facilitent la communication verticale et horizontale et peuvent favoriser une communication plus efficace. Néanmoins, l'utilisation de ces outils comporte certains risques pour les organisations, car elle les rend vulnérables aux virus électroniques et compromet la sécurité de leurs transactions financières. Enfin, les nouvelles technologies peuvent perturber le processus de communication autrement. Par exemple, les messages électroniques captent parfois moins l'attention des récepteurs que les messages traditionnels, et ils risquent de propager les rumeurs plus rapidement et plus facilement.

Les styles de communication varient d'un sexe à l'autre. Les hommes sont généralement plus sensibles aux rapports de pouvoir, tandis que les femmes, davantage soucieuses d'établir des liens, communiquent en évitant d'abaisser les autres.

? QUESTIONS DE RÉVISION

1. Nommez trois canaux de communication que vous utilisez fréquemment et indiquez leurs forces et leurs faiblesses apparentes.

2. Quelle est l'importance de la rétroaction dans le processus de communication ? La rétroaction est-elle toujours essentielle ?

3. Nommez trois types de distorsion (bruit) pouvant s'introduire dans les communications entre le professeur et les étudiants. Est-il possible de réduire l'influence de ces bruits ?

4. Quel est le rôle du réseau informel de communication dans l'organisation et pourquoi pourrait-on le qualifier de système parallèle ?

5. Si, à titre de gestionnaire, vous devez faire face à des problèmes d'une grande complexité, quel type de réseau de communication privilégierez-vous entre vous et vos subordonnés ? Justifiez votre réponse.

6. Quels sont les moyens que peut utiliser une organisation afin de faciliter et d'optimiser la communication entre les différents paliers hiérarchiques ?

7. Quels éléments peuvent permettre à un émetteur de convaincre le récepteur d'accepter le contenu de son message ?

8. Comment un intranet peut-il améliorer le processus de communication d'une organisation ?

9. Expliquez comment la technologie peut parfois perturber le processus de communication d'une organisation.

10. Expliquez comment les styles de communication peuvent diverger d'un sexe à l'autre.

Les aptitudes en matière de communication écrite

Le questionnaire suivant porte sur le processus de communication écrite. Il vous permettra d'évaluer vos aptitudes en la matière, aptitudes qu'il vous faut posséder pour devenir un bon gestionnaire.

Directives

Répondez au questionnaire en vous basant sur votre expérience en classe ou au sein d'une organisation dont vous avez déjà été membre. Reportez-vous à l'échelle ci-dessous pour noter (de 1 à 7) chacun des 24 énoncés.

Il s'agit pour moi d'un comportement :

RARE	IRRÉGULIER	OCCASIONNEL	HABITUEL	FRÉQUENT	PRESQUE CONSTANT	CONSTANT
1	2	3	4	5	6	7

_____ **1.** Je suis disponible lorsque quelqu'un veut me parler.

_____ **2.** J'établis clairement l'objectif général de chacune de mes communications écrites.

_____ **3.** Je me procure systématiquement l'information pertinente afin de l'incorporer à mes communications écrites.

_____ **4.** Je trie et j'organise l'information devant faire partie d'un texte que je rédige (autrement dit, je la structure selon le sujet, la source, le problème à l'étude ou l'ordre chronologique).

_____ **5.** J'établis (par écrit) la structure des textes que j'ai à rédiger.

_____ **6.** Je me renseigne sur les antécédents, les attentes et l'expérience du ou des destinataires de chacune de mes communications écrites.

_____ **7.** Je tiens compte du point de vue probable du destinataire.

_____ **8.** Je tiens compte des connaissances du destinataire.

_____ **9.** Je reconnais les besoins du destinataire et sais qu'ils auront une influence sur l'accueil qu'il réservera à mes communications écrites.

_____ **10.** Je sais comment adapter mes communications écrites pour qu'elles répondent aux besoins du destinataire ou pour qu'elles soient favorablement accueillies par celui-ci.

_____ **11.** Je choisis les termes qui expriment clairement ce que je veux dire.

_____ **12.** J'examine les divers sens des termes que j'utilise.

_____ **13.** Je tiens compte du fait que les mots véhiculent souvent un message caché, et je m'assure que ce message est bien celui que je désire transmettre.

_____ **14.** Je cherche à obtenir une rétroaction du destinataire pour vérifier que mon message a été bien compris.

_____ **15.** J'évite d'employer des termes que le destinataire pourrait ne pas connaître.

_____ **16.** J'utilise des substantifs concrets plutôt qu'abstraits dans mes communications écrites.

_____ **17.** Je choisis toujours le pronom approprié, suivant le genre et le nombre du nom qu'il représente.

_____ **18.** Je prends soin d'éviter les superlatifs et les termes tendancieux lorsqu'il est important que je demeure objectif.

_____ **19.** J'évite les répétitions inutiles dans mes communications écrites.

_____ **20.** J'évite d'utiliser un jargon technique.

_____ **21.** Je n'exprime qu'une seule idée principale dans chaque phrase.

_____ **22.** Je construis chaque paragraphe de sorte que les idées et l'information qu'il contient s'articulent autour d'un seul grand thème, présenté dans la première phrase.

_____ **23.** J'utilise certains mots ou certaines phrases pour assurer la transition d'un paragraphe à l'autre.

_____ **24.** Je structure mes communications écrites au moyen d'un plan ou de sous-titres.

L'évalution de vos résultats

Le tableau ci-après vous permettra d'obtenir une vue d'ensemble de vos résultats. Il vous aidera à reconnaître vos points forts et à déterminer ce qu'il vous faut améliorer.

1. Additionnez les nombres que vous avez indiqués devant chacun des énoncés ; vous obtiendrez cinq résultats, soit un par aptitude.

2. Faites le total des cinq résultats obtenus et inscrivez-le dans la case appropriée.

3. Comparez vos résultats, pour l'ensemble de ces aptitudes et pour chacune d'entre elles, à ceux des autres membres de votre équipe ou de votre groupe. Si votre professeur ou animateur établit une moyenne de groupe, servez-vous-en pour comparer vos propres résultats.

4. Discutez avec les autres membres de votre groupe, ou avec des compagnons de classe, de vos forces et de vos faiblesses respectives en communication écrite.

5. Examinez avec eux divers moyens d'améliorer vos aptitudes les plus faibles par rapport à celles du groupe ou de la classe.

Aptitude	Énoncés	Évaluation - Résultat
Établir les objectifs et organiser l'information requise	1, 2, 3, 4, 5	
Tenir compte du destinataire	6, 7, 8, 9, 10	
Choisir ses termes avec soin	11, 12, 13, 14, 15	
Utiliser la forme appropriée des mots	16, 17, 18, 19, 20	
Structurer sa communication écrite	21, 22, 23, 24	
Résultat total		

Note : Attendez d'avoir rempli le questionnaire avant de lire les indications fournies à la page suivante !

Indications à lire après l'évaluation

Si vous désirez améliorer vos compétences en communication écrite, assurez-vous d'accorder une attention particulière aux éléments suivants.

A. Avant la rédaction du texte :

- Établissez les objectifs et organisez l'information requise. Au cours de cette étape initiale, il convient de définir clairement l'objectif général et les objectifs particuliers de votre message. Vous devriez également rassembler l'information pertinente et déterminer l'ordre de présentation de vos idées ;
- Tenez compte du destinataire. Assurez-vous de prendre en compte les antécédents, les attentes, le point de vue, les connaissances et les besoins du ou des destinataires de votre message.

B. Lors de la rédaction du texte :

- Choisissez vos termes avec soin. Il importe de choisir les termes qui expriment clairement ce que vous voulez dire. Vous devez aussi vous assurer que tout terme de jargon est compris par le destinataire, d'où la nécessité de susciter une rétroaction ;
- Utilisez la forme appropriée des mots. Employez des substantifs concrets, choisissez les pronoms appropriés et évitez les superlatifs ainsi que les répétitions ;
- Structurez la communication écrite. Il convient de présenter vos idées d'une manière conforme aux principes régissant la construction des phrases et des paragraphes. Faites des transitions et un plan. Après avoir rédigé votre message, relisez-le et modifiez-le au besoin.

Source : Traduit de P. M. Fandt (1994).

Une rumeur court !

Denis Morin est professeur agrégé en gestion des ressources humaines à l'École des sciences de la gestion à l'Université du Québec à Montréal. Il est également affilié au programme Psychologie industrielle/organisationnelle du département de psychologie de l'UQAM. Après l'obtention de son doctorat en relations industrielles, à l'Université Laval, le professeur Morin a réalisé un stage postdoctoral en psychologie industrielle/ organisationnelle à l'Université du Colorado. Il est spécialisé dans les domaines de la psychométrie, des statistiques et de l'évaluation du personnel. Ses champs de recherche sont la sélection du personnel, la gestion du rendement, l'intelligence émotionnelle et l'estime de soi en milieu de travail.

Josée Vallerand a été mutée dans un autre service administratif suite au règlement d'un problème de harcèlement amoureux causé par son ancien superviseur, Marc Beaupré. Comme ces deux personnes conservent leur emploi dans l'organisation, il a été jugé préférable de déplacer Josée dans un autre secteur administratif, afin qu'elle n'ait plus de contact avec Marc Beaupré. La direction de l'entreprise a accepté cette solution et facilité une rapide réaffectation. Dès le règlement du conflit, Josée est transférée dans un autre département.

Dans les deux unités concernées, on a eu vent de cette situation conflictuelle.

Josée est une employée réservée, consciencieuse et responsable. Elle est appréciée de ses collègues de travail. Sa nouvelle superviseure, Line Paradis, est heureuse d'avoir Josée dans son département. Josée est un peu lente dans l'apprentissage de ses nouvelles fonctions, mais Line est prête à lui offrir tout le support nécessaire pour lui permettre d'accroître la qualité de sa prestation au travail. Toutefois, après deux mois dans ses nouvelles fonctions, Josée présente toujours des problèmes de productivité et son rendement, au lieu de s'améliorer, semble même diminuer.

Line est préoccupée par cette situation. Elle décide tout de même d'allonger la période d'adaptation de Josée avant d'intervenir et de discuter avec elle des problèmes de rendement. « Quelle peut-être la cause de cette faible prestation ? » se demande la superviseure.

Line prend le repas du midi avec une autre superviseure de l'organisation, Sylvie Rémillard. Les deux femmes, selon la coutume, se gardent de discuter des problèmes de travail. Néanmoins, à la fin de ce repas, Sylvie demande à Line :

« N'as-tu pas, dans ton département, une ancienne employée de Marc Beaupré ?

– Oui, effectivement, répond Line. Qu'est-ce qu'elle a de particulier ?

– Bien, j'ai entendu dire que Marc Beaupré a mis une employée enceinte et que Josée a pris un congé de deux semaines juste avant le règlement du conflit entre elle et Beaupré. Y aurait-il eu plus que du harcèlement amoureux ?

– J'ai de la difficulté à croire ce que tu avances, Sylvie. Merci tout de même pour cette information. »

Josée est une personne sensible. Line pense que si Josée a entendu ce qui se dit sur elle, cela pourrait peut-être expliquer son rendement insatisfaisant.

Après le dîner, Line va rencontrer Josée. Elle lui dit :

« Je constate, Josée, que ton apprentissage dans tes nouvelles fonctions se fait lentement et je remarque surtout que, depuis quelque temps, ton rendement diminue. Je suis prête à allonger ta période d'apprentissage. Je sais par ailleurs que tu es une employée consciencieuse. Je cherche donc à comprendre ce qui se passe, pour qu'ensemble on puisse améliorer la situation. De plus, ce midi, j'ai entendu une rumeur sur ton compte et j'aimerais savoir si tu as eu connaissance de ce fait.

– Oui, enchaîne Josée, je sais que des histoires circulent sur mon compte. Laquelle des versions as-tu entendue ? Il semble qu'il y en ait plusieurs. Certains mentionnent que je suis enceinte, d'autres disent que j'ai eu un avortement. Il y a d'autres histoires qui s'inventent au jour le jour.

– Ce que j'ai entendu n'a pas d'importance, Josée. Ce qui me préoccupe, c'est si et comment cela t'affecte personnellement.

– Je suis nerveuse et tendue, répond Josée. Dès que je vois deux personnes parler ensemble, j'ai l'impression qu'elles parlent de moi dans mon dos. Il me semble que les gens me regardent avec un drôle d'air. Il est évident que tout le monde accorde crédit aux rumeurs et chacun en ajoute un peu plus tous les jours. J'ai de la difficulté à me concentrer. Je dors très mal la nuit. Le pire, c'est que les faits rapportés sont totalement faux.

Voici la réalité. Avant le règlement du conflit, j'ai pris un congé de deux semaines pour m'éloigner de

Beaupré. La situation devenait invivable, surtout depuis que j'avais porté plainte. Ce que j'ai fait durant ces deux semaines semble être une préoccupation pour chaque employé, mais cela ne concerne personne à part moi. J'aimerais que les gens me laissent tranquille et qu'on cesse de colporter toutes sortes de faussetés à mon sujet. Je ne sais vraiment plus quoi faire avec ça.

– Écoute, dit Line, prends l'après-midi de congé et essaie de relaxer un peu. De mon côté, je vais réfléchir à la meilleure façon de régler la situation.»

Après le départ de Josée, Line tente de déterminer quoi faire pour mettre fin aux rumeurs. Elle explore quelques pistes. On peut laisser aller les rumeurs jusqu'au moment où les employés n'en parleront plus ; cela risque de prendre beaucoup de temps et Line ne croit pas que Josée sera capable de subir longtemps cette pression. Il est possible de rencontrer Beaupré et de discuter avec lui, mais cela ramènera toute l'affaire à la surface. Si on donne un congé supplémentaire à Josée, on ne fera qu'alimenter les rumeurs. On peut penser faire une annonce générale, mais cela accorderait crédit aux rumeurs et mettrait la situation au grand jour, même dans les départements moins concernés par ce conflit.

Au moment de quitter le bureau, à la fin de la journée, Line demeure indécise sur la façon de procéder.

Questions

1. Que peut faire Line pour éliminer les rumeurs qui circulent ?

2. Comment Line peut-elle aider Josée à composer avec la situation ?

3. S'il y a lieu, que peut-on faire avec Marc Beaupré ?

Adler, N.J. (1992). *International Dimensions of Organizational Behavior,* 2ᵉ éd., Belmont (Calif.), Wadsworth, p. 66.

Alessandra, A. (1987). « Administrateurs, êtes-vous de bons auditeurs ? », *Le Maître imprimeur,* vol. 51, nº 5, p. 12-14.

Argyle, M. (1982). *Inter-cultural Communication.* Dans S. Bochner (dir.), *Cultures in contact : Studies in cross-cultural interaction,* Oxford, Permagon Press.

Auerbach, A.J. et Dolan, S.L. (1997). *Fundamentals in Organizational Behaviour : The Canadian Context,* Scarborough, ITP Nelson.

Baltes, B., Dickson, M.W., Sherman, M.P., Bauer, C.C. et LaGanke, J.S. (2002). « Computer-mediated communication ad group decision making : A meta-analysis », *Organizational Behavior and Human Decision Processes,* vol. 87, p. 156-179.

Caldwell, D.F. et Moberg, D.J. (1988). *Interactive Cases in Organizational Behavior,* Glenview (Ill.), Scott, Foresman and Co.

Chartrand, L. (1985). « La communication avec les employés : plus qu'un journal d'entreprise », *Le Maître imprimeur,* vol. 49, nº 12, p. 22-23.

Daft, R.L. et Lengel, R.H. (1984). « Information richness : A new approach to managerial behavior and organizational design », *Research in Organizational Behavior,* vol. 6, p. 191-233.

Davis, K. (1953). « Management Communication and the Grapevine », *Harvard Business Review,* vol. 3, nº 5, p. 43-49.

Dennis, A.R. et Wixom, B.H. (2001). « Investigating the moderators of the group support systems use with meta-analysis », *Journal of Management Information Systems,* vol. 18, nº 3, p. 235-257.

Deslierres, J.-P. (1986). « Pour la qualité de vie au travail : la communication », *Ressources humaines,* nº 16, p. 24-25.

Difonzo, N., Bordia, P. et Rosnow, R.L. (1994). « Reigning in Rumors », *Organizational Dynamics,* vol. 23, nº 1, p. 47-62.

Dupré, Y. (1988). « La communication interne comme outil de gestion », *Info ressources humaines,* vol. 12, nº 3, p. 20-21.

Ekman, P. et Rosenberg, E. (1997). *What the face reveals,* New York, Oxford University Press.

Fandt, P.M. (1994). *Management Skills : Practice and Experience,* St. Paul (Minn.), West Publishing.

Field, R.H.J. et House, R.J. (1995). *Human Behaviour in Organizations : A Canadian Perspective,* Scarborough, Prentice-Hall Canada Inc.

Foulkes, F. (1980). *Personnel Policies in Large Nonunion Companies,* Englewood Cliffs (N.J.), Prentice-Hall.

Freeland, D.B. (1993). « Turning communication into influence », *HR Magazine,* vol. 38, p. 377-387.

Furnham, A. et Bocher, S. (1986). *Culture shock : Psychological reactions to unfamiliar environments,* London, Methuen, p. 207-208.

Hall, E.T. et Hall, M.R. (1990). *Understanding cultural differences,* Yarmouth (Maine), Intercultural Press.

Haney, W.V. (1967). *Communication and Organizational Behavior,* Homewood (Ill.), Richard D. Irwin.

Jewell, L.N. (1984). *Contemporary Industrial/Organizational Psychology,* St. Paul (Minn.), West Publishing.

Johns, G. et Saks, A.M. (2005). *Organizational Behaviour : Understanding and managing Life at Work,* 6e éd., Toronto, Pearson Education Canada Inc.

Kasper-Fuehrer, E.C. et Askanasy, N.M. (2001). « Communicating trustworthiness and building trust in interorganizational virtual organization », *Journal of Management,* vol. 27, p. 235-354.

Katz, O. et Kahn, R.L. (1978). *The Social Psychology of Organizations,* 2e éd., New York, Wiley.

Koonce, R. (1997). « Language, sex, and power : Women and men in the workplace », *Training & Development,* septembre, p. 34-39.

Lafrance, A.-A. et Lefebvre, C. (1986). « Les moyens de non-communication », *Ressources humaines,* no 13, p. 28-29.

Landis, D. et R.W. Brislin (Eds.), *Handbook for intercultural training,* vol. III, New York, Pergamon.

Lengel, R.H. et Daft, R.L. (1988). « The selection of communication media as an executive skill », *Academy of Management Executive,* août, p. 225-232.

Locker, K.O., Kaczmarek, S.K. et Brown, K. (2005). *Business Communication : Building Critical Skills,* Montréal, McGraw-Hill Ryerson.

Marshall, G. (1999). « The Opportunities of Electronic Commerce », *Agency Sales,* juin.

McGuire, T., Kiesler, S. et Siegel, J. (1987). « Group an computer-mediated discussion effects in risk decision making », *Journal of Personality and Social Psychology,* vol. 52, p. 917-930.

Newman, R.G., Danzinger, M.A. et Cohen, M. (1987). *Communicating in Business Today,* Lexington (Mass.), D.C. Heath.

O'Mahony, S. et Barley, S.R. (1999). « Do digital telecommunications affect work organization ? The state of our knowledge », *Research in Organizational Behavior,* vol. 21, p. 125-161.

Richmond, V.P, McCronsky, J.C. et Payne, S.K. (1990). *Nonverbal behavior in interpersonal relations,* Englewood Cliffs (N.J.), Prentice Hall.

Tannen, D. (1994). *Talking from 9 to 5,* New York, William Morrow.

Tellier, Y. (1986). « Communication et productivité », *Le Maître imprimeur,* vol. 50, no 2, p. 6-10.

Thomson, R., & Murachver, T. (2001). « Predicting gender from electronic discourse », *British Journal of Social Psychology,* vol. 40, p. 193-208.

Werther, W.B., Davis, D. et Lee-Gosselin, H. (1985). *La gestion des ressources humaines,* Montréal, McGraw-Hill.

CHAPITRE 6

La dynamique et la gestion des conflits en milieu de travail

PLAN DU CHAPITRE

Les objectifs d'apprentissage

Dans ce chapitre, le lecteur se familiarisera avec :

■ les différentes dynamiques relationnelles pouvant donner naissance à des conflits dans l'organisation ;

■ les paramètres de la gestion organisationnelle des conflits ainsi que les stratégies pouvant réduire leurs effets négatifs ;

■ la nécessité du conflit dans l'organisation et son rôle en tant qu'agent de changement ;

■ les divers types de conflits en fonction des potentialités à l'œuvre dans l'organisation ;

■ les forces ainsi que les contraintes du milieu de travail dans une perspective de gestion des conflits ;

■ les éléments de gestion permettant d'exploiter les avantages et de limiter les inconvénients des conflits en milieu de travail ;

■ les répercussions, à court et à long terme, des stratégies et des méthodes de gestion des conflits.

La notion de conflit est omniprésente dans la vie quotidienne. Que l'on parle de conflits familiaux, de conflits politiques ou encore de conflits armés, aucune journée ne se passe sans que nous soyons exposés, d'une façon ou d'une autre, à un quelconque conflit. Dans le monde du travail, le conflit est habituellement associé aux phénomènes de **négociation collective**, de **grève** et de **lock-out**. Cependant, les changements structurels de la dernière décennie ont modifié le pouvoir des différentes parties en présence et les **conflits organisationnels** s'expriment maintenant beaucoup plus sur une base individuelle que sur la base collective traditionnelle (Gosselin, 2002). Il en découle que les gestionnaires passent près de 20 % de leur temps à gérer des conflits interpersonnels de diverses natures (McShulskis, 1996). Peu importe son origine ou sa nature, le conflit est une réalité non négligeable du monde organisationnel et sa démystification demeure essentielle à la compréhension des comportements des dirigeants comme des travailleurs. Pour ces raisons, et parce que les gestionnaires doivent avoir des connaissances en matière de **gestion de conflits**, le présent chapitre est entièrement consacré à la dynamique des conflits en milieu de travail. Après avoir défini le concept de conflit, nous nous pencherons sur les différents types de conflits et sur les formes qu'ils peuvent prendre en fonction de la position hiérarchique des protagonistes. Nous ferons ensuite ressortir les sources du conflit et ses conséquences possibles sur le comportement des groupes et des individus. Nous décrirons aussi les différentes réactions des personnes qui font face à une situation conflictuelle et, pour finir, nous exposerons certaines stratégies propres à la gestion constructive des conflits organisationnels.

6.1 Contexte général et définition

Plusieurs disciplines s'intéressent aux tenants et aux aboutissants des conflits, telles la sociologie, la politicologie, l'économie, l'histoire et les relations industrielles. En ce qui nous concerne, c'est davantage la perspective développée par la psychologie qui retiendra notre attention. Faisant fi des querelles et des connivences disciplinaires, nous nous concentrerons sur le conflit en tant que phénomène individuel, c'est-à-dire tel qu'il est vécu par une personne ou un groupe en interaction avec une autre personne ou un groupe dans un environnement particulier. Ne pouvant apparaître en vase clos, sauf dans une logique psychique, le conflit est donc associé à l'intersubjectivité, à une nécessaire rencontre avec l'autre.

Le conflit est un concept difficile à définir. En entreprise, il naît généralement d'une incompatibilité totale ou partielle, réelle ou perçue entre les rôles, les buts, les objectifs, les intentions et les intérêts d'un ou de plusieurs individus, groupes ou services. Selon Dion (1986), la notion de conflit renvoie à d'autres notions telles que la mésentente, la dispute, le différend ou le désaccord.

De leur côté, Foucher et Thomas (1991, p. 89) donnent une définition plus circonscrite de la notion de conflit. Selon eux, le conflit est « un processus

Les formateurs sont formels : peu de programmes ont connu une croissance aussi marquée que ceux sur la gestion de conflits au cours de la dernière décennie.

« Les pressions intenses liées à l'augmentation de la productivité auxquelles sont soumises les organisations expliquent largement que les tensions en milieu de travail ont tendance à se multiplier », dit Jean-Pierre Bégin, directeur du Centre d'entreprises de l'Université de Sherbrooke. « Je pense en particulier aux effets de la rationalisation dans les entreprises, qui constituent une grande source de conflits. »

Plusieurs entreprises sont contraintes d'afficher une performance accrue avec des ressources humaines moindres que par le passé. Cette relative rareté de personnel serait, selon M. Bégin, la principale source de conflits dans les entreprises. « Je pense à la fois aux tensions individuelles qui vont éclater entre travailleurs, mais également aux affrontements de nature organisationnelle qui vont dresser l'un contre l'autre des départements au sein d'une même entreprise », précise-t-il.

Charles Benabou a créé, il y a 13 ans, le premier cours en gestion de conflits à l'École des sciences de la gestion de l'Université du Québec à Montréal (UQAM), où il est professeur. « Le cours est de niveau baccalauréat et s'adresse à des étudiants en gestion des ressources humaines, précise-t-il. Il est encore offert aujourd'hui au baccalauréat et au MBA. »

M. Benabou se rappelle qu'il y a une quinzaine d'années, le thème même du conflit en entreprise faisait peur : « On avait presque honte d'en parler, car les cadres avaient l'impression que c'était seulement dans leur entreprise que ce type de problème existait. Aujourd'hui, au contraire, c'est devenu une formation très en demande, comme toutes celles qui touchent au pouvoir dans les organisations. »

La popularité des programmes sur la gestion des conflits se traduit par une offre de formation diversifiée à l'extrême. Tous les départements d'administration ou de management des institutions universitaires offrent des programmes de formation à ce chapitre tant au baccalauréat qu'à la maîtrise.

Source : Michel De Smet. « La formation en gestion de conflits sort du placard », *Les Affaires,* 14 avril 2001, p. A5.

impliquant des réactions (émotives et cognitives) et des comportements, qui commence lorsqu'une partie perçoit qu'elle a été, selon elle, lésée par une autre partie ou que cette autre partie s'apprête à le faire ».

Les conflits naissent des relations entre les individus. Ils découlent, entre autres, de la diversité des attentes individuelles ou collectives ainsi que des différences entre les intérêts de chacun. De plus, une interdépendance croissante entre les personnes, l'augmentation de la charge de travail et les pressions externes constituent autant de situations propices à l'apparition de conflits. Bref, l'incompatibilité des buts et des moyens, la limitation des ressources, l'urgence des tâches à effectuer à l'intérieur de délais trop brefs apparaissent comme autant d'éléments favorisant l'émergence de conflits.

Les gestionnaires doivent faire preuve de réalisme et accepter l'existence des conflits. Il n'est plus question de tenter par tous les moyens de limiter l'expression de ceux-ci dès qu'on en décèle la présence. Il a été démontré qu'une part importante des activités habituelles des gestionnaires concerne la gestion des conflits. D'ailleurs, il y a toujours une leçon à tirer d'un conflit. Même si ce sont les aspects négatifs d'un conflit qui paraissent souvent en premier lieu, une analyse plus poussée permettra au gestionnaire d'entrevoir ses retombées positives potentielles. En effet, chaque fois qu'un conflit éclate, un certain nombre de phénomènes s'ensuivent. D'abord, ce genre de situation déstabilise les gens dans leur routine quotidienne : le conflit les pousse à agir. Puis, les démarches inhérentes au conflit obligent les parties concernées à créer de nouveaux réseaux de communication. En outre, le conflit oblige à une prise de conscience du rôle, des responsabilités et des problèmes de l'autre partie, ce qui suscite l'empathie. La recherche d'une solution amène également les parties à remettre en question certains aspects de l'entreprise. Enfin, le conflit permet d'assainir le climat de travail par l'élimination des tensions qui enveniment souvent les relations entre les individus durant de longues périodes avant même de se manifester.

Évidemment, ces conséquences positives ne se réalisent pas toujours ; elles dépendent de facteurs tels que les objectifs individuels, le partage des ressources et l'interdépendance des parties. Ce qui importe surtout dans la détermination du résultat, c'est la façon dont le conflit est géré (Pondy, 1992).

6.2 L'origine et la nature des conflits

Dans une organisation, plusieurs éléments peuvent contribuer à l'émergence de conflits. Ainsi, des conflits peuvent surgir à propos des objectifs poursuivis, de l'allocation des ressources, de la distribution des pouvoirs ou de l'attribution des rôles et mettre en scène les différents services de l'organisation, des clients, des fournisseurs, des employés, la direction ou le syndicat (voir la figure 6.1). Parmi les différentes sources de conflits, deux sont particulièrement importantes : l'incompatibilité des objectifs poursuivis par les individus ou les groupes et les attentes relatives aux rôles de chacun.

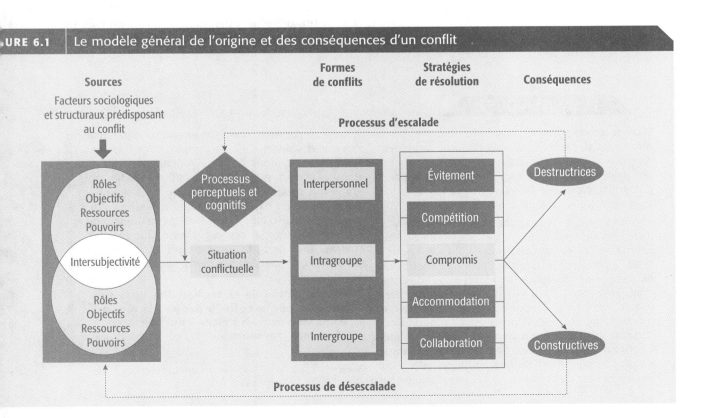

FIGURE 6.1 | Le modèle général de l'origine et des conséquences d'un conflit

L'incompatibilité des objectifs

Il y a incompatibilité des objectifs lorsqu'il n'existe pas d'entente sur les priorités, les échéances à respecter ainsi que sur l'orientation générale des activités des individus ou des groupes. C'est le cas, par exemple, lorsque les priorités du service des ventes ne coïncident pas avec celles du service de la production. Bien entendu, dans les différents services, l'atteinte des objectifs dépend de la disponibilité des ressources humaines, matérielles et temporelles, Comme ces ressources sont en règle générale limitées, elles doivent être partagées et réparties entre les différents services de façon à ce que chacun puisse atteindre les objectifs organisationnels (De Dreu, Harinck et Van Vianen, 1999). Le conflit peut aussi naître d'une incompatibilité entre les objectifs à courte, moyenne et longue échéance, tant du côté de l'organisation que du côté de l'individu.

L'incompatibilité des rôles et des attentes

Un individu peut jouer différents rôles au sein d'une entreprise. Un rôle est un comportement attendu ; il est défini, entre autres, par la **description de tâches** (voir **définition de poste**), le titre du poste occupé et les accords informels. Le rôle détermine les activités dont l'individu est responsable ainsi que la manière dont ces activités doivent être menées. Il est certain que si le rôle attendu n'est pas clairement précisé à l'employé, celui-ci aura tendance à définir lui-même son propre rôle afin de réduire l'ambiguïté de sa situation et ne pas avoir l'impression de travailler sans direction. De plus, si plusieurs employés ne sont pas suffisamment informés de leurs rôles, ils risquent de s'attribuer des responsabilités qui empiètent sur celles d'autres employés, d'adopter des comportements inappropriés et d'émettre des demandes contradictoires (Rocheblave-Spenlé, 1986).

LE SAVIEZ-VOUS ?

Si, chez les animaux, le sens du territoire est purement spatial, chez l'homme il déborde largement de ce cadre pour s'étendre à nos objets, nos idées, nos projets, nos croyances politiques, nos droits et nos goûts. Nous défendons âprement notre territoire en société, en famille ou sur le lieu de travail.

Ainsi retrouvons-nous chaque matin « notre » vestiaire, « notre » bureau, « notre » casier destiné au courrier. À la pause-café, nous utilisons « notre » tasse, apportée de la maison. Et puis il y a « notre » ordinateur, « nos » stylos, « notre » bloc, « nos » dossiers. Pour personnaliser « notre » place, nous l'agrémentons d'une photo de notre cher et tendre aimé, d'une plante verte et d'un gadget à la mode. Tout irait donc pour le mieux dans le meilleur des mondes s'il n'y avait nos collègues. Comme Marie, qui fume tel un pompier et pollue nos poumons. Alain, qui oublie miettes de croissant ou pelures d'orange sur notre bureau. Nina, qui nous emprunte agrafeuse, ciseaux et stylos sans jamais nous les rendre. Sans oublier Denis, dont l'eau de toilette nous file la nausée, Myriam et ses affreuses lithos, Gladys, qui chipe nos meilleures idées et notre sous-chef, qui nous remet à 17 h 50 un dossier à boucler d'urgence. À force d'être agressé en permanence, on finit, tôt ou tard, par devenir agressif. Une réaction mal vue, mais tout à fait normale, puisqu'il faut bien protéger son espace et ses biens, sous peine de se les faire voler.

« Notre notion de la territorialité est très poussée : elle ne se limite pas à un jardin ou à une maison, mais s'étend à nos objets, nos idées, nos croyances. »

Source : Josianne Rigoli, « Touche pas à mon territoire », *Psycho,* n° 23, 2000.

6.2.1 L'exercice du pouvoir dans l'organisation

Ce sont souvent des éléments relatifs à la répartition du pouvoir qui provoquent un épisode conflictuel. La notion de pouvoir prend très souvent une connotation péjorative parce que, lorsqu'on définit le pouvoir comme la capacité d'un individu d'en influencer un autre, on imagine spontanément cet autre individu en état de dépendance — même si cette dépendance n'est que temporaire et partielle. De plus, à la notion de pouvoir, on accole habituellement la notion d'abus de pouvoir, soit l'utilisation du pouvoir à des fins personnelles ayant souvent pour conséquence la détérioration du bien-être physique et psychologique de la personne qui subit indûment ce pouvoir.

Le pouvoir dans l'organisation permet d'influencer un ou plusieurs individus afin de les inciter à poursuivre les objectifs de l'entreprise. Deux principaux éléments ressortent de cette définition du pouvoir : premièrement, le pouvoir dépend étroitement de la capacité de l'individu à influencer un autre individu et, deuxièmement, le pouvoir est tributaire de l'autorité accordée à un individu dans une situation donnée. On peut conclure de ces considérations que le pouvoir s'exerce entre deux individus, entre un individu et un groupe ou entre deux groupes.

French et Raven (1959) ont mis en évidence six types de pouvoir que l'individu peut exercer afin d'influencer ou de persuader les autres : le **pouvoir légitime**, le **pouvoir de récompense**, le **pouvoir de coercition**, le **pouvoir d'expert**, le **pouvoir de référence** ainsi que le **pouvoir d'information**. Cette conception du pouvoir est l'une des plus influentes dans le domaine de la psychologie sociale et industrielle (Podsakoff et Schriesheim, 1995) et a mené plus récemment au développement du modèle pouvoir/interaction de l'influence interpersonnelle (Raven, 1993).

Ces six bases de pouvoir social se divisent en deux grandes familles : les formes de pouvoir formel émanant de l'autorité, puisqu'elles prennent leur source dans les caractéristiques organisationnelles (légitime, récompense, cœrcition), et les formes de pouvoir informel trouvant leur origine dans les caractéristiques individuelles (expert, référence, information).

Le pouvoir légitime

Le pouvoir légitime se définit comme la capacité d'une personne d'en influencer une autre en raison de la position qu'elle occupe au sein de l'entreprise. Ce type de pouvoir est donc très étroitement lié à la position hiérarchique établie par l'organigramme de l'entreprise. Il provient en quelque sorte d'une décision délibérée de donner à une personne le privilège d'influencer des personnes de positions hiérarchiques moins élevées. Dans l'ensemble, ce privilège est respecté dans la mesure où les subalternes en reconnaissent la légitimité. En effet, en acceptant de travailler pour une entreprise, l'employé sait que son rôle et ses tâches seront encadrés par des politiques et des directives et qu'il devra se soumettre, dans une certaine mesure, à une autorité. Par ailleurs, l'employé s'attend, d'une part, à ce que les personnes qui détiennent cette autorité soient clairement identifiées et, d'autre part, à ce que l'étendue de cette autorité soit balisée.

Le pouvoir de récompense

Le pouvoir de récompense est utilisé pour renforcer le pouvoir légitime. Il donne le droit à un individu d'attribuer des récompenses à ceux qui se sont distingués dans l'accomplissement de leurs tâches. Si l'expression de ce pouvoir peut prendre la forme d'un compliment sur le travail bien exécuté, ce n'est toutefois pas de ce type de récompense qu'il tire son importance, car n'importe quel employé a la possibilité de reconnaître ouvertement la qualité du travail d'autrui. Ce pouvoir prend plutôt sa force dans la capacité d'accorder des augmentations de salaire, des promotions ou des ressources supplémentaires. Ainsi, un surintendant qui donne à un contremaître plus de latitude, d'argent, de personnel ou d'équipement pour accomplir une tâche exerce son pouvoir de récompense.

Voici un petit cadeau pour vous souhaiter la bienvenue.

Le pouvoir de coercition

Le troisième type de pouvoir, le pouvoir de coercition, peut aussi appuyer le pouvoir légitime. Certes, les moyens de coercition ont bien changé avec le temps, mais encore de nos jours le pouvoir de coercition réside dans la capacité de pénaliser les employés qui ne respectent pas les directives. Ainsi, un individu qui détient un pouvoir de coercition peut réprimander ou rétrograder un employé, lui refuser une promotion, surveiller de plus près ses activités ou même le congédier. Toutefois, selon certains auteurs, ce type de pouvoir doit être utilisé seulement en dernier recours, parce qu'il a des conséquences néfastes pour l'individu et l'organisation, telles que la frustration, la détérioration du climat de travail et la baisse de motivation.

Le pouvoir d'expert

Le pouvoir d'expert découle d'une caractéristique individuelle qui est liée à l'acquisition de compétences techniques ou scientifiques peu communes ou à la connaissance des processus administratifs acquise par une grande expérience dans une même fonction ou dans une même entreprise. Pensons aux entreprises qui, sous l'effet de la modernisation, ont dû engager un technicien ou un spécialiste de la programmation informatique. Pensons encore, en milieu universitaire, à la technicienne administrative qui a travaillé dans le même département pendant de nombreuses années et sous l'autorité de différents directeurs pour lesquels elle a eu à assurer la transition des processus administratifs. Ces personnes, eu égard à leurs connaissances ou leur expérience, ont la capacité de façonner le comportement d'autrui, si ces derniers acceptent de se laisser influencer en fonction de la qualité des conseils ou des recommandations qui leur seront formulés.

Le pouvoir de référence

Le pouvoir de référence repose sur les caractéristiques d'une personne qui incite les autres à vouloir imiter ses comportements. En d'autres termes, les personnes acceptent de subir son influence, car elles l'idéalisent et l'estiment. Les personnes qui détiennent ce type de pouvoir peuvent, par exemple, inciter les gens à changer leur façon de s'habiller, de s'exprimer ou de se comporter. Pensons aux personnes qui ont du charisme ou aux célébrités : parce qu'elles sont idéalisées, elles peuvent influencer le comportement des gens. Donc là aussi, il s'agit d'un pouvoir fondé sur des caractéristiques personnelles ; ce pouvoir est l'apanage de personnes qui sont aimées en raison de leur personnalité, de leur façon de penser ou de leur manière de se comporter. D'ailleurs, n'importe qui dans l'entreprise peut acquérir ce pouvoir, et ce, indépendamment de sa position hiérarchique. Ainsi, toute personne qui est respectée, estimée, admirée possédera un certain pouvoir de référence.

Le pouvoir d'information

Le pouvoir d'information est lié à la capacité d'un individu d'accéder à de l'information particulière et privilégiée. Autrement dit, une personne qui a accès à l'information dont les autres ont besoin détient un pouvoir d'information. Ce pouvoir se distingue du pouvoir d'expert en ce sens qu'il ne renvoie aucunement à des connaissances liées à un savoir-faire, comme ce serait le cas pour un analyste-programmeur ou un spécialiste en psychologie du travail. Pensons plutôt à la secrétaire qui filtre les appels destinés à sa directrice et qui, dans un cas précis, empêcherait une candidate à un poste de savoir où en est l'étude d'une demande d'emploi. Il s'agit donc là d'un pouvoir individuel habituellement de nature éphémère.

6.2.2 Les stratégies d'acquisition du pouvoir

En plus du pouvoir accordé par l'organisation, il est possible pour un individu ou un groupe d'acquérir un certain degré de pouvoir en usant de diverses **stratégies**. Nous en avons retenu trois : le contrat, l'**absorption** et la **coalition**. Ces stratégies amènent deux ou plusieurs parties à conclure des ententes stratégiques afin de diminuer les incertitudes engendrées par les activités de l'une ou de l'autre des parties et ainsi de bonifier leurs pouvoirs par la mise en commun de leurs ressources respectives.

Le contrat

Le contrat est le résultat de la négociation d'une entente entre deux ou plusieurs parties, qui couvre une période généralement déterminée. L'exemple le plus courant d'un contrat est la convention collective, qui régit les rapports entre l'employeur et le syndicat. Cette forme de stratégie réduit les incertitudes de chacune des parties concernant les conduites de l'autre groupe. En effet, s'il n'y a pas de contrat clairement établi, les employés se demandent s'ils auront un salaire convenable et si leur emploi est assuré pour quelques années, alors que l'employeur se demande si les employés fourniront les efforts qui lui permettront d'atteindre les objectifs organisationnels. Lors de la négociation d'un contrat, toutes ces incertitudes sont discutées par les deux parties cherchant une solution qui leur convient mutuellement. Lorsqu'une entente est conclue, on la ratifie généralement pour une période déterminée. Le contrat constitue donc une stratégie qui permet aux deux parties d'acquérir une certaine forme de pouvoir en réduisant les incertitudes — entente négociée — et en stabilisant leur relation — entente signée pour une période déterminée.

L'absorption

L'absorption consiste à l'assimilation d'un groupe par un autre afin de réduire les incertitudes créées par le premier. Cette stratégie est adoptée, par exemple, lorsque deux entreprises ont des objectifs différents mais complémentaires : la plus grande des deux entreprises réduit ses incertitudes en acquérant la plus petite. Du même coup, la grande entreprise acquiert du pouvoir, contrôle les activités de l'entreprise absorbée et devient plus forte pour affronter la concurrence du marché. L'exemple courant d'une absorption est celui d'une entreprise manufacturière qui assimile l'entreprise distribuant ses produits. Le principal risque d'une telle stratégie est de ne pas réussir à bien intégrer les employés de l'entreprise qui est absorbée, lesquels en viendront à opposer une résistance nuisible à l'atteinte des objectifs organisationnels.

La coalition

La coalition consiste, entre autres, à former des alliances permanentes ou occasionnelles afin d'augmenter son rapport de force. Généralement, cette union est une avenue intéressante lorsque le contrat et l'absorption s'avèrent impossibles ou indésirables. Par exemple, il arrive fréquemment que certaines centrales syndicales fassent front commun afin d'affronter l'État lors de négociations collectives dans le secteur public. Cette coali-

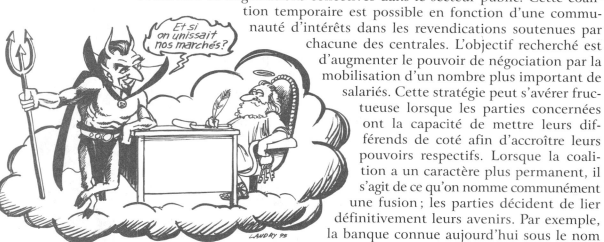

tion temporaire est possible en fonction d'une communauté d'intérêts dans les revendications soutenues par chacune des centrales. L'objectif recherché est d'augmenter le pouvoir de négociation par la mobilisation d'un nombre plus important de salariés. Cette stratégie peut s'avérer fructueuse lorsque les parties concernées ont la capacité de mettre leurs différends de coté afin d'accroître leurs pouvoirs respectifs. Lorsque la coalition a un caractère plus permanent, il s'agit de ce qu'on nomme communément une fusion ; les parties décident de lier définitivement leurs avenirs. Par exemple, la banque connue aujourd'hui sous le nom de TD Canada Trust est le résultat de la fusion du Groupe financier Banque Toronto Dominion et de Canada Trust ; ces entreprises ont décidé, en 2000, d'unir leurs ressources afin de mieux concurrencer les autres organisations dans le secteur bancaire.

6.2.3 Les divers types de conflits

Les conflits, dont les causes sont multiples, prennent plusieurs formes selon les protagonistes qui y sont associés. Les principaux sont les conflits intra-personnels, interpersonnels, intragroupes et intergroupes (voir la figure 6.2).

Le conflit intrapersonnel

Le **conflit intrapersonnel** résulte de la présence, chez un individu, de moti-vations, désirs, sentiments ou exigences contradictoires. Généralement, ce type de conflit suppose que l'individu fait face à une certaine ambivalence ou à une certaine dissonance cognitive. Par exemple, une personne risque de vivre un conflit intrapersonnel si elle doit choisir entre un emploi bien rémunéré dans une entreprise qui a peu de prestige et un emploi moins bien rémunéré dans une organisation reconnue. Ce type de conflit se pro-duit également lorsqu'un individu doit choisir, à l'intérieur d'une entreprise, entre un poste qui élève sa position hiérarchique, son pouvoir, son prestige et son salaire, mais dont les tâches sont de moindre intérêt, et un poste de professionnel aux tâches très intéressantes, mais aux pos-sibilités d'avancement plus limitées. Ce type de conflit n'implique aucune

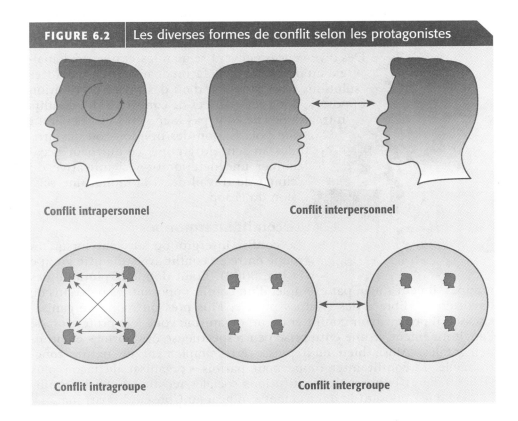

| FIGURE 6.2 | Les diverses formes de conflit selon les protagonistes |

Conflit intrapersonnel

Conflit interpersonnel

Conflit intragroupe

Conflit intergroupe

interaction avec autrui et n'est donc habituellement pas une situation sur laquelle les gestionnaires peuvent agir directement.

Le conflit interpersonnel

Un **conflit interpersonnel** (ou intersubjectif) survient lorsque deux individus vivent une mésentente au sujet des buts à poursuivre, des moyens à prendre, des valeurs, des attitudes ou des comportements à adopter. On a tous vécu des situations où on devait entrer en relation avec une personne qui, à première vue, nous paraissait antipathique. Dans d'autres cas, l'animosité se développe progressivement au fil des interactions et peut générer un conflit. Prenons le cas de deux collègues de travail. Le premier n'aime pas la manière de se vêtir, de s'exprimer ou de se comporter du second. Il n'aime pas non plus sa façon particulière d'outrepasser les règles implicites de travail et de ne pas respecter les niveaux hiérarchiques. Bref, le premier n'apprécie pas beaucoup le second. En contrepartie, le second trouve le premier beaucoup trop respectueux des règles établies et beaucoup trop consciencieux. Il considère qu'il perd son temps sur des détails insignifiants et qu'il freine l'enthousiasme des personnes qui le côtoient. En somme, le second n'aime pas non plus le premier et en plusieurs occasions, leur antipathie respective s'est ouvertement exprimée sous forme de conflit. En fait, la propension au conflit sera plus grande en présence de personnes que nous estimons très différentes de nous, et plus faible lorsqu'on estime qu'elles possèdent des cartactéristiques similaires aux nôtres.

Le conflit intragroupe

Le **conflit intragroupe** ressemble, à bien des égards, au conflit interpersonnel. La principale différence est que la mésentente touche plusieurs personnes d'un même groupe plutôt que deux individus isolés. Des divergences peuvent se manifester quant à l'analyse d'un problème ou la façon de mettre en œuvre les solutions pour le régler, d'où des prises de position opposées, donc génératrices de conflits. Si les conflits intragroupes ne sont pas bien gérés, ils mèneront à une polarisation des opinions ou des attitudes au sein du groupe, ce qui peut occasionner une détérioration significative du climat de travail ou, à la limite, une scission du groupe.

Le conflit intergroupe

Le **conflit intergroupe** survient lorsqu'un groupe entre en conflit avec un autre groupe (Fisher, 2000). Étant donné la pluralité des groupes, il peut s'agir, par exemple, d'un conflit opposant les partisans de l'avortement libre à des groupes pro-vie. Plus près du monde organisationnel, il peut y avoir conflit entre un organisme voué à la protection de l'environnement et une entreprise peu respectueuse des normes environnementales. Ainsi, bien qu'il puisse être simplement de nature fonctionnelle, le conflit intergroupe peut parfois s'organiser de façon plus structurelle et opposer des institutions sociales reconnues, tel le conflit idéologique opposant le mouvement syndical au Conseil du patronat.

6.2.4 Les conflits et la position hiérarchique

Si l'on prend en considération la position hiérarchique des protagonistes des conflits dans l'organisation, on peut distinguer trois formes de conflits : le **conflit vertical**, le **conflit horizontal** et le **conflit entre cadres hiérarchiques et cadres-conseils**.

Le conflit vertical

Le conflit vertical concerne les mésententes ou les différends susceptibles d'opposer les individus ou les groupes appartenant à différents niveaux hiérarchiques dans une entreprise. Plusieurs causes sous-tendent ce type de conflit. Un conflit peut survenir entre les subordonnés et leurs supérieurs lorsque, par exemple, ces derniers exercent un contrôle excessif sur les activités des employés. Les subordonnés considèrent généralement que ce type de contrôle lèse leur liberté personnelle, ce qui les amène à réagir. Il est également possible qu'un conflit vertical surgisse à la suite d'une mauvaise communication ou d'une certaine incompatibilité de buts, d'idées

En 1990, Hydro-Québec s'engageait dans la gestion intégrale de la qualité. Elle avait compris que, pour améliorer sa performance et mieux servir ses clients, elle devait modifier en profondeur à la fois son mode de gestion et ses valeurs. Il importait également d'appliquer cette nouvelle façon de fonctionner à tous les aspects de l'entreprise, y compris aux rapports que celle-ci entretient avec les syndicats qui représentent ses employés.

Cette préoccupation était d'autant plus justifiée que l'entreprise avait vécu, en 1989 et en 1990, un long et difficile conflit de travail que personne ne souhaitait voir se répéter. C'est pourquoi, dès 1992, Hydro-Québec proposait à ses syndicats d'abandonner la méthode de négociation appliquée depuis 25 ans. Celle-ci reposait essentiellement sur un rapport de force. Chacune des parties poursuivait des objectifs qu'elle ne faisait pas toujours connaître au préalable à la « partie adverse ». Chacune cherchait à les atteindre en se servant avec raffinement de son pouvoir et en ayant souvent recours à la confrontation.

Pour résoudre les conflits de travail, il n'y avait donc que deux moyens : le compromis plus ou moins satisfaisant ou la proclamation d'un vainqueur et d'un vaincu. Les conventions collectives qui en résultaient étaient presque toujours porteuses de mésententes. Des intérêts légitimes se trouvaient parfois sacrifiés. Enfin, une fois le conflit terminé, les gestionnaires et les employés devaient ensuite, malgré leur grande insatisfaction, tenter de travailler ensemble au succès de leur entreprise.

C'est dans ce contexte qu'Hydro-Québec et ses syndicats membres du SCFP (17 000 employés sur 27 000) ont reconnu la nécessité d'établir un dialogue afin de changer les relations du travail. Le but recherché : instaurer un mode de décision démocratique dans lequel les deux parties ressortent gagnantes.

La nouvelle approche s'inspire des principes de la gestion intégrale de la qualité. Elle vise à résoudre les problèmes des parties tout en respectant au maximum leurs intérêts. À l'aide de techniques et d'outils simples, les parties en présence sont amenées à faire part de leurs intérêts respectifs et à identifier ceux qu'elles ont en commun. Ensuite, elles discutent des solutions qui pourraient satisfaire ces intérêts et elles choisissent celles qui feront l'objet d'une entente qui sera appliquée pour le plus grand bien des parties et des clients de l'entreprise (qualité et coûts des services).

Source : Jean-Marie Gonthier, vice-président exécutif – qualité et développement organisationnel, Hydro-Québec.

ou de croyances entre les membres qui occupent des niveaux hiérarchiques différents. C'est le cas du gestionnaire qui, tout en représentant les intérêts de l'entreprise à laquelle il s'identifie, demande à ses employés d'agir d'une manière qui va à l'encontre de leurs valeurs fondamentales. En voici un exemple : le directeur d'une succursale bancaire demande à ses caissiers d'augmenter les ventes de certains produits financiers en sollicitant régulièrement les clients, alors que les caissiers ne croient pas que ces produits représentent un bon investissement pour leurs clients.

Le conflit horizontal

Le conflit horizontal survient entre des employés ou des groupes d'une même strate hiérarchique. Ce type de conflit est l'un des plus fréquemment rencontrés dans les organisations. On est en présence d'un conflit horizontal lorsque deux collègues vivent, par exemple, une mésentente quant à la façon d'effectuer le travail, leur rôle respectif dans l'équipe de travail ou encore la nature de la collaboration qu'ils doivent entretenir. Bien qu'ils ne soient pas directement concernés dans l'épisode conflictuel, les gestionnaires se doivent néanmoins d'intervenir afin de résoudre les difficultés vécues entre collègues. En l'absence d'une saine gestion des conflits horizontaux, ces derniers peuvent dégénérer et donner naissance à des comportements et des attitudes vexatoires pouvant conduire au harcèlement psychologique. Le conflit horizontal peut aussi survenir entre des groupes de l'entreprise, plus particulièrement entre les divers services d'une organisation. Par exemple, ce type de conflit peut surgir lorsque le service des ventes, dont le personnel extrêmement compétent est rémunéré à la commission, atteint un volume de ventes qui dépasse les capacités du service de production, ou encore quand le service du contrôle de la qualité empêche, par ses demandes d'ajustement, le service de production d'atteindre certains standards de rendement.

Le conflit entre cadres hiérarchiques et cadres-conseils

Les acteurs de ce type de conflit n'ont généralement pas de lien hiérarchique. Les conflits découlent souvent des caractéristiques mêmes de chaque groupe (voir le tableau 6.1). En fait, c'est la fonction particulière de ces deux catégories de cadres qui alimente les conflits. Les cadres-conseils, même s'ils possèdent de grandes compétences dans leur domaine d'expertise, n'ont qu'un pouvoir de recommandation, ce qui suscite parfois des

TABLEAU 6.1	Les caractéristiques des cadres hiérarchiques et des cadres-conseils	
Caractéristiques	**Cadre hiérarchique**	**Cadre-conseil**
Scolarité	Faible ou moyenne	Élevée
Nombre de subalternes	Plusieurs	Aucun ou très peu
Autorité	Élevée	Faible ou moyenne
Ancienneté	Élevée	Faible ou moyenne
Nature des décisions	Stratégies à long terme	Stratégies à court terme

difficultés d'interprétation dans la répartition des pouvoirs et des responsabilités. Le pouvoir décisionnel, donc le pouvoir formel, est détenu par les cadres hiérarchiques qui possèdent moins de compétences spécifiques que les cadres-conseils, mais qui ont la responsabilité du bon fonctionnement d'une unité administrative. Prenons l'exemple d'un directeur des ressources humaines (cadre-conseil) qui met au service du directeur des finances (cadre hiérarchique) tout son savoir-faire et toutes ses connaissances afin de faciliter la sélection d'un adjoint administratif qui correspondra le mieux possible au **profil du poste.** À la suite du processus de sélection, le directeur des ressources humaines recommande la candidature qui répond le mieux aux critères et **exigences du poste** à combler. Toutefois, sa recommandation est celle d'un conseiller, et le directeur des finances peut utiliser son pouvoir décisionnel afin de choisir le candidat qui lui convient le mieux. Cette dernière solution peut naturellement offenser le directeur des ressources humaines, qui peut interpréter cette décision comme une non-reconnaissance de ses compétences et de sa fonction dans l'organisation.

6.3 **La gestion des conflits**

Afin de choisir la stratégie de résolution de conflits la plus appropriée, le gestionnaire doit examiner l'efficacité relative de chacune des stratégies disponibles en fonction de la situation particulière et des caractéristiques propres aux personnes concernées. Entre autres, une analyse de l'évolution du conflit sera nécessaire afin d'estimer la profondeur et l'étendue de ce dernier. Les stratégies n'auront pas la même efficacité à chacune des étapes d'un conflit. On n'interviendra pas de la même façon sur un conflit en émergence et sur un conflit qui présente déjà des positions consolidées. Pour résoudre un conflit, un gestionnaire peut décider de combiner plusieurs stratégies ou d'en adopter une seule. La stratégie choisie est souvent garante de l'issue du conflit, qui pourra être constructive si la stratégie choisie est appropriée, ou destructrice, dans le cas contraire. La figure 6.3 illustre les issues possibles d'un conflit.

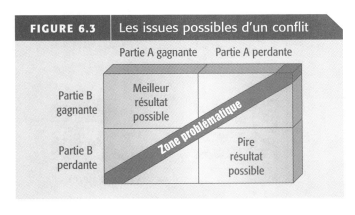

FIGURE 6.3 | Les issues possibles d'un conflit

Partie A gagnante   Partie A perdante

Partie B gagnante — Meilleur résultat possible

Zone problématique

Partie B perdante — Pire résultat possible

Certes, le dénouement idéal est celui où les deux parties sortent gagnantes et satisfaites du résultat. Une telle issue fait qu'un certain nombre de modifications sont apportées à la vie organisationnelle et que celle-ci devient plus riche et plus productive. Parmi ces modifications, citons l'amélioration des communications. Par ailleurs, les individus tendront ultérieurement à considérer le conflit comme un outil favorisant la créativité et l'innovation. De plus, les relations entre les membres gagneront en sincérité et en profondeur par un accroissement de l'intersubjectivité. Dans le cas de l'issue gagnant-perdant, une des parties obtient satisfaction et l'autre se trouve dans le camp des perdants. Cette situation est propre à engendrer de la morosité et une méfiance qui viendra freiner la résolution des conflits futurs.

Pour ce qui est de l'issue perdant-perdant, chaque partie l'emporte sur certains points, mais dans l'ensemble du règlement, les deux parties sont perdantes. Cette issue est la pire parce qu'elle entraîne le *statu quo*, donc l'inertie de l'organisation dans ses efforts d'adaptation aux changements que lui impose l'environnement.

Naturellement, les réactions face au conflit dépendent étroitement de l'attitude et de la perception des gestionnaires. Ainsi, l'expérience et les valeurs d'une personne peuvent l'amener à adopter une attitude particulière : celle qui adopte une attitude pessimiste aura tendance à vouloir éviter le conflit en raison des conséquences néfastes qu'elle prévoit ou encore à tenter de trouver des solutions qui ne conviennent qu'à l'une des parties ; la personne qui adopte une attitude optimiste est, quant à elle, portée à affronter le conflit. En somme, les gestionnaires ne réagissent pas tous de la même façon et les modes d'intervention en matière de conflit sont parfois davantage tributaires des caractéristiques personnelles du gestionnaire que d'une réelle analyse des situations.

6.3.1 Les stratégies génériques

Après ce survol des issues possibles du conflit et des réactions des gestionnaires à son égard, examinons maintenant les stratégies de résolution proprement dites. Comme l'ont formulé Thomas et Kilmann (1974), cinq stratégies peuvent être utilisées pour dénouer un conflit. Le choix du mode d'intervention en situation conflictuelle dépend de l'importance que l'on accorde à ses propres intérêts (égoïsme/affirmatif) et aux intérêts de l'autre (altruisme/coopératif). Ainsi, selon leur positionnement respectif sur chacun de ces axes, les personnes favoriseront une stratégie particulière de résolution des conflits. La figure 6.4 représente graphiquement le positionnement de ces stratégies et le tableau 6.2 résume les grandes caractéristiques de ces stratégies ainsi que leurs conditions d'utilisation.

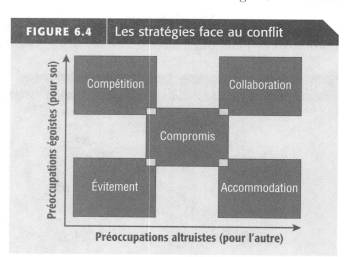

FIGURE 6.4 | Les stratégies face au conflit

Préoccupations égoïstes (pour soi)

Compétition — Collaboration — Compromis — Évitement — Accommodation

Préoccupations altruistes (pour l'autre)

L'évitement

La stratégie d'**évitement** est caractérisée par le refus catégorique de discuter de la situation problématique ou encore par un certain attentisme. Ainsi, les personnes qui adoptent cette stratégie préfèrent ne pas s'engager dans la résolution du problème, et ce, même si elles sont conscientes que cette attitude ne résout pas le conflit. Il arrive que certains conflits engendrent peu de conséquences ou que les personnes concernées par le conflit considèrent que le dénouement du conflit n'aura pas assez de retombées positives pour y investir de l'énergie. Dans ces circonstances, il peut être préférable de ne pas tenir compte du conflit. Toutefois, il ne faut pas oublier que cette stratégie débouche souvent sur une situation où les deux

TABLEAU 6.2 — Les tenants et les aboutissants des diverses stratégies

Stratégie	Enjeux dominants	Démarche dominante	Conditions
Autocratie Autorité Domination Force	• Satisfaction des intérêts personnels • Gagner ; dominer	• Compétition • Pouvoir	• Urgence • Décisions impopulaires nécessaires • Vital pour l'employé ou l'entreprise • Se protéger des profiteurs
Évitement Retrait Laisser-faire	• Évitement des situations conflictuelles	• Fuite ; retrait • Le silence est d'or	• Quand l'enjeu est sans importance • Quand les chances de gagner sont nulles • Quand les risques sont trop grands • Temporiser ; gagner de l'information • Quand d'autres peuvent mieux résoudre le problème
Conciliation Accommodation Apaisement	• Relation avec l'autre • Harmonie	• Évitement des divergences • Accent sur les convergences	• Quand on se rend compte qu'on n'a pas raison • Quand l'enjeu est beaucoup plus important pour l'autre • Pour se donner du crédit • Quand l'autre est plus fort • Quand l'harmonie est très importante
Compromis Négociation	• Terrain d'entente • Juste milieu • Satisfaction partielle des intérêts personnels	• Négociation	• Quand les buts sont modérément importants, incompatibles • Quand les parties ont un pouvoir similaire • Solutions temporaires ou urgentes • Quand la collaboration ne marche pas • Quand la force ne marche pas
Démocratie Collaboration Intégration	• Satisfaction de ses intérêts et de ceux de l'autre	• Confrontation • Résolution de problèmes	• Quand les intérêts individuels sont complémentaires ou compatibles et importants • Quand on peut tirer avantage de plusieurs perspectives • Pour régler des problèmes interpersonnels

Source : Foucher et Ménard (1982).

parties sont, à court terme, perdantes. Néanmoins, elle est d'une certaine efficacité lorsque les causes du conflit sont exceptionnelles, que l'objet du conflit est banal ou que la sauvegarde de la relation entre les parties n'est pas nécessaire.

L'accommodation

Lorsqu'une des parties engagées dans un conflit est persuadée de ne pouvoir obtenir satisfaction, elle a tendance à adopter une attitude conciliante. Ainsi, la stratégie d'accommodation peut parfois être associée à l'abandon. Autrement dit, en situation de conflit, ces personnes permettent aux autres de satisfaire leurs intérêts au détriment des leurs. Cette stratégie ne profite alors qu'à la partie adverse. Ainsi, au cours de leurs discussions, les membres

Vous vous plaignez le ventre plein !

des deux groupes en conflit ne s'attarderont qu'aux points où il y a accord plutôt que de discuter des points de divergence. Les points de divergence seront mis en évidence, mais plutôt que de chercher à négocier une solution qui serait satisfaisante pour les deux parties, l'une des parties permettra à l'autre de satisfaire entièrement ses besoins sans présenter d'opposition.

Le compromis

Lorsque les individus en conflit adoptent une attitude de compromis, ils consentent généralement à faire des sacrifices partagés. En effet, cette attitude ne permet de satisfaire entièrement ni les intérêts des uns ni ceux des autres. On cherche donc une solution intermédiaire qui sera partiellement satisfaisante pour chacune des parties. Ainsi, contrairement à la stratégie d'accommodation, en vertu de laquelle une seule des parties atteint ses objectifs, la stratégie de compromis permet aux deux parties d'atteindre partiellement leurs objectifs.

La compétition

Les individus qui privilégient la stratégie compétitive ont la ferme intention de satisfaire leurs propres intérêts au détriment de ceux des autres. Il n'y a pas l'ombre d'un doute dans leur esprit : la situation exige qu'une des parties soit gagnante et ce sera la leur. Ils se serviront de leur autorité et de leur pouvoir afin d'imposer leur point de vue, par tous les moyens. Ce type de réaction peut se justifier en période de crise. En effet, pensons, par exemple, au gouvernement américain à l'époque où le président Reagan avait dû congédier et remplacer les contrôleurs aériens par des militaires parce que, en déclarant la grève, ces contrôleurs paralysaient le trafic aérien. Néanmoins, cette stratégie fait obligatoirement un perdant qui peut entretenir du ressentiment et favoriser la résurgence de conflits collatéraux.

La collaboration

Les personnes qui adoptent une stratégie de collaboration cherchent une solution qui permettra de satisfaire pleinement les besoins des deux parties engagées dans le conflit. Bien que la recherche d'une telle solution soit complexe et ardue, les gestionnaires qui préconisent cette stratégie ont l'intime conviction qu'elle existe et qu'il est justifié de fournir tous les efforts nécessaires pour la trouver. Il s'agit plus particulièrement de favoriser l'établissement d'un dialogue constructif entre les parties afin de faire émerger la convergence des intérêts. Ainsi, cette approche permet, malgré une apparente divergence initiale, de faire apparaître une communauté d'intérêts qui servira de base à la résolution du conflit.

Il importe de souligner que chacune de ces stratégies peut s'avérer efficace dans certains contextes. Il serait vain de chercher la meilleure stratégie et de l'utiliser de façon indifférenciée dans toutes les situations conflictuelles. Ainsi, peu importe la stratégie ou le mode de résolution des conflits privilégié, c'est son efficacité relative, c'est-à-dire dans une situation donnée, qui importe. Cela étant dit, quatre critères peuvent néanmoins être associés aux diverses stratégies et servir de guide lorsque vient le temps de choisir un mode d'intervention ou d'en évaluer la pertinence : les coûts de la transaction, le degré de satisfaction des parties, le potentiel de réconciliation et le niveau de résurgence du conflit (Poitras et Ladouceur, 2004). Les *coûts de la transaction* font référence aux sommes monétaires et à l'énergie devant être investies afin de résoudre le conflit. Le *degré de satisfaction* concerne le contentement des parties quant aux résultantes et au mode de résolution du conflit. Le *potentiel de réconciliation* s'attarde à l'efficacité de la stratégie utilisée quant au rétablissement de la relation entre les parties et à la restauration du climat de travail. Finalement, le *niveau de résurgence* réfère aux probabilités de réapparition de conflits entre les parties. Le tableau 6.3 présente, pour chacune des stratégies, les caractéristiques d'efficacité leur étant propres.

TABLEAU 6.3 — L'efficacité des stratégies génériques de résolution des conflits

Indicateur d'efficacité	Évitement	Accommodation	Compromis	Compétition	Collaboration
Coûts de la transaction	Nul	Faible	Moyen	Élevé	Élevé
Degré de satisfaction	Faible	Moyen	Moyen	Moyen	Élevé
Potentiel de réconciliation	Faible	Moyen	Élevé	Moyen	Élevé
Niveau de résurgence	Moyen	Moyen	Faible	Élevé	Faible

Source : Tiré et adapté de Poitras et Ladouceur (2004, p. 25).

Une entreprise comme la Sun Life offre un milieu propice aux conflits. Le désir de conserver et d'accroître la part du marché actuellement détenue peut en effet s'opposer à la nécessité de préserver le capital pour être en mesure de payer certaines dettes dont le remboursement s'échelonne parfois sur plus de 50 ans. On ne cesse d'élaborer des idées et des programmes nouveaux, chaque service rivalisant avec les autres pour se faire reconnaître. Les filiales de la Sun Life aux quatre coins du monde doivent également lutter entre elles pour obtenir leurs parts de ressources limitées.

La gestion des conflits à l'avantage de toute l'organisation n'est pas le fruit du hasard à la Sun Life. La capacité des membres de la direction de résoudre les conflits et d'en sortir grandis s'explique par le partage de valeurs fondamentales et de buts établis depuis de nombreuses années Les cadres de l'entreprise sont unis par une marque de respect mutuel. Cela n'empêche pas que là aussi, la bonne compréhension des limites à ne pas dépasser facilite les choses.

La Sun Life met l'accent sur l'ouverture et la collaboration. Les employés de tous les niveaux sont encouragés à soulever toute question posant problème. Personne ne se voit refuser le droit d'exprimer un point de vue contraire et personne n'est réprimandé pour avoir pris position. Le climat de travail ainsi créé incite à la patience. On écoute tous les points de vue et on continue à débattre la question jusqu'à ce qu'une solution se présente.

Les conflits sont inévitables. La véritable épreuve consiste, pour la direction, à faire preuve de cohérence et à offrir le soutien approprié une fois qu'on est parvenu à un consensus. Tout succès n'est possible que si on a confiance non seulement dans le plan d'affaires proposé, mais aussi dans l'équipe de gestion qui en est à l'origine.

Source : Adapté de J.R. Gardner, président, et G.M. Comeford, vice-président, Sun Life Canada.

6.3.2 Les nouvelles stratégies

Plutôt que d'intervenir directement dans un conflit, un gestionnaire peut parfois recourir aux services d'une tierce personne. Ce type d'intervention peut être formalisé dans les politiques de l'organisation ou encore utilisé à la pièce, lorsque la situation le justifie. Différents intervenants peuvent agir lorsqu'une situation conflictuelle se présente et chacun aura un rôle et un mandat bien circonscrits. Ainsi, on pourra faire appel à un arbitre, à un médiateur ou encore à un **ombudsman**. L'intervention d'un *arbitre* suit une logique légaliste, puisque l'arbitre cherchera à établir une responsabilité et à imposer, parfois en collaboration avec la direction de l'entreprise, une solution au conflit (Lipsky, Seeber et Fincher, 2003). L'intervention du *médiateur,* pour sa part, se fera davantage dans le respect des multiples intérêts des parties. Il tentera ainsi d'amener les personnes concernées à exprimer leurs difficultés et à chercher une entente consensuelle (Kressel, 2000).

Il joue le rôle d'expert-conseil aidant à réconcilier les positions des personnes engagées dans le conflit. Le médiateur s'inspirera des principes suivants :

- rencontrer chacune des parties isolément ; explorer les terrains d'entente possibles ;
- choisir un terrain neutre (lieu physique) ;
- prévoir le temps nécessaire à la résolution du conflit ;
- favoriser les échanges entre les parties ;
- éviter que les parties soient sur la défensive ;
- mettre l'accent sur les conséquences tangibles ;
- être très attentif ;
- faire des résumés et des mises au point ;
- éviter d'imposer des solutions.

Finalement, contrairement à l'arbitre ou au médiateur, l'*ombudsman* est habituellement un intervenant interne de l'organisation, dont la fonction concerne exclusivement le dénouement des conflits pouvant survenir entre les divers acteurs organisationnels (par exemple : gestionnaires, employés, clients). Ainsi, lors d'un épisode conflictuel, les parties concernées pourront recourir à ses services afin de trouver une solution à leurs difficultés (Kolb, 1987). La position de l'ombudsman se situe à la croisée de celles de l'arbitre et du médiateur. En fait, il a un pouvoir d'enquête et peut imposer un règlement au conflit ; il cherchera toutefois à rapprocher les parties afin de les amener à s'entendre sur une solution mutuellement acceptable.

6.4 Les conséquences du conflit

L'époque où les conflits étaient perçus comme un symptôme de dysfonctionnement organisationnel est maintenant révolue. Tous s'entendent aujourd'hui pour reconnaître que les conflits sont à la fois inévitables et bénéfiques au développement de l'organisation (Slabbert, 2004). Ainsi, une entreprise où il n'y aurait aucun ou trop de conflits serait probablement dans une situation périlleuse. À l'inverse, un niveau modéré de conflits est constructif pour l'organisation, en autant que ces derniers soient bien gérés (Schermerhorn, Hunt et Osborn, 2002). Dans cette optique, les gestionnaires occupent un rôle de premier plan (Cormier, 2004). Un gestionnaire pratiquant l'écoute active et qui est capable de gérer ses émotions, de prendre du recul par rapport aux situations et de dépersonnaliser les conflits favorisera l'émergence de retombées constructives. Ce n'est donc pas le conflit en soi, mais bien sa gestion qui peut avoir des conséquences destructives, et les gestionnaires sont des acteurs clefs dans la résolution des difficultés relationnelles.

6.4.1 Les conséquences constructives

Lorsqu'une situation est source d'insatisfaction pour l'une des parties, on verra surgir les bases d'un conflit. Si les membres de l'entreprise n'acceptent plus les méthodes en vigueur, s'ils perçoivent de l'injustice ou remettent en question les objectifs, leur insatisfaction se transformera souvent en conflit. De plus, leur opposition manifeste provoquera des réactions chez les autres membres de l'équipe de travail et, plus encore, chez la direction. Des questions seront posées, des suggestions seront faites, des solutions seront proposées. Cette effervescence débouchera sur des changements. Si les conflits sont évités par souci de conservatisme, d'uniformité ou de stabilité, les nouvelles idées feront difficilement leur chemin. Le conflit est donc une étape nécessaire au changement et sa gestion est primordiale afin de structurer les oppositions et de désamorcer le conflit.

Pour que les conflits puissent engendrer des conséquences positives, il est nécessaire que deux conditions soient remplies : premièrement, le conflit ne doit pas mettre en péril la survie de l'organisation et, deuxièmement, il doit exister à l'intérieur de l'entreprise un encadrement favorisant la gestion des conflits. Cet encadrement peut prendre diverses formes (cercle de qualité, **arbitrage des plaintes et des griefs**, politique de portes ouvertes, programme d'aide aux employés, etc.), mais doit prioritairement viser l'expression du conflit et proposer des pistes de solution. Lorsqu'un conflit est encadré, il en découle des avantages pour l'organisation, notamment une plus grande ouverture d'esprit, un accroissement de la créativité, une meilleure solidarité entre les travailleurs et plus d'engagement de leur part (Van de Vliert et autres, 1999). Ce sont là autant de retombées positives pouvant résulter d'une résolution constructive et efficace d'un conflit.

6.4.2 Les conséquences destructives

Certains conflits donnent lieu à des réactions extrêmes et ont évidemment des répercussions négatives sur le climat organisationnel. S'ils perdurent, de l'hostilité, de la violence et un durcissement des positions, entre autres, peuvent suivre un processus d'escalade. Toute forme de collaboration devient alors impossible et c'est l'ensemble de l'organisation qui en souffre.

Enfin, les conflits majeurs provoquent une nette réduction de la confiance mutuelle. Chacun des membres de l'organisation abandonnera les objectifs du groupe pour se consacrer exclusivement à ses objectifs personnels.

Les arguments de la raison seront oubliés au profit de l'émotivité et les possibilités de résoudre le conflit s'amenuiseront d'autant. De plus, un conflit non résolu peut entraîner une démobilisation des travailleurs, un bris du lien de confiance, de l'absentéisme, de l'hostilité interpersonnelle ainsi qu'une hypersensibilité à toutes les situations conflictuelles futures (Petitpas, Boucher et Gagné, 1994). Dans une perspective individuelle, les répercussions des conflits interpersonnels mal gérés peuvent avoir un effet très délétère sur le niveau de stress des personnes et conséquemment sur leur santé psychologique (Harvey, Blouin et Stout, 2006).

LE SAVIEZ-VOUS ?

Bien que le harcèlement au travail soit aussi vieux que le monde du travail lui-même, c'est seulement récemment qu'il a été vraiment reconnu comme destructeur du climat de travail et cause d'absentéisme et de diminution de la productivité.

Ces dernières années, dans les entreprises comme dans les médias, il a surtout été question de harcèlement sexuel, qui n'est évidemment qu'une des variantes du harcèlement pris dans son sens le plus large. Or, les autres formes de harcèlement doivent être combattues avec la même vigueur, car toutes sont dommageables tant pour l'individu que pour l'entreprise.

Par harcèlement, il faut entendre toute conduite abusive se manifestant notamment par des comportements, des paroles, des actes, des gestes, des écrits unilatéraux, de nature à porter atteinte à la personnalité, à la dignité ou à l'intégrité physique ou psychique d'une personne, mettre en péril son emploi ou dégrader le climat de travail.

Harceler c'est :

Refuser toute communication lorsque la personne harcelée essaie de se défendre ; lui interdire tout écrit, ne pas discuter, ne pas lui répondre, l'interrompre, l'injurier.

Détruire les relations sociales en isolant quelqu'un ; l'ignorer, ne plus lui adresser la parole.

Détruire la reconnaissance sociale en ridiculisant la personne ; la réprimander sans raison, lui parler de ses défauts physiques, la traiter de malade mentale.

Détruire la qualité de vie : attribuer à la personne harcelée uniquement des tâches ingrates, extérieures à son domaine, inférieures ou supérieures à son niveau de responsabilités ou de compétences.

Nuire à la santé : donner à une personne des tâches physiquement au-dessus de ses forces, la harceler physiquement, la harceler sexuellement.

Source : Adapté de <apcpc1.epfl.ch/sante/mobbing.htm>

CONCLUSION

Le conflit est un phénomène omniprésent dans les organisations. En effet, divers types de conflits sont susceptibles d'émerger lorsque deux individus ou deux groupes ne s'entendent pas sur les objectifs, les attentes ou les rôles, et ils peuvent se manifester à différents niveaux : intrapersonnel, interpersonnel, intragroupe ou intergroupe. Par ailleurs, les conflits peuvent résulter de divergences entre les individus ou les groupes de différents niveaux hiérarchiques.

Diverses stratégies permettent de faire face au conflit : l'évitement, l'accommodation, le compromis, l'**approche autocratique** (voir **leadership autocratique**) et l'approche démocratique. La stratégie choisie dépend de la situation conflictuelle et des aptitudes du gestionnaire.

Le gestionnaire doit bien analyser les causes d'un conflit s'il veut le gérer le mieux possible et en tirer tous les avantages possibles et réduire ses inconvénients. En effet, une bonne gestion des conflits constitue le gage du succès de l'entreprise.

1. Quels éléments sont susceptibles de déclencher un conflit? Énumérez-les en donnant un xemple concret pour chacun d'eux.

2. Nommez et définissez les différents types de pouvoir que peut détenir un professeur d'université. En fonction des pouvoirs qu'il détient, quel(s) mode(s) de résolution des conflits privilégiera-t-il?

3. En quoi les conséquences destructives d'un conflit contribuent-elles au processus d'escalade?

4. Si en tant qu'étudiant, vous voulez augmenter votre pouvoir, quelle stratégie sera la plus efficace?

5. Nommez une situation conflictuelle où une stratégie d'évitement pourrait être efficace.

6. Décrivez le contexte global d'une organisation où il y a absence totale de conflit. Une telle situation est-elle souhaitable? Justifiez votre réponse.

LA STRATÉGIE EN CE QUI TOUCHE LE POUVOIR ET L'INFLUENCE

Remplissez le questionnaire ci-après portant sur le pouvoir et l'influence. Prenez le temps d'y répondre avec soin et en toute franchise. Vos réponses devraient refléter votre comportement tel qu'il est (et non tel que vous le souhaitez). Ce questionnaire a pour but de vous aider à évaluer votre capacité à acquérir pouvoir et influence ; vous pourrez ensuite concentrer vos efforts sur les aspects particuliers qu'il vous faut améliorer.

Complétez le questionnaire en utilisant l'échelle d'évaluation fournie.

C'EST TOUT À FAIT FAUX	C'EST FAUX	C'EST PLUTÔT FAUX	C'EST PLUTÔT VRAI	C'EST VRAI	C'EST TOUT À FAIT VRAI
1	2	3	4	5	6

Dans une situation où il est important d'obtenir plus de pouvoir :

_____ **1.** Je m'efforce sans cesse de devenir très compétent dans mon domaine.

_____ **2.** Je me montre toujours amical, honnête et sincère envers les personnes avec qui je travaille.

_____ **3.** Je fournis plus d'efforts et prends plus d'initiative que l'on en attend de moi au travail.

_____ **4.** J'accorde tout mon appui aux activités à l'intérieur de l'organisation.

_____ **5.** Je tisse un réseau étendu de relations avec des gens de tous les niveaux un peu partout dans l'organisation.

_____ **6.** Je trouve un domaine dans lequel je peux me spécialiser et qui aide à répondre aux besoins des autres.

_____ **7.** Je prends toujours soin d'envoyer une note personnelle aux autres lorsqu'ils accomplissent quelque chose de remarquable et lorsque j'ai des renseignements importants à leur communiquer.

_____ **8.** Au travail, j'essaie constamment d'apporter de nouvelles idées, de lancer de nouvelles activités et d'éviter le plus possible la routine.

_____ **9.** Je cherche sans cesse divers moyens de représenter mon service ou mon organisation à l'extérieur.

_____ **10.** Je n'arrête jamais de perfectionner mes aptitudes et d'enrichir mes connaissances.

_____ **11.** Je fais beaucoup d'efforts pour améliorer mon apparence.

_____ **12.** Je travaille toujours plus fort que la plupart de mes collègues.

_____ **13.** J'encourage fortement les nouveaux employés à démontrer par leurs paroles et leurs gestes qu'ils partagent les valeurs importantes de l'organisation.

_____ **14.** Je déploie beaucoup d'efforts pour occuper une place clé au sein des réseaux de communication et ainsi avoir accès aux informations importantes.

_____ **15.** Je m'efforce sans cesse de conserver en propre un aspect de mon travail que personne d'autre n'accomplit.

_____ **16.** Je suis à l'affût de toute occasion de faire rapport de mon travail, en particulier aux cadres supérieurs.

_____ **17.** Je déploie beaucoup d'efforts pour que les tâches que j'accomplis demeurent variées.

_____ **18.** Je fais beaucoup d'efforts pour que mon travail soit toujours relié à la mission première de l'organisation.

Lorsque je tente d'influencer quelqu'un dans un but précis :

_____ **19.** Je fais sans cesse appel à la raison et aux faits.

_____ **20.** Je n'ai aucune difficulté à user de méthodes de persuasion différentes selon les circonstances.

_____ **21.** Je prends bien soin de récompenser les gens qui se rangent à mon point de vue, créant ainsi une situation de réciprocité.

_____ **22.** J'adopte toujours une méthode franche et directe au lieu d'avoir recours à la manipulation ou à des moyens détournés.

_____ **23.** J'évite toujours d'imposer ma volonté aux autres en insistant ou en les menaçant.

Lorsque d'autres personnes tentent d'exercer sur moi une influence inappropriée :

_____ **24.** J'use des ressources et de l'information à ma disposition pour contrer leurs demandes et leurs menaces.

_____ **25.** Je refuse de négocier avec toute personne qui utilise des méthodes de choc pour parvenir à ses fins.

_____ **26.** J'explique à ces personnes pourquoi je ne peux accéder à leurs demandes en apparence raisonnables en leur indiquant les conséquences qui en résulteraient en ce qui touche à mes responsabilités et à mes obligations.

En règle générale, lorsque j'occupe un poste important :

_____ **27.** Je m'assure de toujours complimenter et récompenser les gens en public et de les réprimander en privé.

_____ **28.** Je témoigne fréquemment aux personnes avec qui je travaille ma confiance en leurs capacités.

_____ **29.** Je prends toujours soin de reconnaître et de souligner les succès remportés par des membres de mon service.

_____ **30.** Je m'efforce d'encourager la participation des gens avec qui je travaille.

Aptitude		Énoncés	Évaluation - Résultat
Acquérir du pouvoir grâce à des caractéristiques personnelles			
Expertise		1, 10	
Attirance personnelle		2, 11	
Effort		3, 12	
Légitimité		4, 13	
Acquérir du pouvoir grâce à des caractéristiques reliées au poste occupé			
Position centrale		5, 14	
Importance		6, 15	
Visibilité		7, 16	
Flexibilité		8, 17	
Pertinence		9, 18	
User de son influence		19, 20, 21, 22, 23	
Résister à l'influence d'autrui		24, 25, 26	
Conférer un certain pouvoir à autrui		27, 28, 29, 30	
Résultat total			

Résultats

Le tableau qui précède vous permettra d'obtenir une vue d'ensemble de vos résultats. Il vous aidera à reconnaître vos points forts et à déterminer ce qu'il vous faut améliorer.

1. Calculez votre résultat pour chaque aptitude en additionnant les nombres que vous avez indiqués devant chacun des énoncés.

2. Faites le total des 12 résultats obtenus et indiquez-le dans la case appropriée.

Évaluation des résultats

Évaluez vos résultats en les comparant : 1) à ceux d'autres étudiants de votre classe ; puis 2) à la moyenne obtenue aux États-Unis par un groupe de référence formé de 500 étudiants en administration des affaires. À l'intérieur de ce groupe :

- un résultat égal ou supérieur à 147 vous placerait dans le premier quartile ;
- un résultat compris entre 138 et 146 inclusivement vous placerait dans le deuxième quartile ;
- un résultat compris entre 126 et 137 inclusivement vous placerait dans le troisième quartile ;
- un résultat égal ou inférieur à 125 vous placerait dans le dernier quartile.

Source : Traduit de D.A. Whetten et K.S. Cameron, *Developing Management Skills*, 2e éd., New York, Harper Collins Publishers Inc., 1991, p. 274-276.

Quand l'amitié pave la voie au conflit

Jean-François Tremblay, Ph.D., CRIA, est professeur au Département de relations industrielles de l'Université du Québec en Outaouais. Ses activités d'enseignement et de recherche portent notamment sur le processus de négociation collective, la gestion stratégique des relations du travail, les théories des relations industrielles et les nouveaux modes relationnels entre employeurs et salariés. De plus, Jean-François Tremblay œuvre également dans le domaine des relations du travail à titre de négociateur, de médiateur, d'enquêteur et de formateur. Il est coauteur d'un ouvrage sur la négociation collective et a publié des articles scientifiques sur le sujet.

Ian Sauleau trouve le temps long au travail ces jours-ci. Col bleu en poste à la voirie de la Ville de Mont-Laval, Ian Sauleau fait équipe, entre autres, avec Charles «Chuck» Bacca. Chuck Bacca est reconnu pour être la «grande gueule» du groupe. À cause de sa voix tonitruante, de ses remarques intempestives et de ses blagues salaces, nul ne peut ignorer sa présence sur les lieux du travail. Bien qu'il se prétende «bon vivant», Bacca a quand même eu, par le passé, des comportements qui ont provoqué quelques accrochages avec ses collègues. Gratien Letendre, le contremaître de l'équipe, n'a jamais voulu intervenir directement, préférant chaque fois laisser «couler de l'eau sous les ponts». En fait, lorsqu'il intervient, c'est pour répéter son éternel : «Les gars…»

Le modèle d'organisation du travail des cols bleus les conduit à travailler en équipe, à voyager dans la même camionnette et à prendre leurs pauses ensemble. Ce modèle fait en sorte de créer une très grande proximité entre eux. En fait, la forte culture organisationnelle de ce milieu de travail induit une pression importante sur les travailleurs ; ils doivent «faire partie de la gang». Bien que les railleries et les disputes soient monnaies courantes, on constate néanmoins une grande solidarité entre les cols bleus de la voirie. À cet égard, la culture syndicale militante de ce groupe n'est certes pas étrangère aux liens étroits qui unissent ces cols bleus de la Ville de Mont-Laval. On en vient également à considérer comme faisant partie de l'environnement normal de travail les commentaires désobligeants qui peuvent être formulés de part et d'autre et les altercations qui s'ensuivent souvent.

De tempérament plutôt solitaire, en raison probablement d'une personnalité introvertie, Ian Sauleau trouve parfois le climat de travail malsain, surtout lorsqu'il est directement visé par les propos de Chuck Bacca. En effet, ce dernier prend souvent le prétexte de son excès de poids ou de la qualité de son travail pour le taquiner. Régulièrement, Chuck mentionne que si Ian ne pouvait pas compter sur l'apport des autres cols bleus, il n'arriverait certainement pas à faire correctement son travail et serait donc probablement congédié. Quant à son poids, Ian est conscient de traîner quelques kilos en trop, mais il aimerait que ses camarades de travail remarquent qu'au cours des deux dernières années, il s'est efforcé de perdre beaucoup de poids. Bien que souvent affecté par les propos de Bacca, Ian hésite à lui en faire part. En effet, Ian Sauleau et Chuck Bacca entretiennent des liens d'amitié à l'extérieur du travail. Soirée hebdomadaire au salon de quilles, partie de pêche annuelle et quelques soirées dans des établissements licenciés avec effeuilleuses sont quelques-unes des activités que Ian apprécie partager avec Chuck. Il se sent également quelque peu redevable à son ami, car c'est lui qui a moussé sa candidature auprès de la direction de la Ville et qui a donc facilité son embauche, il y a déjà 10 ans. Qui plus est, les témoignages d'amitié de Chuck envers Ian sont fréquents et sincères.

Néanmoins, Sauleau s'interroge de plus en plus sur les agissements de Bacca. Sont-ils acceptables ou non ? En tête de liste, se trouve un incident survenu lors de son mariage, le mois dernier. Dûment invité aux noces de Ian, Chuck a alors invoqué le droit de danser avec la mariée, comme le veut la tradition. C'est donc sans retenue que Ian et sa conjointe ont consenti à ce que cette dernière danse avec son ami. Toutefois, Chuck Bacca en a profité pour faire des attouchements à la mariée, ce qui a provoqué un vif malaise chez cette dernière et son conjoint. Bacca a cependant immédiatement reconnu être allé trop loin et s'est excusé promptement en invoquant le caractère festif de l'événement et sa trop grande consommation d'alcool en guise d'explication. Bien qu'enclin à excuser le comportement de son collègue et ami au moment des événements, Ian Sauleau apprécie beaucoup moins que celui-ci raconte cette histoire durant les heures de travail en insistant sur les caractéristiques physiques de sa nouvelle épouse. Ayant remarqué le malaise de Ian lorsque Chuck relate cette histoire aux autres cols bleus, Gratien Letendre lui a dit sur un ton las : «Tu avais juste à ne pas l'inviter à tes noces…». «Peut-être», de répondre Ian tout en ajoutant sur un ton colérique : «De toute façon, Chuck est sur le point de ravaler ses paroles avec un bon coup de pelle en pleine face ! ! !»

Depuis, Ian Sauleau se sent peu motivé au travail, connaît une baisse marquée de sa productivité, cherche à s'éloigner de ses collègues et entretient de la rancœur à l'égard de Chuck Bacca. Il hésite à dénoncer formellement la situation à Gratien Letendre, qu'il croit peu disposé à intervenir et plus préoccupé par le compte des jours qui le séparent de sa proche retraite. De plus, Ian n'est pas sans savoir que, selon toute vraisemblance, c'est Chuck qui devrait obtenir le poste de contremaître à la suite du départ à la retraite de Gratien Letendre. Par conséquent, il préfère ne pas se mettre à dos son futur patron. Il aimerait également pouvoir continuer à le compter parmi ses amis et peut-être ainsi se voir attribuer des tâches plus intéressantes ou moins ingrates. C'est donc en maugréant et sans conviction que Ian Sauleau fait face aux commentaires de son ami et collègue Chuck Bacca, tout en se demandant comment mettre fin à cette situation…

Questions

1. Quels sont les différents types de conflits dans la présente situation ?

2. Le cas échéant, à quel niveau d'intensité se situe chacun des conflits ?

3. Que proposeriez-vous à Ian Sauleau pour mettre fin à cette situation, qui semble lui déplaire ?

4. Sommes-nous en présence d'un cas clair de harcèlement psychologique au travail ?

RÉFÉRENCES

Cormier, S. (2004). *Dénouer les conflits relationnels en milieu de travail,* Québec, Presses de l'Université du Québec.

De Dreu, C.K.W., Harinck, F. et Van Vianen, A.E.M. (1999). « Conflict and Performance in Groups and Organizations », dans C.L. Cooper et I.J. Robertson (dir.), *International Review of Industrial and Organizational Psychology,* New York, John Wiley, p. 371-414.

Dion, G. (1986). *Dictionnaire des relations du travail,* 2e éd., Sainte-Foy, Presses de l'Université Laval.

Fisher, R.J. (2000). « Intergroup conflict », dans M. Deutsch et P.T. Coleman (éds.), *The Handbook of Conflict Resolution : Theory and Practice,* San Francisco, Jossey-Bass Publishers.

Foucher, R. et Ménard, P. (1982). *La gestion des conflits* (document inédit).

Foucher, R. et Thomas, K.W. (1991). « La gestion des conflits », dans R. Tessier et Y. Tellier (dir.), *Changement planifié et évolution spontanée,* Québec, Presses de l'Université du Québec, p. 75-170.

French, J.R.P. et Raven, B.H. (1959). « The Basis of Social Power », dans D. Cartwright (dir.), *Studies in Social Power,* Université du Michigan, p. 150-167.

Gosselin, E. (2002). *Psychogénèse du conflit industriel* (document de recherche 2002-01), Hull, Université du Québec à Hull, Département de relations industrielles.

Harvey, S., Blouin, C. et Stout, D. (2006). « Proactive personality as a moderator of outcomes for young workers experiencing conflict at work », *Personality and Individual Differences,* vol. 40, p. 1063-1074.

Kolb, D.M. (1987). « Corporate ombudsman and organization conflict resolution », *Journal of Conflict Resolution,* vol. 31, p. 673-691.

Kressel, K. (2000). « Mediation », dans M. Deutsch et P.T. Coleman (éds.), *The Handbook of Conflict Resolution : Theory and Practice,* San Francisco, Jossey-Bass Publishers.

McShulskis, E. (1996). « Managing employee conflicts », *HR Magazine,* vol. 41, no 9, p. 16-18.

Petitpas, J.-G., Boucher, G. et Gagné, P.-A. (1994). *Gérer des conflits,* Sainte-Foy, Les Publications du Québec.

Poitras, J. et Ladouceur, A. (2004). *Système de gestion de conflits,* Montréal, Éditions Yvon Blais.

Pondy, L.R. (1992). « Reflections on Organizational Conflict », *Journal of Business,* no 13, p. 257-261.

Raven, B.H. (1993). « The bases of power : Origins and recent developments », *Journal of Social Issues,* vol. 49, p. 227-251.

Rocheblave-Spenlé, A.-M. (1986). « Résolution des conflits de rôles », dans N. Côté et autres, *Individu, groupe et organisation,* Boucherville, Gaëtan Morin Éditeur, p. 295-305.

Schermerhorn, J.R., Hunt, J.G. et Osborn, R.N. (2002). *Comportement humain et organisation,* Montréal, ERPI.

Slabbert, A.D. (2004). « Conflict management styles in traditional organisations », *Social Science Journal,* vol. 41, p. 83-92.

Thomas , K.W. et Kilmann, R.H. (1978). *Thomas-Kilmann conflict mode instrument,* Tuxedo (N.Y.), XICOM.

Van de Vliert, E., Nauta, A., Giebels, E. et Janssen, O. (1999). « Constructive Conflict at Work », *Journal of Organizational Behavior,* vol. 20, p. 475-491.

Whetten, D.A. et Cameron, K.S. (1991). *Developing Management Skills,* 2e éd., New York, Harper Collins Publishers Inc.

CHAPITRE 7

Les théories du leadership

PLAN DU CHAPITRE

Dans ce chapitre, le lecteur se familiarisera avec :

■ le concept de leadership et ses diverses composantes ;

■ les différents modèles théoriques du leadership ;

■ l'influence des traits personnels (physiques et psychiques), des schèmes comportementaux et des facteurs situationnels sur l'efficacité et l'efficience du leadership ;

■ le rôle des substituts dans la dynamique du leadership ;

■ les différences entre le leadership transactionnel et le leadership transformationnel ;

■ les fondements de la théorie des échanges dirigeants-dirigés (théorie LMX).

On évalue à plus de 5000 le nombre d'études traitant du leadership ou de l'une de ses composantes telles que le pouvoir, l'autorité, le charisme, l'influence ou la persuasion. Néanmoins, cette notion complexe semble mal comprise et sa définition reste ambiguë, comme le souligne Toulouse (1986) :

> Le leadership est le terme le plus étudié et le moins compris des sciences sociales […]. Les ouvrages qui traitent du leadership sont souvent aussi remarquablement inutiles que prétentieux. Le leadership serait comme l'abominable homme des neiges : on trouve ses empreintes partout, mais personne ne l'a jamais vu.

Tout en gardant à l'esprit la critique sévère que fait Toulouse des études sur le leadership, nous tenterons de jeter une lumière sur le phénomène. À cette fin, nous nous référerons à trois grandes approches, soit l'**approche axée sur les traits**, l'**approche axée sur les comportements** et l'**approche axée sur la situation**. Après avoir défini le concept de leadership, nous examinerons chacune de ces approches, puis traiterons de quelques modèles théoriques contemporains.

LE SAVIEZ-VOUS ?

Le chercheur réputé Kets de Vries (1994) fait la comparaison suivante : démêler les écrits sur le leadership, c'est comme chercher un numéro de téléphone dans la version chinoise de l'annuaire téléphonique parisien.

7.1 Le leadership : concept et définitions

Les chercheurs ont proposé une multitude de définitions du leadership. Dans cette diversité, on trouve des éléments communs, à la lumière desquels on peut définir le leadership organisationnel comme la capacité d'une personne à influencer d'autres personnes en vue d'atteindre les objectifs organisationnels. Cette définition correspond à celle du pouvoir, qui peut soit être formellement attribué à une personne, qui sera ainsi placée dans une position d'autorité (leader formel), soit découler de caractéristiques particulières à une personne, indépendamment de sa position dans l'organisation (leader informel).

Un leader organisationnel est donc un individu qui influence le comportement, les attitudes et le rendement des employés. Comme on vient de le voir, deux types de leaders exercent une telle influence dans l'organisation : le leader formel et le leader informel.

Il arrive que les deux types de leaders — formel et informel — tentent d'exercer leur influence simultanément. Il est alors de première importance que le leader informel influence le comportement des employés en faveur des objectifs organisationnels. À défaut, l'efficacité et le rendement du groupe risqueraient d'en souffrir grandement, car surgirait un conflit qui remettrait en question l'autorité conférée par l'organisation au leader formel et le pouvoir d'influence du leader informel.

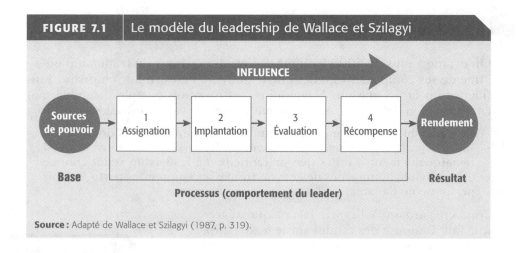

FIGURE 7.1 Le modèle du leadership de Wallace et Szilagyi

Source : Adapté de Wallace et Szilagyi (1987, p. 319).

Wallace et Szilagyi (1987) ont analysé le concept de leadership et circonscrit ses principales dimensions (voir la figure 7.1). Leur modèle se décortique de la façon suivante : à la base, il y a les sources de pouvoir et la façon d'utiliser ce dernier, lesquelles déterminent l'influence du leader sur le comportement des employés. Vient ensuite le processus de leadership, qui se divise en quatre étapes : 1) l'assignation, où le leader planifie, dirige et donne des instructions ainsi que des ordres ; 2) l'implantation, qui permet au leader de guider et d'offrir une forme de soutien aux subordonnés tout en déléguant des responsabilités ; 3) l'évaluation, où le leader contrôle, évalue et porte un jugement sur le travail effectué ; 4) la récompense, où le leader récompense, punit et fait des commentaires sur le rendement de ses subordonnés. Au terme de ce processus — et comme dernier élément du modèle — le leader analyse le niveau de productivité, s'assure que les employés sont satisfaits et que les taux de roulement et d'absentéisme sont acceptables.

Si le modèle de Wallace et Szilagyi illustre bien certains aspects du processus d'influence que l'on nomme leadership, il ne permet toutefois pas de répondre adéquatement à des questions telles : Qu'est-ce qui fait qu'un leader est un leader ? Qu'est-ce qui fait qu'une personne peut en influencer d'autres au point de mobiliser les efforts individuels vers l'atteinte d'un but précis ? Pour répondre à ces questions, plusieurs modèles ont été proposés ; nous les exposerons dans la section suivante.

7.2 Les théories du leadership

La difficulté à définir le leadership et à dresser une liste exhaustive de ses caractéristiques a favorisé l'élaboration de trois approches théoriques : l'approche axée sur les traits, l'approche axée sur les comportements et l'approche axée sur la situation (Kanungo, 1998).

En gros, l'approche axée sur les traits postule l'existence de caractéristiques individuelles qui permettent de distinguer un leader efficace d'un leader inefficace. Selon l'approche comportementale, l'aspect le plus important

Le leadership mondial

Les théories traditionnelles sur le leadership ne prennent pas en compte les obstacles et les défis du leadership mondial. Or, de nos jours, les dirigeants doivent être en mesure de fonctionner efficacement sur le marché international (Gregersen , Morrisson et Black, 1998). Le leadership mondial exige des chefs la capacité de fonctionner de manière efficace dans un milieu culturel différent et de savoir surmonter les barrières linguistiques, sociales, économiques et politiques. Selon Gregersen (1998), les dirigeants mondiaux possèdent les quatre qualités suivantes :

Curiosité insatiable : ils ne ratent pas une occasion de voir et d'essayer de nouvelles choses. L'apprentissage continu et la curiosité sont la clé de leur succès.

Qualités personnelles : ils nouent des liens émotionnels avec des gens de cultures diverses et font montre d'une intégrité indéfectible.

Dualité : ils doivent être capables de gérer l'incertitude et d'assurer l'équilibre entre tensions locales et tensions mondiales.

Jugement : ils ont un grand sens de l'organisation et des affaires. Ils savent ce qui les attend dans divers pays, sont au fait des moyens dont dispose leur organisme et suivent les projets en cours à l'échelle internationale.

Les personnes qui ont le potentiel de devenir des dirigeants mondiaux ont déjà travaillé ou vécu avec des gens de cultures différentes, parlent plus d'une langue et possèdent des aptitudes pour le commerce international. Cependant, pour devenir de véritables dirigeants mondiaux, elles doivent avoir reçu une formation exhaustive ; elles doivent notamment avoir voyagé, avoir travaillé au sein d'équipes multiculturelles, avoir suivi des cours sur des sujets comme la planification stratégique, le commerce et l'éthique internationales, sur la communication interculturelle et sur le leadership au sein d'équipes multiculturelles et enfin, elles doivent avoir fait des stages pratiques.

Les mutations et les affectations à l'étranger constituent les meilleurs moyens de former des dirigeants mondiaux.

Si la plupart des organismes et des grands pays — comme les États-Unis — affirment qu'ils n'ont pas assez de dirigeants mondiaux et qu'ils en manqueront dans l'avenir, le Canada ne connaît pas ce problème. Cela s'explique par la taille moyenne de l'économie de notre pays et par le fait que les dirigeants canadiens sont souvent dans l'obligation de comprendre les personnes appartenant à d'autres cultures et d'être empathiques à leur égard. En outre, les Canadiens et Canadiennes apprennent dès leur enfance à tenir compte de l'opinion des autres. Vivre dans un milieu multiculturel comme celui du Canada constitue une excellente préparation pour les dirigeants mondiaux.

Source : Traduit et adapté de Johns et Saks (2005).

du leadership ne concerne pas les caractéristiques du leader, mais bien son style et sa façon de réagir dans différentes situations. Enfin, selon l'approche situationnelle, l'efficacité du leader tient non seulement à son comportement, mais aussi au contexte environnemental dans lequel il évolue. Voyons chacune de ces approches en détail.

7.2.1 L'approche axée sur les traits

C'est principalement au cours de la première moitié du XXᵉ siècle que les tenants de l'approche axée sur les traits ont tenté de déterminer les caractéristiques du leader. Ils ont alors mis au point des méthodologies permettant de mesurer l'étendue des différences individuelles. Les chercheurs ont également étudié, par une observation directe, les comportements des leaders en situation de groupe. Les résultats de leurs recherches leur ont ensuite permis de répartir les caractéristiques des leaders en six grandes catégories (Stogdill, 1974) :

Les deux après-guerres, soit celui de 1918 et celui de 1945, ont constitué des périodes privilégiées pour éprouver les méthodes mises au point par les psychologues. Quelques-uns d'entre eux, engagés par l'armée, ont placé des millions de personnes dans toutes sortes d'emplois afin de les tester et de les évaluer. Ces psychologues ont été particulièrement efficaces dans l'identification des pilotes possédant des traits de leader et, de ce fait, d'officiers (Schneider, 1976). Les résultats de leurs expériences ont abondamment alimenté la recherche sur l'identification des traits.

- *Les caractéristiques physiques.* L'âge, l'apparence, la taille et le poids figurent parmi les principales caractéristiques mises en évidence. Toutefois, les recherches empiriques n'ont pas permis d'établir de lien causal direct entre les caractéristiques physiques et le leadership.

- *L'environnement social.* Plusieurs études ont été menées sur l'éducation, la position sociale et la mobilité des leaders. Comme dans le cas des caractéristiques physiques, on n'a relevé aucune relation significative entre l'efficacité d'un style de leadership et la position sociale du leader.

- *L'intelligence.* Plusieurs chercheurs ont tenté de démontrer l'existence d'une relation positive entre le rôle de leader et les capacités intellectuelles de ce dernier en faisant l'hypothèse que le leader efficace aurait généralement une meilleure capacité de jugement, une capacité décisionnelle remarquable, un grand savoir et une facilité d'expression. Les résultats démontrent que, bien qu'elle soit constante, cette corrélation demeure faible.

- *La personnalité.* On a également vérifié si la confiance en soi, la vivacité d'esprit, l'intégrité et le besoin de dominer (pouvoir) étaient des traits plus souvent présents chez les leaders que chez les autres membres d'un groupe. Les résultats démontrent qu'une telle corrélation est fréquente, mais qu'elle ne peut être généralisée. On en conclut donc que la personnalité même du leader doit être prise en considération dans toute étude du phénomène de leadership.

- *Les caractéristiques liées à la tâche.* Les résultats des recherches sur le leadership indiquent clairement qu'un leader peut, en général, être décrit comme un individu qui fait preuve d'une forte motivation, d'un besoin d'accomplissement et d'un sens remarquable de l'initiative et des responsabilités.

- *Les habiletés sociales et interpersonnelles.* Les études démontrent qu'en général le leader participe activement à plusieurs activités, qu'il est en relation avec un large éventail d'individus et qu'il est volontaire. Ces comportements sont appréciés par les autres membres du groupe dans la mesure où ils visent à établir un climat d'harmonie, de confiance et qu'ils favorisent la cohésion du groupe.

Une critique de l'approche axée sur les traits

Les recherches sur les traits particuliers des leaders se poursuivent, toutefois la plupart des études empiriques sur les liens entre caractéristiques individuelles et efficacité du leader se sont avérées non concluantes. Bien que l'approche axée sur les traits n'attache aucune importance à l'environnement dans lequel agit le leader, certaines études ont permis de constater que des caractéristiques jugées importantes dans une situation ne le sont pas nécessairement dans une autre.

Dans une étude publiée en 1981, Potter et Fiedler ont démontré l'existence d'une relation entre le rendement et l'intelligence du leader lorsque ce dernier entretient de bons rapports avec son supérieur. Si, au contraire, ces relations donnent lieu à beaucoup de tensions, l'expérience du leader devient un meilleur baromètre de son rendement que son intelligence.

Certes, les entreprises ne sont pas dirigées par des êtres tout-puissants préoccupés seulement par le rendement ; elles sont en fait composées d'individus capables, de par leurs caractéristiques personnelles uniques, d'influer sur les processus décisionnels (Kets de Vries, 1982). Les études qui s'attachent aux traits laissent toutefois entrevoir l'intervention d'autres facteurs dans l'efficacité d'un leader. On peut ainsi se demander si les caractéristiques individuelles concourent à doter certains individus d'une prédisposition à exercer une influence motivante, indépendamment des situations, ou si les différences individuelles concourent plutôt à créer des situations favorables à l'émergence d'une influence motivante.

C'est à partir de réflexions de cet ordre et des recherches sur les traits que la problématique s'est déplacée vers l'étude des comportements.

LE SAVIEZ-VOUS ?

L'intelligence émotionnelle du leader est étudiée depuis peu. Richard E. Boyatzis* définit l'intelligence émotionnelle comme la somme des habiletés que nous possédons, à savoir la sensibilité personnelle (*self-awareness*), la sensibilité sociale et les habiletés interpersonnelles qui nous permettent de gérer effectivement nos relations intrinsèques et extrinsèques (relations interpersonnelles). Boyatzis avance que l'intelligence émotionnelle favorise significativement le bon leadership. Selon Boyatzis et ses collègues, l'intelligence émotionnelle, dont le siège se situe dans le système limbique, peut amener un bon leader à développer une résonance interactive et inconsciente ; c'est-à-dire qu'un individu ne peut être un leader sans suiveurs et ne peut établir de résonance avec les autres si ceux-ci n'acceptent pas

de recevoir et d'émettre volontairement des messages. La capacité de s'engager dans ces interactions requiert un niveau élevé d'intelligence émotionnelle chez le leader (Goleman, Boyatzis et McKee, 2002). Boyatzis souligne que des recherches sur les voies neurales démontrent que les adultes ont la capacité de développer cette facette de leur intelligence de façon soutenue pendant une période de sept ans.

* Richard E. Boyatzis, Ph.D., est professeur et directeur du Department of Organizational Behavior, Weatherhead School of Management, Case Western Reserve University, à Cleveland (Ohio).

Source : Goleman, Boyatzis et McKee (2002).

7.2.2 L'approche axée sur les comportements

Comme nous venons de le voir, les lacunes de l'approche axée sur les traits ont conduit les chercheurs à étudier le leadership en se concentrant, cette fois, sur les comportements.

Ainsi, selon cette approche, on considère qu'un leader efficace a un comportement qui incite les individus ou les groupes à prendre les moyens nécessaires pour atteindre les objectifs organisationnels et qui favorise une meilleure productivité et la satisfaction des employés.

Contrairement à l'approche axée sur les traits, l'approche axée sur les comportements insiste sur l'efficacité du leader plutôt que sur les caractéristiques qui lui permettraient de se distinguer des autres personnes. Étant donné que le leadership peut se manifester de différentes façons, selon le style du leader, les chercheurs ont formulé plusieurs définitions. Deux d'entre elles ressortent particulièrement, soit celles du leadership orienté vers la tâche et du leadership orienté vers l'employé. Pour étudier plus en détail chacun de ces styles de leadership, nous présentons une synthèse des principales recherches inspirées de l'approche comportementale du leadership.

Les objectifs initiaux des recherches sur les comportements étaient de faire ressortir les éléments influençant le comportement du leader et de déterminer les effets du style de leadership sur le rendement et la satisfaction au travail (Likert, 1961 ; Stogdill, 1974). La question suivante était à la base de ces recherches : Est-il possible de regrouper divers types de comportements afin d'en constituer des ensembles distincts ? Les résultats ont démontré que c'était non seulement possible, mais que le comportement d'un leader était orienté soit vers la tâche, soit vers les personnes.

Le style de leadership orienté vers la tâche. Les comportements liés à ce style visent prioritairement l'accomplissement de la tâche. Par conséquent, le leader qui adopte ce style met l'accent sur la définition et la répartition des tâches à accomplir, sur l'établissement d'un réseau de communication formel dans le groupe ainsi que sur l'organisation et la direction des activités du groupe. Le but premier de ce leader est d'atteindre les objectifs.

Le style de leadership orienté vers l'employé. Ce style se caractérise par des comportements qui tendent vers la création d'un climat de travail où la confiance, le respect mutuel, l'amitié et le soutien occupent une place importante. Le leader qui privilégie ce style se soucie de la sécurité et du bien-être des employés. En effet, il favorise l'établissement de saines relations interpersonnelles, il se soucie des besoins de ses employés et de leur satisfaction au travail et il prend le temps de les écouter. Par conséquent, ce style de leadership contribue à l'émergence de relations de travail fondées sur une confiance mutuelle, une bonne communication et le respect des idées.

Selon les résultats, les comportements orientés vers les personnes et vers la tâche sont indépendants l'un de l'autre, ce qui implique qu'un leader peut obtenir simultanément un résultat élevé d'un côté et faible de l'autre. De plus, et c'est là l'intérêt de ce modèle, un leader peut adopter les deux styles en même temps, ce qui fait de lui, selon les tenants de cette approche, le leader idéal ou le plus efficace. Le tableau 7.1 donne des exemples des deux styles de leadership.

La grille de gestion de Blake et Mouton

Blake et Mouton (1982) ont mis au point une version modifiée et enrichie du modèle précédent en s'appuyant sur une logique bidimensionnelle.

TABLEAU 7.1	Exemples de comportements orientés vers la tâche et vers la personne	
Exemples de comportements orientés vers la tâche	**Exemples de comportements orientés vers la personne**	
• Explique clairement aux employés les tâches à accomplir.	• Se montre cordial, amical et facile d'approche.	
• Établit des échéances, des normes ou des délais de production.	• Tient compte des besoins des employés avant de prendre une décision.	
• Informe les employés des échéances, des normes ou des délais de production à respecter.	• Établit des liens de confiance avec ses employés.	
• Supervise étroitement les employés.	• Fait preuve d'une certaine flexibilité par rapport aux échéances, aux normes ou aux délais de production.	
• Mesure le rendement des employés.	• S'intéresse au bien-être et à la satisfaction générale de ses employés.	

Ainsi, ces auteurs ont élaboré une grille avec cinq repères types de leadership, et ce, afin de déterminer les comportements d'un leader capable d'atteindre les buts organisationnels (voir la figure 7.2).

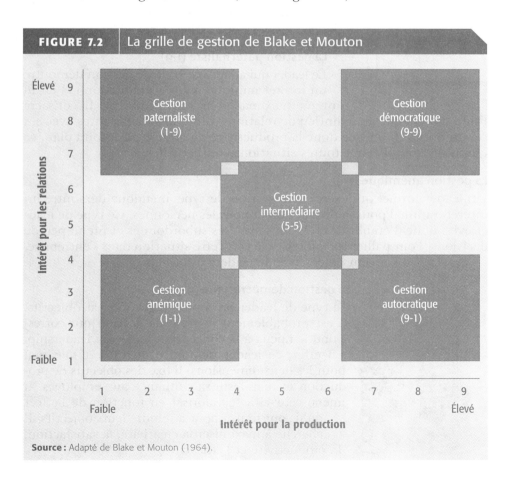

FIGURE 7.2 La grille de gestion de Blake et Mouton

Source : Adapté de Blake et Mouton (1964).

La grille de Blake et Mouton permet de situer le comportement des leaders sur deux axes perpendiculaires, où l'axe horizontal représente l'intérêt du leader pour la production (la tâche) et l'axe vertical, son intérêt pour les relations humaines (la personne).

Chaque axe est divisé en neuf degrés ; le premier (1) correspond au faible intérêt et le dernier (9), à un intérêt très élevé. On détermine le style de leadership en combinant le résultat de l'abscisse — intérêt pour la production — et celui de l'ordonnée — intérêt pour les relations humaines. Le leader idéal adopterait le style 9-9 et le moins efficace, le style 1-1. À partir de leur grille, Blake et Mouton ont défini cinq grands styles de gestion, que nous présentons ci-dessous.

La gestion autocratique (9-1)

Il s'agit d'un style de **gestion centré sur la tâche** qui découle d'un intérêt maximal pour la production (9) et d'un intérêt minimal pour l'individu (1). Ce genre de leader prend tous les moyens pour que les employés atteignent les objectifs organisationnels, mais il ne se soucie pas de leurs besoins, de leurs idées, de leurs attitudes ou de leurs sentiments. Sa préoccupation première est le maintien d'un rendement satisfaisant ; il pourra même prendre des mesures coercitives pour arriver à ses fins.

... Le tout pour 07:00 h !

La gestion paternaliste (1-9)

Le leader qui adopte ce style de gestion démontre un intérêt minimal pour la production (1) et un intérêt maximal pour l'individu (9). Il consacre toute son énergie au maintien de relations saines et satisfaisantes avec ses subordonnés. Il relègue donc la productivité du groupe au second plan, ce qui lui permet d'éviter toutes situations conflictuelles.

La gestion anémique (1-1)

Un leader formel qui exerce une gestion de type anémique démontre un intérêt minimal pour la production et pour les personnes. Ce type de leader évite donc d'établir des relations avec ses subordonnés et prend peu de décisions. Pour pallier les faiblesses liées à cette situation dans l'entreprise, il y a souvent émergence de leaders informels.

... On leur fournit les costumes et les bijoux et ils ne sont toujours pas contents !

La gestion démocratique (9-9)

Ce type de leader préconise la gestion par objectifs. C'est probablement le style de gestion qui correspond le mieux à la conception idéale du leadership. En effet, ce leader démontre un intérêt maximal pour les deux dimensions. Il fixe des objectifs de production et manifeste sa confiance aux employés. Il amène ceux-ci à se valoriser en fonction de l'effort qu'ils ont fourni pour atteindre leurs objectifs. Il cherche à maximiser la créativité, la satisfaction, la productivité et l'efficacité.

La gestion de type intermédiaire (5-5)

Le leader de type intermédiaire adopte une attitude de compromis en démontrant un intérêt moyen pour la production (5) et un intérêt moyen pour l'individu (5). Il fixe des objectifs nécessitant peu d'efforts et exige un travail de niveau acceptable. Ne recherchant pas l'excellence, il accorde une reconnaissance raisonnable à un effort raisonnable.

Une critique de l'approche axée sur les comportements

Bien qu'elle soit intéressante, la grille de gestion de Blake et Mouton souffre de certaines faiblesses importantes. Entre autres choses, elle ne tient pas suffisamment compte des impératifs situationnels, c'est-à-dire des caractéristiques des subordonnés, de la structure organisationnelle, de la dynamique de groupe, de l'environnement physique et du contexte économique.

S'opposant à la primauté des comportements des leaders, Korman (1966) et Kerr et Schriesheim (1974) ont démontré qu'il n'existe pas de style de leadership plus efficace qu'un autre et que tout dépendait des situations. Diverses variables doivent par conséquent être prises en considération : les antécédents, les caractéristiques et le statut des employés, le rôle du groupe au sein de l'entreprise, la cohésion interne du groupe et les contraintes auxquelles il est soumis, la structure formelle de l'organisation, les particularités de la tâche, etc. L'approche axée sur les comportements omet de tenir compte du contexte dans lequel s'inscrivent les relations entre le leader et ses subordonnés. En définitive, il est impossible, à partir des résultats obtenus, de déterminer un seul et unique type de leadership efficace dans toutes les situations.

UNE PERSPECTIVE INTERNATIONALE

Le conditionnement culturel

Certains chercheurs affirment que les théories du leadership présentées dans ce chapitre s'appliquent à d'autres pays, comme la République populaire de Chine (Oh, 1976) et la Yougoslavie (Kavic, Rus et Tannenbaun, 1971), mais la plupart des gestionnaires croient qu'ils doivent adapter leur style de leadership à la culture de leurs employés ; autrement dit, que leur style de leadership est conditionnel à une culture. Même si les travaux innovateurs menés au début des années soixante par Haire, Ghiselli et Porter révélaient plus de similarités que de différences chez les 14 pays étudiés, il reste que ces mêmes pays se distinguaient davantage par leurs particularités ethniques que par celles de leurs industries (Haire, Ghiselli et Porter, 1963). Presque 20 ans plus tard, Hofstede (1980) avançait que les stratégies de **gestion participative** préconisées par les théoriciens et les gestionnaires américains, , théorie Y et le modèle de gestion 9-9 compris, ne convenaient pas à toutes les cultures. En effet, les employés appartenant à culture axée

sur l'autorité s'attendent à ce que les gestionnaires exercent leur autorité et ne sont pas à l'aise lorsqu'on leur demande de prendre leurs propres décisions. Selon certaines cultures, les gestionnaires sont censés être des experts agissant de façon décisive et autoritaire, tandis que selon d'autres, ils résolvent les problèmes de façon participative. Même dans les pays où la gestion participative est généralement admise, comme aux États-Unis, en Angleterre et en Suède par exemple, les organismes doivent adapter le type de gestion à la culture locale (Foy et Godon, 1976). Bien que les conclusions des recherches varient en fonction de la conformité du style de leadership privilégié aux modèles américains (voir les descriptions de postes de gestionnaires en Israël, dans les pays d'Europe, en Inde et en Allemagne (Vardi, 1980 ; Nath, 1980 ; Kakar, 1971 ; Tscheulin, 1973), il est évident aujourd'hui que les gestionnaires doivent faire preuve d'assez de souplesse pour adapter leurs méthodes de gestion lorsqu'ils sont à l'étranger.

Source : Traduit et adapté de N.J. Adler (2002).

7.2.3 L'approche axée sur la situation

Les tenants de l'approche axée sur la situation se préoccupent des variables situationnelles susceptibles d'influer sur l'efficacité d'un leader (Goleman, 2000). Ils tiennent également compte des traits et du comportement du leader. En ce sens, cette approche constitue une synthèse des différentes approches du leadership. Ainsi, selon cette approche, les variables situationnelles suivantes influent sur l'efficacité d'un leader :

- les *caractéristiques personnelles du leader,* soit sa personnalité, ses besoins et ses motivations de même que ses expériences passées ;
- les *caractéristiques des subordonnés,* soit leur personnalité, leurs besoins et leurs motivations ainsi que leurs expériences passées ;
- les *caractéristiques du groupe,* soit son stade de développement, sa structure, la nature de sa tâche ainsi que les normes formelles et informelles que le groupe s'est données ;
- les *caractéristiques de la structure organisationnelle,* soit les sources de **pouvoir du leader,** les règles et les procédures établies par l'organisation, le professionnalisme des employés et le temps alloué pour effectuer une tâche ou prendre une décision.

La figure 7.3 illustre les liens entre ces diverses variables.

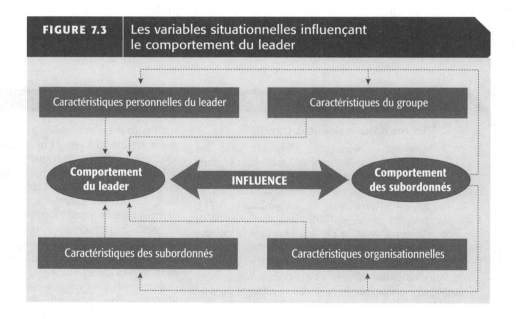

FIGURE 7.3 | Les variables situationnelles influençant le comportement du leader

L'approche axée sur la situation est à l'origine de différents modèles du leadership, qui sont présentés dans les pages suivantes.

Le modèle unidimensionnel de Tannenbaum et Schmidt

Tannenbaum et Schmidt (1973) ont construit un **modèle unidimensionnel** du leadership au sein duquel l'efficacité d'un groupe de travailleurs dépend de la situation et des caractéristiques du leader (voir la figure 7.4).

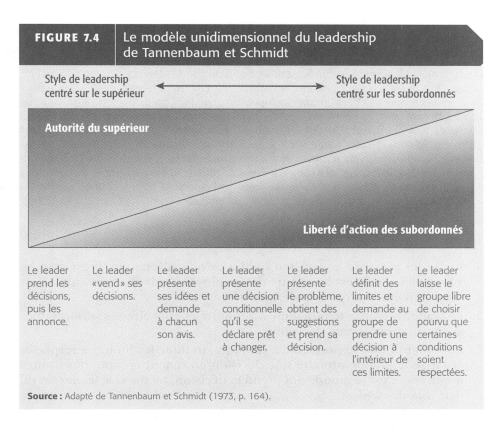

FIGURE 7.4 | Le modèle unidimensionnel du leadership de Tannenbaum et Schmidt

Style de leadership centré sur le supérieur ⟷ Style de leadership centré sur les subordonnés

Autorité du supérieur

Liberté d'action des subordonnés

| Le leader prend les décisions, puis les annonce. | Le leader «vend» ses décisions. | Le leader présente ses idées et demande à chacun son avis. | Le leader présente une décision conditionnelle qu'il se déclare prêt à changer. | Le leader présente le problème, obtient des suggestions et prend sa décision. | Le leader définit des limites et demande au groupe de prendre une décision à l'intérieur de ces limites. | Le leader laisse le groupe libre de choisir pourvu que certaines conditions soient respectées. |

Source : Adapté de Tannenbaum et Schmidt (1973, p. 164).

À l'extrémité gauche de ce modèle se situe le style de leadership centré sur le supérieur, soit le **leadership autocratique**. Le leader prend seul toutes les décisions et s'attend à ce que les subordonnés les acceptent et les exécutent sans discuter. Il agit donc de façon à exercer un contrôle maximal et à conserver un maximum d'autorité.

À l'extrême droite du modèle, il y a le leader qui favorise la délégation de pouvoir en laissant le groupe prendre des décisions, moyennant toutefois certaines conditions. Ce style de leadership, dit démocratique-participatif, est centré sur les subordonnés, car le leader leur laisse une certaine liberté d'action.

Entre ces deux extrêmes, Tannenbaum et Schmidt relèvent encore cinq styles intermédiaires. Voici des éléments qui illustrent les sept styles de leadership :

1. Le leader prend les décisions, puis les annonce à ses subordonnés. Dans ce cas, le leader cerne le problème, examine les solutions possibles, en choisit une et en fait part à ses subordonnés.

2. Le leader «vend» ses décisions : il décide seul, mais tente de convaincre les subordonnés d'accepter ses décisions.

3. Le leader présente ses idées et demande l'avis de ses subordonnés. Même s'il décide seul, il veille à répondre aux questions que posent les subordonnés de façon à faciliter leur compréhension des conséquences de sa décision.

Sexe, culture et style de leadership

Les femmes et les hommes privilégient-ils des styles de leadership différents ? C'est du moins ce que laisse croire une étude réalisée par Eagley et Johnson (1990). En effet, les femmes tendent généralement à adopter un style plus participatif et démocratique que les hommes, ce qui est sans doute dû aux réactions négatives exprimées à l'égard de celles qui choisissent le style directif et autoritaire, attribué généralement aux hommes. Selon une autre étude sur le sujet, les femmes seraient plus enclines que les hommes à apporter des changements transformationnels à l'organisme et à récompenser leurs employés, une des composantes du leadership transactionnel. Les hommes tendent davantage à favoriser d'autres volets du leadership transactionnel, comme la gestion par exception et le laisser-faire (Eagly, Johannesen-Schmidt et Van Engen, 2003).

Source : Traduit et adapté de Johns et Saks (2005).

4. Le leader présente la décision qu'il a prise et déclare qu'il est disposé à la revoir, si telle est la volonté des employés. Au bout du compte, c'est tout de même lui qui a le dernier mot.

5. Le leader présente le problème à résoudre et consulte ses subordonnés avant de prendre une décision.

6. Le leader définit le problème à résoudre, indique les limites à respecter et laisse le groupe prendre une décision en tenant compte des limites imposées ; c'est le groupe qui prend la décision, même si le leader prend part à la discussion.

7. Le leader laisse le groupe libre de choisir, pourvu que certaines conditions soient respectées. C'est le groupe qui analyse le problème, cherche les solutions et se charge de leur application. Le leader participe à la discussion comme tout autre membre ; toutefois, c'est lui qui détermine les limites à respecter.

Tannenbaum et Schmidt suggèrent aux gestionnaires de tenir compte, avant d'adopter un style de leadership particulier, de trois facteurs situationnels :

1. les **forces propres au leader,** qui correspondent à son système de valeurs, à ses antécédents, à ses connaissances, à son expérience, à la confiance qu'il accorde à ses subordonnés et à sa préférence pour un style donné ;

2. les **forces propres aux subordonnés,** qui correspondent à leur désir d'indépendance, à leur volonté d'assumer des responsabilités et de participer au processus de décision, à leur degré de tolérance face à l'ambiguïté, à leur intérêt au travail, à leur compréhension des objectifs organisationnels et à leurs attentes ;

3. les **forces propres à la situation,** qui correspondent au type d'organisation dans laquelle les individus évoluent, à l'efficacité du groupe, à la nature des problèmes et au temps alloué à la prise de décision.

Selon Tannenbaum et Schmidt, plus les subordonnés ont la chance de participer à la prise de décision, plus ils sont motivés, plus le climat de travail est sain et meilleure est la qualité des décisions.

Ce modèle suggère que le leader peut adopter plusieurs styles de comportement en même temps sans toutefois appuyer cette idée sur une recherche empirique.

Le modèle du cheminement critique de House

À l'instar du modèle précédent, il ressort du **modèle du cheminement critique développé par House** (1966) que le style de leadership varie selon les situations. Toutefois, House s'efforce de circonscrire les variables situationnelles qui inciteraient les leaders à choisir un style de leadership plutôt qu'un autre — nous présenterons ces variables plus loin.

House part du principe qu'un leader est efficace dans la mesure où il amène les employés à travailler dans le respect des objectifs organisationnels et où il leur procure un sentiment de satisfaction immédiate — climat de travail plaisant — et à venir — possibilités d'avancement et d'accomplissement professionnel (House, 1971). Toujours selon House, le leader doit influencer l'employé afin que celui-ci établisse un lien entre la satisfaction de ses besoins et l'atteinte des objectifs organisationnels. Le modèle de House prend ainsi son fondement dans la théorie des attentes (voir le chapitre 3). De plus, si le leader aide l'employé à établir un lien entre la satisfaction de ses besoins et l'atteinte des objectifs organisationnels, il le fait en lui précisant les comportements les plus susceptibles de lui apporter les récompenses désirées (House et Mitchell, 1974). C'est de cette fonction de « guide » que le modèle de House tire son nom, soit le « cheminement critique » (*path-goal*).

Le modèle de House reconnaît quatre styles de leadership (voir la figure 7.5) :

- *Le leadership directif.* Le **leader directif** consacre son énergie à planifier, organiser, coordonner et évaluer le travail. Ce type de comportement correspond à la **dimension structurelle** définie par les chercheurs de l'Université de l'Ohio.

- *Le leadership de soutien.* Le **leader de soutien** a à cœur d'établir des relations interpersonnelles harmonieuses et de créer un climat de travail agréable et amical. Ce type de comportement est identique à celui de

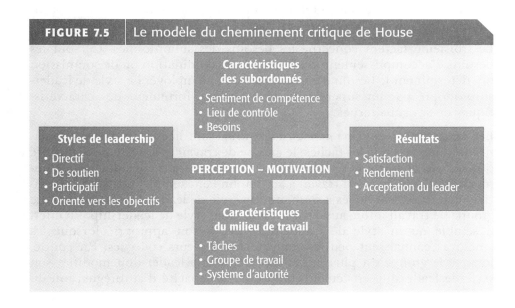

FIGURE 7.5   Le modèle du cheminement critique de House

Caractéristiques des subordonnés
- Sentiment de compétence
- Lieu de contrôle
- Besoins

Styles de leadership
- Directif
- De soutien
- Participatif
- Orienté vers les objectifs

PERCEPTION – MOTIVATION

Résultats
- Satisfaction
- Rendement
- Acceptation du leader

Caractéristiques du milieu de travail
- Tâches
- Groupe de travail
- Système d'autorité

la considération, telle que définie par les chercheurs de l'Université de l'Ohio.

- *Le leadership participatif.* Le **leader participatif** favorise la participation des employés et se fait un point d'honneur de les consulter et d'échanger des renseignements avec eux dans le but de faciliter l'atteinte des objectifs organisationnels.

- *Le leadership orienté vers les objectifs.* Le **leader orienté vers les objectifs** encourage ses subordonnés à fournir un rendement très élevé afin d'atteindre des objectifs difficiles, mais possibles.

Le modèle du cheminement critique stipule que, pour savoir quel style de leadership saura le mieux maximiser le rendement et la satisfaction des employés et accentuer le comportement du leader, il faut examiner des variables situationnelles de deux ordres, selon House : les caractéristiques propres aux subordonnés et les caractéristiques propres au milieu de travail.

Les *caractéristiques des subordonnés* sont définies comme les facteurs qui influencent leur comportement ; House en a relevé trois. Le premier facteur est le sentiment de compétence, lié à la perception qu'a l'employé de ses compétences et de ses aptitudes en fonction d'une tâche. Il convient de croire que plus le sentiment de compétence est fort chez un subordonné, plus un leadership orienté vers les objectifs sera approprié, alors qu'à l'inverse, si le subordonné a un faible sentiment de compétence et une faible confiance en ses aptitudes, le style de leadership devra être plus directif.

Le deuxième facteur a trait au lieu de contrôle. Il est lié à la perception qu'a un individu du contrôle qu'il exerce sur une situation. Essentiellement, il s'agit de déterminer jusqu'à quel point un employé croit que c'est lui et non le hasard qui influe sur le cours des événements. En conséquence, si l'employé sent qu'il a le contrôle, un style de leadership participatif a plus de chances d'être efficace.

Le troisième facteur concerne les besoins des subordonnés. Ce sont les besoins d'accomplissement, d'affiliation, de domination ou de soumission qui déterminent le besoin d'encadrement d'un employé. Le style de leadership adopté par un superviseur dépend donc fortement des caractéristiques de ses subalternes.

Les *caractéristiques propres au milieu de travail* sont liées à des facteurs organisationnels tels que les tâches, le groupe de travail et le système d'autorité officiel. Au chapitre des tâches des subordonnés, on considérera la complexité et l'ambiguïté du travail à accomplir. Par exemple, une tâche répétitive incitera les employés à souhaiter un style de leadership de soutien. Le groupe de travail influe aussi sur le choix d'un style de leadership. En effet, il semble qu'un style de leadership directif soit approprié lorsque les employés connaissent peu les compétences de leurs collègues. Par contre, lorsque le groupe est plus uni et fonctionnel, le leader doit modifier son style de leadership en tenant compte de la capacité d'autorégulation du groupe ainsi que du système de gratification et de reconnaissance des collègues. Le système d'autorité officiel, quant à lui, se rapporte aux règles et normes établies par l'organisation et aux politiques qui régissent le travail des employés.

À l'instar du modèle de Tannenbaum et Schmidt, le modèle de House dépeint un leader qui adapte son style de leadership à la situation dans laquelle il évolue. Quant à savoir si c'est le leader qui s'adapte au comportement des subordonnés ou si, au contraire, c'est le comportement des subordonnés qui s'adapte au leader en fonction de son style de leadership, la réponse n'est pas claire (Greene, 1979).

Le modèle de Hersey et Blanchard

Les travaux de Hersey et Blanchard (1977) leur ont permis d'intégrer à l'approche situationnelle deux nouveaux éléments, soit la maturité des subordonnés et les effets de celle-ci sur le style de leadership adopté par le leader.

Les auteurs définissent la maturité comme la capacité de se fixer des buts élevés, mais réalistes, combinée à la volonté d'assumer des responsabilités et d'acquérir de la formation et de l'expérience. La maturité des subalternes peut être vue sous deux aspects: la **maturité face au travail** et la **maturité psychologique.**

La maturité d'un individu face au travail est fonction de la pertinence de son expérience et de ses connaissances au regard du travail à effectuer. La maturité psychologique, quant à elle, correspond à la capacité et à la volonté d'un individu de bien accomplir le travail.

À l'aide d'un questionnaire, Hersey et Blanchard ont élaboré un modèle qui permet d'évaluer la maturité des employés sur quatre niveaux (voir le tableau 7.2).

TABLEAU 7.2	Les quatre niveaux de maturité du modèle de Hersey et Blanchard
Niveaux de maturité	**Descriptions**
M1 — Maturité faible	Les employés ont peu de connaissances liées au travail et ils se montrent peu disposés à l'accomplir.
M2 — Maturité faible à moyenne	Malgré leur manque de connaissances, les employés se montrent bien disposés à accomplir le travail.
M3 — Maturité moyenne	Même s'ils ont les connaissances requises, les employés sont peu disposés à accomplir le travail demandé.
M4 — Maturité élevée	En plus de bien connaître les exigences du travail, les employés se montrent enthousiastes.

En outre, les auteurs ont établi des liens entre les types de comportements, soit le comportement orienté vers la tâche et le comportement orienté vers les relations, et les quatre niveaux de maturité. Le leader choisit ainsi son style de leadership en fonction du degré de maturité des employés qu'il supervise (voir la figure 7.6).

Lorsque le niveau de maturité d'un employé est faible (catégorie M1), le leader adopte un style qui met l'accent sur l'accomplissement de la tâche. Lorsque le niveau de maturité est plus élevé (M2, M3), le leader insiste alors sur l'aspect relationnel plutôt que sur la tâche. Finalement, lorsque les subordonnés présentent un niveau de maturité élevé (M4), le leader privilégie un style qui leur laisse plus de liberté d'action et qui favorise la délégation des responsabilités.

Bref, selon Hersey et Blanchard, il n'y a pas de style idéal. L'efficacité du leader dépend de sa flexibilité dans diverses situations. C'est aussi ce que soutiennent Tannenbaum et Schmidt (1973, page 180), qui concluent :

> Le gestionnaire efficace ne peut être catégorisé ni comme un leader autoritaire, ni comme un leader permissif. Il s'agit plutôt de quelqu'un qui maintient une bonne moyenne au bâton quand il s'agit de déterminer le comportement à adopter, et qui est capable de s'y conformer.

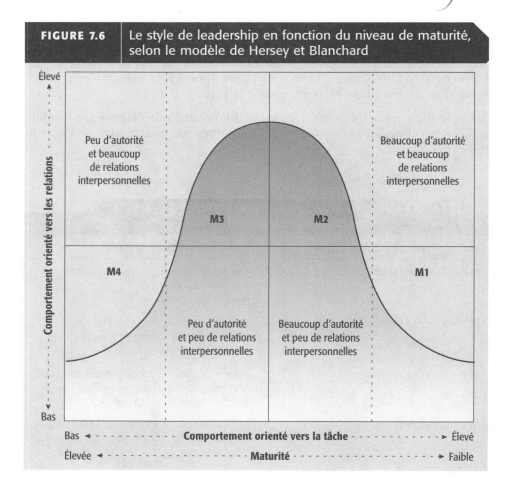

FIGURE 7.6 Le style de leadership en fonction du niveau de maturité, selon le modèle de Hersey et Blanchard

Après avoir juxtaposé les niveaux de maturité aux comportements orientés vers la tâche ou vers les relations, Hersey et Blanchard établissent quatre styles particuliers de leadership, soit :

- *Le leadership autocratique.* Le leader adopte une attitude autocratique lorsque les employés connaissent mal la tâche à accomplir et qu'ils semblent peu disposés à l'effectuer (M1). Le leader doit donc donner des directives précises à ses subordonnés.

- *Le leadership de motivation.* Le superviseur qui adopte le **leadership de motivation** tente d'établir des relations harmonieuses avec les membres du groupe et fournit le soutien professionnel à ceux qui connaissent mal les exigences du travail, mais qui sont très motivés (M2).

- *Le leadership de participation.* En adoptant ce style de **leadership**, le superviseur favorise la **participation** des employés à la prise de décision, et ce, afin de les motiver à accomplir un travail pour lequel ils possèdent les connaissances (M3).

- *Le leadership de délégation.* Le superviseur pratique un **leadership de délégation** lorsque les employés connaissent le travail à effectuer et s'y appliquent avec attention.

En somme, en plus de croiser les comportements orientés vers la tâche ou vers les relations et les différents niveaux de maturité des subordonnés, le modèle de Hersey et Blanchard a ceci d'original qu'il place la maturité dans un contexte dynamique d'évolution. En effet, le style de leadership doit s'adapter à l'état des subordonnés au fur et à mesure qu'ils gravissent les niveaux de maturité et ainsi contribuer à leur épanouissement psychologique.

Le modèle de contingence de Fiedler

En raison de sa grande simplicité, le modèle le plus couramment utilisé pour évaluer le style de leadership adéquat dans une situation donnée est celui de Fiedler (1967). Fiedler avance qu'un leader efficace est capable de modifier les facteurs situationnels. Selon lui, il serait possible de former un leader pour qu'il apprenne à agir sur les variables situationnelles de manière à transformer une situation donnée. Fiedler s'oppose donc aux modèles antérieurs, selon lesquels l'efficacité d'un leader dépend de sa capacité d'adaptation aux différentes situations.

Dans son modèle, Fiedler soutient que l'efficacité d'un groupe dépend de l'adéquation entre le style de leadership et les variables situationnelles. Selon lui, les trois principales variables situationnelles sont :

- *Les relations entre le leader et les membres.* Cette première variable correspond à l'acceptation du leader par le groupe. Fiedler l'associe à l'atmosphère, bonne ou mauvaise, qui règne au sein du groupe ou encore au degré de confiance et de respect que les employés accordent à leur leader.

- *La **structure de la tâche**.* Cette variable se rapporte à la clarté et à la précision de la tâche ainsi qu'aux moyens de l'accomplir. La tâche peut être structurée ou non structurée, définie avec rigidité ou avec souplesse.

- *Le pouvoir du leader.* Cette variable a trait au pouvoir que détient le leader. Le pouvoir est élevé ou faible selon l'influence que peut exercer le leader sur l'embauche, les congédiements, la discipline, les promotions, les augmentations salariales, etc.

Ces trois variables situationnelles déterminent jusqu'à quel point une situation donnée est favorable ou défavorable à l'exercice du leadership. La figure 7.7 rend compte de huit situations possibles, de la plus favorable à la plus défavorable selon les variables situationnelles.

FIGURE 7.7	Le modèle du leadership de Fiedler							
Atmosphère	Bonne				Mauvaise			
Structure de la tâche	Structurée		Non structurée		Structurée		Non structurée	
Pouvoir du leader	Élevé	Faible	Élevé	Faible	Élevé	Faible	Élevé	Faible
Situation	1	2	3	4	5	6	7	8
	Favorable ··· Défavorable							

Il convient maintenant d'établir un lien entre ces différentes situations et le style de leadership. Pour mesurer le style de leadership d'un individu, Fiedler propose la variable LPC (*least preferred co-worker*). En se basant sur 18 critères d'évaluation, le leader décrit le collègue qu'il apprécie le moins. Il peut s'agir d'un collègue actuel ou d'un collègue avec qui il a déjà travaillé. Au moyen d'une échelle de 8 degrés, il évalue donc le collègue avec qui il lui a été le plus difficile de travailler. La figure 7.8 présente quelques-uns des critères d'évaluation.

FIGURE 7.8	Un exemple de critères d'évaluation du collègue le moins apprécié	
Plaisant	8 7 6 5 4 3 2 1	**Déplaisant**
Coopératif	8 7 6 5 4 3 2 1	**Non coopératif**
Distant	1 2 3 4 5 6 7 8	**Accessible**
Froid	1 2 3 4 5 6 7 8	**Chaleureux**

Plus le résultat est élevé, plus le collègue le moins aimé est décrit favorablement. D'après Fiedler, un résultat élevé témoigne d'un style de leadership centré sur les relations, donc démocratique, car, bien qu'il s'agisse d'un collègue avec qui il était difficile de travailler, le leader lui trouve quand même des aspects positifs. À l'inverse, plus le résultat est faible, plus le collègue le moins aimé est décrit défavorablement. Fiedler considère qu'un résultat faible témoigne d'un style de leadership centré sur la tâche, donc autoritaire. Évidemment, un résultat moyen est aussi possible ; celui-ci est plus difficile à interpréter que les autres, car il n'a pas fait l'objet de la même attention que ses contreparties faible et élevée.

En résumé, le modèle de Fiedler comprend quatre variables situationnelles : le style de leadership (autoritaire ou démocratique), l'atmosphère dans le groupe (bonne ou mauvaise), la structure de la tâche (structurée ou non structurée) et le pouvoir du leader (élevé ou faible). Grâce à ses recherches, Fiedler a également pu déterminer les styles de leadership les plus efficaces en fonction de ces variables. Le tableau 7.3 présente les combinaisons style-climat-pouvoir « idéales.

TABLEAU 7.3	Le style de leadership correspondant à certaines situations			
Situation	**Atmosphère**	**Structure de la tâche**	**Pouvoir du leader**	**Style efficace**
1	Bonne	Structurée	Élevé	Autoritaire
2	Bonne	Structurée	Faible	Autoritaire
3	Bonne	Non structurée	Élevé	Autoritaire
4	Bonne	Non structurée	Faible	Démocratique
5	Mauvaise	Structurée	Élevé	Démocratique
6	Mauvaise	Structurée	Faible	Inconnu
7	Mauvaise	Non structurée	Élevé	Inconnu
8	Mauvaise	Non structurée	Faible	Autoritaire

Comme on le constate à la figure 7.7 et au tableau 7.3, le style de leadership autoritaire ou autocratique est efficace lorsque la situation est favorable au leader (situations 1, 2, 3) ou lorsqu'elle lui est défavorable (situation 8). Au contraire, le style de leadership démocratique est efficace lorsque la situation est plus ou moins favorable au leader (situations 4 et 5). Aucune donnée empirique ne permet de tirer une conclusion pour les situations 6 et 7.

En somme, le **modèle de contingence de Fiedler** a le mérite d'avoir considérablement contribué à rendre opérationnel le concept de leadership en le soumettant à une vérification empirique. De plus, contrairement aux autres modèles croisant les facteurs situationnels et les styles de leadership, le modèle de Fiedler laisse entendre qu'une des qualités importantes d'un leader est sa capacité à modifier son environnement. Donc, il ne s'agit plus de s'adapter aux situations particulières, mais plutôt de façonner l'environnement et de l'adapter à son propre style.

7.3 Une vision contemporaine du leadership

Les différentes notions et théories que nous venons de présenter peuvent faire la synthèse de la conception classique du leadership. Bien qu'ils soient toujours valides et utiles, ces modèles ne tiennent naturellement pas compte des nouveautés ou des dernières découvertes. En effet, des recherches contemporaines sont venues enrichir la vision traditionnelle du leadership en la rapprochant des réalités organisationnelles d'aujourd'hui. À cet égard, quatre notions supplémentaires méritent d'être examinées, soit les **substituts du leadership**, l'attribution, le leadership transformationnel et la théorie des échanges dirigeants-dirigés, ou la théorie LMX.

7.3.1 Les substituts du leadership

En milieu de travail, les subordonnés dépendent du leader ; ils sont dirigés, soutenus, influencés ou récompensés par lui. Cette dépendance peut toutefois se voir réduite lorsque des substituts interviennent et modifient l'influence du leader. Selon Podsakoff et MacKenzie (1993), ces substituts prennent différentes formes (voir le tableau 7.4) et neutralisent, amplifient ou remplacent la capacité du leader à influencer ses subordonnés, leur satisfaction et leur rendement.

Les diverses études de Podsakoff (1985, 1993) démontrent qu'il existe un lien, même s'il est parfois ténu, entre les substituts et l'influence que pourront exercer les leaders de l'organisation. Par exemple, le professionnalisme amplifie la relation positive entre le leadership et l'intérêt des travailleurs pour leur travail, alors que la cohésion du groupe la neutralise. De même, plus les travailleurs possèdent d'expérience, de formation et de connaissances, plus la présence du leader est jugée inutile. Autre exemple : un psychologue qui offre des services de consultation et d'orientation professionnelle aux étudiants d'une université peut demeurer insensible aux

TABLEAU 7.4	Les éléments pouvant agir comme substituts du leadership
Les types de substituts	**Les éléments**
Caractéristiques des subalternes	• Aptitudes, expérience, formation et connaissances • Orientation professionnelle • Indifférence quant aux récompenses organisationnelles • Besoin d'indépendance
Caractéristiques de la tâche	• Tâches routinières, claires et méthodiques • Rétroaction instantanée (intégrée à la tâche) • Tâches intrinsèquement satisfaisantes
Caractéristiques organisationnelles	• Normes et objectifs formels • Règles et normes inflexibles • Soutien et conseil donnés par le personnel • Cohésion du groupe • Récompenses organisationnelles hors du contrôle du leader • Distance spatiale entre les supérieurs et les employés

tentatives de son supérieur de l'influencer, en partie parce qu'il est très intéressé par la nature même de son travail, en partie parce qu'il relègue au second rang les préoccupations relatives à la promotion. On peut donc constater que, pour certains substituts, les tentatives d'influence du leader sont inutiles.

Il est donc possible que les caractéristiques des subordonnés, de la tâche ou de l'entreprise agissent comme substituts du leadership et modifient ainsi l'influence du leader. Une tâche intéressante peut réduire le besoin de considération des employés, tout comme un travail structuré peut rendre inutile l'exercice d'un leadership centré sur la tâche. Par conséquent, un leader qui désire conserver son influence doit tenir compte de ces substituts et s'assurer de soutenir les employés là où aucun substitut ne le fait.

7.3.2 La théorie de l'attribution

Les auteurs qui adhèrent à la théorie de l'attribution (par exemple Green, Mitchell et Wood, 1979) considèrent que le comportement d'un individu est influencé par plusieurs facteurs. Avant d'adopter un style de leadership particulier, le leader doit observer le comportement des subordonnés pour être en mesure de reconnaître les facteurs situationnels qui leurs sont associés. Puis, le leader doit examiner trois autres critères :

- *La distinction.* L'employé adopte-t-il un comportement unique malgré la diversité des tâches qu'il effectue ?
- *La constance.* Est-ce que l'employé change de comportement avec le temps ?
- *Le consensus.* Est-ce que d'autres employés adoptent un comportement semblable lorsqu'ils accomplissent une tâche similaire ?

En somme, le leader doit déterminer si le problème auquel il doit faire face est lié à la personne, à la tâche ou à la situation. Si le problème est associé à la personne, la réaction du leader ne sera pas la même que s'il est lié à la tâche ou à la situation. Ainsi, dans un premier temps, le leader se rend compte d'une situation problématique, l'analyse et l'évalue afin de déterminer si la cause du problème est interne ou externe. Il peut alors se poser différentes questions ; il pourrait, par exemple, se demander si la baisse de productivité est causée par le manque d'intérêt de l'employé ou par la mauvaise planification des échéanciers. Dans un deuxième temps, le leader attribue une responsabilité et décide d'un comportement conséquent.

Autrement dit, et selon la théorie de l'attribution, c'est de la compréhension des causes du problème que découle le choix du style de leadership. Cependant, une des faiblesses de cette théorie est de supposer que le leader est objectif, ce qui est quelque peu utopique.

7.3.3 Le leadership transformationnel

Traditionnellement, le leadership était perçu comme une transaction, un échange entre le leader et ses subordonnés et c'est pourquoi on l'a appelé le *leadership transactionnel* (Bass, 1997, 1990a). Ce type de leadership est ancré dans la dynamique des récompenses et des punitions. Ainsi, le leader a le pouvoir de récompenser par des félicitations et par l'octroi d'augmentations salariales et de primes, ou de punir par des réprimandes ou par l'application de mesures disciplinaires.

Cette approche traditionnelle du leadership étant insatisfaisante, une vision transformationnelle du leadership a été développée. Le leadership transformationnel élargit et élève les intérêts des travailleurs en leur faisant prendre conscience des objectifs et de la mission de l'organisation, les incitant ainsi à regarder au-delà de leurs propres intérêts, et ce, pour le bien-être du groupe (Bass, 1990b ; Tichy et Devanna, 1997). Le tableau 7.5 permet de comparer les comportements qu'adoptent habituellement un leader transactionnel et un leader transformationnel.

Le leadership transformationnel comprend essentiellement quatre dimensions :

- *Le charisme.* Le leader charismatique (qui détient un pouvoir de référence) définit la vision de l'organisation, et les employés s'identifient à lui.

- *L'inspiration.* Le leader est également une source d'inspiration. Il incite les employés à se dépasser et à se consacrer à la réussite de l'organisation.

- *La considération.* Cette dimension prend sa source dans la consultation du groupe lors de la prise de décision. Le leader est conscient des différences

TABLEAU 7.5 Les comportements transactionnels et transformationnels du leader	
Les comportements du leader transactionnel	**Les comportements du leader transformationnel**
• S'assurer que les choses sont bien faites	• Expliquer pourquoi les choses doivent se faire
• Mettre en place les stratégies	• Élaborer une vision et concevoir une mission
• Introduire des plans promotionnels	• Inculquer des valeurs
• Gérer les ressources disponibles	• Développer de nouvelles ressources
• Contrôler les coûts	• Créer des valeurs
• Maintenir le *statu quo*	• Innover, développer une vision de changement
• Gérer les systèmes, les structurer et les contrôler	• Gérer les processus, les personnes et leur faire confiance
• Penser à court terme	• Penser à long terme
• Veiller au respect des valeurs	• Amener les gens à assimiler la vision et les nouvelles valeurs
• Contrôler les comportements dysfonctionnels	• Canaliser l'énergie des gens
• Organiser	• Réorganiser
• Croire dans le système	• Remettre le système en question
• Orienter les gens vers les tâches	• Mobiliser les gens autour d'idées
• Éviter le chaos à tout prix	• Découvrir le chaos créatif

individuelles des employés ; il agit comme mentor auprès de ceux qui ont besoin d'aide pour se développer.

- *La stimulation.* Le leader doit adopter des comportements conformes à sa vision, ce que la littérature appelle *walk-the-talk.* Il doit montrer aux employés de nouvelles manières d'envisager et de résoudre les problèmes auxquels ils font face. Il pourra aussi les amener à changer leurs croyances et leurs valeurs.

Le leadership transformationnel n'est pas vraiment un nouveau type de leadership, mais plutôt un type traditionnel dont les paramètres ont été modifiés. Le leadership transactionnel et le leadership transformationnel ne sont pas foncièrement opposés. Ainsi, un leader de type transformationnel peut emprunter des attitudes liées au rôle transactionnel, mais il y ajoutera certains éléments qui lui sont propres. De plus, certaines situations appellent naturellement un type donné de leadership. Ainsi, dans un environnement organisationnel stable, le leadership transactionnel demeure efficace. Cependant, lorsque l'organisation doit composer avec un environnement turbulent, elle a besoin de flexibilité, ce que le leadership transformationnel est en mesure de lui donner.

Certes, le leadership transformationnel n'est pas le remède à tous les maux organisationnels. Il représente cependant une option intéressante pour faire face aux différents problèmes organisationnels contemporains.

7.3.4 La théorie des échanges dirigeants-dirigés (théorie LMX) [1]

La **théorie des échanges dirigeants-dirigés**, ou **théorie LMX**, traite de la qualité des relations qui se développent entre un chef et un employé (Graen et Uhl-Bien, 1995). Contrairement à d'autres théories du leadership qui se concentrent sur la situation ou les caractéristiques du chef, la théorie LMX s'intéresse particulièrement aux rapports entre le dirigeant et le dirigé et part du principe que les relations entre ces deux personnes varient en qualité. Des relations de grande qualité entre le chef et l'employé supposent un niveau élevé d'influence, d'obligation, de confiance, de loyauté et de respect. Des relations de faible qualité se caractérisent par un manque de confiance, de respect, d'obligation et de soutien mutuel (Gerstner et Day, 1997).

Des études ont révélé que la qualité des échanges dirigeants-dirigés est liée au rendement de l'employé, au degré de satisfaction globale quant au travail réalisé et à la supervision, à l'engagement, au conflit de rôles, à la clarté des rôles et aux intentions en matière de roulement du personnel. Des relations de travail de grande qualité ont une incidence positive sur les cadres, les employés, les équipes de travail et les organismes (Schriesheim, Castro et Cogliser, 1999).

1. Traduit et adapté de Johns et Saks (2005).

CONCLUSION

Le leadership est un des phénomènes les plus complexes et les plus étudiés en psychologie du travail et des organisations. Les différentes théories du leadership empruntent trois principales approches : l'approche axée sur les traits, l'approche axée sur les comportements et l'approche axée sur la situation.

Pendant la première moitié du XXe siècle, les chercheurs se sont attachés aux traits de personnalité du leader. Malgré la cohérence et la logique des traits relevés, leur influence n'a pas été démontrée de façon empirique.

Cette faiblesse a donc conduit les chercheurs à s'intéresser davantage au comportement du leader. L'approche comportementale a donné naissance à différents modèles, d'où ressortent deux dimensions : celle du leader qui favorise la tâche et la production, et celle du leader qui se soucie davantage des relations interpersonnelles saines avec ses subordonnés. La principale critique formulée contre les théories se réclamant de l'approche comportementale concerne l'absence de facteurs situationnels dans l'élaboration des modèles de leadership.

De cette critique est née l'approche axée sur la situation. Cette approche regroupe le modèle unidimensionnel de Tannenbaum et Schmidt, le modèle de Hersey et Blanchard ainsi que le modèle de contingence de Fiedler. Ces auteurs mettent en relation différentes variables situationnelles avec un style de leadership efficace. Toutefois, malgré l'état d'avancement des recherches dans ce domaine, aucun modèle n'est encore capable de définir un style de leadership idéal. Par contre, les théories et modèles proposés laissent entendre que la complexité de la réalité organisationnelle exige une analyse approfondie des situations dans lesquelles le leadership doit s'exercer.

Plus récemment, les recherches ont démontré l'importance de la réalité organisationnelle dans la compréhension du leadership et ont donné naissance à une nouvelle vision de ce phénomène.

1. Définissez le leadership en mettant l'accent sur ses diverses composantes.

2. Les traits individuels peuvent-ils être considérés comme de bons indicateurs de la capacité de leadership d'un individu? Justifiez et illustrez votre réponse par un exemple tiré de la vie courante.

3. En vous reportant aux théories présentées dans la sous-section traitant de l'approche situationnelle, déterminez si un leader doit s'adapter aux situations ou s'il doit façonner les situations à son image.

4. Expliquez ce qu'est un substitut du leadership. Nommez, pour chaque type de substituts (subordonnés, tâches et organisation), un élément pouvant jouer ce rôle et expliquez son influence.

5. Si un leader de type transactionnel veut devenir un leader transformationnel, quels sont les paramètres de gestion qu'il devra modifier?

Restaurant Le Verjus
Menu du jour : leadership

Ce cas a été rédigé par **Denis Chênevert,** professeur à HEC Montréal. M. Chênevert a obtenu un doctorat en Science de la gestion de l'École doctorale des Sciences de l'entreprise de l'Université Toulouse I. Son enseignement est surtout tourné vers la gestion de la rémunération, la mobilisation du personnel et la gestion stratégique des ressources humaines. Ses intérêts de recherche portent sur les différentes formes de contingences en rémunération et leur influence sur la performance organisationnelle; l'influence des demandes et des ressources sur la santé mentale au travail et son rôle dans les mécanismes de retrait; les comportements de mobilisation et leurs déterminants; ainsi que la transformation des rôles des services et des professionnels en ressources humaines et leur influence sur l'efficacité.

Le milieu de la restauration dans le quartier du Plateau Mont-Royal connaît des conditions de plus en plus difficiles. Les années où quelques restaurateurs seulement avaient pignon sur rue et connaissaient du succès avec la formule «Apportez votre vin» semblent révolues. Monsieur Richard, propriétaire du chaleureux petit bistrot «Le Verjus», a toujours connu de bonnes années sans procéder à de réels changements. Toutefois, depuis bientôt deux ans, sa clientèle baisse sans cesse et les solutions tardent à venir. Patrick, le gérant, ne semble plus autant déterminé qu'avant et caresse depuis quelques mois l'idée d'ouvrir son propre restaurant. Devant cet état de choses, monsieur Richard décide de procéder à des changements en commençant par embaucher une nouvelle gérante.

Cela fera bientôt un an que Judith, la nouvelle gérante, est en poste et le propriétaire ne voit pas beaucoup d'améliorations. Les objectifs en matière de chiffre d'affaires, fixés en début d'année, ne semblent pas en voie d'être atteints. M. Richard se promet bien de tirer l'affaire au clair et d'interroger les employés afin de savoir ce qui se passe réellement dans son restaurant. C'est cependant le hasard qui lui permettra de répondre à plusieurs de ses interrogations. En effet, contrairement à ses habitudes, M. Richard travaillait à une heure tardive lorsqu'il fut témoin d'une discussion entre certains de ses employés. Attablés non loin du bureau de M. Richard, dont la porte était restée entrebâillée, les employés discutaient après leur quart de travail, nullement conscients de la présence de leur patron. De nature discrète, M. Richard se laissa gagner par la curiosité

et oublia le malaise d'abord ressenti à l'écoute d'une conversation à laquelle il n'était nullement convié.

Pauline : «Ça ne peut plus continuer comme ça, je suis vraiment au bout du rouleau. La nouvelle gérante, Judith, est toujours sur mon dos; je vais quitter ce foutu restaurant, un point c'est tout!»

Sophie : «Judith avait raison d'être fâchée contre toi. Elle a dû revenir au restaurant au début de la nuit parce que tu avais mal fermé une fenêtre et que le système d'alarme s'est enclenché…»

Pauline : «*Primo*, c'était la première fois que je faisais la fermeture du restaurant et *secundo,* je crois bien que tout le monde sait que Judith ne prend pas le temps d'expliquer quoi que ce soit à qui que ce soit. Quand elle est mal prise, il faut être disponible et deviner ce qu'elle veut.»

Cassandra : «Moi, je te comprends, Pauline. Judith t'a fait des remontrances devant tout le monde. Au fait, est-ce que je vais finalement avoir un vrai *training*? J'ai l'impression de déranger tout le monde avec mes questions… Comme nouvelle employée, je t'avoue que je marche sur des œufs. J'ai peur de faire une gaffe et d'en subir les conséquences. Il me semble que plus je suis nerveuse et plus je risque de faire des erreurs.»

Sophie : «C'est la même rengaine avec toutes les nouvelles. Comme Judith le dit, ce sont les meilleurs qui restent ici, les autres partent assez vite, merci. C'est le système "D" qui s'applique; "D" pour débrouillardise…»

Pauline : «Ce que Sophie essaie de te dire, c'est qu'il n'y a pas de *training* formel, on apprend comme ça, sur le tas. C'est vrai, par contre, qu'il en est passé des serveurs, ici. Comme le restaurant marchait très fort et qu'il y avait beaucoup d'argent à faire, on trouvait toujours des remplaçants. Depuis qu'un concurrent intéressant s'est installé pas très loin, j'observe une baisse de l'achalandage. D'ailleurs Sophie, je te ferai remarquer que quelques serveurs "pas assez bons" pour être ici travaillent chez ce concurrent…»

Sophie : «Je sais bien que le restaurant va moins bien… D'ailleurs Judith, qui m'a toujours demandé de servir le plus de gens possible et le plus vite possible, me parle maintenant de service à la clientèle. Je ne comprends pas très bien ce qu'elle veut. L'autre jour, un groupe de 20 personnes, qui avait réservé la salle arrière, m'a demandé de remplacer la musique d'ambiance par quelque chose d'un peu plus gai. Moi, je n'y voyais aucun inconvénient, mais comme tu le sais, Judith veut toujours être consultée avant qu'un changement soit fait. Comme elle n'était pas là et qu'il était impossible de la rejoindre, j'ai expliqué que je ne pouvais pas le faire. Lorsque j'en ai parlé à Judith, elle a soupiré en disant que je devais utiliser mon jugement et que, bien entendu, j'aurais dû répondre à leurs attentes. »

Cassandra : « Justement, parlons-en de ce fameux service à la clientèle. Je me demande bien à quoi peuvent servir toutes les fiches d'appréciation que les clients remplissent. Judith m'a demandé de compiler les suggestions des clients et de les entrer dans l'ordinateur. »

Pauline : « C'est Patrick, l'ancien gérant, qui avait mis cela en place un peu avant son départ. Judith a trouvé que c'était une très bonne façon de savoir qui ne fait pas bien son boulot. Elle les lit et dès qu'un client est insatisfait du service d'un d'entre nous, elle nous fait venir dans son bureau et nous demande des explications. Si j'étais toi, Cassandra, je prendrais le temps d'en lire quelques-unes avant de les lui remettre. Les bons commentaires, heureusement majoritaires, font vraiment chaud au cœur. Je m'accroche à cela quand j'en ai assez, c'est-à-dire lors de journées comme aujourd'hui… »

Sophie : « Est-ce qu'elle nous demande encore d'ajouter nos commentaires aux suggestions des clients ? À l'époque, on me demandait de trouver des solutions aux problèmes soulevés. »

Cassandra : « Non, elle ne m'a pas demandé d'ajouter mes commentaires. De toute façon, je ne me sentirais pas à l'aise de suggérer des changements, puisque je suis nouvelle. De plus, j'ai l'impression que les choses ne changent jamais. Que fait-on réellement avec toutes ces informations ? Il m'arrive souvent de me demander si ce n'est pas une perte de temps de faire cela, mais, c'est elle le patron et je suis payée pour le faire. Mais, entre vous et moi, si j'étais Judith, je parlerais certainement aux cuisiniers. Il faut que ceux-ci comprennent que c'est normal que l'on retourne des assiettes parfois, et que ce n'est pas toujours par caprice. Ils devraient aussi comprendre que les plaintes, c'est nous qui devons les encaisser et qu'un client insatisfait ne reviendra plus ! »

Sophie : « Nos priorités ne sont pas toujours les mêmes. Je crois que ce que veulent les cuisiniers, c'est éviter les pertes de nourriture et sortir les assiettes rapidement, ce qui suppose l'absence de retour, de correction, etc. C'est vrai que Judith évite de leur parler ; elle ne veut pas déplaire au grand chef, qui est vraiment une *prima donna*… Trouver un bon chef, c'est vraiment un casse-tête ! En fait, Judith semble un peu dépassée par les événements, mais on ne peut pas dire qu'elle ne travaille pas fort. Elle est presque toujours ici et elle nous aide souvent lorsque le restaurant est bondé et que nous sommes dans le trouble. Elle ne compte pas son temps. »

Pauline : « Tu as raison, mais je pense qu'elle veut trop en faire. Elle est de plus en plus fatiguée et, par conséquent, elle s'impatiente avec nous et même avec les clients. De toute façon, je rencontre demain matin le gérant du nouveau restaurant d'en face et s'il me garantit les heures que je veux, croyez-moi, je ne me ferai pas prier pour accepter son offre. »

Sophie : « Ce serait dommage de te perdre, on t'aime bien, Pauline ! »

Cassandra : « Je suis bien d'accord avec Sophie. Bonne fin de soirée ! Pauline… »

Pauline : « Bonne fin de soirée à vous deux également ! »

Cette discussion a pris par surprise M. Richard, qui n'en revient tout simplement pas. Il avait pourtant été clair avec Judith sur les objectifs à atteindre en termes de service à la clientèle et de travail d'équipe, entre autres choses. Il avait soulevé l'importance d'obtenir l'adhésion de tous les employés, plongeurs, cuisiniers serveurs compris. M. Richard doit maintenant analyser la situation et se préparer à apporter certains changements.

Questions

1. Qu'est-ce qui peut expliquer cet état de fait ?
2. Que doit faire Judith pour améliorer son leadership ?
3. Y a-t-il des points positifs dans la façon de faire de Judith ?
4. M. Richard a-t-il une part de responsabilité dans cette situation ?

Adler, N.J. (2002). *International dimensions of organizational behavior,* Cincinnati (Ohio), South-Western.

Bass, B.M. (1990a). *Bass and Stogdill's Handbook of Leadership* : *Theory, Research, and Managerial Application,* 3e éd., New York, Free Press.

Bass, B.M. (1990b). « From transactional to transformational leadership : Learning to share the vision », *Organizational Dynamics,* hiver, p. 19-31.

Bass, B.M. (1997). « Does the Transactional-Transformational Leadership Paradigm Transcend Organizational and National Boundaries ? », *American Psychologist,* vol. 52, p. 130-139.

Bennis, W. et Nanus, B. (1985). *Diriger,* Paris, Inter-Éditions.

Blake, R.R. et Mouton, J. (1964). *The Managerial Grid,* Houston (Texas), Gulf Publishing.

Blake, R.R. et Mouton, J. (1982). « Management by Grid Principles or Situationalism : Which ? », *Group and Organization Studies,* vol. 7, p. 207-210.

Byham, W.C. (1999). « Grooming Next-Millenium Leaders », *HRMagazine,* vol. 44, p. 46-50.

Dolan, S.L. et Garcia, S. (1999). *La gestion par valeurs,* Montréal, Éditions Nouvelles.

Eagley, A.H., Johannesen-Schmidt, M.C. et Van Enger, M.L. (2003). « Transformational, transactional, and laissez-faire leadership styles : A meta-analysis comparing women and men », *Psychological bulletin,* vol. 120, p. 569-591.

Eagley, A.H. et Johnson, B.T. (1990). « Gender and leadership style : A meta-analysis », *Psychological Bulletin,* vol. 108, p. 233-256.

Edwin, E. et Porter, L.W. (1963). « Cultural Patterns in the Role of the Manager », *Industrial Relations,* vol. 2, no 2, p. 95-117.

Fiedler, F.E. (1967). *A Theory of Leadership Effectiveness,* New York, McGraw-Hill.

Foy, N. et Godon, H. (1976). « Worker Participation Contrasts in Three Countries », *Harvard Business Review,* vol. 54, p. 71-84.

Gerstner, C.R. et Day, D.V. (1997). « Meta-analytic review of leader-member exchange theory : Correlates and construct issues », *Journal of Applied Psychology,* no 82, p. 827-844.

Goleman, D. (1993). « What Makes a Leader ? », *Harvard Business Review,* vol. 76, p. 92-102.

Goleman, D. (2000). « Leadership That Gets Results », *Harvard Business Review,* vol. 78, p. 78-90.

Goleman, D., Boyatzis, R.E. et McKee, A. (2002). *Primal Leadership* : *Realizing the Power of Emotional Intelligence,* Boston, Harvard Business School Press.

Graen, G.B. et Uhl-Bien, M. (1995). « Relationship-based approach to leadership : Development of leader-member exchange (LMX) theory of leadership over 25 years : Applying a multi-level multi-domain perspective », *Leadership Quarterly,* vol. 6, no 2, p. 219-247.

Green, S. et Mitchell, T.R. (1979). « Attributional Processes of Leaders in Leader-Member Interactions », *Organizational Behavior and Human Performance,* vol. 23, p. 429-438.

Greene, C. (1979). « Questions of Causation in the Path-Goal Theory of Leadership », *Academy of Management Journal,* mars, p. 22-40.

Gregersen, H.B., Morrison, A.J. et Black, J.S. (1998). « Developing leaders for the global frontier », *Sloan Management Review,* vol. 40, p. 21-32.

Hersey, P. et Blanchard, K.H. (1977). « Management of Organization Behavior : Utilizing Human Resources », 3e éd., Englewood Cliffs (N.J.), Prentice-Hall.

Hofstede, G. (1980). « Motivation, Leadership and Organization : Do American Theories Apply Abroad ? », *Organizational Dynamics,* vol. 8, p. 42-63.

House, R.J. (1971). « A Path-Goal Theory of Leadership Effectiveness », *Administrative Science Quarterly,* septembre, p. 321-339.

House, R.J. (1996). « Path-Goal Theory of Leadership : Lessons, Legacy, and Reformulated Theory », *Leadership Quarterly,* vol. 7, p. 323-352.

House, R.J., et Aditya, R.N. (1997). « The social scientific study of leadership : Quo vadis ? », *Journal of Management,* n° 23, p. 409-473.

House, R.J. et Mitchell, T.R. (1974). « Path-Goal Theory of Leadership », *Journal of Contemporary Business,* automne, p. 81-97.

John, G. et Saks, A.M. (2005). *Organizational Behavior, Understanding and managing Life at Work,* 6e éd., Toronto, Pearson Education Canada Inc.

Kakar, D. (1971). « Authority Patterns and Subordinate Behavior in Indian Organizations », *Administrative Science Quarterly,* vol. 16, n° 3, p. 298-308.

Kanungo, R.N. (1998). « Leadership in Organizations : Looking Ahead to the 21st Century », *Canadian Psychology,* vol. 39, p. 71-82.

Kavic, B., Rus, V. et Tannenbaun, A.S. (1971). « Control, Participation, and Effectiveness in Four Yugoslavian Industrial Organizations », *Administrative Science Quarterly,* vol. 16, n° 1 p. 74-86.

Kerr, S. et Jermier, J.M. (1978). « Substitutes for Leadership : Their Meaning and Measurement », *Organizational Behavior and Human Performance,* vol. 22, p. 376-403.

Kerr, S. et Schriesheim, C. (1974). « Consideration, Initiating Structure, and Organizational Criteria : An Update of Korman's 1966 Review », *Personnel Psychology,* vol. 27, p. 555-568.

Kets de Vries, M.F.R. (1982). *The Irrational Executive,* New York, International Universities Press.

Kets de Vries, M.F.R. (1994). « The Leadership Mystique », *Academy of Management Executive,* vol. 8, n° 3, p. 73-92.

Korman, A.K. (1966). « Consideration, Initiating Structure, and Organizational Criteria : A Review », *Personnel Psychology,* vol. 19, p. 349-361.

Likert, R. (1961). *New Patterns of Management,* New York, McGraw-Hill.

Mitchell, T.R. et Wood, R.E. (1979). « An Empirical Test of an Attributional Model of Leader's Responses to Poor Performance », *Proceeding of the Academy of Management,* p. 94-98.

Oh, T.K. (1976). « Theory Y in the People's Republic of China », *California Management Review*, vol. 19, n° 2, p. 77-84.

Podsakoff, P.M. et MacKenzie, S.B. (1993). « Substitutes for Leadership and the Management of Professionals », *Leadership Quarterly*, vol. 4, n° 1, p. 1-44.

Potter, E.H. et Fielder, F.E. (1981). « The Utilization of Staff Member Intelligences and Experience under High and Low Stress », *Academy of Management Journal*, vol. 24, p. 361-376.

Schneider, B. (1976). *Staffing Organizations,* Pacific Palisades (Calif.), Goodyear Publications.

Schriesheim, C.A., Castro, S.L. et Cogliser, C.C. (1999). « Leader-member exchange (LMX) research : A comprehensive review of theory, measurement, and data-analytic practices », *Leadership Quarterly*, vol. 10, n° 1, p. 63-113.

Scott, W.E. et Podsakoff, P.M. (1985). *Behavioral Principles in the Practice of Management,* New York, Wiley.

Stogdill, R.M. (1974). *Handbook of Leadership,* New York, Free Press.

Tannenbaum, R. et Schmidt, W.H. (1973). « How to Choose a Leadership Pattern », *Harvard Business Review,* mai-juin, p. 162-180.

Tcheulin, D. (1973). « Leader Behavior Measurement in German Industry », *Journal of Applied Psychology*, vol. 57, p. 28-31.

Tichy, N.M. et Devanna, M.A. (1997). *The Transformational Leader: The Key to Global Competitiveness,* San Francisco, Jossey Bass.

Toulouse, J.-M. (1986). « À propos de leadership », *Revue québécoise de psychologie,* vol. 7, nos 1-2, p. 209-221.

Vardi, Y., Shrom, A. et Jacobson, D. (1980). « A study of Leadership Beliefs of Israeli Managers », *Academy of Management Journal*, vol. 23, no 2, p. 367-374.

Wallace, M.J., Jr. et Szilagyi, A.D., Jr. (1987). *Organizational Behavior and Performance*, 4e éd., Glenview (Ill.), Scott, Foresman and Co.

Wolford, J.C. et Liska, L.Z. (1993). « Path-Goal Theories of Leadership: A Meta-Analysis », *Journal of Management*, vol. 19, p. 857-876.

Yukl, G. (1981). *Leadership in Organizations,* Engleewood Cliffs (N.J.) Prentice-Hall.

CHAPITRE 8

Le processus décisionnel, l'innovation et la créativité en milieu de travail

PLAN DU CHAPITRE

Les objectifs d'apprentissage

Dans ce chapitre, le lecteur se familiarisera avec :

- les paramètres du concept de motivation (besoins, pulsions, forces, etc.) ;

- la différence entre une **décision programmée** et une **décision non programmée** ;

- le rôle central de la rationalité dans le processus décisionnel ;

- les principes de base de la prise de décision naturelle ;

- la dynamique politique et aléatoire de décisions particulières ;

- les avantages et les inconvénients de la prise de décision individuelle et de la prise de décision en groupe ;

- les diverses techniques permettant d'augmenter la qualité des décisions prises en groupe ;

- la relation entre le style de leadership d'un gestionnaire et le mode de prise de décision qu'il privilégie ;

- les méthodes permettant de développer la créativité des membres d'une organisation.

Chacun doit constamment prendre des décisions. Pourtant, bien peu de gens savent définir avec précision la nature même d'une décision. L'esprit humain est ainsi fait qu'il justifie les décisions une fois qu'elles ont été prises ; c'est donc dire qu'*a posteriori,* on peut toujours expliquer et rationaliser ses décisions et les conséquences qui en découlent. Pourtant, les décisions ne sont jamais prises de façon arbitraire : elles dépendent d'un contexte, d'un environnement et de problèmes particuliers. La prise de décision constitue l'un des aspects les plus importants du travail d'un gestionnaire. En fait, on évalue l'efficacité du gestionnaire par la qualité des décisions qu'il prend. C'est au cours du processus de décision que le gestionnaire choisit, parmi différentes options, celle qui est la plus appropriée à une situation. Certaines décisions sont difficiles à prendre ; d'autres sont tout à fait routinières. Nous décrirons, tout au long de ce chapitre, le processus de prise de décision en organisation du point de vue individuel et du point de vue collectif.

8.1 Les types de décisions

Les gestionnaires doivent prendre quotidiennement de nombreuses décisions : certaines sont relativement simples et comportent peu de risque ; d'autres sont plus complexes et, par le fait même, plus risquées. Les décisions sont de deux types : les décisions programmées et les décisions non programmées.

Si l'organisation éprouve des problèmes répétitifs et routiniers, elle peut adopter des méthodes de résolution de problèmes qui faciliteront et accéléreront le processus décisionnel : les décisions sont programmées. Les règlements, procédés et politiques de l'organisation composent des méthodes qui permettent au gestionnaire de prendre rapidement un bon nombre de décisions sans devoir analyser en détail tous les éléments liés à un problème en question. En entreprise, un grand nombre de décisions sont programmées. Elles s'appuient sur des méthodes formelles qui assurent une économie de temps et d'énergie en réduisant l'effort déployé pour prendre la décision. De plus, ces méthodes formelles ont l'avantage de favoriser l'uniformité des décisions et de les rendre plus prévisibles. Enfin, parce qu'elles sont formalisées, ces méthodes transmettent l'idéologie de la direction de l'entreprise, qui n'a pas à participer directement à chaque prise de décision.

Les décisions non programmées, quant à elles, sont prises de façon irrégulière et souvent inattendue. Elles sont généralement associées à des problèmes nouveaux pour lesquels aucune méthode préétablie n'existe. Il peut s'agir soit de cas spéciaux, soit de cas complexes présentant un grand niveau de risque.

Les décisions programmées laissent peu de marge de manœuvre au décideur, alors que les décisions non programmées, liées à des situations uniques et originales, sont davantage le reflet des intentions, des habiletés et de la personnalité du décideur, et ce, tant dans leurs aspects rationnels qu'irrationnels.

Internet a-t-il révolutionné le processus décisionnel dans les entreprises?

La réponse n'est pas évidente et les spécialistes sont partagés. Par contre, les nouvelles technologies réseautiques semblent avoir un effet sur l'accélération des processus décisionnels. « Impossible de nier qu'Internet a un effet sur la rapidité avec laquelle les renseignements stratégiques parviennent au PDG et sur la rapidité avec laquelle il répond. Le courriel est instantané, tandis que parapheurs ou bordereaux mettent une semaine à faire le tour des bureaux. D'autre part, le fait de recevoir un courriel implique une réponse dans l'heure. Si vous n'y répondez pas dans les 24 heures, la personne qui vous l'a adressé commencera à se poser des questions. »

À l'intérieur de l'entreprise, le temps de préparation des décisions aurait tendance à diminuer. De là à affirmer que, emporté par l'instantanéité du courriel, le gestionnaire serait contraint de prendre parfois une décision sur la base d'analyses partielles, le pas est facile à franchir.

8.2 Les éléments influençant la prise de décision

Prenons la liste de questions suivante:

- Où devrait-on construire la nouvelle usine?
- Quel volume de stocks devrait-on conserver?
- Devrait-on offrir des programmes de formation complets aux employés ou embaucher une main-d'œuvre déjà formée?
- Quelles devraient être les principales caractéristiques du système informatisé d'information que l'on aimerait acquérir?
- Est-ce que le programme d'évaluation du rendement devrait être couplé avec un programme de rémunération au mérite?
- Est-ce que l'on devrait accepter l'emploi offert?

Chacune de ces questions appelle une décision. Celle-ci peut être prise de plusieurs façons: l'individu peut recourir à son **intuition**, à ses valeurs, à son jugement ou à la rationalité. Voyons brièvement les éléments essentiels de la prise de décision.

Vous avez des solutions? Cherchez donc des problèmes!

Les décisions sont-elles toujours rationnelles? C'est ainsi qu'on les juge... Après coup en tout cas.

Prenons un simple exemple. Comment, dans vos entreprises, définissez-vous la priorité des projets? Toujours après une étude d'opportunité rondement menée avec une définition précise de l'urgence... ou plutôt en tenant compte de la disponibilité des ressources?

James G. March avait déjà étudié ce phénomène et s'en était servi pour démontrer le côté mythique de la décision rationnelle au sein des organisations. Dans la théorie classique, on présuppose que, face à un problème, les décideurs élaborent rationnellement une solution adéquate. Voici le problème, cherchons la solution.

Mais selon les observations de March et de ses collaborateurs, le processus de décision ne se déroule pas ainsi. Il s'agirait plutôt de mettre en concordance des solutions préexistantes avec des problèmes...

Source: Alain Fernandez, *BIZINTELIGENCE,* [en ligne], http://blogs.zdnet.fr/ index.php/2005/10/10/vous-avez-des-solutions-cherchez-donc-des-problemes/ (page consultée le 12 décembre 2006).

Il existe une littérature importante sur les limites du décideur. Cette littérature se concentre très souvent sur les problèmes de choix dans différentes situations. Elle compare, par exemple, la stratégie adoptée par un décideur à une stratégie optimale censée maximiser les résultats. De façon générale, on constate que les décideurs ne maîtrisent pas «les stratégies basées sur les valeurs» et qu'ils utilisent toutes sortes de raisonnements autres ou approximatifs. Voici quelques exemples:

- *The framing of decision* (Kahneman et Tverskey, 1979; Tverskey et Kahnman, 1981): Les gens décident en fonction de la façon dont on leur présente un problème. Le principe d'invariance de la théorie d'espérances subjectives (Von Neumann et Morgenstern, 1944) n'est quasiment jamais respecté.

- *La violation de simples règles de calcul:* Les règles de transitivité (répercussion des préférences relatives sur l'ensemble) et de dominance (choix de la meilleure solution dans un cas et d'une solution équivalente dans les autres) sont aussi fréquemment ignorées.

- *Le choix sans raisonnement* (Nisbett et Wilson,1977): Souvent, on constate que les gens prennent des décisions sans savoir pourquoi. Si on interroge ces personnes sur les raisons de leur décision, ils inventent des raisons fausses.

L'intuition

Tout individu peut, à un moment ou à un autre, avoir le sentiment de devoir agir d'une certaine façon sans trop savoir pourquoi. À ce moment-là, c'est son intuition qui le guide. Dans certaines occasions, un gestionnaire peut, lui aussi, s'appuyer sur son intuition ou sur ses pressentiments pour prendre une décision. Dans ce cas, il ne s'attarde pas à analyser le pour et le contre de chaque possibilité qui s'offre à lui. Comportant un niveau de risque considérable, cette méthode donne, selon diverses recherches, de plus ou moins bons résultats.

Les valeurs personnelles

Les valeurs d'un gestionnaire guident les décisions qu'il prend. Prenons l'une des questions énoncées plus haut: Devrait-on offrir des programmes de formation complets aux employés (voir **formation en milieu de travail**) ou embaucher une main-d'œuvre déjà formée? Il est évident que la décision qui sera prise dépendra de considérations éthiques et reflétera les valeurs du décideur.

Le jugement

Lorsqu'un individu se fonde sur son jugement pour prendre une décision, il se réfère généralement à des situations comparables vécues antérieurement en espérant prévoir les conséquences éventuelles et probables de la décision envisagée. Bien qu'elle soit intéressante, cette méthode, qui fait appel au jugement, est souvent difficile à justifier. En effet, même si des similitudes importantes existent entre deux situations, il n'en reste pas moins que chaque situation est unique et qu'elle exige, par le fait même, une solution unique. Par conséquent, lorsque le décideur fait face à une nouvelle situation ou à un problème très complexe, il peut lui être difficile de prendre une décision en se fondant uniquement sur son jugement.

La rationalité

La rationalité est un processus logique qui amène le décideur à analyser toutes les composantes du problème et à adopter la meilleure solution possible. Cette approche se différencie de la méthode reposant sur le jugement par le fait qu'elle s'appuie non seulement sur l'expérience, mais aussi sur une méthode objective rigoureuse, qui inclut une analyse complète. Ce processus est examiné dans la section suivante.

8.3 Le processus décisionnel

Chacun doit constamment prendre des décisions. Pourtant, comme nous l'avons déjà mentionné, bien peu de gens savent définir avec précision la nature même d'une décision. Il est important de souligner que l'efficacité d'une décision dépend du contexte, de l'environnement et des problèmes qui lui sont liés. Chacun de ces facteurs doit donc être considéré attentivement.

Le processus décisionnel est un mécanisme qui facilite le choix d'une solution parmi d'autres et, plus particulièrement, d'une réponse organisationnelle à un problème ou à une situation particulière, quelle qu'elle soit. Ainsi, toute décision est le résultat d'un processus dynamique qui est influencé par une diversité de forces. Afin d'améliorer la qualité des décisions prises en milieu organisationnel, différentes méthodes ont été élaborées : la méthode rationnelle, le modèle de la rationalité limitée de Simon, l'**approche intuitive**, l'approche politique, les stratégies de résolution de problèmes, la «poubelle organisationnelle». Nous les présentons dans les pages qui suivent.

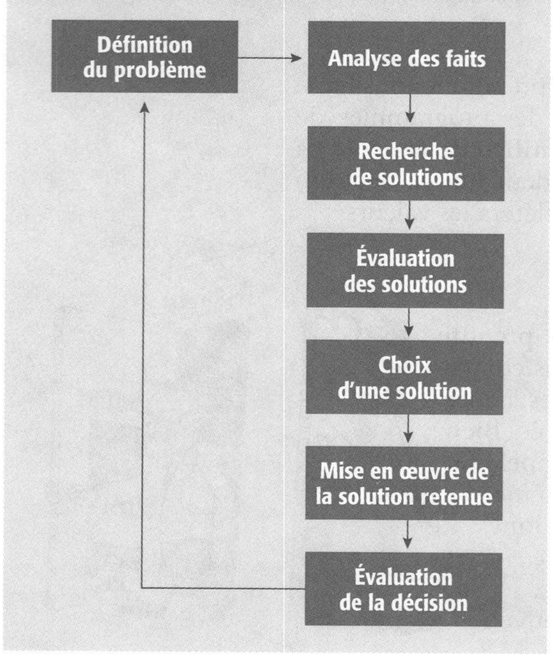

8.3.1 La méthode rationnelle

En vertu du principe de rationalité, toute activité est un moyen d'atteindre un objectif précis. Les décisions ne sont donc pas que des choix, mais font partie intégrante du fonctionnement.

La méthode rationnelle de prise de décision oblige à analyser logiquement des faits concrets afin de parvenir à une décision calculée (voir la figure 8.1). La méthode rationnelle est utile lorsque le problème auquel le gestionnaire fait face est complexe ou nouveau ; elle amène le gestionnaire à opérer un choix efficace parmi les diverses solutions possibles. Si le problème est simple ou routinier, le recours à cette méthode est peu pertinent.

Une décision fondée sur l'**approche rationnelle** requiert un cheminement logique suivant diverses étapes précises.

FIGURE 8.1 | La méthode rationnelle de prise de décision

- Définition du problème
- Analyse des faits
- Recherche de solutions
- Évaluation des solutions
- Choix d'une solution
- Mise en œuvre de la solution retenue
- Évaluation de la décision

Première étape : la définition du problème

Avant d'envisager une solution, il est important d'avoir une idée claire et nette de la situation : il faut cerner et définir le problème. La définition du problème commence lorsqu'on ressent le besoin d'améliorer une situation ou lorsqu'on rencontre des obstacles qui nous empêchent d'atteindre efficacement un objectif. Il est dès lors essentiel de faire les distinctions qui s'imposent entre les symptômes et les causes d'un problème et entre les données essentielles et les données secondaires. Par exemple, un professionnel a l'habitude de remettre des rapports incomplets ou mal structurés. Face à cette situation, son supérieur pourrait lui suggérer de s'inscrire à un cours de rédaction spécialisée. En agissant ainsi, le supérieur fait l'hypothèse que les rapports sont incomplets ou mal structurés parce que l'employé manque d'habiletés ou de connaissances en rédaction. Une analyse plus approfondie aurait peut-être démontré que cet employé sait rédiger des rapports, mais qu'il gère mal son temps, de sorte qu'il rédige ses rapports à la hâte et, par conséquent, ceux-ci sont incomplets ou mal structurés.

Il arrive, en effet, que le problème soit difficile à définir parce que divers facteurs viennent fausser sa compréhension. Le piège dans lequel tombent fréquemment les décideurs est de formuler le problème sous la forme d'une alternative : Devrait-on acheter une maison à la campagne ou devrait-on l'acheter en ville ? L'alternative ne correspond pas au problème, elle suggère plutôt deux solutions au problème. Les solutions présentées sous la forme d'une alternative empêchent, d'une part, la reconnaissance du véritable problème et, d'autre part, la créativité et la formulation de nouvelles solutions.

Au cours de la première étape, le gestionnaire doit déterminer les objectifs et les limites de l'éventuelle solution. Il s'agit donc de définir les exigences de la solution idéale.

Bien qu'il existe des mesures quantitatives pour évaluer les solutions possibles, elles sont d'utilisation complexe. Les critères d'évaluation les plus fréquemment utilisés ont plutôt trait à la qualité de la solution ou à son acceptabilité. C'est d'ailleurs de ce dernier critère que se servent de nombreuses entreprises en Amérique du Nord. Ainsi, une décision jugée « bonne » par les membres de la direction, mais inacceptable par les subalternes, pourra être considérée comme inefficace et rejetée. Souvent, les critères associés à la qualité de la solution et à son acceptabilité sont tous les deux présents et varient selon l'organisation et la situation. Comme l'illustre la figure 8.2, quatre situations sont possibles :

1. Le décideur favorise la qualité de sa décision.

2. Les deux critères sont d'égale importance dans le processus décisionnel.

3. Une décision immédiate est considérée comme impossible. La décision doit être remise à plus tard. Cette attente peut parfois être bénéfique au gestionnaire en lui permettant, par exemple, de prendre du recul et de mieux percevoir le problème.

4. Le critère privilégié est l'acceptabilité de la décision.

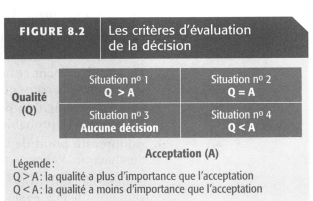

FIGURE 8.2 Les critères d'évaluation de la décision

	Acceptation (A)	
Qualité (Q)	Situation nº 1 **Q > A**	Situation nº 2 **Q = A**
	Situation nº 3 **Aucune décision**	Situation nº 4 **Q < A**

Légende :
Q > A : la qualité a plus d'importance que l'acceptation
Q < A : la qualité a moins d'importance que l'acceptation

Deuxième étape : la réunion et l'analyse des faits pertinents

Une fois que le problème est défini, il faut rassembler tous les faits qui s'y rapportent. Ce processus est parfois irritant, d'une part, en raison d'une possible difficulté d'accès à certains renseignements et, d'autre part, la quantité d'information peut être telle qu'un tri s'avère nécessaire. Or, pour faire ce tri, le décideur devra avoir recours à son expérience et à son intuition. Il devra pouvoir distinguer les faits des opinions ; le fait se définit généralement comme un phénomène vrai ou réel et l'opinion, comme une idée ou un jugement quelconque.

Il est clair que le fait de détenir des renseignements pertinents aide à clarifier le problème et à amorcer la recherche de solutions. Ces renseignements proviennent, par exemple, d'enquêtes effectuées par l'organisation, des registres de l'entreprise ou d'expériences similaires vécues dans le passé. Les sources d'information peuvent donc se trouver aussi bien à l'extérieur qu'à l'intérieur de l'organisation.

La classification de tous les faits et renseignements réunis de même que l'évaluation de leur importance permettent au décideur de passer à l'étape suivante.

Troisième étape : la recherche de solutions

À ce stade-ci, il faut faire ressortir toutes les solutions possibles. Une des méthodes les plus efficaces pour y arriver est communément appelée le remue-méninges (*brainstorming*). Il s'agit d'une technique de recherche d'idées ; les participants à une séance de remue-méninges donnent libre cours à leur imagination et formulent des suggestions pour résoudre un problème — nous y reviendrons plus loin. En général, plus le nombre de solutions proposées est grand, plus la discussion sera fructueuse. À ce stade, les suggestions ne font l'objet d'aucune critique. Ultérieurement, une évaluation sera effectuée, mais il importe d'élargir au préalable l'horizon des solutions possibles. Dans cette optique, quelques règles doivent être respectées : il faut maximiser le nombre d'idées, encourager l'expression d'idées extravagantes et n'exercer aucune censure.

Quatrième étape : l'évaluation des solutions soumises

Ensuite vient l'évaluation. Cette démarche repose sur le principe qu'il est impossible de prendre une décision éclairée si toutes les options possibles n'ont pas été évaluées. La démarche d'analye suivante est proposée :

1. Repérer toutes les solutions susceptibles de résoudre le problème et éliminer toutes les autres ;
2. Définir clairement et de façon concise chaque solution retenue et essayer d'imaginer les conséquences qu'entraînerait leur application ;
3. Faire une évaluation préliminaire de chaque possibilité, en classant ses conséquences probables selon leurs avantages ou inconvénients ;
4. Adopter un point de vue économique et évaluer les résultats possibles de chacune d'elles.

En somme, lorsque toutes les solutions possibles ont été proposées, elles doivent ensuite être évaluées qualitativement et quantitativement. Comme l'objectif premier de la prise de décision consiste à maximiser les effets de la décision choisie, il est important de choisir la solution qui présente le plus d'avantages et le moins d'inconvénients. Ainsi, pour bien saisir les répercussions d'une décision sur l'entreprise, il faut d'abord analyser chaque possibilité en pesant le pour et le contre. Plusieurs méthodes plus ou moins formelles peuvent permettre de qualifier et de quantifier les diverses solutions. Une des méthodes privilégiées en entreprise est celle de l'arbre décisionnel (nous examinerons cette notion à la section 8.5). Cette méthode consiste à simuler différentes conditions et à examiner les conséquences immédiates et à longue échéance de chaque solution possible.

Cinquième étape : le choix d'une solution

Il est important de noter que la prise de décision ne s'effectue qu'à cette étape. Malheureusement, il arrive souvent que les gestionnaires passent trop rapidement de la première à la cinquième étape, ce qui entraîne inévitablement l'adoption de solutions médiocres. Idéalement, le choix est objectif et intègre tous les faits pertinents. Après avoir comparé les diverses possibilités et cerné leurs avantages et inconvénients, le décideur se rend souvent compte que la meilleure solution ressort clairement du lot.

Sixième étape : la mise en œuvre de la solution retenue

Lorsque la solution est choisie, il est nécessaire de déterminer la façon dont elle sera mise en place et la personne qui en sera responsable. Il est utile de procéder en deux étapes distinctes. Il faut d'abord établir l'ordre des étapes d'implantation et désigner un responsable, puis identifier les personnes en mesure de fournir les conseils utiles. Ensuite, il faut utiliser une méthode qui réduira le plus possible les inconvénients et maximisera les avantages. En fait, la mise en œuvre de la solution retenue peut elle-même faire l'objet d'un processus décisionnel. Étant donné que la mise en œuvre de la solution peut se faire en plusieurs étapes, il faut se poser différentes questions : Quelles activités se dérouleront ? dans quel ordre ? Qui sera responsable des activités ? D'où proviendront les ressources humaines, matérielles, financières et informationnelles ? etc. Bref, il est nécessaire d'avoir une idée claire de chacune des étapes si l'on désire mettre en œuvre la solution retenue avec efficience et efficacité.

Septième étape : l'évaluation de la décision

Toute gestion efficace comporte une évaluation périodique des résultats. Cette évaluation s'effectue en comparant les résultats obtenus avec les résultats prévus ou, plus précisément, avec les objectifs visés. Lorsque les résultats de l'évaluation montrent des écarts entre les deux points de comparaison, des changements doivent être apportés. L'évaluation de la décision, dernière étape du processus décisionnel, est donc cruciale. En effet, elle permet de s'assurer de la congruence entre les résultats obtenus et les objectifs visés.

*

* *

Il est rare que la méthode rationnelle, telle que nous venons de la décrire, soit appliquée intégralement dans l'organisation. En effet, il semble que la prise rationnelle de décision ne soit efficace que dans certaines circonstances, soit lorsqu'il y a unanimité quant aux objectifs visés, que la nature des objectifs est claire et qu'il existe plusieurs solutions possibles. Étant donné la réalité organisationnelle dans laquelle il évolue, le gestionnaire doit généralement prendre des décisions en contexte d'incertitudes, avec une information incomplète et à l'intérieur de courts délais. Il est évident que ces circonstances ne se prêtent pas à la méthode rationnelle. C'est pourquoi d'autres modèles s'imposent, mieux adaptés à la réalité organisationnelle.

8.3.2 Le modèle de la rationalité limitée de Simon

Pour Simon (1997), la rationalité est limitée par l'incapacité de l'esprit humain d'intégrer l'ensemble des valeurs, connaissances et comportements relatifs à une décision. Parce qu'elle s'inscrit dans un environnement psychologique et social, la rationalité humaine se trouve limitée par des facteurs et des contraintes sur lesquels se fonde la décision. C'est dans la foulée de cette réflexion qu'est né le modèle de la rationalité limitée. Simon propose une méthode qui vise à maximiser la **qualité de la décision** en encourageant le décideur à suivre son intuition. À cet égard, Simon distingue d'abord deux types d'éléments sur lesquels se fonde la prise de décision : les faits et les valeurs. Les faits se rapportent à ce qui est observable ; une proposition factuelle peut généralement être vraie ou fausse. La décision peut en outre être le fruit de considérations éthiques et dépendre des valeurs du décideur ; une proposition à contenu éthique n'est donc pas vérifiable. Par exemple, dire qu'un tel état de choses devrait exister, qu'il serait préférable ou désirable n'est ni vrai ni faux. Ajoutons qu'une prise de décision fait appel à certaines prémisses éthiques qui découlent des objectifs de l'organisation.

Dans son modèle, Simon fait aussi intervenir les notions de rationalité et de comportement rationnel. Sa théorie est en effet fondée sur les différentes possibilités de comportement et sur les conséquences qui en découlent. La décision devient le processus par lequel une des possibilités est choisie afin d'être mise en application. On parle de stratégie quand une série de décisions déterminent des comportements pour une période précise. La décision rationnelle permet de déterminer la stratégie qui provoquera un ensemble de conséquences désirées. Dans ce modèle, la prise de décision comprend trois étapes : d'abord, il faut dresser la liste de toutes les stratégies possibles, puis relever toutes les conséquences de chacune des stratégies et finalement, évaluer de façon comparative les conséquences.

8.3.3 L'approche intuitive

Au cours des 14 dernières années, l'approche intuitive a acquis une certaine influence comme méthode explicative de la prise de décision. L'approche intuitive ou les théories de la prise de décision naturelle, comme

Dans un article publié en 1992, Luc Robitaille illustre les cinq méthodes de prises de décision en prenant comme exemple un banquier qui doit autoriser ou non une demande de financement : 1) selon le modèle rationnel classique, le banquier peut tenir compte de toute l'information disponible et faire un choix optimal, ses capacités cognitives étant considérées comme illimitées ; 2) selon le modèle de la rationalité limitée de Simon, le banquier est incapable d'analyser toute l'information et il s'arrêtera, par conséquent, à la première option qui satisfait le mieux ses critères de sélection ; 3) selon l'approche du décideur organisationnel, la décision sera prise aux termes d'un processus complexe de négociation impliquant les procédures et les structures préétablies, les autres parties prenantes à la décision et le banquier lui-même ; 4) selon l'approche du décideur personnalisé, la décision sera fonction des dimensions psychiques du banquier, soit de ses expériences passées, de son humeur, de son style de gestion, de ses habiletés, de sa personnalité, etc. ;

5) enfin, selon l'approche du décideur politique (ou processus d'ajustement mutuel partisan), qui correspond au modèle de la rationalité limitée auquel s'ajoute le principe d'acceptabilité, la décision sera dite acceptable lorsque chaque partie y trouvera son profit.

En conclusion, Luc Robitaille rappelle que le vrai problème de la prise de décision va au-delà du choix d'un de ces modèles. La prise de décision repose plutôt sur un processus d'interactions entre le décideur et son environnement, la théorie et la pratique étant indissociables. Robitaille prolonge la réflexion en décrivant les étapes d'un processus de décision dit raisonnable et qui se joue entre la rationalité et l'intuition, par opposition au processus rationnel, qui ne tient pas compte des limites de la perception humaine.

Source : Robitaille (1992, p. 17-25).

on les appelle le plus souvent, reposent sur des modèles descriptifs, plutôt que normatifs, des stratégies utilisées par les décideurs chevronnés pour aborder les problèmes réels. Les théories de la prise de décision naturelle n'ont pas recours à la notion de choix normatif et partent du principe que les décideurs utilisent des stratégies beaucoup moins formalisées, mais beaucoup plus rapides.

Trois principes de base sous-tendent les théories intuitives. Le premier, c'est que les décisions sont prises après l'évaluation holistique et séquentielle des actions possibles en vertu de leur acceptabilité. Le deuxième principe, c'est que le décideur compte d'abord sur la reconnaissance pour trouver des choix possibles et les comparer à des expériences antérieures (notamment aux expériences acquises au travail et lors de la formation). Il ne produit donc pas une liste exhaustive de choix possibles. Il détermine plutôt des plans d'action possibles en évaluant d'abord la situation, puis en y reconnaissant des situations antérieures. En se fondant sur ses expériences, le décideur peut se souvenir d'anciens plans d'action et évaluer leur pertinence dans la situation présente. Le troisième principe, c'est que le décideur se sert d'un critère satisfaisant et que, plutôt que chercher une solution optimale, il interrompt la recherche quand il a trouvé un plan d'action acceptable. Les situations réelles exigent souvent des réponses très rapides, et le décideur peut être obligé d'accepter une solution tout juste satisfaisante, sans se préoccuper de savoir s'il en existe une meilleure (Bryant et autres, 2005).

Le principal problème de l'approche intuitive de la prise de décision est le caractère généralement vague des modèles qu'elle formule. Todd et Gigerenzer (2001) ont soutenu que les chercheurs avaient délibérément évité d'élaborer une théorie détaillée parce qu'ils pensaient, à tort, qu'on ne peut pas faire de modèles formalisés des processus décisionnels utilisés dans les cas réels. Certes, les chercheurs en science du comportement ont cherché à développer des modèles génériques du fonctionnement cognitif, mais cela n'empêche pas la création de modèles approfondis d'opérations cognitives particulières propres à certaines conditions. Sans modèles détaillés, il sera difficile de formuler des hypothèses assez précises pour mettre à l'épreuve les modèles intuitifs de prise de décision.

8.3.4 L'approche politique

Les chercheurs qui se sont penchés sur l'approche politique soutiennent que les décisions des gestionnaires ont pour principal objectif la satisfaction de leurs besoins personnels. Dans cette optique, chaque décision devient bien plus qu'une occasion de faire progresser l'organisation ; elle est une façon de réaffirmer la position hiérarchique (pouvoir) du gestionnaire ainsi que ses qualités de gestionnaires. Donc, loin d'être ouverts et attentifs aux multiples renseignements disponibles, les gestionnaires auront tendance à répéter les mêmes schèmes décisionnels, sans égard aux problèmes qui leur sont soumis. Le pouvoir décisionnel est alors utilisé pour renforcer la position politique des acteurs organisationnels, en fonction des stratégies et des tactiques propres à chacun de ces acteurs.

L'approche politique repose sur quatre grands principes :

- le principe d'hédonisme, selon lequel l'individu fera tout ce qui est en son pouvoir pour satisfaire ses propres intérêts ;
- le principe de marché, selon lequel les individus sont égoïstes et motivés par les gains personnels ;
- le principe de convention, selon lequel tout individu profitera des situations sans égard aux lois ou à l'éthique ;
- le principe d'équité, selon lequel les individus légitiment les gains qu'ils accumulent par leur statut et leur position.

8.3.5 Les stratégies de résolution de problèmes

Thompson (1967) a défini quelques règles pour aider les gestionnaires à choisir une stratégie propre à résoudre leurs problèmes. Selon lui, deux dimensions majeures viennent influencer la prise de décision. La première suppose qu'on croit en un lien de cause à effet entre le problème et ses conséquences, alors que la seconde dimension est en lien avec les préférences quant aux éventuels résultats. Lorsqu'on met en relation ces deux dimensions, on obtient une matrice qui jette un éclairage particulier sur les types de situations problématiques auxquelles se heurtent les gestionnaires (voir la figure 8.3).

Thompson propose, pour chacune de ces situations, une stratégie spéciale de résolution de problèmes. Ainsi, dans le cas de problèmes qui sont très bien structurés, très bien définis, dont les relations de cause à effet peuvent être assez bien circonscrites et dont on connaît l'aboutissement probable, il suggère une stratégie de « calcul » ; la complexité de ce type de

FIGURE 8.3 | Les situations organisationnelles problématiques

	Certitude	
Préférence pour certains résultats	Problèmes très bien structurés (ex. : procédés répétitifs, utilisation de la technologie) Stratégie : calcul	Problèmes modérément structurés (ex. : décisions d'embauche, promotion, décisions stratégiques) Stratégie : discernement
	Problèmes modérément structurés (ex. : amélioration d'un produit) Stratégie : compromis	Problèmes très peu structurés (ex. : décisions stratégiques dans un environnement changeant) Stratégie : intuition
	Incertitude	

Certitude ←——————————→ Incertitude
Perception d'une relation de cause à effet

Source : Traduit et adapté de Thompson (1967, p. 134).

problèmes est essentiellement fonction de la quantité d'information dont on doit tenir compte lors de l'application de procédés routiniers.

À l'inverse, pour les problèmes dont les relations de cause à effet sont incertaines et dont même les conséquences possibles font l'objet de spéculations et de controverses, il suggère l'élaboration ou l'utilisation de techniques de résolution de problèmes qui permettent une prise de décision plus solidement fondée, mais où prédomine l'intuition.

Pour les deux autres types de situations problématiques, qui présentent un degré modéré de complexité, Thompson préconise des stratégies de discernement et de compromis.

8.3.6 La « poubelle organisationnelle »

La méthode de «poubelle organisationnelle» (de l'anglais *garbage can approach*) de Cohen, March et Olson (1972) se distingue des méthodes précédemment présentées. Selon cette approche, les décisions sont habituellement prises de façon hasardeuse, voire aléatoire. L'organisation devient un amas de problèmes, de solutions, d'intervenants et de situations qui s'entremêlent et se répandent de façon désordonnée dans l'environnement organisationnel (voir la figure 8.4). Une décision concrète survient lorsque les divers éléments nécessaires à la formulation d'une décision se rencontrent. Naturellement, ces rencontres ne sont pas planifiées, et c'est au gré des conjonctures et des aléas situationnels que les décisions sont prises. On peut certes douter de la qualité de la décision qui est prise dans de

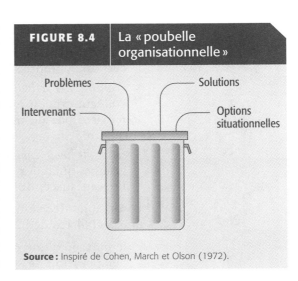

FIGURE 8.4 | La « poubelle organisationnelle »

Problèmes — Solutions

Intervenants — Options situationnelles

Source : Inspiré de Cohen, March et Olson (1972).

telles circonstances, celle-ci étant alors davantage dictée par l'agencement arbitraire des éléments que par une démarche rationnelle.

La méthode de la «poubelle organisationnelle» pourrait être illustrée par le cas d'un service, au sein d'une organisation, qui veut épuiser son budget avant la fin de l'année fiscale. Comme les employés du service en question ne veulent pas voir cet argent leur échapper, ils procéderont d'abord à une fausse attribution des fonds, ne sachant pas encore exactement à quoi ils seront utilisés. Deux semaines après la fin de l'année fiscale, le système informatique du service tombe en panne. Heureusement, la solution (la disponibilité des crédits nécessaires pour remplacer le système), le problème (le système informatique en panne) et les individus en cause (les employés) sont en «alignement». Autrement dit, la conjoncture est parfaite : les employés ont protégé les fonds budgétaires qui pouvaient s'avérer utiles à un certain moment, le système informatique est tombé en panne et les crédits ont servi à acheter un autre système informatique. Le problème a ainsi pu être réglé facilement.

Bien qu'elle soit marginale, cette approche démontre que les méthodes de prise de décision «étape par étape» ne sont pas les seules qui ont cours dans les organisations. Loin d'être toujours ordonné, le processus décisionnel est souvent fort chaotique. En fait, il semble que les meilleures décisions soient parfois prises de façon «accidentelle» et non planifiée.

8.4 La prise de décision en groupe

Bien que la plupart des décisions puissent être prises individuellement, il est souvent préférable de faire intervenir plusieurs personnes dans le processus décisionnel si le problème est complexe. Une décision de groupe résulte des délibérations de personnes réunies pour fournir des renseignements ou exprimer leur opinion quant à la décision à prendre. Toutefois, pour que la prise de décision en groupe soit efficace, on doit :

- *viser le consensus :* le groupe doit délibérer jusqu'à ce qu'il parvienne à une certaine entente ;

- *décourager le verbiage :* les gens ayant la parole trop facile influencent leurs collègues quant au choix d'une solution... Il faut garder à l'esprit qu'il n'existe pas de lien direct entre la quantité des interventions et leur qualité ;

- *éviter de tenir compte de la position hiérarchique :* parmi les membres du groupe, quelques-uns ont un rang hiérarchique plus élevé et, de ce fait, ils sont susceptibles d'exercer une influence indue sur les autres.

La prise de décision en groupe suppose la participation de subalternes et de spécialistes de la question. Elle comporte trois principaux avantages :

- le partage d'une plus grande quantité d'information et d'idées favorise l'élaboration de solutions originales et créatives ;

- le sentiment d'être utile stimule l'intérêt des participants, surtout si la décision les touche directement ;

- les personnes comprennent et acceptent beaucoup plus facilement une décision à laquelle elles ont pris part. Par conséquent, leur engagement lors de la mise en application sera plus grand.

À la prise de décision en groupe correspondent aussi certains inconvénients :

- Le temps requis avant d'aboutir à une décision est long et les coûts sont beaucoup plus élevés. Ainsi, plus le groupe compte de participants, plus le temps requis et les coûts augmenteront. Donc, si ces facteurs sont cruciaux pour l'entreprise, il est préférable que celle-ci évite de recourir à la prise de décision de groupe.

- Il peut arriver que certains participants dominent le groupe et orientent la décision en fonction de leurs propres intérêts.

- Comme nous l'avons montré au chapitre 3, la recherche de la cohésion à l'intérieur du groupe encourage une certaine conformité, ce qui limite les apports critiques de certains membres. Par ailleurs, si le souci de conformité n'est pas présent, les prises de position peuvent être si opposées que des conflits entre les participants peuvent émerger. Par conséquent, cette méthode nécessite la présence d'un leader efficace.

On peut maintenant se demander comment se comporte généralement le groupe face à une situation qui comprend un certain risque. On constate qu'il existe deux positions opposées : une position qui favorise le risque et une position qui favorise la prudence. Le groupe qui opte pour la première prend plus de risques que ses membres peuvent le faire individuellement. Le groupe qui préfère adopter une position prudente prend moins de risques que les membres du groupe peuvent le faire, chacun de son côté, avant les interactions.

Les études indiquent que la position adoptée par le groupe dépend de l'attitude initiale des membres du groupe avant que la discussion ne commence. Ainsi, lorsque les membres du groupe ont une attitude prudente avant les échanges, ils ont tendance à proposer une position prudente lorsqu'ils discutent du problème. Le même phénomène explique l'adoption d'une position risquée. En somme, l'attitude du groupe devant le risque tend à refléter l'attitude initiale des membres du groupe.

Le gestionnaire doit donc être conscient que les interactions initiales au sein du groupe ont tendance à définir le niveau de risque accepté par le groupe. Si cette interaction favorise l'échange d'information, elle permettra d'améliorer la qualité de la décision. Au contraire, si l'interaction débouche sur une concentration ou sur une trop grande diffusion des responsabilités, elle entraînera une diminution de la qualité de la décision.

8.4.1 La facilitation du processus décisionnel par la créativité

Pour faciliter la prise de décision en groupe, il est nécessaire de créer un climat propice à la créativité et d'accepter la critique. La créativité est fréquemment associée à des carrières de nature artistique ou scientifique. De plus, on croit qu'artistes, scientifiques et chercheurs ont un don et qu'ils sont plus susceptibles que la moyenne des gens d'avoir des inspirations géniales.

Cette façon de penser est de moins en moins répandue et on tend maintenant à affirmer que les administrateurs doivent aussi faire preuve de créativité. Ces derniers doivent en effet appréhender la réalité de manière originale afin de surmonter les difficultés qui surviendront inévitablement dans l'exercice de leurs fonctions. Il est cependant juste de croire que les règles et procédures administratives, soucieuses de cohérence et d'uniformisation, entraîneront l'inhibition de la créativité. C'est pourquoi on a mis au point des méthodes d'analyse qui incitent les gestionnaires à adopter des perspectives originales afin de trouver des solutions nouvelles. Il existe trois principales méthodes, soit le remue-méninges (*brainstorming*), la **méthode Delphi** et la méthode du groupe nominal.

Le remue-méninges (*brainstorming*)

Une des méthodes les plus efficaces pour favoriser la créativité lors de la recherche de solutions est appelée le remue-méninges (*brainstorming*). Cette méthode met l'accent sur la production d'idées plutôt que sur leur évaluation, l'hypothèse étant que plus il y aura d'idées émises, plus la probabilité d'en trouver une qui convienne à la situation sera grande. Cependant, certaines règles doivent être respectées :

- on doit maximiser le nombre d'idées en encourageant les membres du groupe à exprimer toutes les idées qui leur passent par la tête, y compris les idées extravagantes, car, en soi, aucune idée n'est ridicule ;
- on ne doit critiquer aucune suggestion, car le but de l'exercice n'est pas d'évaluer les idées, mais plutôt d'en produire le plus possible ;
- on doit se rappeler que toute idée formulée appartient au groupe plutôt qu'à la personne qui l'a émise ; ainsi, le groupe se sent libre d'utiliser toutes les idées et d'en trouver de nouvelles en s'inspirant des idées exprimées.

On constate donc que, dans le contexte du remue-méninges, les idées nouvelles sont aussi bien valorisées et appréciées que les idées élaborées à partir d'idées déjà émises.

À la suite de l'exercice de recherche d'idées, on évalue chacune des solutions formulées en suivant les étapes de la méthode rationnelle de prise de décision.

La méthode Delphi

La méthode Delphi suppose que certaines données soient recueillies de façon anonyme et qu'elles soient comparées. Les données sont obtenues au moyen de questionnaires soumis à des spécialistes. Deux séries de questionnaires sont généralement utilisées : la première série est de portée générale et permet aux participants de présenter librement leurs suggestions pour résoudre le problème ; la deuxième série, quant à elle, amène les répondants à classifier les réponses de tous les participants par ordre de priorité. Cette dernière étape, qui vise l'amélioration de la qualité de la décision, est répétée jusqu'à ce que les répondants aient atteint un certain consensus.

L'exemple suivant (tiré de Tsui et Milkovich, 1977) illustre l'application de la méthode Delphi dans le domaine des ressources humaines. Supposons qu'une entreprise désire restructurer son service des ressources humaines en vue d'accroître son efficacité et d'augmenter la satisfaction des travailleurs. S'ils emploient la méthode Delphi, les membres de la direction de l'entreprise ou leurs représentants enverront un questionnaire dans lequel ils demanderont aux répondants d'indiquer les activités du service des ressources humaines qui devraient être dirigées par les professionnels du service et celles qui devraient l'être par les gestionnaires de l'entreprise. Les répondants, anonymes, représentent différents groupes d'intérêts liés aux ressources humaines. Le questionnaire est donc adressé à différentes personnes telles que des cadres, des spécialistes, des membres du personnel technique et du personnel de bureau, des représentants syndicaux, des professeurs spécialisés en ressources humaines ou toute autre personne dont l'opinion est requise. Le questionnaire contient une longue liste d'activités propres aux ressources humaines et des énoncés tels que : « Les activités suivantes doivent être dirigées par le service des ressources humaines : (liste d'activités). » Les répondants doivent noter la valeur de chaque énoncé selon son degré de concordance avec leurs convictions, le chiffre 1 signifiant « absolument d'accord » et le chiffre 5, « absolument en désaccord ». Les répondants ajoutent aussi des activités à la liste suggérée, s'ils le jugent nécessaire.

Les membres de la direction de l'entreprise ou leurs représentants compilent ensuite les résultats et les renvoient aux répondants, toujours en respectant leur anonymat, en leur demandant d'interpréter les divergences entre leurs réponses personnelles et les réponses compilées du groupe. Le processus est repris jusqu'à ce qu'un consensus émerge.

L'utilisation de la méthode Delphi comporte certains avantages. Elle élimine les problèmes d'influence lors d'une prise de décision en groupe, puisque les répondants sont anonymes. Par ailleurs, en évitant le groupe de discussion, on évite de confronter les participants, on met ainsi en sourdine l'influence de facteurs psychologiques et on situe la démarche dans une optique purement rationnelle. De plus, la méthode Delphi de prise de décision s'avère très utile lorsque les décideurs se trouvent géographiquement éloignés les uns des autres.

Évidemment, la méthode Delphi présente aussi certains inconvénients. En effet, elle s'avère inefficace lorsqu'une décision rapide s'impose. De plus, il est très difficile de maintenir la motivation des répondants si la démarche doit se dérouler en plusieurs phases, réparties sur plusieurs mois. Le participant trouve fastidieux de remplir un questionnaire souvent complexe et, lorsqu'on lui demande de donner par écrit les raisons pour lesquelles il refuse de se rallier à la majorité, il le fait d'abord de bon gré, mais il finit par se lasser et se range alors à l'avis dominant. On peut donc douter de la valeur d'un tel consensus.

TABLEAU 8.1	Les atouts et les limites de la méthode Delphi	
Les atouts	**Les limites**
• La méthode permet de générer des consensus raisonnés qui pourront servir à légitimer certaines décisions futures. • Elle permet de collecter une information riche, notamment en ce qui concerne les déviances, parfois plus intéressantes que les comportements normés. • Elle peut être appliquée dans des domaines très variés (gestion, économie, techniques, sciences sociales, sciences humaines, etc.). • Elle ouvre parfois sur des perspectives ou des hypothèses non envisagées par les analystes.	• L'application de la méthode est relativement lourde et fastidieuse, tant pour les analystes que pour les experts. • Elle apparaît à certains égards davantage intuitive que rationnelle. • Seuls les experts dont les réponses sortent de la norme sont amenés à justifier leur position. • Elle suppose, chez les analystes, une excellente capacité de traitement des réponses et une grande maîtrise de tout l'exercice.

Une autre difficulté réside dans l'absence d'interactions entre les participants. Ainsi, en cherchant à combler une lacune, on en crée une autre. En effet, si l'absence d'interactions entre les participants diminue les risques d'influence indue, elle entraîne en revanche une division — qui peut être artificielle — des commentaires sur les différents énoncés. En effet, les commentaires des participants pourraient être mieux compris si ces derniers explicitaient les liens logiques qu'ils font entre les différents énoncés.

La technique du groupe nominal

La technique du groupe nominal combine les avantages des deux méthodes précédentes en ce sens qu'elle permet, en alternance, le travail individuel et la discussion de groupe selon une démarche très structurée (voir Delbecq, Van de Ven et Gustafson, 1975). La façon de procéder est la suivante :

1. Les membres d'un groupe sont réunis pour exprimer leurs opinions sur un problème donné, mais on leur dit qu'ils ne doivent pas communiquer entre eux.

2. À la suite d'une question posée par l'animateur, les participants, en silence, formulent par écrit le plus grand nombre d'opinions ou d'idées possibles, dans un laps de temps déterminé.

3. L'animateur demande ensuite à chaque participant de lire la première opinion ou idée inscrite sur sa feuille. L'animateur ou une personne désignée retranscrit toutes les opinions ou idées émises. Il n'y a toujours pas de discussion. Le résultat de cette étape est donc une liste d'opinions et d'idées.

4. Une fois tous les énoncés bien en vue au tableau ou sur de grands cartons fixés au mur, on procède à la clarification des idées, les unes après les autres. Il s'agit alors de vérifier si tous les participants attribuent le même sens aux énoncés et s'ils comprennent la logique qui sous-tend chaque opinion. Cela permet de vérifier le degré d'acceptation des opinions et des idées inscrites au tableau.

5. Cette discussion de groupe est suivie d'un vote individuel sur l'importance relative des énoncés. Les énoncés qui reçoivent le plus de votes constituent les priorités du groupe. La décision du groupe résultera de la compilation mathématique des votes individuels. Pour diminuer la dispersion des votes et resserrer le consensus, on ajoute, si nécessaire, une autre étape, consacrée à la discussion des résultats du vote, puis on procède à un dernier vote.

Des commentaires sur ces techniques

Madsen et Singer (1977) ont démontré, dans une recherche comparative, que la technique du remue-méninges, fondée sur l'hypothèse «plus on est de gens, plus on a d'idées», ne donne pas les résultats escomptés. Selon ces auteurs, un groupe d'individus produit moins d'idées que le même nombre d'individus, chacun de son côté.

Par ailleurs, la méthode Delphi et la technique du groupe nominal donnent de très bons résultats. Dans le premier cas, les participants sont anonymes et communiquent leurs opinions par écrit et dans l'autre, ils sont invités à faire part de leurs opinions verbalement et à en discuter.

8.5 La prise de décision et le leadership — le modèle de Vroom et Yetton

Il est évident que la prise de décision est étroitement liée au style de leadership préconisé par une organisation. Un style de leadership de tendance démocratique favorisera la décentralisation des décisions, tandis qu'un style plus autoritaire favorisera l'inverse. Afin d'illustrer l'interrelation entre prise de décision et style de leadership, nous présentons ci-dessous le modèle de Vroom et Yetton (1973).

Le **modèle de Vroom et Yetton** part du postulat qu'aucun style de leadership n'est assez bon pour s'appliquer à toutes les situations et qu'en conséquence, les gestionnaires doivent être assez flexibles pour changer leur style de leadership en fonction des situations auxquelles ils font face.

La singularité de cette approche réside dans l'utilisation d'un modèle normatif permettant aux gestionnaires de décider quel style de leadership est le plus approprié à une situation particulière. Pour Vroom et Yetton, le choix d'un style de leadership équivaut essentiellement à décider du recours à la participation des employés et de l'importance de cette participation. Les auteurs ont retenu deux variables situationnelles : l'**acceptation de la décision** par les employés et la qualité de la décision.

L'acceptation de la décision par les employés dépend étroitement de leur participation à la prise de décision. Selon Vroom et Yetton, plus le degré de participation des subordonnés est élevé, plus il y a de chances pour qu'ils acceptent la décision, ce qui en favorise par le fait même l'application. La qualité de la décision, quant à elle, est fonction de l'effet qu'elle aura sur le fonctionnement du groupe.

Ainsi, lorsqu'une décision doit être prise, le leader doit tout d'abord analyser la situation pour ensuite choisir le style de leadership le plus approprié. Vroom et Yetton ont situé sur un même continuum cinq styles de leadership qui varient selon le degré de participation des subordonnés à la prise de décision (voir la figure 8.5).

Le leader qui adopte le style AI exerce une gestion très autocratique et il le démontre en prenant seul toutes les décisions. Le leader de type AII adopte lui aussi un comportement autocratique, mais il recueille les renseignements dont il a besoin pour prendre une décision auprès de ses subordonnés, avant de décider seul. Le leader de style CI favorise la discussion pour évaluer le problème. Toutefois, il arrive que sa décision ne reflète pas l'opinion des individus consultés. C'est le leader consultatif. Le leader qui adopte le style CII favorise la consultation en groupe lorsqu'un problème se pose. Mais encore une fois, il est possible que la décision finale ne reflète pas l'opinion du groupe. Enfin, le leader de style GII préfère la prise de décision en groupe.

Pour guider les gestionnaires dans le choix du style de leadership à adopter, Vroom et Yetton ont élaboré un arbre décisionnel qui comporte sept questions; les trois premières ont trait à la qualité de la décision et les quatre dernières, à l'acceptation de la décision. Ainsi, en répondant à ces sept questions, le leader peut déterminer le style de leadership le plus approprié compte tenu du contexte. Voici ces questions:

1. Est-ce que le critère de qualité est très important dans le choix de la solution?
2. Est-ce que j'ai assez d'information pour prendre une décision éclairée?
3. Est-ce que le problème est structuré?
4. Est-il important pour son implantation que la décision soit acceptée par les subordonnés?
5. Si je prends la décision seul, est-ce raisonnable de croire que mes subordonnés l'accepteront?
6. Est-ce que les subordonnés approuvent les objectifs organisationnels visés par la résolution du problème?
7. Est-ce que les solutions préférées sont susceptibles de créer des conflits parmi les subordonnés?

Lorsqu'il utilise l'arbre de décision pour choisir un style de leadership adéquat, le leader commence par se poser la première question, puis place sa réponse sur la branche appropriée. Il répète ce processus en suivant les embranchements associés aux questions, ce qui le conduit au style de gestion à

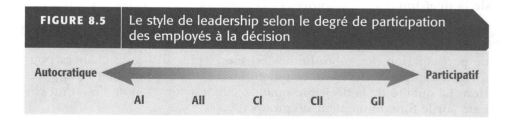

FIGURE 8.5 | Le style de leadership selon le degré de participation des employés à la décision

Autocratique ← → Participatif

AI   AII   CI   CII   GII

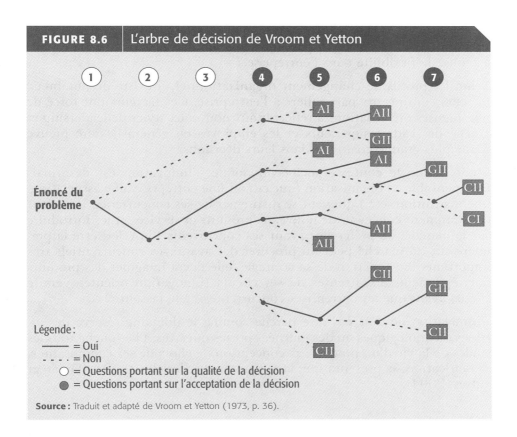

FIGURE 8.6 | L'arbre de décision de Vroom et Yetton

Énoncé du problème

Légende:
—— = Oui
- - - - = Non
○ = Questions portant sur la qualité de la décision
● = Questions portant sur l'acceptation de la décision

Source: Traduit et adapté de Vroom et Yetton (1973, p. 36).

préconiser (voir la figure 8.6). Si à la première question, sa réponse est négative, il doit alors tout de suite passer à la quatrième question, puisque les trois premières ont toutes trait à la qualité de la décision, aspect qu'il vient de juger non important par sa première réponse.

Ce modèle a suscité beaucoup d'intérêt chez les chercheurs et chez les gestionnaires et il demeure, encore aujourd'hui, un instrument de gestion intéressant.

8.6 L'innovation et la créativité en milieu de travail

Les pressions de la concurrence, les changements technologiques et l'évolution des préférences des consommateurs ont forcé de nombreuses entreprises à repenser leurs stratégies et pratiques organisationnelles traditionnelles. La nouvelle organisation du milieu de travail a provoqué l'accroissement de la flexibilité de l'entreprise, tant en ce qui touche ses activités internes que ses interactions avec les marchés extérieurs. Pour favoriser leur flexibilité, les entreprises peuvent adopter une vaste gamme de stratégies, de structures et de pratiques; elles peuvent reconcevoir les emplois et y instaurer le principe de polyvalence, encourager le recyclage professionnel et la formation avancée, déstratifier les fonctions, développer des canaux de communication horizontale, instaurer des mesures incitatives de rendement et des horaires atypiques, développer l'impartition et la sous-traitance, etc. Il n'y a pas, toutefois, une seule façon de faire pour accroître la flexibilité dans l'entreprise.

Selon les profils de **changement organisationnel**, il existe de nombreux facteurs contingents particuliers à l'entreprise. Ces facteurs ont forcé de nombreuses organisations à réfléchir aux nouveaux styles de leadership et amené des cadres supérieurs et les employés en général à faire preuve d'une plus grande créativité dans leurs décisions.

Étant donné le contexte socioéconomique, l'innovation est désormais indispensable à l'organisation (que ce soit une entreprise, une association, une institution, etc.) qui veut se distinguer de ses concurrents. Il lui faut constamment concevoir de nouveaux produits et services et les introduire sur le marché, de préférence avant ses concurrents. En effet, être la première sur un marché peut lui procurer des avantages concurrentiels très importants. En fonction de sa stratégie, elle devra imaginer des produits qui répondent aux attentes de ses clients (innovation orientée vers le client) avant que les entreprises concurrentes ne le fassent.

L'innovation ne doit pas être perçue comme le domaine réservé des vitrines technologiques ou des journées portes ouvertes. Elle touche tous les stades de la vie d'un produit : sa conception, le choix de ses composantes, sa fabrication, sa présentation, la rencontre avec les clients, etc. (Dolan et autres, 2004).

8.7 Le management de la créativité

Le **management de la créativité** vise à améliorer l'inventivité des employés d'une organisation, ce qui est important dans le cadre d'un projet innovant. La créativité consiste à trouver des idées originales, qui peuvent prendre la forme de solutions à des problèmes organisationnels, de nouveaux produits ou de nouveaux services.

Le cadre normal d'une organisation est souvent peu propice à la créativité. L'organisation a besoin de stabilité pour exercer ses activités, ce qui s'accommode mal des à-coups d'une activité créatrice. Une équipe distincte du reste de l'organisation, une équipe de projet par exemple, constitue un environnement dans lequel les cadres peuvent retrouver leur créativité.

Certains mécanismes de la créativité ont été mis en évidence :

- *Utiliser d'une façon nouvelle des idées anciennes.* Par exemple, trouver un usage inédit pour un objet déjà existant.
- *Décomposer le problème à résoudre.* Pris séparément, les composantes d'un problème peuvent être plus faciles à maîtriser.
- *Reformuler le problème.* Parfois, quand un problème est reformulé, sa solution devient évidente.
- *Être naïf.* Aborder un problème avec un regard neuf afin d'éviter les idées toutes faites. Laisser la naïveté s'exprimer permet aussi à ceux qui ont de bonnes idées de les exprimer, même si elles sont incomplètes.

8.7.1 Les outils et méthodologies d'aide à la créativité

Plusieurs méthodes permettent de générer de la créativité ou d'en améliorer la qualité. Les plus connues sont la **méthode des six chapeaux**, d'Edward de Bono (2005), la **méthode TRIZ** et la **méthode ASIT**.

La méthode des six chapeaux

La méthode des six chapeaux permet de traiter les problèmes en évitant la censure. Les six chapeaux sont de couleurs différentes. À chaque couleur, un rôle est associé. Chaque participant prend un « chapeau » et du même coup, assume un rôle et un mode de pensée. Tous les participants se réunissent ensuite et, à tour de rôle, endossent à la fois leur rôle et celui de tous les autres. L'ordre d'entrée en scène des six chapeaux est déterminé en fonction du problème à traiter ; on pourra penser, par exemple, en chapeau blanc d'abord, ensuite en chapeau rouge, puis en chapeau noir, etc.

Le chapeau BLANC

Lorsqu'il porte le chapeau BLANC, le penseur énonce des faits, purement et simplement. La personne alimente le groupe en chiffres et en information factuelle. C'est la froideur de l'ordinateur et celle du papier. C'est la simplicité, le minimalisme.

Le chapeau ROUGE

Avec le chapeau ROUGE, le penseur rapporte de l'information porteuse d'*émotions,* de sentiments, d'intuitions et de pressentiments. Il n'a pas à se justifier auprès des autres chapeaux. C'est le *feu,* la *passion.*

Le chapeau NOIR

Lorsqu'il porte le chapeau NOIR, le penseur s'objecte constamment en soulignant les *dangers* de la concrétisation d'une idée. C'est l'*avocat du diable* ! C'est la *prudence,* le *jugement négatif.*

Le chapeau JAUNE

Lorsqu'il porte le chapeau JAUNE, le penseur confie ses *rêves* et ses idées les plus folles. Ses commentaires sont constructifs et tentent d'activer la réalisation des idées suggérées par les autres membres du groupe. C'est le soleil et *l'optimisme.*

Le chapeau VERT

Lorsqu'il porte le chapeau VERT, le penseur provoque, cherche des solutions de rechange. Il s'inspire de la pensée latérale, tente de considérer le problème d'une façon différente. Il sort des sentiers battus et propose des idées neuves. C'est la fertilité des plantes, la *semence des idées.*

Le chapeau BLEU

C'est le meneur de jeu, l'animateur de la réunion ; il canalise les idées et les échanges entre les autres chapeaux. C'est le bleu du *ciel qui englobe tout.*

Ce système crée un climat cordial et créatif et facilite la contribution de chacun à la discussion. Cela permet à tous d'être sur la même longueur

FIGURE 8.7 | Carte synthèse : six chapeaux pour penser

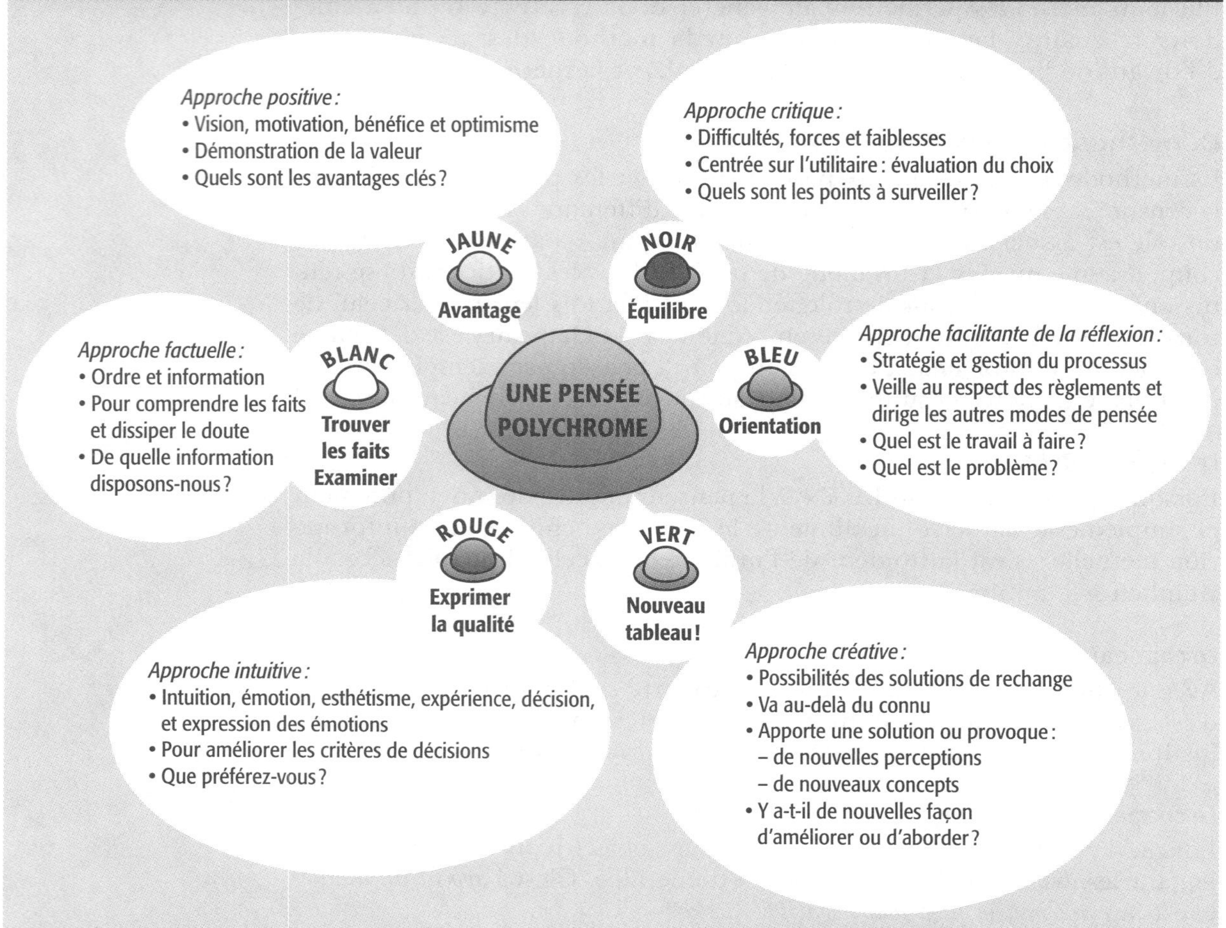

Approche positive :
- Vision, motivation, bénéfice et optimisme
- Démonstration de la valeur
- Quels sont les avantages clés ?

Approche critique :
- Difficultés, forces et faiblesses
- Centrée sur l'utilitaire : évaluation du choix
- Quels sont les points à surveiller ?

JAUNE — Avantage

NOIR — Équilibre

Approche factuelle :
- Ordre et information
- Pour comprendre les faits et dissiper le doute
- De quelle information disposons-nous ?

BLANC — Trouver les faits Examiner

UNE PENSÉE POLYCHROME

BLEU — Orientation

Approche facilitante de la réflexion :
- Stratégie et gestion du processus
- Veille au respect des règlements et dirige les autres modes de pensée
- Quel est le travail à faire ?
- Quel est le problème ?

ROUGE — Exprimer la qualité

VERT — Nouveau tableau !

Approche intuitive :
- Intuition, émotion, esthétisme, expérience, décision, et expression des émotions
- Pour améliorer les critères de décisions
- Que préférez-vous ?

Approche créative :
- Possibilités des solutions de rechange
- Va au-delà du connu
- Apporte une solution ou provoque :
  – de nouvelles perceptions
  – de nouveaux concepts
- Y a-t-il de nouvelles façon d'améliorer ou d'aborder ?

Source : Topogramme (en anglais *MindMAp*) adapté de Nicole Cournoyer, *Les six chapeaux de la réflexion d'Edward de Bono,* [en ligne], http://www.creative.net/six-chapeaux-de-la-reflexion-edward-de-bono-creativite-1/ (page consultée le 23 janvier 2007).

d'onde ; les idées des uns font naître celles des autres. Cette méthode centralise l'énergie créatrice de l'équipe, rarement sollicitée. On peut résoudre les problèmes plus rapidement en concentrant les pensées sur le problème à régler. Les idées nouvelles sont protégées de la critique immédiate et peuvent donc se développer. Cette méthode, selon De Bono, est donc beaucoup plus productive que la méthode d'argumentation critique habituelle.

La méthode TRIZ

TRIZ est l'acronyme russe de la Théorie innovante de résolution de problèmes « Teorija Reshenija Izobretateliskih Zadatch ». C'est une approche algorithmique éprouvée pour résoudre les problèmes techniques. L'élaboration de cette méthode débuta en 1946, alors que l'ingénieur et scientifique russe Genrich Altshuller découvrait que l'évolution des systèmes techniques était régie par des lois objectives. Ces lois peuvent être utilisées pour conduire de façon rigoureuse le développement d'un système tout au long de son évolution technique et y implanter des innovations.

La méthode TRIZ part du principe que les problèmes éprouvés durant la conception d'un nouveau produit présentent des analogies et que des solutions analogues doivent donc pouvoir s'appliquer. La reconnaissance et l'application de ce principe permet d'éviter de réinventer perpétuellement la roue.

L'ambition de la méthode TRIZ est de favoriser la créativité ou de stimuler la recherche de concepts innovants en proposant aux ingénieurs et inventeurs des outils de déblocage de l'inertie mentale. En respectant la créativité de chacun, la méthode de conception TRIZ guide le concepteur, à chaque étape de la résolution de problème, en lui proposant systématiquement des solutions génériques et des outils éprouvés. Cette méthode permet de profiter de l'expérience acquise dans différents domaines d'activité et des principes fondamentaux qui en ont été tirés. La méthode TRIZ conduit l'utilisateur vers la bonne formulation de son problème. Les « fils rouges » de réflexion de la méthode TRIZ permettent au concepteur de réagir et d'adapter les indications données en solutions concrètes. La méthode a été élaborée après l'analyse de quelques millions de brevets internationaux et repose donc sur la compréhension de multiples méthodologies de résolution de problèmes et de principes d'innovation communs à une grande variété de domaines. Concrètement, la méthode TRIZ permet :

- la résolution de la contradiction poids/puissance durant la conception d'un moteur ou encore la contradiction vitesse/empreinte mémoire pendant la conception d'ordinateurs ;
- la description de la situation à étudier à l'aide d'un schéma fonctionnel ;
- l'élaboration de modules de résolution ayant pour objectif de structurer et systématiser la démarche de réflexion (génération d'un maximum d'idées autour d'un problème rencontré) ;
- la création d'un répertoire de 7500 connaissances scientifiques et techniques permettant d'affiner les concepts générés et d'en trouver d'autres ;
- l'extraction d'informations de base de brevets publics ; proposition d'outils pour en analyser rapidement les contenus ;
- le tri des idées les plus intéressantes et la production d'un rapport ;
- l'innovation sans tout réinventer — cinq niveaux d'inventivité ont été établis : de la solution apparente (niveau 1) à la découverte scientifique (niveau 5). La méthode Triz s'applique de manière optimale aux niveaux 3 et 4 (amélioration majeure et nouveau concept).

Les avantages de la méthode TRIZ

- Elle permet la création rapide et efficace de nouveaux concepts techniques ;
- Elle remplace les méthodes lourdes d'essais et erreurs par une approche systématique de résolution de problèmes complexes ;
- Elle réduit les dépenses en réalisant des analyses de coûts ;

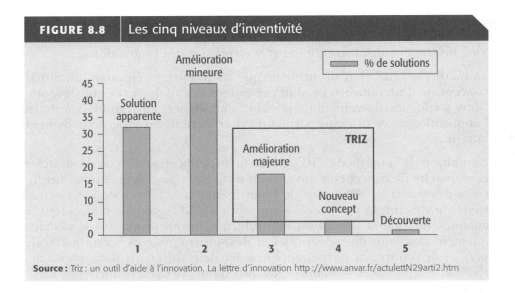

FIGURE 8.8 | Les cinq niveaux d'inventivité

Source : Triz : un outil d'aide à l'innovation. La lettre d'innovation http ://www.anvar.fr/actulettN29arti2.htm

- Elle assiste les ingénieurs dans la mise en place de *technologies* et de solutions de qualité ;
- Elle permet aux *entreprises* de se démarquer grâce au développement rapide de produits et de processus innovateurs.

La méthode ASIT

Issue de la méthode TRIZ, ASIT (Horowitz, 2006) est une méthode de résolution de problème créative basée sur deux conditions et cinq outils. Les conditions définissent la solution créative et les outils permettent de l'atteindre.

Les conditions

- *La condition du monde clos :* dans un monde clos, la solution inventive ne comporte pas de type d'objet absent dans le monde du problème.
- *La condition du changement qualitatif :* au moins un des facteurs aggravants du monde du problème est changé en facteur bénéfique ou neutre.

Les cinq outils

Ils permettent de proposer des solutions de base (idées) qui peuvent être développées, seules ou plusieurs à la fois. Les outils permettent de débloquer la créativité ou de contourner ce qui peut lui faire obstacle (fixations).

- *L'unification :* on cherche un objet déjà présent dans le monde du problème et on tente de lui faire réaliser l'action voulue.
- *La multiplication :* on ajoute un objet proche à un objet existant et on tente de lui faire réaliser l'action voulue.
- *La division :* on prend un objet existant, on le décompose et on tente de faire réaliser l'action voulue par une de ses parties.
- *Casser la symétrie :* on prend un objet existant, on en cherche les caractéristiques et on les modifie pour obtenir de nouveaux résultats.

- *La supression* : on prend un objet existant, on le supprime et on analyse le fonctionnement du monde du problème sans cet objet.

CONCLUSION

La prise de décision est une activité inhérente à la vie organisationnelle et au travail du gestionnaire. En fait, une décision résulte essentiellement d'un choix opéré entre différentes options ou solutions possibles. Il existe deux types de décisions : les décisions programmées — de nature répétitive — et les décisions non programmées — de nature occasionnelle.

Différents facteurs influent sur la prise de décision. Le décideur peut se laisser guider par son intuition, s'appuyer sur ses valeurs personnelles, se fier à son jugement ou à sa raison. L'approche rationnelle oblige le décideur à suivre un cheminement logique en franchissant les étapes suivantes : définition du problème, analyse des faits pertinents au problème, recherche de solutions, évaluation des options, choix d'une solution, mise en œuvre de la solution retenue et évaluation des résultats. Parce que l'efficacité de l'approche rationnelle est restreinte par certains facteurs, Simon a élaboré le modèle de la rationalité limitée, qui favorise l'optimisation de la décision.

La décision peut être prise individuellement ou en groupe. La prise de décision en groupe a des avantages : la solution trouvée peut être plus créative, les individus qui participent à la prise de décision peuvent jouir d'un meilleur moral, l'acceptation de la décision peut être facilitée. Elle a aussi des inconvénients : il faut plus de temps pour prendre une décision, les coûts associés au processus décisionnel sont plus élevés et le souci de conformité peut inhiber la créativité des membres du groupe.

Lorsqu'un groupe doit prendre une décision et que cette décision comporte des risques, il peut choisir d'adopter deux positions opposées : le groupe peut accepter de prendre plus de risques que ses membres ne l'auraient fait individuellement, ou il peut adopter une attitude plus prudente et prendre moins de risque que ne l'auraient fait ses membres individuellement.

Différentes techniques et méthodes ont été élaborées pour aider les gestionnaires à rendre plus créatif le processus décisionnel de groupe, dont le remue-méninges, la méthode Delphi et la technique du groupe nominal.

1. Décrivez une décision programmée et une décision non programmée que vous avez prises au cours de la dernière semaine.

2. Est-il justifié de dire que le modèle de la rationalité limitée de Simon est un complément de la méthode rationnelle ? Expliquez et commentez.

3. Quels sont les principes de base qui différencient l'approche intuitive par rapport à la méthode rationnelle ?

4. Selon l'approche politique, un gestionnaire prend toujours ses décisions dans un sens qui favorise l'assouvissement de ses besoins personnels. En vous référant aux principales écoles de pensée en psychologie, justifiez cette dynamique décisionnelle.

5. Décrivez un type de décision qu'un groupe pourrait prendre de façon beaucoup plus efficace qu'un individu seul et, à l'inverse, un type de décision qu'un individu pourrait prendre en étant bien plus efficace qu'un groupe.

6. La technique du groupe nominal est une synthèse de la méthode Delphi et du remue-méninges. Expliquez.

7. Selon Vroom et Yetton, si un gestionnaire adopte un style de leadership très autocratique, quel est, théoriquement, le niveau d'information qu'il détient d'une situation particulière ?

8. En quoi le « management de la créativité » améliore l'inventivité des membres d'une organisation ? Nommez et décrivez une technique ou une méthode pouvant stimuler la créativité.

Le style décisionnel

Remplissez le questionnaire ci-après portant sur la résolution de problèmes. Prenez le temps d'y répondre avec soin et en toute franchise. Vos réponses devraient refléter votre comportement tel qu'il est (et non tel que vous le souhaitez). Ce questionnaire vise à vous aider à déterminer votre style décisionnel. Aucune réponse n'est bonne ou mauvaise. Après avoir rempli ce questionnaire, calculez vos résultats de la manière indiquée. Vous devriez découvrir les aptitudes que vous devez acquérir afin d'améliorer votre capacité à résoudre les problèmes ainsi que votre créativité.

Remplissez le questionnaire en utilisant l'échelle d'évaluation suivante :

C'EST TOUT À FAIT FAUX	C'EST FAUX	C'EST PLUTÔT FAUX	C'EST PLUTÔT VRAI	C'EST VRAI	C'EST TOUT À FAIT VRAI
1	2	3	4	5	6

Lorsque je suis aux prises avec un problème typique courant :

_____ **1.** Je prends toujours soin de le définir d'une façon claire et explicite.

_____ **2.** J'envisage toujours plus d'une manière de le résoudre.

_____ **3.** J'évalue les diverses solutions possibles en fonction de leurs conséquences à court et à long terme.

_____ **4.** Je définis ce problème avant de le résoudre ou, en d'autres termes, j'évite d'adopter une solution prédéterminée.

_____ **5.** Je procède par étapes, c'est-à-dire en m'assurant de ne pas confondre la définition du problème, la mise en évidence des options possibles et le choix d'une solution.

Lorsque je suis aux prises avec un problème complexe ou épineux pour lequel il n'existe aucune solution manifeste :

_____ **6.** J'essaie de le définir de plusieurs manières.

_____ **7.** Je m'efforce de l'aborder d'une manière flexible et de ne pas simplement m'en remettre à la sagesse populaire ou aux usages établis.

_____ **8.** Je cherche les éléments communs à divers aspects de ce problème.

_____ **9.** J'essaie d'explorer différentes avenues en posant de nombreuses questions sur la nature de ce problème.

_____ **10.** Je m'efforce de le résoudre en utilisant à la fois l'hémisphère gauche et l'hémisphère droit de mon cerveau, c'est-à-dire la logique et l'intuition.

_____ **11.** Je me sers fréquemment de métaphores ou d'analogies pour analyser ce problème et déterminer ce à quoi il ressemble.

_____ **12.** J'essaie de l'envisager sous différents angles et d'élaborer plusieurs définitions.

_____ **13.** Je m'abstiens d'évaluer une solution quelconque avant d'avoir trouvé d'autres solutions possibles.

_____ **14.** Je choisis, dans bien des cas, de décomposer ce problème en des éléments plus simples que j'analyse ensuite un par un.

_____ **15.** J'essaie d'envisager des solutions multiples témoignant d'une certaine créativité.

Lorsque je tente d'amener les gens avec qui je travaille à être plus créatifs et plus innovateurs :

_____ **16.** J'essaie de faire en sorte qu'ils puissent consacrer du temps à leurs idées sans subir les contraintes de la marche à suivre normale.

_____ **17.** Je m'assure que différents points de vue sont représentés au sein du groupe chargé de la résolution de problèmes.

_____ **18.** Je formule à l'occasion des suggestions et même des demandes extravagantes dans le but d'inciter les gens à trouver de nouvelles façons d'aborder un problème.

_____ **19.** J'essaie d'obtenir de l'information des clients au sujet de leurs préférences et de leurs attentes.

_____ **20.** Je demande parfois à des personnes de l'extérieur (tels des clients ou des experts reconnus) de prendre part aux discussions visant à résoudre un problème.

_____ **21.** Je souligne non seulement la contribution des individus qui formulent des idées, mais aussi celle des gens qui appuient les idées des autres et fournissent les ressources nécessaires à leur mise en œuvre.

_____ **22.** J'encourage les gens à passer outre aux règles établies, en toute connaissance de cause, pour trouver des solutions dénotant une certaine créativité.

Résultats

Le tableau ci-après vous donnera une vue d'ensemble de vos résultats. Il vous aidera à reconnaître vos points forts et à déterminer ce qu'il vous faut améliorer.

1. Calculez votre résultat pour chaque aptitude en additionnant les nombres que vous avez indiqués devant chacun des énoncés.

2. Faites le total des trois résultats obtenus et indiquez-le dans la case appropriée.

Aptitudes	Énoncés	Évaluation - Résultat
Résoudre les problèmes de façon rationnelle	1, 2, 3, 4, 5	
Résoudre les problèmes en faisant preuve de créativité	6, 7, 8, 9, 10, 11, 12, 13, 14, 15	
Favoriser l'innovation	16, 17, 18, 19, 20, 21, 22	
Résultat total		

Évaluation des résultats

Évaluez vos résultats en les comparant : 1) à ceux d'autres étudiants de votre classe ; 2) à la moyenne obtenue par un groupe de référence formé de 500 étudiants en administration des affaires, aux États-Unis. Si vous preniez place dans ce groupe :

• un résultat égal ou supérieur à 105 vous placerait dans le premier quartile ;

• un résultat compris entre 94 et 104 inclusivement vous placerait dans le deuxième quartile ;

• un résultat compris entre 73 et 93 inclusivement vous placerait dans le troisième quartile ;

• un résultat égal ou inférieur à 72 vous placerait dans le dernier quartile.

Source : Traduit de Whetten et Cameron (1991, p. 160-161).

J.D. VIKING ltée

André Durivage, Ph.D., est professeur au Département des sciences administratives de l'Université du Québec en Outaouais.

La compagnie J.D. Viking ltée fut fondée en 1985 par un immigrant scandinave, Jack David Viking. En seulement 25 ans, l'entreprise, d'abord petite scierie locale, est devenue un producteur de bois d'œuvre d'envergure nationale. Selon J.D. Viking, la compagnie vise à être la « meilleure au monde ». Afin d'atteindre cet objectif, il a instauré, en 2005, un programme d'amélioration continue appelé QV200 ou « Qualité Viking 200 ». Ce programme, implanté dans chacune des 13 divisions de la compagnie, vise à la fois l'amélioration de la qualité des processus et la création d'une saine compétition entre les divisions. Chaque division accumule des points en fonction du barème suivant :

Objectif général	Objectif spécifique	Points
Sécurité	Réduction du nombre d'incidents	30
Qualité	Mise en place de procédés stables visant à satisfaire les besoins des clients	30
Réduction des coûts	Réduction des coûts de l'ordre de 25 %	80
Production	Amélioration de la production	30
Catégorie spéciale	Varie selon les périodes	30
TOTAL		**200**

Ce programme a permis à l'ensemble des divisions d'améliorer substantiellement leur performance. Cependant, comme tout processus d'amélioration continue, les gains importants qui furent observés au cours des premières années s'avèrent difficiles à soutenir.

J.D. Viking croit que le programme d'amélioration de la qualité doit maintenant s'étendre à la gestion des ressources humaines. Selon lui, les équipements et les méthodes de production fonctionnent de manière optimale et les efforts devraient maintenant viser à améliorer le « facteur humain ». Connaissant peu de choses en gestion des ressources humaines, il a décidé de mettre sur pied un comité dont le mandat consisterait à prendre les meilleures décisions quant aux orientations à prendre en la matière. Le comité est composé des cinq personnes suivantes :

- Garry Stanfeld est le spécialiste en relations de travail. C'est le maître d'œuvre de toute négociation avec les nombreux syndicats en place dans l'une ou l'autre des divisions de l'entreprise.

- Tim Osher était, jusqu'à tout récemment, celui qui possédait le plus de connaissances dans le domaine de la gestion des ressources humaines. Tim a démissionné il y a trois mois, à la demande de J.D. Viking. Selon Garry Stanfeld, Tim voulait effectuer des changements trop rapidement. De plus, sa forte personnalité entrait parfois en conflit avec celle de J.D. Viking. Tim occupait un poste de vice-président. Depuis son départ, le poste n'a pas été comblé.

- Colleen Bastien est une jeune bachelière en administration des affaires (avec plusieurs cours en gestion des ressources humaines). Colleen travaillait pour Tim Osher.

- John Seconhand a récemment joint les rangs de l'équipe. John a travaillé pendant quatre ans dans une des usines de pâtes et papier de la compagnie, où il était superviseur. John a obtenu son baccalauréat en administration l'automne dernier et connaît relativement peu de choses en ressources humaines. Il est cependant dynamique et a démontré une forte volonté d'apprendre. John a la réputation d'être un travailleur apprécié de ses collègues de travail.

- Anne Labelle est secrétaire. Elle travaille pour la compagnie depuis trois ans. Âgée de 25 ans, elle suit présentement un cours d'administration à temps partiel et compte obtenir son diplôme en 2013.

Par ailleurs, vous possédez l'information suivante :

- Le style de gestion de J.D. Viking est à la fois autoritaire et paternaliste. Cependant, il valorise l'autonomie et est prêt à prendre des risques et à faire confiance à ses ressources dans la mesure où elles ne font pas d'erreurs graves.

- Chaque division de l'entreprise possède un responsable des ressources humaines. Dans la plupart des cas, il s'agit d'employés de longue date qui ont obtenu ce poste par voie de séniorité dans le secteur administratif.

- Pour l'instant, chaque division est autonome en matière de gestion des ressources humaines. Le secteur corporatif offre des services de support sur demande (par exemple, recrutement, administration de tests, gestion de la paie, etc.). Les responsables des ressources humaines de chacune des divisions sont jaloux de leur autonomie et gardent farouchement leur territoire. Vous savez que d'emblée, ces responsables n'adoptent pas avec enthousiasme les initiatives présentées par le quartier général.

- Un survol rapide des divisions permet de relever un certain nombre de points communs :

  - La technologie a évolué de manière fulgurante. Autrefois, les employés devaient constamment manipuler des charges lourdes. Aujourd'hui, la machinerie spécialisée exécute 98 % des travaux lourds. Le rôle des employés consiste maintenant à contrôler des ordinateurs complexes. On estime que toutes les usines seront complètement informatisées d'ici cinq ans. Cette transformation nécessitera une réduction de 35 % des effectifs. Dans l'ensemble, les employés sont peu instruits. Plusieurs ont été embauchés en raison de leur force physique.

  - Plusieurs usines sont situées dans de petites localités et leur main-d'œuvre est souvent composée de membres d'une même famille, d'amis ou de relations proches.

  - Les employés hésitent à occuper des postes d'autorité de peur d'être mal perçus par leur entourage immédiat. De plus, lorsqu'on tient compte des heures supplémentaires, les avantages salariaux d'un poste de superviseur deviennent marginaux.

  - De façon générale, les syndicats de l'entreprise sont à la fois forts et présents.

  - Même si les accidents de travail ont diminué dans l'ensemble, plusieurs des employés ne portent pas les équipements de protection exigés. Dans ce cas, les superviseurs ferment les yeux de peur de faire face à une trop forte résistance de la part des employés.

  - Les employés sont généralement satisfaits de leur salaire et de leur emploi.

  - La plupart des plaintes formulées aux responsables des ressources humaines touchent l'augmentation importante du nombre d'employés sur appel (parfois jusqu'à 20 % de l'ensemble de la main-d'œuvre). Ces employés n'ont pas d'horaire fixe et vivent dans l'insécurité. Cela nuit au climat de travail.

J.D. Viking veut que le comité présente un plan global qui tiendra compte des différents enjeux mentionnés précédemment, tout en s'inscrivant dans son programme QV200.

Questions

1. Quelle est, selon vous, la meilleure façon de faire face à cette situation ?

2. En tenant compte des circonstances décrites plus haut, quels pourraient être les avantages et les inconvénients de chacune des approches décisionnelles présentées dans le présent chapitre ?

3. De façon générale, quelle approche décisionnelle vous paraît la meilleure ?

Bryant D.J., Webb R.D.G. et McCann C. (2005). « Synthétiser deux modes d'approche de la prise de décision pour le commandement et le contrôle », [en ligne], www.journal.forces.gc.ca/frgraph/vol4/no1/command1_f.asp (page consultée le 12 décembre 2006).

Cohen, M.D., March, J.G. et Olson, J.P. (1972). « A Garbage Can Model of Organizational Choice », *Administrative Science Quarterly,* n° 17, p. 1-25.

Côté, N. et autres (1994). *Dimension humaine des organisations,* Boucherville, Gaëtan Morin Éditeur

De Bono, E. (2005). *Les six chapeaux de la réflexion,* Paris, Éditions Eyrolles.

Delbecq, A.L., Van de Ven, A.H. et Gustafson, D.H. (1975). *Group Techniques for Program Planning,* Glenview (Ill.), Scott, Foresman and Co.

Dolan, S.L., Martin, I. et Soto, E. (2004). *Los 10 mandamientos para la dirección de persona,* Barcelone, Gestion 2000.

Horowitz R. (2006). « ASIT, A Revolutionary Creative-Thinking Method will lead you Step-by-Step from Deadlocks to Breakthroughs », [en ligne], www.start2think.com (page consultée le 12 décembre 2006).

Kahneman D., Tverskey A. (1979). « Prospect theory : An Analysis of decision under risk », *Econometrica,* vol. 47, n° 2, p. 263-292.

Madsen, D.B. et Singer, J.R. (1977). « Comparison of a Written Feedback Procedure, Group Brainstorming and Individual Brainstorming », *Journal of Applied Psychology,* vol. 63, p. 120-123.

Nisbett, R. et Wilson, T. (1977). « Telling more than we can know : Verbal reports on mental processes », *Psychological Review,* vol. 84, p. 231-259.

Radin, D. (1999). *La conscience invisible,* Paris, Châtelet.

Robitaille, L. (1992). « La prise de décision : être rationnel ou raisonnable ? L'exemple du banquier », *Organisation,* automne, p. 17-25.

Simon, H.A. (1997). *Administrative Behavior : A Study of Decision-Making Processes in Administrative Organizations,* 4e éd., New York, Free Press.

Thompson, J.D. (1967). *Organization in Action,* New York, McGraw-Hill.

Todd P.M. et Gigerenzer, G. (2001). « Putting Naturalistic Decision Making into the Adaptive Toolbox », *Journal of Behavioral Decision Making,* vol. 14, p. 353-384.

Trevino, L.K. (1976). « Ethical Decision Making in Organizations : A Person-Situation Interactional Model », *Academy of Management Review,* juillet, p. 601-617.

Tsui, A.S. et Milkovich, G.T. (1977). « Personnel Department Activities : Constituency Perspectives and Preferences », *Personnel Psychology,* n° 40, p. 519-537.

Tverskey A. et Kahneman D. (1981). « The framing of decisions and the psychology of choice », *Science,* vol. 211, n° 4481, p. 453-458.

Von Neumann J. et Morgenstern. O. (1944). *Theory of Games and Economic Behavior,* Princeton (N.J.), Princeton University Press.

Vroom, V.H. et Yetton, P.W. (1973). *Leadership and Decision Making,* Pittsburgh, University of Pittsburgh Press.

Whetten, D.A. et Cameron, K.S. (1991). *Developing Management Skills,* 2e éd., New York, Harper Collins Publishers Inc.

CHAPITRE 9

La gestion individuelle et organisationnelle du stress au travail

PLAN DU CHAPITRE

Les objectifs d'apprentissage

Dans ce chapitre, le lecteur se familiarisera avec :

- le concept de stress en milieu de travail ;

- les répercussions du stress sur les individus et sur les organisations ;

- les divers modèles théoriques élaborés pour expliquer le stress ;

- les principales sources de stress dans l'environnement de travail ;

- les caractéristiques individuelles qui prédisposent au stress ;

- les différentes façons d'éliminer le stress ;

- les moyens individuels et organisationnels de gérer le stress.

La vie moderne comporte tout à la fois des avantages et des inconvénients. L'obligation constante de relever des défis et le désir de se dépasser dans tous les aspects de la vie professionnelle et personnelle sont souvent la cause de l'épuisement des travailleurs et de la détérioration du rendement des plus dévoués. Bien sûr, les réactions individuelles diffèrent, bien que tous soient soumis à des conditions de travail semblables. Les chercheurs essaient de comprendre pourquoi, devant un même défi professionnel, certains sont heureux de pouvoir exploiter leurs possibilités tandis que d'autres montrent des signes d'épuisement.

Dans le présent chapitre, nous tenterons de répondre à cette question en proposant une définition et quelques modèles d'analyse du stress, et en étudiant les facteurs de stress organisationnels et individuels. Pour terminer, nous définirons les principes permettant d'élaborer des stratégies d'intervention individuelles et organisationnelles en milieu de travail.

La qualité de vie au travail dépend du rapport entre les buts de l'organisation et les besoins des travailleurs. Si ce rapport n'est pas harmonieux, on ne saurait parler d'efficacité ou de succès au sein d'une organisation. En effet, que vaudrait le succès d'une entreprise, s'il mettait en péril la santé des travailleurs ? Et inversement, que vaudrait le bien-être des travailleurs, si la survie de l'organisation était en jeu ? Pour mieux cerner ce rapport, nous utiliserons un cadre conceptuel qui intègre les objectifs organisationnels et les besoins des individus. Ce cadre définira la nature de l'organisation et celle des travailleurs, tout en illustrant comment celles-ci interagissent pour conduire au succès et à l'efficacité ou, au contraire, à l'échec et à l'inefficacité.

Un modèle perceptif-cognitif global a été proposé par Shimon L. Dolan et André Arsenault (Dolan et Arsenault, 1980 ; Arsenault et Dolan, 1983a). Dans la perspective qu'ils ont développée, le stress est un excellent indicateur de la qualité de vie au travail, en ce sens qu'il est non seulement nuisible pour la santé du travailleur, mais également lourd de conséquences pour l'organisation et la société en général. En plus des nombreuses maladies qui lui sont reliées, le stress entraîne une diminution de la productivité et une augmentation des coûts de la santé (Dolan, 2006).

9.1 Le stress au travail : perspectives

De nouvelles interrogations sur le sens même du travail ont amené les sciences du comportement à élargir leur champ d'études, au départ celui de la gestion. Évoluant en conséquence, le langage des gestionnaires est actuellement dominé par des concepts liés à la santé, à la sécurité et au stress au travail. Il existe désormais de nouvelles techniques d'évaluation et d'intervention qui s'inspirent non seulement des sciences de la gestion, mais aussi de la psychologie et de la médecine.

Traditionnellement, la notion de succès au travail était liée à l'atteinte, par l'employé, d'objectifs organisationnels déterminés. Or, cette notion prend aujourd'hui une nouvelle signification en raison de l'importance que revêt la qualité de vie au travail. Selon certains postulats généralement admis, le succès au travail est dorénavant relatif au bien-être de l'individu et de l'organisation, l'un étant conditionné par l'autre.

Aujourd'hui, les travailleurs eux-mêmes sont conscients des effets négatifs qu'exercent sur leur santé les conditions physiques et psychosociales de leur milieu de travail. *Work in America,* une vaste enquête effectuée aux États-Unis (O'Toole, 1973), a mis au jour une augmentation de l'insatisfaction au travail dans la population active. Ce rapport d'enquête révèle en outre que la satisfaction au travail permet, mieux que les facteurs médicaux et génétiques connus, de prédire la longévité d'un travailleur et que les divers aspects du travail constituent une part importante des facteurs associés à la maladie cardiaque.

De nombreuses études ont signalé l'ampleur des problèmes de santé au sein de la population ouvrière et ont établi un lien entre ces problèmes et le milieu de travail. Bien des auteurs considèrent que le stress est la cause première des problèmes de santé et d'un nombre considérable de maladies physiques et comportementales. Des données épidémiologiques récentes suggèrent l'existence d'un lien entre la morbidité, la mortalité et des milieux de travail particuliers.

Selon plusieurs études, un travail peut ne pas être considéré comme stressant en lui-même, mais en raison des exigences physiques et psychosociales auxquelles il astreint le travailleur, il peut avoir néanmoins un lien étroit avec divers comportements inadaptés.

Les recherches sur le stress de Dolan et Arsenault (1980) fournissent un cadre très prometteur pour l'étude de l'inadaptation de la personne en situation de travail et de ses conséquences sur le succès individuel et organisationnel (Arsenault et Dolan, 1983b).

Nous définirons d'abord les notions de réussite individuelle et de réussite organisationnelle, et de la convergence de ces deux définitions, nous dégagerons un nouveau concept global, soit celui de la **réussite au travail** ou, plus précisément, de la santé du milieu de travail.

9.1.1 La santé du milieu de travail

Les tenants de la gestion traditionnelle privilégient le point de vue pro-organisationnel, où la notion de réussite au travail est liée à l'efficacité et se distingue par un taux de rendement élevé ainsi que de faibles taux d'absentéisme et de roulement du personnel. Pour les gestionnaires de l'école humaniste, la réussite au travail se traduit d'abord et avant tout par la satisfaction des besoins personnels du travailleur, et ce, parfois même aux dépens de l'organisation. Quant aux dirigeants qui adhèrent au courant de pensée moderne, ils sont préoccupés par la conciliation des buts de l'entreprise et de ceux des travailleurs et reconnaissent qu'il est nécessaire de satisfaire ces deux éléments avant d'aboutir au succès et à l'efficacité de l'entreprise.

Les individus, au même titre que les organisations, doivent atteindre des objectifs à brève, moyenne et longue échéance. Les objectifs multiples de l'individu et de l'organisation, à première vue incompatibles, doivent être conciliés. Les individus sont essentiels aux organisations, et l'inverse est également vrai. Chacun est un moyen pour l'autre d'atteindre ses objec-tifs. Si certains objectifs à brève échéance de l'organisation et de l'employé semblent diffi-cilement compatibles (par exemple, ceux qui concernent les profits de l'entreprise et les sa-laires des travailleurs), d'autres objectifs, à longue échéance, s'harmonisent parfaitement (ils concernent, par exemple, la survie de l'organisation et la santé des individus). Le concept de santé du milieu de travail fait par-tie des objectifs à long terme. Il s'agit d'un objectif général permettant d'intégrer les exi-gences de la santé de l'individu et celles de la santé de l'organisation (voir la figure 9.1).

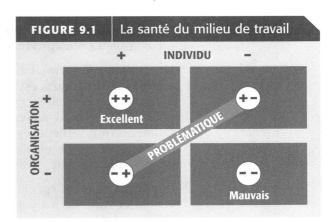

FIGURE 9.1 | La santé du milieu de travail

9.1.2 La réussite au travail

Le concept de santé du milieu de travail, qui englobe le bien-être de l'in-dividu et celui de l'organisation, doit son apparition à l'importance crois-sante que l'on accorde à la qualité de vie au travail. Le monde du travail, comme la société en général, a été le théâtre de mutations culturelles qui ont amené tous les acteurs à se préoccuper de la qualité de leur vie pro-fessionnelle. Diverses valeurs culturelles, dont l'accomplissement de soi, ont contribué à changer la définition de la réussite au travail. En outre, on considère de moins en moins le travail comme la seule source de sécu-rité économique et on tend à remettre en question le culte de l'efficacité.

La réussite au travail étant désormais subordonnée au bien-être de l'indi-vidu, il est indispensable de pouvoir mesurer ce bien-être. Historiquement, la notion de satisfaction au travail a servi de variable explicative du bien-être physique et psychologique du travailleur. La mesure de cette variable pose toutefois des difficultés majeures sur les plans conceptuel et méthodologique en raison de la subjectivité à laquelle elle donne prise. Par conséquent, la notion de satisfaction au travail perd du terrain au profit d'une autre, qui peut être mesurée objectivement : le stress. On constate en effet que le stress possède des caractéristiques précises, qu'il peut être mesuré quantitativement et que les données obtenues peuvent servir à mesurer tant le bien-être de l'individu que celui de l'organisation.

En bref, le stress professionnel se mesure de deux façons : par l'approche subjective, qui consiste à étudier les symptômes observables dans une perspective psychologique et comportementale ; et par l'approche objective, qui porte sur les changements physiques et physiologiques chez l'individu.

9.1.3 Le paradoxe de la société industrielle

La société industrielle moderne fait face à un paradoxe. En effet, malgré l'amélioration des connaissances, des conditions d'hygiène et de l'arsenal thérapeutique et diagnostique dont dispose le secteur médical, la fréquence de certaines maladies continue d'augmenter dans la population en général et chez les jeunes en particulier. Et encore, on ne tient pas compte de l'accroissement des comportements dits inappropriés tels que l'alcoolisme, qui touche plus de 12 % des Canadiens actifs et, parmi eux, en particulier ceux qui se trouvent dans la tranche des 35 à 55 ans, période de la vie considérée comme la plus productive (Dolan et autres, 2002).

On estime que la maladie cardiaque, première cause de décès dans les sociétés industrielles, est attribuable dans une grande proportion à l'insatisfaction au travail. Certaines études tendent effectivement à démontrer que, même si nous arrivions à adopter une hygiène de vie irréprochable (alimentation saine, exercices physiques réguliers, etc.), à maîtriser notre héritage génétique et à nous assurer d'excellents soins médicaux, l'incidence de la maladie cardiovasculaire ne serait réduite que de 25 %.

Il faut dire que les spécialistes de la santé font face à un agent toxique invisible et difficile à quantifier. En médecine du travail, on commence à peine à s'intéresser aux aspects psychosociaux de l'univers organisationnel.

Il convient aussi de souligner que la nature du travail revêt de plus en plus d'importance pour un nombre croissant d'individus. En effet, une forte proportion de travailleurs scolarisés revendique un poste qui soit non seulement rémunérateur, mais aussi intéressant et valorisant. Cette catégorie d'employés apporte sur le marché du travail des connaissances, des croyances et des valeurs nouvelles.

Pour leur part, les organisations ont conservé une façon traditionnelle d'établir leurs politiques, leurs règlements, leurs **descriptions de postes**, etc. Visiblement, les tâches n'ont pas évolué aussi vite que les aspirations des personnes appelées à les remplir. Cela est attribuable au fait que les entreprises ont négligé l'aspect psychosocial de la tâche pour se concentrer surtout sur l'amélioration du bien-être économique des employés. L'écart entre les récompenses que l'organisation désire offrir et celles que le travailleur désire recevoir est une cause majeure du stress au travail.

La santé du milieu de travail est une composante essentielle de la qualité de la vie professionnelle et l'attribut d'une société saine. Si les organisations

On impute au stress jusqu'à 75 % du temps perdu au travail (Covey, 1999).

De nos jours, la vie quotidienne pose en moyenne 44 % plus de difficultés qu'il y a 30 ans ; l'évolution importante des modes de vie en serait la cause (Cryer, 1996).

Aujourd'hui, les gens d'affaires doivent passer d'un concept à un autre au moins 7 ou 8 fois par heure. Au cours d'une journée typique, on doit changer de concept de 60 à 70 fois (Cryer, 1996).

Les cas de stress grave ont doublé au cours des six dernières années. Une étude longitudinale menée pendant 14 ans auprès de plus de 12 500 Suédois a permis d'établir que les personnes qui exercent peu d'emprise sur leur travail sont 1,83 fois plus prédisposées que les autres aux maladies cardiaques, tandis que celles qui reçoivent peu de soutien sont encore plus à risque (2,62 fois). De plus, depuis 1920, le taux de dépressions double avec chaque génération.

En moyenne, un million de personnes s'absentent du travail quotidiennement à cause de problèmes reliés au stress.

Une étude menée sur une période de 20 ans par des chercheurs associés à l'Université de Londres a démontré qu'un stress mal géré était une cause de cancer et de maladies cardiaques plus importante que le tabagisme ou une alimentation riche en cholestérol.

Jusqu'à 90 % de toutes les consultations médicales ont pour objet un malaise relié au stress.

Jusqu'à 80 % des accidents industriels sont causés par le stress.

Selon les résultats d'une étude effectuée par l'Agence de Santé publique du Canada, plus de femmes que d'hommes ont déclaré un niveau de stress professionnel élevé. Cette étude démontre aussi que les femmes de 20 à 24 ans sont trois fois plus susceptibles de déclarer un niveau élevé de stress professionnel que l'ensemble des Canadiens.

Source : S.L. Dolan, S. Garcia, et M. Diez-Pinol, *Autoestima, estres y trabajo,* Madrid, McGraw-Hill, 2005, p. 10-11.

acceptaient, à brève échéance, d'engager des frais additionnels pour procurer aux travailleurs un environnement de travail moins « toxique » sur le plan social, elles pourraient contribuer de façon substantielle à l'amélioration de l'état de santé de la population.

9.2 Qu'est-ce que le stress ?

De façon générale, un individu vit un stress lorsqu'il est incapable de répondre de façon adéquate aux stimuli en provenance de son environnement ou qu'il y arrive, mais au prix de l'usure prématurée de son organisme. Le stress au travail est donc le résultat de la discordance entre les aspirations d'un individu et la réalité de ses conditions de travail. Cette définition n'est pas étrangère aux théories de la motivation, en ce sens que le stress n'apparaîtrait que lorsque le travailleur perçoit l'occasion de satisfaire ses besoins.

Le stress professionnel est aussi une réaction individuelle à une situation menaçante. Selon cette définition, le stress est présent lorsque l'environnement, en raison de ses exigences excessives ou de son incapacité à fournir au travailleur les moyens de combler ses besoins, constitue une menace pour l'individu. Dans un cas comme dans l'autre, la menace relève d'un processus cognitif (donc perceptif) et non d'une situation objective. Cela signifie que des agents stressants précis sont en cause, mais que leur intensité est perçue de façon différente par chaque travailleur. La réaction individuelle à des éléments anxiogènes dépend de la personnalité, des expériences de travail et de vie, ainsi que des antécédents sociaux et culturels. Le travailleur ambitieux, par exemple, considérera son emploi comme stressant s'il ne lui procure pas d'occasions d'avancement. Le stress professionnel est donc le résultat d'une inadéquation entre l'individu et son milieu de travail. En terminant, soulignons qu'en pareille situation, il y a deux façons d'intervenir, que ce soit à titre préventif ou curatif : en agissant sur l'individu et sur sa perception de la situation ou en modifiant le milieu de travail.

9.3 Le stress : concepts et modèles

Comme c'est généralement le cas lorsqu'apparaissent de nouveaux concepts, la documentation relative au stress pose certaines difficultés : les points de vue et les conceptions qu'elle regroupe, issus d'écoles de pensée diverses, font appel à des termes qui, bien souvent, ne sont limpides que pour les initiés.

Les premiers travaux sur le stress visaient à découvrir une cause unique. Du côté médical, on croyait à l'existence d'un facteur étiologique d'ordre physique, chimique ou bactérien, tandis que du côté de la psychologie, on croyait à des facteurs de nature psychique ou sociale. Les mentalités ont évolué depuis. On reconnaît actuellement que la maladie est souvent la résultante de plusieurs facteurs agissant les uns sur les autres pour constituer une sorte de stimulus «multifactoriel». Le stress fait désormais l'objet d'une étude multidisciplinaire. Bien qu'on ne s'entende pas sur les moyens pratiques d'en mesurer l'ampleur, on admet qu'il est causé par des agents — les stressants — qui peuvent être aussi bien de nature physique ou chimique que sociale ou psychologique. On admet, en outre, que le stress agit sur l'individu du point de vue physiologique, psychologique ou comportemental. Les modèles multidisciplinaires les plus intéressants en matière de stress chez l'être humain ont été définis dans le contexte du travail.

Dans ce chapitre, nous étudierons les divers modèles élaborés au fil du temps, en commençant par les modèles unidisciplinaires pour finir par les modèles multiparamétriques et multidisciplinaires du stress au travail.

Pour faciliter la compréhension de l'évolution du concept, nous avons établi une typologie des travaux sur le stress en utilisant une double classification : les stimuli générateurs de stress et les types de réponses observées. Les stimuli étudiés dans la littérature ont été classés en deux groupes principaux : les stimuli physiques et les stimuli psychosociaux. Bien que les stimuli physiques aient fait l'objet de nombreux travaux, nous n'avons retenu que ceux de Walter B. Cannon et de Hans Selye, aux fins de référence. Au chapitre des stimuli psychosociaux, nous n'avons relevé que les plus représentatifs et les plus significatifs. Le but de l'exercice n'est pas l'exhaustivité, mais l'aménagement d'une vision cohérente et multidisciplinaire qui sera actualisée par le modèle de Shimon L. Dolan et André Arsenault.

9.3.1 Les modèles fondés sur les conséquences physiologiques

Pour faciliter la compréhension de la terminologie utilisée dans cette section, nous reverrons quelques notions utiles. Les réactions somatiques relèvent de deux grands systèmes antagonistes : le **système nerveux sympathique** et le **système nerveux parasympathique.** Le système nerveux sympathique s'active quand surviennent des réactions de lutte ou de fuite ; il prépare l'organisme à l'action. Il commande la sécrétion d'un ensemble d'hormones qui, à leur tour, mobilisent d'autres systèmes nécessaires à l'exécution de la lutte ou de la fuite. Le système parasympathique, pour sa part, prépare le soma au repos ou au retrait. L'énergie est emmagasinée plutôt que mobilisée. Les hormones stimulées par le système parasympathique ont, en substance, des effets opposés aux effets des hormones stimulées par le système sympathique. Nous verrons plus loin que ces deux grands systèmes sont aussi considérés comme des générateurs de conséquences physiopathologiques qui varient selon le degré de stimulation de l'un ou de l'autre.

Le stress selon Cannon

Dès que l'on discute de réponse physiologique à un stimulus de nature psychosociale, les travaux de Walter B. Cannon viennent à l'esprit.

Cannon (1929) a fait œuvre de pionnier en démontrant que le système nerveux sympathique est activé par des stimuli psychosociaux et qu'il commande la sécrétion des hormones provenant de la **médullosurrénale.** Cette dernière est la partie la plus interne de la glande surrénale, ainsi désignée parce qu'elle est située au-dessus des reins. La médullosurrénale sécrète une série d'hormones appelées globalement les catécholamines et parmi lesquelles on compte, entre autres, l'adrénaline.

En étudiant longuement le comportement animal, Cannon a pu élaborer un modèle du stress qu'il a appelé « réponse par la lutte ou la fuite ». D'après ce modèle, un animal qui cherche à s'approprier un objet désirable et qui en est empêché ressentira un stress qui déclenchera en lui des réactions émotionnelles accompagnées de réactions sympathiques et hormonales. Prenons, par exemple, un chien qui savoure un gros os. À l'approche de l'étranger qui fera mine de le lui enlever, l'animal grognera et finira par passer à l'attaque.

LE SAVIEZ-VOUS ?

Les changements physiologiques qui caractérisent la réponse au combat ou à l'échappement sont :

- Un écoulement accru de sang dans le cerveau et les grands groupes de muscles. Cet écoulement accru de sang nous rend plus alertes et nous fournit la force supplémentaire afin de faire face au danger.

- La vision, l'audition et d'autres sens sont plus éveillés, de sorte que la conscience du facteur de stress est intensifiée.

- Du glucose et d'autres acides gras sont déchargés dans le sang pour fournir l'énergie supplémentaire pendant l'événement stressant.

- Les pupilles des yeux s'agrandissent pour améliorer la vision dans les endroits plus sombres.

- La paume des mains et la plante des pieds suent, donnant une meilleure poignée pour courir, grimper et s'agripper aux objets.

- Les processus digestifs sont plus lents ; par exemple, la bouche devient sèche.

Toutefois, si l'étranger est grand et menaçant, il se peut que le chien choisisse de fuir. Au cours de ses expériences, Cannon a pu mesurer chez les animaux une activation du système nerveux sympathique ainsi qu'une sécrétion hormonale de la médullosurrénale. C'est grâce à des expériences de ce type que Cannon a découvert que la médullosurrénale sécrétait des catécholamines lorsque l'animal, en situation de stress, se préparait à attaquer ou à fuir. Par la suite, Cannon a relevé toute une série de réponses physiologiques de type neuroendocrinien, dont une réponse du système nerveux et une réponse hormonale.

Le stress selon Selye

Hans Selye, un autre pionnier de la recherche sur la physiologie du stress, a commencé ses travaux dans les années 1930. Il a principalement étudié la réaction du rat aux agents stressants physiques (par exemple, la chaleur, le froid et la course) et aux agents chimiques (par exemple, les **hormones stéroïdiennes**). Comparativement à Cannon, Selye s'est davantage intéressé aux hormones stéroïdiennes qu'aux hormones de la médullosurrénale. Bien qu'ils soient sécrétés par la même glande surrénale, les stéroïdes ont des effets différents : sur l'ordre de l'hypophyse, certains stéroïdes agissent sur le métabolisme des sucres, d'autres sur celui des minéraux, d'autres encore sur celui des graisses ou des protéines (Selye, 1976).

Selye a observé que la réaction de l'animal, quel que soit le stressant utilisé, était toujours la même, c'est-à-dire non spécifique. Cela l'a donc conduit à définir le stress de la façon suivante : une réponse non spécifique à un stimulus. Par la suite, il a développé davantage sa théorie dans ce qu'il a appelé le « syndrome général d'adaptation » (SGA). Passons rapidement sur la confusion qui règne encore dans bien des esprits quant au concept de stress de Selye, qui tantôt assimilent son syndrome général d'adaptation au stress, tantôt à la conséquence du stress. Par ailleurs, Selye a décrit le SGA comme un processus en trois phases : la réaction d'alarme — qui rappelle les expériences de Cannon —, la réaction d'adaptation durable — qu'on appelle aussi la phase de résistance ou de défense — et la phase d'épuisement — au cours de laquelle les mécanismes d'adaptation finissent par céder.

La réaction d'alarme a lieu sur l'axe sympathique-adrénergique, où entre en jeu l'adrénaline. La réaction d'adaptation mobilise l'axe hypophyse antérieure-**ACTH-glucocorticoïdes**, d'une part, et l'axe STH-minéralocorticoïdes, d'autre part. L'ACTH, de l'anglais *adreno-cortico-tropic hormone*, peut être sécrétée par l'hypophyse antérieure en réponse à des signaux en provenance d'autres régions du cerveau. Elle agit à distance sur la partie corticale de la glande surrénale, où elle stimule la production d'autres hormones, les glucocorticoïdes ; il s'agit d'hormones stéroïdes qui agissent sur le métabolisme des hydrates de carbone, soit les sucres. Les glucocorticoïdes ont aussi la propriété d'inhiber les réactions de défense de l'organisme, telles que l'inflammation et la production d'anticorps.

En conclusion, le SGA de Selye comprend un ensemble de réactions physiologiques complexes qui présentent toutes des caractéristiques communes, du moins dans les conditions expérimentales créées par le chercheur. En identifiant le SGA, Selye a pu établir le caractère non spécifique de la réponse au stress, sans toutefois parvenir à en distinguer les modalités. La question devient beaucoup plus complexe lorsqu'il s'agit de transposer le modèle de Selye chez l'être humain, étant donné les différences considérables qui existent entre les perceptions des uns et celles des autres, fussent-ils tous placés dans une même situation.

Comment le « gourou du stress, Hans Selye, est mort pour cause de stress et de manque d'estime de lui-même : une histoire personnelle »

Pendant les deux premières années de mes recherches avec Hans Selye (1977-1979), je me suis soumis à ses caprices en pensant que c'était le prix qu'un jeune érudit devait payer afin d'acquérir la reconnaissance et qu'il s'agissait d'une occasion d'apprendre près du grand maître. Pendant ces années, nous avons eu de nombreux petits incidents qui me laissèrent un goût amer dans la bouche. Selye était déprimé et parfois, son comportement au travail trahissait sa peur de sa dernière épouse, qui était tyrannique. En voici un exemple typique :

Un jour, j'ai reçu un appel téléphonique de Hans, qui me demandait de venir le voir immédiatement. Mon bureau, situé à environ 200 mètres du sien, était en haut de la colline. J'ai donc mis de côté ce que je faisais et j'ai couru à son bureau. À bout de souffle, j'arrive pour découvrir que le grand maître avait des ennuis avec son épouse et qu'il ne pourrait pas retourner à la maison sans lui apporter de nouveaux timbres pour sa collection. Tandis que, pour lui, cette situation était une « vraie crise », pour moi, elle se traduisait par une autre corvée stupide que j'ai dû accepter. Ces types d'incidents, que je pourrais qualifier de « fausses alarmes », sont devenus plus fréquents au fur et à mesure que notre relation devenait plus personnelle. Je ressentais de la pitié pour le vieil homme, et je remarquais aussi à quel point sa propre estime faiblissait de plus en plus. Évidemment, jusqu'à ce qu'on finisse par connaître très bien une personne, on ne remarque pas toujours ce genre de comportement.

Je dois admettre que, mis à part ces incidents, mes expériences de travail avec Selye n'étaient pas toujours décevantes. Il m'a donné une chance en m'invitant à participer à la 2e Conférence internationale sur la gestion du stress, que notre institut avait organisée à Monte Carlo, Monaco, en 1979. Cette conférence m'a donné la chance de partager mes pensées sur le stress lié au travail avec les plus importants experts du monde, y compris plusieurs récipiendaires de prix Nobel. Selye a également demandé mon aide pour produire un nouveau journal appelé « STRESS ». Pour quelqu'un de limité ou qui n'a aucune publication à son actif, mettre à jour des manuscrits pour ce journal et publier deux essais (avec Paul Rohan) fut très formateur ; cela a contribué au développement de ma carrière et de ma propre estime. Comme beaucoup d'autres projets de Selye, le journal est mort avec lui ; il n'avait pas préparé de succession et n'avait pas non plus créé de structure pour que cet important travail puisse continuer. Ce fut après la conférence de Monaco et deux autres incidents de type « abus de mon temps » que j'ai réalisé que je ne pourrais pas compter sur Selye pour m'aider à développer ma ligne de recherche (les personnes dans leur lieu de travail). Réalisant cela, j'ai dû cesser de travailler avec lui et j'ai mis sur pied un centre de recherche parallèle, toujours actif à l'Université de Montréal. C'était également la première fois que je parvenais à décrocher des subventions de recherches octroyées par les gouvernements du Québec et du Canada afin d'étudier le stress professionnel.

Je suis revenu vers Selye en 1979 pour travailler avec lui sur un projet de publication. J'étais censé assurer la direction du projet et lui devait me guider, me diriger. Une fois le livre prêt à la publication, je n'avais encore reçu aucun commentaire de Selye et j'ai donc invité un autre médecin, André Arsenault, à le remplacer. Mon rapport avec André Arsenault était très productif et nous avons conjointement dirigé le Centre de recherches sur l'étude du stress professionnel et la santé au travail pendant plus de 15 ans. Cette collaboration a également mené à la publication de nombreux articles dans les revues spécialisées en médecine, en psychologie et en gestion, qui ont fait connaître notre travail à l'échelle internationale. Mais juste avant que le livre ne soit publié, Selye a appris la nouvelle de son remplacement et m'a appelé à son bureau ; il a alors insisté pour écrire la préface du livre. J'ai accepté de bonne grâce. Cela a été une trêve dans notre relation.

9.3.2 Les modèles fondés sur les conséquences psychologiques et comportementales

L'approche psychanalytique de Menninger

Pour Karl Menninger, la santé et la maladie ne sont pas deux entités distinctes. Selon lui, les phénomènes observés en psychiatrie clinique se situent sur un continuum présentant, à une extrémité, un état d'équilibre face au réel, à l'autre, une dislocation de la personne — la maladie proprement dite — et, au centre, des états intermédiaires. Dans cette perspective, le moi agit comme régulateur de l'équilibre homéostatique face aux pressions exercées par le surmoi et la réalité extérieure, et cherche à négocier un niveau de tension tolérable et compatible avec sa croissance, son développement et l'expression de sa créativité (Menninger, 1954).

L'équilibre homéostatique assuré par le moi est continuellement compromis par les stress à répétition qui, à des intensités variables, atteignent l'organisme tout entier. Réagissant à ces menaces de déséquilibre, le moi a recours à des mécanismes de défense plus ou moins coûteux en énergie psychique et en « sacrifice » visant à acheter la paix intérieure. Menninger assimile ces mécanismes à des lignes de défense aménagées sur cinq niveaux ; le premier correspondrait à des adaptations mineures, et le cinquième, au sacrifice du moi tout entier, qui s'anéantit lui-même.

La psychanalyse propose de nombreuses variantes des mécanismes d'adaptation d'une personne à son environnement. Si nous avons retenu le point de vue de Menninger, c'est en raison de son caractère descriptif et de son accessibilité. Toutes les écoles ont leur façon d'organiser le réel intrapsychique en « être de raison » utilisant ses diverses composantes comme autant de fonctions et d'opérateurs mathématiques. Cette perspective permet d'échapper temporairement aux contraintes de la vérification empirique.

L'approche psychocognitive de Lazarus

Richard Lazarus a intégré certaines notions propres à la mécanique à sa définition du stress. Il établit une distinction nette entre le stress et la tension : le premier constitue la force qui s'exerce sur l'organisme, et la seconde, la résultante de l'application de cette force, qui correspond, en mécanique, à une déformation. En d'autres mots, au stress, force externe, correspond une tension intérieure qui tend à rompre l'équilibre de l'organisme (homéostasie).

Lazarus (1966) utilise cette notion de tension pour expliquer le comportement humain. Dans son système, l'interaction entre l'individu et son environnement est génératrice de symptômes. Son concept prenant racine dans le terroir de la psychologie, Lazarus fait une large place à l'activité cognitive du sujet et s'intéresse d'abord aux manifestations que traduisent les comportements (Lazarus et Folkman, 1984).

Cette approche cognitive fait intervenir le processus de la pensée ainsi que la mécanique des jugements dans l'interprétation subjective que la personne fait de son environnement, si bien que cette interprétation prend plus de signification que la réalité objective. Pareil contexte fait en sorte que la réaction de l'individu se déclenche sous forme de déséquilibres au sein de la structure cognitive. L'individu doit alors agir afin d'éliminer ces incohérences et restaurer son homéostasie intrapsychique. Autrement dit, la fonction «tension» n'est pas exclusivement dépendante des conditions extérieures et peut être fortement influencée par le vécu intrapsychique. C'est ce qui est ressenti à l'intérieur de l'être qui permet d'expliquer les comportements du sujet.

La définition du stress proposée par Lazarus a connu une grande popularité sous l'expression «équation–personne–environnement». Sur le modèle des équations chimiques, Lazarus présente le stress comme un état d'équilibre dynamique continuellement soumis à un réaménagement entre, d'une part, l'individu pris dans sa totalité et, d'autre part, son environnement. Lazarus est d'avis que tout agent susceptible de mettre en péril les objectifs et les valeurs personnelles, ou encore la survie ou l'intégrité du corps, peut se transformer en stress.

La notion implicite de menace ou, plus précisément, de perception subjective de menace est donc présente chez Lazarus. Par conséquent, la diversité des interprétations de ce qui constitue une menace renvoie forcément à la présence, dans la structure de la personnalité, de facteurs qui peuvent prédisposer à des vulnérabilités particulières. Les comportements qui en résultent doivent être interprétés comme autant de tentatives destinées à restaurer l'équilibre de l'organisme. Dans le modèle de Lazarus, le caractère menaçant de la situation à laquelle le sujet doit faire face interfère avec l'expression spontanée des mécanismes d'adaptation. C'est donc dire que plus la situation est perçue comme menaçante, plus l'adaptation est difficile.

Lazarus appuie son modèle sur une interprétation phylogénétique, dont il dégage deux principes fondamentaux : 1) plus on monte dans l'arbre de la phylogenèse, plus le comportement repose sur un apprentissage plutôt que sur des automatismes instinctifs ; et 2) compte tenu de ce qui précède, les différences entre les individus d'une même espèce ont tendance à s'accentuer, de sorte qu'il devient inacceptable d'appliquer à l'être humain des modèles entièrement et exclusivement fondés sur l'expérimentation animale. Selon Lazarus, on ne peut donc pas considérer qu'un agent stressant générateur de tension est transposable d'une espèce à l'autre, puisque chaque espèce porte sa propre empreinte et que les comportements sont plus automatisés chez les espèces inférieures que chez l'être humain. Par ailleurs, on voit non seulement des différences individuelles chez l'être humain, mais aussi des caractéristiques culturelles, des systèmes de valeurs intériorisées et des processus cognitifs qui agissent de façon déterminante sur les comportements.

9.3.3 Un modèle multidisciplinaire : le modèle cognitif et conditionnel de Dolan et Arsenault

Le travail n'est pas la seule et unique source de stress dans la vie. Toutefois, le stress associé à l'activité professionnelle influe considérablement sur la santé et le bien-être des individus et des organisations. Dans cette optique, Dolan et Arsenault (1980) ont proposé un modèle qui permettrait de poser un diagnostic et, de ce fait, d'orienter les interventions visant à diminuer, à longue échéance, la fréquence des conséquences du stress. En créant ce modèle, ces auteurs désiraient fournir une base empirique aux réponses aux quatre questions suivantes :

- Quelles sont les sources de stress dans un environnement de travail ?
- Pourquoi les travailleurs ne sont-ils pas tous touchés de la même façon ?
- Quelles peuvent être les conséquences du stress sur les travailleurs, du double point de vue physique et psychologique ?
- Quelles sont les conséquences organisationnelles du stress qui peuvent être mesurées par le rendement des travailleurs (productivité, absentéisme, fréquence des accidents, etc.) ?

Plus haut, nous avons vu que le stress avait deux sources : une stimulation insuffisante ou une stimulation excessive. Les stimuli ne deviennent des agents stressants qu'à partir du moment où il y a discordance entre le degré de stimulation désiré par le travailleur et le degré de stimulation qu'il perçoit subjectivement. Les agents stressants sont particuliers à chaque occupation et varient d'une organisation à une autre.

Dolan et Arsenault attribuent à la discordance entre l'individu et son environnement de travail les problèmes d'inadaptation. Selon le degré de concordance, on voit apparaître ou non des symptômes et des signes de tension. Ces symptômes et ces signes constituent des indicateurs de stress : leur présence et leur intensité permettent d'estimer le degré de discordance entre le travailleur et son environnement.

Ce modèle met en relief la diversité des comportements face aux exigences des tâches tout en tenant compte du fait qu'à des tâches différentes correspondent des exigences différentes. La relation qui s'établit entre un employé et son milieu de travail suit des cycles d'adaptation susceptibles de varier avec le temps et les changements qui s'opèrent soit dans l'organisation, soit dans l'individu lui-même.

Le modèle cognitif et conditionnel du stress au travail de Dolan et Arsenault comporte quatre groupes de variables (voir la figure 9.2). Les variables du

FIGURE 9.2 | Le modèle cognitif et conditionnel du stress au travail

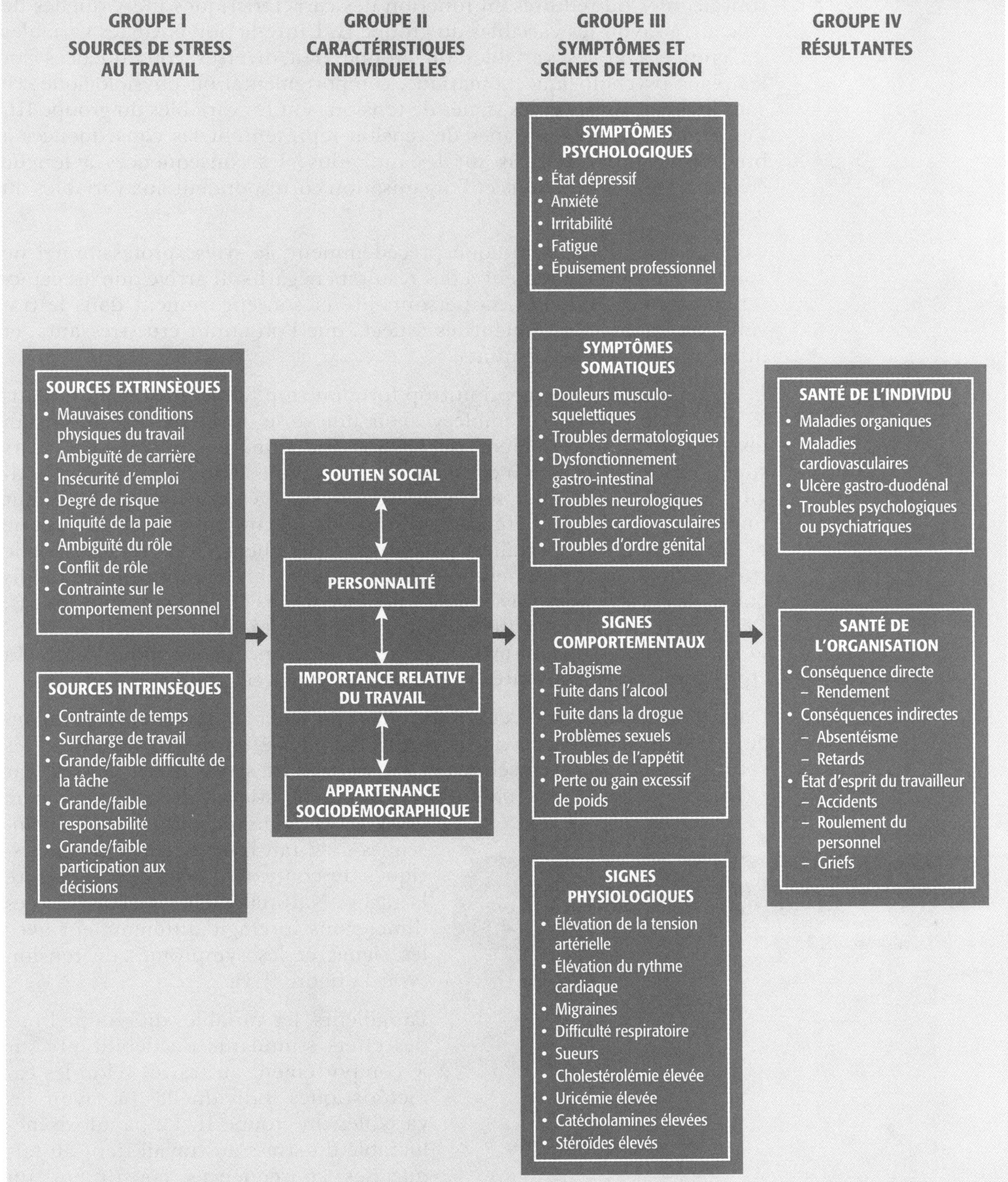

GROUPE I
SOURCES DE STRESS AU TRAVAIL

GROUPE II
CARACTÉRISTIQUES INDIVIDUELLES

GROUPE III
SYMPTÔMES ET SIGNES DE TENSION

GROUPE IV
RÉSULTANTES

SOURCES EXTRINSÈQUES
- Mauvaises conditions physiques du travail
- Ambiguïté de carrière
- Insécurité d'emploi
- Degré de risque
- Iniquité de la paie
- Ambiguïté du rôle
- Conflit de rôle
- Contrainte sur le comportement personnel

SOURCES INTRINSÈQUES
- Contrainte de temps
- Surcharge de travail
- Grande/faible difficulté de la tâche
- Grande/faible responsabilité
- Grande/faible participation aux décisions

SOUTIEN SOCIAL

PERSONNALITÉ

IMPORTANCE RELATIVE DU TRAVAIL

APPARTENANCE SOCIODÉMOGRAPHIQUE

SYMPTÔMES PSYCHOLOGIQUES
- État dépressif
- Anxiété
- Irritabilité
- Fatigue
- Épuisement professionnel

SYMPTÔMES SOMATIQUES
- Douleurs musculo-squelettiques
- Troubles dermatologiques
- Dysfonctionnement gastro-intestinal
- Troubles neurologiques
- Troubles cardiovasculaires
- Troubles d'ordre génital

SIGNES COMPORTEMENTAUX
- Tabagisme
- Fuite dans l'alcool
- Fuite dans la drogue
- Problèmes sexuels
- Troubles de l'appétit
- Perte ou gain excessif de poids

SIGNES PHYSIOLOGIQUES
- Élévation de la tension artérielle
- Élévation du rythme cardiaque
- Migraines
- Difficulté respiratoire
- Sueurs
- Cholestérolémie élevée
- Uricémie élevée
- Catécholamines élevées
- Stéroïdes élevés

SANTÉ DE L'INDIVIDU
- Maladies organiques
- Maladies cardiovasculaires
- Ulcère gastro-duodénal
- Troubles psychologiques ou psychiatriques

SANTÉ DE L'ORGANISATION
- Conséquence directe
  - Rendement
- Conséquences indirectes
  - Absentéisme
  - Retards
- État d'esprit du travailleur
  - Accidents
  - Roulement du personnel
  - Griefs

Source : Adapté de Dolan et Arsenault (1980, p. 143).

groupe I représentent les conditions particulières du travail et sont présentées comme des exigences en provenance de l'environnement. Ces exigences sont accrues ou réduites en fonction des caractéristiques individuelles de chacun, à savoir les variables du groupe II. L'interaction entre les variables du groupe I et les variables du groupe II a diverses conséquences sur les plans psychologique, somatique, comportemental ou physiologique : ce sont les symptômes et les signes de tension, soit les variables du groupe III. Les symptômes et les signes de tension représentent les conséquences à brève échéance du stress sur les individus ; les conséquences à longue échéance sur les individus et l'organisation correspondent aux variables du groupe IV.

Comme nous l'avons indiqué précédemment, le stress professionnel ne conduit pas nécessairement à des résultats négatifs. Il arrive que les caractéristiques de l'individu, sa personnalité et son engagement dans le travail, par exemple, atténuent les aspects que l'on aurait cru stressants, et influent ainsi sur les résultats.

Le stress naît de la perception trop forte ou trop faible du stimulus. Dans le milieu de travail, il semble y avoir une dose optimale de stimuli qui favorise le bon rendement de chaque individu. Les agents stressants supérieurs ou inférieurs à cette dose exercent une action néfaste sur l'activité du travailleur et sur son bien-être physique et psychologique. Il faut toutefois préciser que l'étendue optimale des agents stressants varie d'une personne à l'autre. Certaines personnes recherchent de hauts niveaux de stress pour alimenter leur enthousiasme et maintenir leur rendement, tandis que d'autres affichent un seuil de tolérance moins élevé. Dans tous les cas, c'est l'écart entre l'intensité souhaitée et l'intensité vécue des facteurs stressants, et non le stress lui-même, qui représente une menace pour l'individu et un danger pour sa santé aussi bien que pour celle de l'organisation.

Dans le modèle cognitif et conditionnel de Dolan et Arsenault, le milieu de travail (les variables du groupe I) est divisé en deux catégories : les **sources de stress intrinsèques** et les **sources de stress extrinsèques**. Par «sources intrinsèques», on entend les caractéristiques du contenu même de la tâche, tandis que par «sources extrinsèques», on fait référence aux caractéristiques du contexte dans lequel s'exécute la tâche. Naturellement, chacune de ces dimensions interagit différemment avec les signes et les symptômes de tension (voir la figure 9.3).

Par ailleurs, les variables du groupe I ont des effets stimulants ou débilitants sur le comportement au travail selon les caractéristiques individuelles, à savoir les variables du groupe II. Le paradoxe inéluctable du stress au travail tient au fait que ses conséquences constituent un phénomène individuel. En effet, un facteur stressant peut être une source de

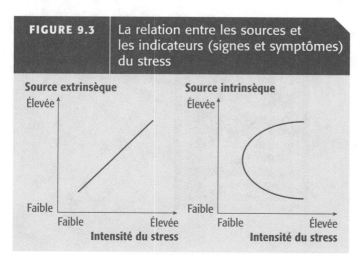

FIGURE 9.3 La relation entre les sources et les indicateurs (signes et symptômes) du stress

Source extrinsèque

Élevée

Faible

Faible — Élevée
Intensité du stress

Source intrinsèque

Élevée

Faible

Faible — Élevée
Intensité du stress

stress pour un employé, mais une source de satisfaction pour un autre. L'individu seul définit les facteurs qui sont stressants pour lui ; ceux-ci résultent de ses expériences et de ses attentes.

Dolan et Arsenault proposent quatre classes de variables pour représenter les différences individuelles qui agissent comme modérateurs des effets du stress au travail : le soutien social, la personnalité, l'importance relative accordée au travail et l'appartenance sociodémographique.

Le soutien social, tant en milieu de travail qu'à l'extérieur, constitue un facteur modérateur important du stress. Le soutien des amis, de la famille et des collègues de travail suppose le partage des responsabilités, la reconnaissance sociale et l'appui affectif ; il permet de filtrer les agents stressants et de réduire ainsi l'emprise du stress sur l'individu. Le degré d'encadrement ou de soutien social dont jouit un individu détermine sa capacité à résister au stress (Dolan, Van Ameringen et Arsenault, 1992 ; Vézina et autres, 1992).

En ce qui concerne la personnalité, les chercheurs qui étudient le stress au travail utilisent souvent les expressions « personnalité de type A » et « personnalité de type B ». Chez une personne qui a une personnalité de type A (caractérisée par une ambition considérable et l'esprit de compétition), l'inadaptation due au stress sera imputable au manque de défis, de responsabilités et d'autonomie. Pour la personne de type A, contrairement à celle du type B, l'emploi idéal sera donc assorti de responsabilités élevées et d'une grande autonomie. Bien sûr, elle devra avoir la compétence nécessaire pour assumer ces responsabilités et cette autonomie.

En règle générale, les agents stressants ont plus d'effets sur les personnes qui accordent au travail une place centrale dans leur vie. La gamme des conséquences symptomatiques est ainsi influencée par l'intensité de l'attachement au travail. Chez une personne qui n'accorde que peu d'importance au travail, les effets du stress seront nettement moins préjudiciables, puisqu'elle vise d'abord la satisfaction de ses besoins à l'extérieur du milieu du travail. L'intégration de la valeur accordée au travail dans le modèle étudié permet aussi de maîtriser indirectement certaines sources de stress extérieures au cadre professionnel, telles que les conflits à la maison et les mauvaises relations sociales, qui peuvent également entrer dans la pathogenèse de certaines maladies psychosomatiques.

Bien que l'influence de l'appartenance sociodémographique n'ait pas été démontrée de façon probante, il demeure que le niveau de stress au travail varie notamment selon le sexe, l'âge, les années de scolarité, les croyances religieuses et la langue maternelle. Ainsi, les effets pervers du stress touchent plus les hommes que les femmes ; en outre le stress a moins d'emprise sur la personne au fur et à mesure qu'elle vieillit ou qu'elle se scolarise. En ce qui a trait aux pratiques religieuses, elles semblent inhiber l'action du stress. Notons cependant que cet effet vaut pour toute pratique d'activités à caractère religieux, sans distinction de cultes. Finalement, il appert que les différences culturelles liées à la langue maternelle influent sur l'assimilation du stress. Par exemple, au Québec, on constate que les symptômes physiques du stress sont associés au système cardiovasculaire chez les

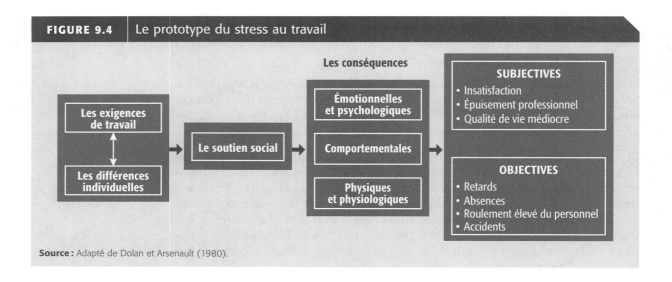

FIGURE 9.4 | Le prototype du stress au travail

Les conséquences

Les exigences de travail ↕ Les différences individuelles → Le soutien social → Émotionnelles et psychologiques / Comportementales / Physiques et physiologiques →

SUBJECTIVES
- Insatisfaction
- Épuisement professionnel
- Qualité de vie médiocre

OBJECTIVES
- Retards
- Absences
- Roulement élevé du personnel
- Accidents

Source : Adapté de Dolan et Arsenault (1980).

anglophones et à l'appareil digestif (ulcères) chez les francophones, alors qu'ils résultent des mêmes agents stressants (Arsenault et Dolan, 1983a).

Ainsi, l'interaction dynamique entre les facteurs stressants (groupe I) et les différences individuelles (groupe II) définit l'adaptation ou l'inadaptation, qui engendre les signes et les symptômes de tension (groupe III) et donne la possibilité d'en prédire la présence ou l'absence. C'est évidemment la présence et l'intensité relative de chacun de ces signes et de ces symptômes plus ou moins stables qui permettent de mesurer le degré de discordance entre l'individu et son environnement.

Ces signes et ces symptômes, qui constituent des indicateurs de stress, sont subdivisés en quatre grandes catégories : les symptômes psychologiques, les symptômes somatiques, les signes comportementaux et les signes physiologiques.

La possibilité de mesurer de façon objective et subjective les propriétés physiologiques, d'une part, et les propriétés comportementales et somatiques, d'autre part, permet d'améliorer la précision et la valeur du diagnostic du modèle élaboré par Dolan et Arsenault.

9.4 Les origines du stress au travail

Chez un individu, le stress peut être provoqué tant par une absence que par un excès de stimulation. Tel que mentionné précédemment, il semble en fait qu'il existe pour chaque travailleur un niveau maximal de stimulation qui permettrait d'améliorer son rendement. Ce niveau varie d'une personne à l'autre, mais on s'entend généralement pour dire que les agents stressants ont des effets néfastes sur les sujets dont la vie est centrée sur le travail.

À partir de cette définition du stress, on déduit que n'importe quel problème, du point de vue de l'organisation, devient générateur de stress, et ce, même temporairement, dès que le travailleur se trouve en état de discordance. Bien que les réactions de l'individu dépendent de facteurs personnels, il existe aussi des facteurs liés à l'organisation que l'on pourrait qualifier d'agents de stress.

9.4.1 Les agents de stress organisationnels

La source de stress la plus répandue tient à l'effet combiné de la taille imposante de l'organisation et du haut degré de formalisation de son fonctionnement. C'est ce qu'on appelle, en général, la bureaucratie. Plusieurs études ont démontré que les organisations très bureaucratisées cherchent à mouler la personne pour en faire un être stéréotypé, vidé de sa substance, de sa couleur et de sa complexité. Le besoin qu'éprouvent ces grandes organisations de contraindre et de surveiller le comportement humain est la cause la plus fréquente du stress organisationnel.

Une deuxième source de stress se trouve dans la structure hiérarchique des organisations. Dans toute hiérarchie où le pouvoir est inégalement réparti, plus on compte de paliers, plus s'accentue la tendance au contrôle autocratique de la part de quelques-uns aux dépens des autres. Les dirigeants sont alors bien placés pour dicter des comportements trop exigeants qui dépassent la capacité de leurs employés.

Une troisième source de stress, également liée à la structure des organisations, se trouve dans la compétition interindividuelle pour l'obtention d'un nombre limité de récompenses. Bien que cette source de stress se rencontre généralement dans le secteur des affaires, elle existe aussi là où la promotion oblige à la compétition: dans les universités, les ministères, les syndicats, etc. Dans les organisations où la structure hiérarchique et la quantité limitée de ressources nourrissent déjà l'émulation, on a tendance à stimuler la compétition et à pousser celle-ci trop loin, arguant que c'est le meilleur moyen d'amener les employés à donner leur plein rendement. On sait que toute compétition comporte son lot de perdants; or, il arrive que même les gagnants payent très cher leur victoire.

Les rôles et leurs caractéristiques figurent parmi les facteurs les plus étudiés dans la recherche sur le stress au travail. Les rôles qui donnent matière à conflits ou qui prêtent à confusion, les rôles surchargés ou, au contraire, trop allégés quantitativement et qualitativement, sont fréquemment cités comme générateurs de signes de stress et de maladie.

Emprunté à l'art dramatique, le mot « rôle » désigne, en l'occurrence, le comportement propre à une fonction et non à l'individu même. Autrement dit, le rôle correspond à ce que l'individu est amené à faire dans l'exercice de ses fonctions. Dans la société, une personne est appelée à tenir plusieurs rôles: celui de père, de mère, de dirigeant, de subordonné, etc. Plusieurs facteurs interviennent dans la détermination du rôle tenu par un individu dans son environnement de travail. À cet égard, les exigences des dirigeants sont prépondérantes, même si elles ne sont pas toujours formellement exprimées et qu'elles sont souvent transmises de façon plus ou moins indirecte. Le comportement rattaché à une fonction est aussi influencé par les attentes des pairs, des subordonnés ou des clients.

Après avoir expliqué la notion de rôle, nous nous attarderons à définir le conflit de rôle. Par conflit de rôle, on entend la présence simultanée, dans une même tâche, de deux ou plusieurs ensembles d'exigences de natures telles qu'en se soumettant à l'un, il devient, par définition, difficile de se soumettre aux autres.

Les sources de ces conflits sont multiples. Par exemple, une infirmière est soumise à trois sources conflictuelles d'exigences : le patient, son chef d'équipe et le médecin traitant. De même, un employé peut subir des pressions contradictoires : d'une part, de son supérieur immédiat qui le pousse à produire au maximum, et d'autre part, du service de génie qui l'invite à réduire le plus possible les pertes et les rejets.

L'ambiguïté des rôles est liée à l'incertitude qui règne sur la définition des tâches (voir **définition de poste**) : incertitude quant aux attentes des autres à l'égard du rôle que l'on est appelé à tenir ; incertitude quant à ce que l'on doit faire ; incertitude quant à son niveau de responsabilité ou à la latitude dont on dispose dans l'exécution de ses tâches. Lorsqu'un rôle atteint un degré d'ambiguïté très élevé, l'employé n'a plus aucun cadre de référence pour guider ses attitudes et ses comportements : c'est l'anomie.

Les rôles surchargés engendrent du stress. Un rôle est surchargé lorsque les tâches qui lui sont associées, sans être intrinsèquement incompatibles, excèdent qualitativement ou quantitativement la capacité de l'individu, ou encore lorsqu'elles poussent celui-ci à agir de façon précipitée, au détriment du soin qu'il croit devoir mettre au travail. Chez les cadres intermédiaires et supérieurs, dont les tâches sont souvent mal définies, cette source de stress est favorisée par l'incapacité apparente de certains de dire non à toute demande en raison du culte qu'ils vouent à l'efficacité et à la performance, ou encore par crainte que leur refus soit mal interprété et nuise à leur carrière. On tombe dans un cercle vicieux lorsque ces mêmes personnes, qui acceptent beaucoup de responsabilités et s'efforcent de les assumer, font l'objet d'encore plus de sollicitations, car par leur disponibilité et leur efficacité, elles ont attiré l'attention de tout le monde. Ce processus de surcharge progressive est une lame à double tranchant, puisque l'accumulation des engagements à court et à long terme s'accroît avec le temps.

La variété des habiletés requises, le degré d'autonomie, l'importance et la description de la tâche ainsi que la rétroaction sont autant d'éléments susceptibles de causer des symptômes de tension, s'ils sont incompatibles avec les besoins et les aspirations de l'individu, son sens des responsabilités, son désir de voir les résultats de son labeur et l'importance qu'il accorde à son travail.

Le fait d'être responsable de ressources humaines ainsi que de ressources matérielles, d'équipements et de budgets, par exemple, est

LE SAVIEZ-VOUS ?

Si les individus sont compétents, que les tâches sont claires et que les outils pour les exécuter sont adéquats, l'environnement de travail (hiérarchie, collègues, compétition, défi) devrait bien se porter. Une fois que l'individu est adapté à son poste, il peut être soumis à des contraintes organisationnelles. Le cas échéant, les pressions subies peuvent causer un certain niveau de stress. Certaines modifications apportées aux tâches ou à l'environnement peuvent aussi être la cause de perturbations. Des tensions risquent de survenir à divers moments de la vie professionnelle : si le travailleur possède les ressources personnelles, sociales et organisationnelles appropriées, il pourra surmonter ces déséquilibres et bien fonctionner.

également générateur de stress. Ces responsabilités s'assortissent de fréquentes interactions avec les autres (réunions, comités de toutes sortes, etc.), de périodes de travail solitaire et, par conséquent, de longues heures de planification afin de respecter des échéances, etc.

Les caractéristiques physiques du travail peuvent être une cause de maladie. De nombreux travaux effectués sur les liens entre les conditions de travail particulières à un emploi et l'état de santé physique et mental tendent à le démontrer. Ceux de Kornhauser (1965), notamment, ont établi une relation entre la santé mentale, des conditions de travail désagréables, l'obligation de travailler vite et fort et de se conformer à des horaires longs et pénibles.

Beaucoup d'auteurs ont fait ressortir le fait que les relations interpersonnelles peuvent constituer une source importante de stress en milieu de travail. La **relation interpersonnelle** naît du besoin d'être reconnu et accepté. En tant qu'« animal social », l'être humain accorde une grande valeur à la qualité de ses relations avec les autres. Le fait d'être soutenu par des camarades de travail atténue chez le sujet l'effet des divers facteurs de stress.

Dans une étude récente, des spécialistes en science du comportement se sont intéressés à l'effet tampon que le soutien social exerce entre l'individu et certaines conséquences du stress. Ils sont arrivés à la conclusion que de bonnes relations interpersonnelles au sein d'une équipe de travail jouent un rôle primordial dans le maintien de la santé des individus et des organisations (Dolan, Van Ameringen et Arsenault, 1992).

9.4.2 Les agents de stress individuels

De nombreux auteurs ont souligné l'importance de facteurs individuels tels que les valeurs, les besoins, les habiletés, l'expérience, la personnalité et les aspirations lorsqu'il s'agit de déterminer la susceptibilité d'une personne au stress. Ces facteurs individuels englobent aussi les caractéristiques d'ordre perceptif et cognitif, qui influencent l'interprétation subjective de ce qui est considéré comme un stress, de même que la réaction à ce stress.

Les réactions aux agents stressants varient en fonction de diverses dimensions de la personnalité, telles que l'anxiété névrotique, l'introversion, l'extraversion, la rigidité, la flexibilité, l'ambition et la volonté de réussir. Certaines personnes ont l'habitude de se fixer des objectifs précis et des échéanciers très exigeants. Il est aisé de concevoir qu'un tel comportement puisse être aussi stressant que gratifiant. D'autres personnes, moins imprégnées de la volonté de réussir, parviendront à se sentir gratifiées tout en s'imposant moins de stress. Il s'agit là d'un thème qui a été popularisé par les travaux sur les personnalités de type A et de type B. Cette typologie des comportements,

LE SAVIEZ-VOUS ?

Des chercheurs ont pris en considération les différences de personnalité et sont arrivés à la conclusion que des résultats élevés à l'échelle de stress et bas à l'échelle de maladie sont attribuables à un style de personnalité qualifiée de hardie. Les personnes ayant une personnalité hardie sont engagées dans leur vie personnelle, sociale et affective, éprouvent un sentiment de contrôle et apprécient les défis. Soumises à de hauts facteurs de stress, ces personnes ne sont pas nécessairement affaiblies psychologiquement et physiquement. Il semblerait donc que les réactions au stress varient selon les personnalités et que, pour résister au stress, on aurait avantage à avoir, sinon à développer, une personnalité hardie.

initialement proposée par Rosenman et ses collègues, a été par la suite largement utilisée dans les études sur le stress (Rosenman et autres, 1964). Ces auteurs ont démontré que les sujets de type A, qui sont des combatifs, agressifs, impatients, incapables de s'arrêter et continuellement pressés par le temps, étaient plus prédisposés à la maladie coronarienne que les sujets de type B qui, à la rigueur, préfèrent laisser aux autres le soin de définir les exigences au travail et se contentent de s'y adapter.

Les personnes de type A ont un comportement distinctif: elles sont toujours pressées et en état d'alerte; c'est la course contre la montre, la poursuite de deux lièvres à la fois. Dictant en conduisant leur voiture, préparant un discours en regardant la télé, elles sont incapables de tolérer les retards, s'énervent derrière un conducteur trop lent et trépignent d'impatience quand elles attendent un ascenseur. Paradoxalement, les individus de type A ne semblent pas ressentir subjectivement le stress; à tout le moins ils se plaignent très peu souvent de souffrir d'anxiété. Ils sont rarement grippés, ils n'en ont pas le temps! Rosenman et autres (1964) sont d'avis que la culture occidentale stimule considérablement l'éclosion du syndrome A typique, présent chez l'individu obsédé par le temps et par la quantité de choses à accomplir.

Le lieu de contrôle, interne ou externe, est une autre dimension de la personnalité étudiée en relation avec le stress au travail. Une échelle mise au point par Rotter (1966) hiérarchise les individus selon leur tendance à attribuer ce qui leur arrive à leurs propres capacités ou, au contraire, à des facteurs extérieurs tels que la chance, la fatalité ou le pouvoir des autres. Des travaux récents ont démontré que les personnes dont le lieu de contrôle est interne possèdent une meilleure connaissance du monde du travail et de leur propre occupation que celles dont le lieu de contrôle est externe. Cependant, Burger (1992) suggère que les individus ayant un lieu de contrôle interne sont plus sujets à l'anxiété.

Pour conclure, on peut affirmer que la personnalité intervient dans la genèse du stress, mais que la nature et la gravité des conséquences du stress

LE SAVIEZ-VOUS?

La personne qui souffre d'**épuisement professionnel** peut présenter plusieurs des symptômes suivants:

- Fatigue physique: diminution d'énergie, fatigabilité chronique, affaiblissement et ennui. Ceux et celles qui souffrent d'épuisement ont souvent une propension aux accidents et aux maladies, de fréquents accès de migraine, des nausées, des tensions musculaires aux épaules et au cou, des douleurs dorsales et voient des changements survenir dans leurs habitudes alimentaires et leur poids.

- Fatigue émotionnelle: elle est accompagnée de dépression, de désespoir, d'impuissance et de la sensation d'être pris au piège, ce qui entraîne parfois, en périodes de crise aiguë, des troubles mentaux et des idées suicidaires, des accès de larmes continus et irrépressibles, la perte des mécanismes de contrôle et de récupération. La personne épuisée se sent vidée sur le plan émotif; elle s'irrite et s'énerve facilement.

- Fatigue mentale: elle se caractérise par le développement d'attitudes négatives vis-à-vis de soi-même, de son travail et de la vie. Les personnes épuisées se sentent incompétentes, inférieures, incapables. Elles adoptent aussi des attitudes négatives à l'égard des autres.

Source: Adapté de Freudenberger (1981).

sont liées non pas à la personnalité proprement dite, mais à l'interaction entre la personnalité et les exigences de la tâche à accomplir.

9.5 Les effets néfastes du stress

9.5.1 Les conséquences individuelles

On dispose d'un grand nombre d'indicateurs pour mesurer les effets néfastes du stress sur la santé des travailleurs. Parmi ceux-ci, le concept d'épuisement professionnel ou *burnout,* indicateur des réactions affectives et émotionnelles, a été largement utilisé ces dernières années, particulièrement dans les secteurs de la santé, de l'enseignement, du travail social et de la gestion (Dolan, 1995). Selon certains chercheurs, l'épuisement professionnel est un symptôme de stress organisationnel qu'on rencontre généralement lorsque les travailleurs ont peu d'emprise sur la qualité de leur travail, mais qu'ils se considèrent tout de même comme personnellement responsables du succès ou de l'échec de celui-ci. D'autres chercheurs définissent l'épuisement professionnel comme un état de grande fatigue physique, mentale et émotionnelle résultant de l'accumulation d'un stress mental et émotionnel sur une longue période. L'employé est alors incapable de satisfaire aux exigences de son travail. L'épuisement professionnel est un état qui s'aggrave progressivement. Il est déclenché par des sentiments d'inadéquation par rapport à la tâche à accomplir et évolue au point où les fonctions physiques et mentales se détériorent réellement. Les bourreaux de travail, qui travaillent de longues heures et ont peu d'emprise sur leur vie, sont les personnes le plus prédisposées à l'épuisement professionnel qui frappe toutes les professions, quel que soit le milieu social ; mais les policiers, les gardiens de prison, les infirmières, les travailleurs sociaux et les professeurs présentent toutefois des prédispositions particulières.

La dépression, l'anxiété, l'irritabilité et les problèmes somatiques sont d'autres manifestations du stress. De plus, des liens évidents ont été établis entre le tabagisme, l'alcoolisme et les exigences professionnelles. Au chapitre des conséquences physiologiques, certains chercheurs ont noté une augmentation de la sécrétion de catécholamines (adrénaline et noradrénaline) et de stéroïdes, ainsi qu'une élévation de la pression sanguine ; autant de signes avant-coureurs d'ulcères de l'estomac et de malaises cardiovasculaires. Une étude récente sur l'hypertension a démontré l'existence d'un lien direct entre l'hypertension artérielle et le stress. De ce constat, on peut tirer la conclusion suivante : même les employés satisfaits de leur travail peuvent subir du stress (Van Ameringen, Arsenault et Dolan, 1988).

9.5.2 Les conséquences organisationnelles

Les dirigeants d'entreprise accordent de plus en plus d'importance au stress et à l'épuisement professionnel depuis qu'on leur reconnaît des effets néfastes sur la productivité et le bien-être physique et mental des employés. On compte dorénavant sur les gestionnaires pour gérer l'exposition au stress des travailleurs et ainsi réduire la fréquence des accidents de travail, le taux d'absentéisme et les erreurs de production. Bien qu'il n'existe pas de formule universelle pour évaluer les conséquences du stress au sein d'une organisation, on est à même d'affirmer qu'elles sont très coûteuses.

9.6 Les programmes d'intervention

9.6.1 L'intervention individuelle

Le principal objectif de l'intervention à l'échelle individuelle est de déterminer les facteurs susceptibles d'entraîner, influencer ou accélérer l'émergence des diverses conséquences négatives du stress chronique.

Le diagnostic individuel

L'activité visant à déceler les problèmes de stress, de tension et de santé est primordiale, car elle est le fondement même de l'élaboration d'une stratégie de prévention. Une large part des effets néfastes du stress présentés ci-dessus résulte de la présence cumulée de plusieurs facteurs sur des années. Pour dégager ces facteurs, des méthodes d'analyse regroupant les individus selon des catégories précises (usine, section, équipe, type de travail, etc.) sont élaborées. La comparaison des fréquences attendues et des fréquences observées pour chaque catégorie permet d'identifier les sous-groupes susceptibles de souffrir de stress. Dans toute organisation bien structurée, où les dossiers médicaux des employés sont tenus à jour et, au mieux, partiellement ou totalement informatisés, il est possible d'effectuer ce contrôle de façon méthodique. Grâce aux examens périodiques et systématiques, on peut assurer une surveillance prospective et observer l'évolution des indicateurs dans le temps. Ainsi, on peut voir, sur une grille tenant compte de l'âge et du sexe, la tension artérielle d'un individu passer du dixième centile à 35 ans au quatre-vingt-dixième centile à 39 ans. L'utilisation de ce type de grille d'analyse est généralisée en médecine clinique et, plus particulièrement, en pédiatrie. En médecine adulte, il n'est pas encore d'usage de procéder à une surveillance prospective, autrement dit de comparer chaque individu non pas à la moyenne globale d'une population de tous les âges et de tous les sexes, mais à une valeur prédite par catégorie. L'informatisation du dossier médical permet, dans cette perspective, de faire un grand bond en avant dans la détection précoce des indicateurs de stress sur le plan individuel.

Mais il y a un hic. Le fait de poser un diagnostic et d'avertir les travailleurs qu'ils sont victimes d'une maladie hypertensive suscite des conséquences négatives. En effet, Haynes et autres (1979) ont constaté un accroissement de l'absentéisme chez les travailleurs à qui on a dit qu'ils souffraient d'une maladie hypertensive. Il apparaît donc clairement que le diagnostic peut servir de guide dans l'élaboration d'une forme d'intervention plus appropriée à la relation travailleur–organisation. Par exemple, pour le travailleur qui ressent psychologiquement les conséquences de son environnement stressant, mais qui ne peut le fuir, la possibilité d'obtenir une attestation de maladie constitue un bon mécanisme d'évasion d'un univers perçu comme malsain. Du point de vue de l'organisation, cet absentéisme médicalisé semble indésirable. Cependant, dans la perspective globale que nous proposons, le problème ne réside pas nécessairement dans l'individu, mais selon toute probabilité, dans la structure même de la tâche qu'il doit exécuter. La stratégie diagnostique et préventive doit alors être réorientée non pas vers le travailleur, mais vers l'organisation.

Par ailleurs, un diagnostic précis en matière de personnalité aide amplement l'intervention à l'échelle individuelle. Il semble, en effet, que le type de personnalité aide à comprendre l'interprétation que font les individus de leur milieu de travail, ainsi que leurs réactions lorsqu'ils s'y sentent menacés.

La typologie de la personnalité suivante est tirée de plusieurs études de Dolan et Arsenault (Arsenault et Dolan, 1983a, 1983b, 1984; Arsenault et autres, 1988; Dolan et Arsenault, 1984). Elle fait référence au milieu hospitalier, où on distingue quatre grands groupes de personnalité issus de la combinaison du type A et du lieu de contrôle (voir la figure 9.5).

Les **individus de type A**, compétitifs, acharnés et toujours pressés, ont été qualifiés de *hot*; à l'autre extrême, les **individus de type B**, plus calmes et plus réfléchis, ont reçu le qualificatif de *cool*. Les personnes qui ont un lieu de contrôle interne, qui sont autonomes et parfois même têtues comme leurs «homologues» du règne animal, les chats, ont été qualifiées de *cat*. À l'inverse, les personnes dont le lieu de contrôle est externe, qui ont tendance à dépendre de leur environnement, tout comme leurs «homologues» du règne animal, les chiens, ont été qualifiées de *dog*.

En vue de mesurer le stress relatif à chacun de ces types de personnalité, les auteurs ont distingué les sources de stress intrinsèques, liées au contenu, et les sources de stress extrinsèques, liées au contexte. En règle générale, les sources intrinsèques sont perçues par les travailleurs, mais leurs effets sont cachés ou difficilement observables (par exemple, l'augmentation de la tension artérielle diastolique; Van Ameringen, Arsenault et Dolan, 1988). Les symptômes comportementaux traditionnellement associés au stress ne semblent pas touchés (par exemple, l'anxiété et l'excès de poids).

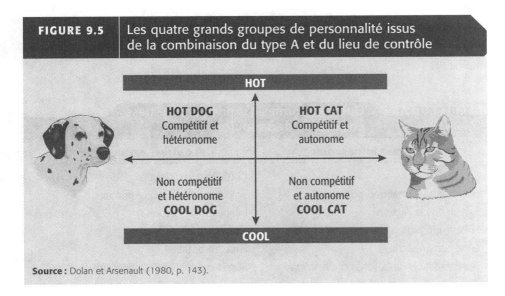

| FIGURE 9.5 | Les quatre grands groupes de personnalité issus de la combinaison du type A et du lieu de contrôle |

HOT

HOT DOG
Compétitif et hétéronome

HOT CAT
Compétitif et autonome

Non compétitif et hétéronome
COOL DOG

Non compétitif et autonome
COOL CAT

COOL

Source: Dolan et Arsenault (1980, p. 143).

Quant aux sources extrinsèques, elles sont perçues, comme les sources intrinsèques, mais leur effet est plus immédiat et plus visible. Elles suscitent de l'irritation, des états dépressifs et une augmentation de l'absentéisme (Léonard et autres, 1987).

En évaluant la façon dont les sources de stress sont perçues par les uns et les autres, on peut voir que les *hot cats* arrivent toujours à dominer la situation. Ceux-ci perçoivent très bien les deux sources de stress, mais compétitifs et autonomes, ils inhibent l'expression de leurs conséquences — il n'existe pas de défi qu'ils ne puissent relever et rien ne peut leur faire perdre le contrôle.

Les *hot dogs* perçoivent aussi les deux sources de stress, mais ils en gèrent les conséquences beaucoup plus difficilement. Le stress intrinsèque cause chez eux des troubles digestifs et musculo-squelettiques, mais aucun symptôme psychologique apparent. Quant au stress extrinsèque, il les rend non pas anxieux, mais agressifs (Dolan et Arsenault, 1984).

Les *cool dogs* sont plus sensibles au contexte qu'au contenu d'une tâche. Le stress intrinsèque les laisse indifférents, mais le stress extrinsèque leur cause presque tous les problèmes psychiques et somatiques possibles, notamment le gain de poids. Leur nature non compétitive transforme tout conflit en cause de maladie, alors que leur hétéronomie les porte à très peu réagir aux exigences de la tâche (Arsenault et Dolan, 1983a).

Les *cool cats* sont ceux qui perçoivent le moins les deux sources de stress, ce qui ne les empêche pas de réagir aux deux. Le stress intrinsèque les rend agressifs, tandis que le stress extrinsèque les rend anxieux et provoque chez eux des problèmes cardiovasculaires et digestifs (Arsenault et Dolan, 1983a).

L'étude de ces phénomènes permet de dégager certains profils perceptifs et certaines formes d'expression du stress. Ainsi, on peut voir que les deux sources de stress entraînent des effets complètement différents (voir le tableau 9.1).

La recherche d'Arsenault et Dolan (1983a) a démontré que le stress intrinsèque pousse d'abord le travailleur à l'action, puis au surmenage, car des

TABLEAU 9.1	Quelques formes d'expression du stress en fonction de sa source
Le stress intrinsèque	**Le stress extrinsèque**
Défi à relever	Conflit intrapsychique
Sollicitation somatique primaire	Sollicitation psychique primaire
Exhibition de l'action	Inhibition de l'action
Fuite impossible	Lutte impossible
Lutte sans relâche	Fuite acceptable
Augmentation de la tension diastolique	Augmentation de l'absentéisme

valeurs sont associées aux défis à relever. Ce type de stress tend à augmenter la tension artérielle diastolique. Quant au stress extrinsèque, il cause d'abord de la détresse intrapsychique chez l'individu et, à cause de l'impossibilité pour ce dernier d'agir, favorise le recours à la fuite.

Le traitement individuel

Nous observerons d'abord le traitement individuel à travers la grille médicale traditionnelle. Par la suite, nous présenterons deux types d'intervention à caractère psychologique ou biopsychologique, soit les méthodes de relaxation et les techniques de **rétroaction biologique** (*biofeedback*). Pour conclure, nous exposerons notre point de vue.

Les anxiolytiques (benzodiazépines, bêtabloquants, etc.) sont souvent utilisés pour traiter les conséquences immédiates du stress, qu'il s'agisse d'anxiété, d'insomnie ou d'autres manifestations somatiques. Or, leur prescription doit être réservée aux cas d'urgence et ne saurait se prolonger au-delà de quelques jours.

Quelques granules homéopathiques soigneusement choisis peuvent souvent faire aussi bien et même mieux que les tranquillisants.

Les interventions médicales traditionnelles

Pour traiter une maladie associée au stress, la médecine traditionnelle prescrit soit une diète, soit des exercices ou des médicaments. À ce jour, très peu d'études ont évalué l'efficacité clinique des médicaments en période de réinsertion au travail. En effet, de nombreux employés soumis à une médication, parce qu'ils ont des problèmes d'ordre psychologique et somatique, retournent au travail sans que nul ne s'intéresse aux effets secondaires de leur traitement qui risquent pourtant d'interférer avec leur travail et de devenir une source secondaire de stress. Dans une perspective globale, il serait préférable que le traitement proprement dit fasse, lui aussi, l'objet d'une évaluation.

Supposons qu'une miniépidémie d'hypertension artérielle frappe une organisation quelconque et qu'on décide de recourir à trois types d'intervention thérapeutique pour remédier à la situation : un premier groupe serait traité à l'aide d'un produit pharmaceutique classique, un deuxième ferait appel à des techniques de relaxation (voir ci-dessous) et un troisième, le groupe témoin, prendrait des placebos. Pendant l'expérience, des données seraient recueillies afin de déterminer le meilleur traitement. Évidemment, l'organisation en question disposerait d'un système informatisé de gestion de la santé, ce qui faciliterait la collecte de données et l'analyse des résultats.

La relaxation et les méthodes similaires

L'évaluation scientifique de méthodes telles que la méditation transcendantale a démontré leur effet relaxant, variable selon les individus. L'aura de mystère et de magie dont s'entourent les adeptes de ce genre d'approche amène toutefois les scientifiques à se méfier. À l'évidence, il existe plus d'une façon d'atteindre un état de relaxation. On peut, entre autres, inciter quelqu'un à relaxer en lui suggérant de s'installer confortablement et de se concentrer sur le chiffre « 1 » à chacune de ses expirations. L'effet observé ressemble beaucoup à celui obtenu grâce aux techniques de méditation transcendantale, le caractère spectaculaire et mystique en moins.

Quelles qu'elles soient, les techniques de relaxation constituent un moyen réel de soulager les symptômes du stress. Toutefois, il est difficile de les considérer comme un traitement de la cause du stress. Si celui-ci est engendré par la perception subjective que l'individu a de sa tâche, il y a plutôt lieu de travailler à modifier cette perception. Toutefois, si la cause du stress est inhérente à la tâche, celle-ci posera toujours des problèmes d'adaptation, peu importe la personne qui y sera affectée. C'est alors à la tâche, à son contenu et à son contexte qu'il faut s'attaquer.

La rétroaction biologique (*biofeedback*)

La rétroaction biologique (*biofeedback*) est une technique qui, à l'aide de détecteurs placés à différents endroits du corps, permet à l'individu de capter des signaux par la vue ou l'ouïe. Grâce à ces signaux, le sujet peut maîtriser des fonctions qui, normalement, auraient échappé à son contrôle. Cette technique a déjà fait l'objet d'un véritable engouement et conserve aujourd'hui une certaine place dans les traitements symptomatiques des conséquences du stress. Ainsi, dans certains cas, la rétroaction biologique est efficace contre la migraine, et permet même aux hypertendus de réduire leur tension artérielle. Là encore, il convient d'appliquer à cette méthode la réserve exprimée plus haut à l'endroit des techniques de relaxation psychologique : elle constitue une forme de traitement symptomatique et, à ce titre, ne trouve sa place que dans une stratégie générale élaborée en vue de gagner du temps en attendant de découvrir la cause précise du symptôme ou de la maladie et de s'y attaquer directement.

Notre point de vue

Après un bref survol de ces trois types d'intervention individuelle, nous en aborderons un quatrième, l'approche cognitive, pour laquelle nous avons une nette préférence.

Cette méthode consiste à amener le travailleur et le gestionnaire à analyser conjointement la situation, telle qu'elle se présente à leurs yeux. Cet exercice fait appel au sujet conscient et relève, à proprement parler, d'une philosophie générale de l'éducation plutôt que d'une technique de dressage. Contrairement à cette dernière, la démarche éducative permet d'acquérir une certaine compréhension de la réalité et de concevoir une stratégie intelligente visant à amener ce réel dans la négociation.

L'intervention préventive

Les stratégies d'intervention préventive sur le plan individuel sont, pour la plupart, élaborées par les sciences médicales traditionnelles. Cependant, le caractère à la fois psychologique et somatique de tout ce qui touche, de près ou de loin, le stress au travail exige une ouverture à l'approche multidisciplinaire de la part de l'équipe thérapeutique. Outre un médecin et un psychologue, cette équipe devrait donc compter un gestionnaire de

Toutes les mesures suivantes peuvent aider à réduire le stress :

1. Pratiquer diverses techniques de concentration, de relaxation musculaire et de respiration (entraînement autogène, sophrologie, hypnose, exercices de Jakobson, rétroaction biologique, etc.).

2. Pratiquer des techniques gymniques ou sportives jusqu'à la fatigue (sports de combat, aérobique, etc.).

3. Demander à un ami ou à une amie de nous étirer la peau tout le long de la colonne vertébrale par un léger pincement : cette sorte de massage cause parfois une douleur très aiguë, mais son effet à moyen terme peut être des plus bénéfiques. À l'occasion d'une visite chez un kinésithérapeute, de préférence « eutoniste », il est possible de lui demander de nous montrer cette technique.

4. Pratiquer des techniques liées à une spiritualité (zen, yoga, méditation, oraison, danses sacrées, taï chi chuan, etc.).

5. S'accorder un temps de sommeil suffisant ; en cas d'insomnie, s'adonner à une activité calme et intéressante (lire, écrire, dessiner, méditer) de 10 à 20 minutes, puis se reposer de nouveau.

6. « Vider son sac » : s'expliquer avec une personne lorsqu'une de ses actions nous a heurté, de manière à repartir sur des bases saines avec celle-ci. Ne pas rester passif et silencieux !

7. Se confier à un ami ou à une amie : cette attitude permet d'apaiser les tensions trop fortes.

Choisir de préférence une personne compréhensive, pas trop encline aux conseils et aux jugements.

8. Noter ses états d'âme dans un journal intime au quotidien et, dans la mesure du possible, s'abstenir de les relire pour éviter de ruminer le passé.

9. Écouter de la musique calme, peindre, dessiner, sculpter, écrire, bricoler, jardiner.

10. Lire (romans, bandes dessinées), aller au théâtre ou au cinéma.

   « Elle laissait s'accumuler la tension anxieuse jusqu'à un point critique […] la catharsis purifiait l'âme des spectateurs des différents sentiments éprouvés (sympathie, appréhension, horreur, pitié, etc.). »

11. Décharger ses tensions émotionnelles : s'exclamer, rire, pleurer. Réfléchir sur sa façon de voir le monde ; s'ouvrir à d'autres types de représentations et de perspectives. Toutes les formes d'agression et d'hyperstimulation sans décharge conduisent au stress. Un moyen de l'éviter : choisir les situations en tenant compte de cette constatation.

12. Avoir recours à un psychothérapeute ou à un analyste pour permettre à la tension anxieuse de se résoudre, au prix d'un processus parfois éprouvant, mais enrichissant.

Source : Adapté de B. Auriol, « Introduction aux méthodes de relaxation », [en ligne], www.auriol.free.fr/yogathera/relaxation/stress.htm (page consultée le 2 décembre 2006).

ressources humaines et, évidemment, le travailleur lui-même ou son représentant. Il s'agit de créer non pas un contexte de confrontation, mais de concertation où sont mises en commun les ressources propres à chaque discipline et celles du travailleur. Celui-ci est l'observateur direct et privilégié de la situation de travail dans laquelle il est placé et personne ne peut, mieux que lui, reconnaître les problèmes, émettre les hypothèses sur les causes probables des signes et des symptômes de stress et élaborer ultérieurement un programme de prévention.

Les techniques utilisées dans une stratégie d'intervention préventive peuvent s'appliquer à brève, moyenne ou longue échéance, mais ne devraient pas exclure, *a priori*, les méthodes de relaxation, les techniques de rétroaction biologique, l'approche cognitive ou l'approche médicale traditionnelle. De manière générale, ces interventions ont des objectifs soit curatifs, axés sur la création d'un changement positif, soit préventifs.

Comment faire face à l'anxiété et à l'angoisse ? Comment utiliser judicieusement les pouvoirs dont nous disposons ? Comment faire face à la fatigue attribuable à l'âge ? Il n'existe pas de réponse simple à ce type de questions. On peut rêver d'une société qui se soucie davantage de prévention que du traitement des symptômes. D'autant plus que, pour beaucoup d'individus, l'absence d'une vision préventive est en soi une source de stress. En effet, au sein des organisations, on trouve de plus en plus de travailleurs et de gestionnaires des ressources humaines profondément préoccupés par la nécessité de prévenir les problèmes quotidiens, à l'égard desquels d'autres adoptent la politique de l'autruche.

9.6.2 L'intervention organisationnelle

Les programmes d'intervention axés sur l'organisation ont pour principal objectif d'améliorer la concordance entre les aspirations des individus et les exigences de l'environnement de travail. Comme nous l'avons fait dans la sous-section précédente, nous pourrions dégager les différents aspects du diagnostic, du traitement symptomatique ou de la prévention pour chaque type d'intervention et dans chaque sphère d'activité de la gestion des ressources humaines. Nous laisserons ce soin aux lecteurs et présenterons plutôt les aspects opérationnels des programmes d'intervention en respectant une classification souvent utilisée en gestion des ressources humaines.

La sélection et la promotion du personnel

La sélection et la promotion du personnel devraient se faire à l'aide d'un éventail de critères élargi de manière à englober des éléments propres à la dimension psychosociale de la tâche. Les gestionnaires devraient aussi, au départ, évaluer les risques de maladie physique auxquels un individu est exposé et porter attention aux attentes et aux besoins personnels de chaque candidat. De plus, afin d'éviter que les candidats ne se créent des attentes irréalistes à l'égard de leur future tâche, on devrait les informer de l'ensemble des exigences de l'organisation et de la philosophie sous-jacente à la gestion des ressources humaines (Dolan et autres, 2002). Un avertissement du genre «les conflits de rôle inhérents à cette tâche peuvent comporter des risques pour votre santé» ne ferait probablement pas fuir un candidat, mais il le forcerait à tout le moins à aborder le nouvel emploi avec une certaine disposition d'esprit.

La description des tâches

Cette activité propre à la gestion des ressources humaines vise à fournir au titulaire d'un poste un degré optimal de défis et de complexité. Aussi honnêtes soient les intentions avouées des praticiens des ressources humaines quand ils restructurent les tâches en vue de les enrichir ou de les élargir, les résultats observés sont décevants lorsque ces nouvelles descriptions sont implantées sans discrimination dans l'ensemble de l'organisation. L'enrichissement des tâches offre un excellent moyen de réduire le stress chez les employés qui recherchent plus de responsabilités et d'autonomie. Chez les autres, cependant, ce procédé s'avère préjudiciable sur les plans de la santé et du rendement. De plus, on admet qu'un manque de préparation ou d'autocontrôle risque d'avoir des conséquences néfastes même chez ceux qui désirent plus de responsabilités et d'autonomie. Il faut aussi tenir compte d'autres aspects quand on réaménage les tâches, par exemple de la description des rôles, de la charge qui leur est inhérente et du niveau d'habileté exigé. En effet, dans ces trois cas, la présence de conflits, d'ambiguïté, de surcharge ou de sous-charge constitue une véritable source de stress.

Le plan de carrière

Aucune organisation n'oserait négliger la planification de ses opérations financières ou de sa production et pourtant, certaines omettent de définir des **plans de carrière**. Cette attitude qui suscite des critiques, du reste justifiées, est d'autant moins souhaitable qu'il est reconnu que le stress des travailleurs diminue au fur et à mesure que diminue l'ambiguïté par rapport à leur carrière. Si les critères de promotion sont clairement établis, chaque individu sait ce qu'il doit faire pour progresser au sein de l'entreprise et, fort de cette connaissance, risque moins d'être soumis au stress. En gestion des ressources humaines, on devrait s'efforcer de proposer diverses possibilités d'avancement qui comporteraient des réaménagements tant horizontaux que verticaux.

La formation du personnel

Cette activité vise, bien sûr, à assurer le maintien de la compétence technique du personnel. Elle est justifiée en ce qu'elle permet au travailleur d'accroître sa confiance en sa capacité d'exécuter convenablement son travail. La formation est particulièrement importante pour le travailleur hyperspécialisé, qui occupe un poste où les connaissances ont tendance à devenir rapidement désuètes. Dans cette activité, il conviendrait également d'inclure l'ensemble des divers programmes et techniques visant à atténuer les symptômes du stress, dont nous avons discuté précédemment.

Chez Merk Frost, une grande entreprise pharmaceutique située dans la région de Montréal, plusieurs mesures sont mises en place afin de faciliter la vie des employés et de les aider à mieux concilier leur vie professionnelle et familiale. On y retrouve une bonification du congé de maternité, des avantages sociaux à la carte ainsi que la possibilité de travailler selon un horaire flexible. Un centre de la petite enfance (CPE) et un camp de jour d'été (et aussi pour la relâche scolaire) ont aussi été mis sur pied à proximité de l'entreprise. Ces mesures spéciales permettent aux employés de mieux gérer le stress engendré par le conflit travail-famille.

Source : *Conseil consultatif du travail et de la main d'œuvre*, Gouvernement du Québec, «Concilier travail et famille», [en ligne], www.cctm.gouv.qc.ca/publications/broch_8.5x11_final2.pdf (page consultée le 25 avril 2006).

L'évaluation du rendement

En cette matière, il est monnaie courante de faire participer les employés à l'évaluation de leur rendement. Les techniques d'évaluation bilatérale, que l'on retrouve, par exemple, dans la méthode de gestion par objectifs, visent d'abord et avant tout à stimuler la motivation de l'employé en le laissant prendre part au processus d'évaluation. Ce procédé a pour effet d'affaiblir l'idée que les jugements portés sur lui résulteraient d'un processus unilatéral et, du même coup, de réduire les états d'incertitude et le sentiment d'injustice que le travailleur pourrait éprouver.

Le système de reconnaissance

La tendance actuelle à individualiser les programmes de reconnaissance afin qu'ils correspondent aux besoins de chaque travailleur devrait être accentuée. On aurait avantage à utiliser les connaissances véhiculées par les théories de la récompense, dont la théorie de l'équité et la théorie des attentes (ou théorie de l'expectative). Sur le plan des attentes, les gestionnaires des ressources humaines s'entendent généralement pour dire qu'un système de reconnaissance efficace doit établir les relations qui existent entre l'effort, le rendement et les récompenses. Il est du reste très important que ces relations soient aussi claires et explicites que possible. En matière d'équité, la politique de reconnaissance de l'entreprise devrait être rendue publique. Cela suppose que les modifications au système ainsi que les critères qui ont permis de le développer sont transmis au travailleur et non pas gardés secrets.

Les horaires de travail

On parle de plus en plus d'horaires de travail flexibles. Cette pratique gagne en popularité auprès des services des ressources humaines, car elle résout en grande partie les problèmes de retard en permettant aux employés de choisir les heures d'arrivée et de départ qui leur conviennent le mieux. Le concept de flexibilité des horaires de travail pourrait même être élargi de manière à donner la possibilité aux travailleurs de faire des semaines de longueur variable.

Les relations de travail

Dans le secteur des relations de travail, les gestionnaires auraient intérêt à opposer moins de résistance aux syndicats qui demandent l'élargissement des négociations afin d'y inclure des points tels que le contenu des tâches, point auquel est associée la majorité des sources intrinsèques du stress. Sur un autre plan, les gestionnaires devraient coopérer avec les syndicats pour établir des programmes d'intervention thérapeutique et préventive des différents symptômes comportementaux de stress, tels que l'alcoolisme et l'usage non médical des drogues.

CONCLUSION

Dans le présent chapitre, nous nous sommes attachés à définir le stress au travail d'après ses origines et ses conséquences. Il est important de tenir compte du rôle de chaque travailleur dans les rapports « agent stressant – symptôme de tension », d'une part, et « symptôme de tension – conséquences à long terme », d'autre part. Le stress, par définition, est un phénomène dynamique ; ses symptômes et ses conséquences à longue échéance sont les résultantes d'une interaction entre un travailleur et les différents aspects de son travail. À tout moment, l'interaction entre l'individu et son environnement contribue à l'émergence de symptômes de stress et, à terme, peut entraîner des conséquences irréversibles.

On doit garder à l'esprit qu'il existe deux caractéristiques individuelles extrêmement importantes à cet égard : premièrement, la personnalité de l'individu, son bagage génétique ou acquis, et deuxièmement, la stratégie élaborée par cet individu pour s'adapter à une situation stressante. Ces deux caractéristiques varient énormément d'un employé à l'autre et c'est ce qui explique en partie les contradictions apparentes que l'on trouve dans les ouvrages sur le stress, particulièrement en milieu de travail. En conclusion, il est difficile de généraliser lorsqu'il s'agit d'évaluer l'apport des divers aspects d'un travail au niveau de stress des travailleurs. Les indicateurs directs et indirects de tension et les conséquences à longue échéance d'un stress qui s'est accumulé dans le temps sont nombreux et, surtout, ils forment des séquences d'événements profondément et essentiellement individualisées.

? QUESTIONS DE RÉVISION

1. En quoi le paradoxe auquel fait face la société industrielle peut-il être considéré comme un agent stressant ?

2. Peut-on établir un parallèle entre les conceptions physiologique et comportementale visant à expliquer les causes du stress ? Précisez.

3. Quels sont les différents symptômes du stress, et de quelle(s) façon(s) portent-ils atteinte à la santé organisationnelle ?

4. Les agents stressants individuels et les agents stressants organisationnels sont les deux principales sources de stress. En existe-t-il d'autres ? Si oui, lesquelles ?

5. En croisant deux variables, soit le type de personnalité (A ou B) et le lieu du centre de contrôle (interne ou externe), Dolan et Arsenault ont distingué quatre grands groupes de personnalité. Nommez-les et décrivez leurs caractéristiques en fonction de leur réaction respective au stress.

6. De quel(s) moyen(s) dispose une organisation pour réduire au minimum l'exposition de ses travailleurs au stress ?

7. Que peut faire un individu pour réduire le plus possible son niveau de stress ?

1. La mesure de l'épuisement professionnel (*burnout*) de Shirom-Melamed (SMBM)

Comment vous sentez-vous à l'école ?

Ci-dessous, vous trouverez un certain nombre de constats qui décrivent les différents sentiments que vous pouvez ressentir au collège ou à l'université. Veuillez indiquer combien de fois, dans le mois passé (30 jours), vous avez ressenti chacun des sentiments suivants :

Vous sentez-vous souvent ainsi au collège ou à l'université ?

		JAMAIS OU PRESQUE JAMAIS 1	TRÈS RAREMENT 2	ASSEZ RAREMENT 3	PARFOIS 4	ASSEZ SOUVENT 5	TRÈS SOUVENT 6	TOUJOURS OU PRESQUE TOUJOURS 7
FP	**1.** Je me sens fatigué.				1 2 3	4 5	6 7	
FP	**2.** Je n'ai pas d'énergie pour aller à l'école le matin.				1 2 3	4 5	6 7	
FP	**3.** Je me sens physiquement vidé.				1 2 3	4 5	6 7	
FP	**4.** Je me sens épuisé.				1 2 3	4 5	6 7	
FP	**5.** Je me sens comme si mes batteries étaient mortes.				1 2 3	4 5	6 7	
FP	**6.** Je me sens brûlé.				1 2 3	4 5	6 7	
LC	**7.** Mon processus de réflexion est lent.				1 2 3	4 5	6 7	
LC	**8.** J'ai de la difficulté à me concentrer.				1 2 3	4 5	6 7	
LC	**9.** J'ai l'impression que mes pensées ne sont pas claires.				1 2 3	4 5	6 7	
LC	**10.** Je me sens incapable de me concentrer.				1 2 3	4 5	6 7	
LC	**11.** J'ai de la difficulté à concevoir les choses compliquées.				1 2 3	4 5	6 7	
EE	**12.** Je me sens insensible aux besoins des membres de mon équipe ou des autres étudiants.				1 2 3	4 5	6 7	
EE	**13.** Je me sens incapable d'investir quelque émotion que ce soit dans mes relations avec les autres étudiants.				1 2 3	4 5	6 7	
EE	**14.** Je me sens incapable d'être sympathique avec les autres membres de mon équipe ou avec les autres étudiants de la classe.				1 2 3	4 5	6 7	

Note : Les lettres devant chaque énoncé représentent les trois mesures de l'échelle de Shirom-Melamed (SMBM), qui sont : FP = fatigue physique (*physical fatigue*) ; EE = épuisement émotif (*emotional exhaustion*) ; LC = lassitude cognitive (*cognitive weariness*).

Pour évaluer vos résultats :

Épuisement professionnel global : additionnez tous vos points et divisez le total par 14.

FP : additionnez vos points aux 6 énoncés FP et divisez le total par 6.

LC : Additionnez vos points aux 5 énoncées LC et divisez le total par 5.

EE : Additionnez vos points aux 3 énoncés EE et divisez le total par 3.

Résultats

Normes d'interprétation des résultats :

	Total	LC	EE	FP
Alpha normalisé	0.93	0.90	0.84	0.90
N	2779	2778	2775	2779
Moyenne	2.25	2.08	2.01	2.57
Médiane	2.13	2.00	1.75	2.33
Écart-type	0.86	0.94	0.91	1.11
Gamme	1-7	1-7	1-7	1-7
Nombre d'items	14	5	3	6

Selon les études des professeurs Shirom et Melamed, si vous obtenez un résultat plus élevé que 4 à une ou plusieurs des échelles, vous êtes dans la zone de risque d'épuisement professionnel.

Source : Traduit et adapté avec la permission des auteurs, Arie Shirom et Shmuel Melamed de l'Université de Tel-Aviv (Israël). Pour plus d'information, voir www.tau.ac.il/~ashiron/pdf/norms-smbm.doc (page consultée le 15 décembre 2006).

2. Comment reconnaître une personnalité de type A?

Votre personnalité est-elle davantage du type A ou du type B? Nous vous proposons le questionnaire ci-dessous pour le découvrir. Ce questionnaire s'inspire des travaux de Rosenman et Friedman, les premiers qui ont découvert et nommé ces deux types de personnalité.

Lisez chaque question et indiquez si, oui ou non, vous agissez de la manière décrite la plupart du temps. Inscrivez la première réponse qui vous vient à l'esprit et évitez de la modifier par la suite. Essayez également de ne pas vous laisser influencer par ce que vous savez des caractéristiques associées à une personnalité de type A.

		OUI	NON
1.	Lorsque vous parlez, avez-vous l'habitude d'accentuer certains mots et de prononcer les derniers mots de vos phrases à la hâte?	____	____
2.	Est-ce que vous bougez, mangez et marchez toujours rapidement?	____	____
3.	Êtes-vous impatient par nature et faites-vous montre d'irritation lorsque les choses ne vont pas aussi vite que vous le souhaitez?	____	____
4.	Essayez-vous fréquemment de faire plus d'une chose à la fois?	____	____
5.	Essayez-vous en général d'amener la conversation sur un sujet qui vous intéresse?	____	____
6.	Vous sentez-vous coupable lorsque vous prenez le temps de vous détendre?	____	____
7.	Vous arrive-t-il souvent de ne pas remarquer ce qu'il y a de nouveau autour de vous?	____	____
8.	Vous intéressez-vous davantage à ce que vous pouvez obtenir qu'à ce que vous pouvez devenir?	____	____
9.	Cherchez-vous sans cesse à réaliser le plus de choses possible en un temps toujours plus court?	____	____
10.	Vous arrive-t-il souvent de rivaliser avec d'autres personnes qui cherchent, elles aussi, à tirer le maximum de leur temps?	____	____
11.	Vous arrive-t-il, au cours d'une conversation, de faire des gestes expressifs, comme serrer le poing ou frapper la table pour donner plus de poids à vos paroles?	____	____
12.	Croyez-vous que ce rythme effréné est essentiel à votre réussite?	____	____
13.	Évaluez-vous le succès en vous basant sur des chiffres, comme la valeur des ventes réalisées, le nombre de voitures possédées, etc.?	____	____

Résultats

Si vous avez répondu « oui » à presque toutes ces questions, vous êtes une personne du type A. Si vous avez répondu « oui » à plus de la moitié des questions, vous tendez vers ce type de

Source : Traduit de Friedman et Rosenman (1974).

Conciliation emploi-famille et stress

Ce texte a été rédigé par **Diane-Gabrielle Tremblay,** professeure en économie et gestion des ressources humaines à la Télé-université de l'Université du Québec à Montréal. Elle est titulaire de la Chaire de recherche du Canada sur les enjeux socio-organisationnels de l'économie du savoir (www.teluq.uqam.ca/chaireecosavoir) et cotitulaire de la Chaire Bell en technologies et organisation du travail (www.teluq.uqam.ca/chairebell). Auteure de nombreux livres et articles sur les questions de travail, d'emploi et de gestion des ressources humaines, elle mène des recherches sur la conciliation emploi-famille et l'organisation du travail ; le cas est issu d'une de ces recherches.

Les Ailes du ciel est une compagnie d'aviation de taille moyenne. Cette entreprise est aussi associée à des hôtels, des tours-opérateurs, et quelques autres entreprises. Comme toutes les autres entreprises de son secteur, celle-ci a connu des difficultés financières au cours des dernières années et elle cherche maintenant à accroître sa rentabilité.

Les agents de bord sont en majorité des femmes, bien qu'un certain nombre d'hommes travaillent également dans l'organisation. Les hommes sont toutefois plus souvent gestionnaires ou pilotes. Les horaires sont généralement déterminés un mois à l'avance, mais il est difficile d'en changer en cas d'imprévu, comme l'indique une employée : « Il faut que tu décides de ton horaire à l'avance, que tu te demandes : qu'est-ce que j'aurai comme horaire au cours du prochain mois ? Tu ne peux rien changer à trois jours d'avis. Non, non. Il faut tout prévoir. Après, il faut que tu t'arranges. Dans les situations de dernière minute, tu n'as pas beaucoup de marge de manœuvre. »

L'entreprise offre peu de mesures de conciliation, sauf des congés en cas d'urgence personnelle, qui peuvent être utilisés pour répondre à toute forme d'urgence (incendie, dégât d'eau, maladie d'un parent, enfant qui doit être gardé à la maison). Le personnel considère toutefois qu'il est difficile de s'en prévaloir en raison des pressions qui sont souvent exercées par les collègues ou les supérieurs, qui ne sont pas très compréhensifs à l'égard des besoins familiaux.

Le personnel de bord dit vivre du stress en raison de sa difficulté à concilier horaires de travail et vie familiale. Il arrive souvent que le personnel doive rester en disponibilité, attendre un appel éventuel de l'employeur et dans ces conditions, il est difficile de planifier quoi que ce soit.

Ainsi, une employée témoigne : « C'est stressant. Finalement, on est quand même payé pour 75 heures de travail, mais je préférerais avoir un horaire établi, n'être payée que pour 65 heures de travail et ne pas vivre tout le stress que j'emmagasine. Parce que ce que je trouve très dur, c'est surtout de travailler la nuit. J'ai déjà dû appeler une amie pour qu'elle vienne garder mes enfants parce que j'étais appelée sur un vol. Alors, qu'on le veuille ou non, on finit par perdre nos amies, qui n'ont pas très envie de recevoir des appels à 3 heures du matin… »

Pour certains, la garde d'un parent âgé, les soins à donner à un jeune enfant ou encore la maladie d'un enfant constituent une source d'inquiétude permanente alors que les horaires de travail ne permettent pas d'assumer ces responsabilités facilement. Si l'entreprise se montre parfois conciliante, ses besoins passent tout de même avant ceux des employés, comme nous le dit Chantal : « Si mon petit est malade, je vais aller voir le médecin… Mais, dernièrement, j'ai eu besoin d'un congé sans solde et j'ai appelé au travail en disant : "J'ai besoin d'un congé sans solde !" Comme ce mois-là, soit le mois de mai, n'était pas très occupé, on me l'a accordé. Je ne suis pas certaine qu'en janvier et en juillet, on me l'accorderait. Alors selon leurs besoins, ils peuvent nous "aider". Tout dépend de leurs besoins. »

L'absence de soutien de la part de l'organisation conduit parfois à des solutions extrêmes, comme l'a indiqué Brigitte : « Mon enfant était malade et je n'avais pas de gardienne. Ils m'ont dit que c'était mon problème. C'est ce qu'ils m'ont dit au téléphone. La gardienne m'avait laissée tomber à une heure du vol. J'ai appelé au travail en demandant : "Peux-tu faire quelque chose ? Je n'ai plus de gardienne !" Ils m'ont dit : "Arrange-toi, c'est ton problème !" J'ai été chanceuse de voir un inconnu sur la rue qui a accepté de garder mes enfants… »

Les quelques mesures existantes sont rarement appliquées, comme le dit Nicole : « J'ai demandé un congé pour cause d'urgence. On m'a menacée et dit que j'aurais un rapport si je ne me rendais pas au travail. Il faut quasiment avoir une permission pour être malade. À chaque fois qu'il y a une fête ou quoi que ce soit du genre, on nous menace afin que nous nous rendions au travail. C'est épouvantable et moi, je trouve ça aberrant et stressant. »

Du côté de l'organisation, il y a des difficultés de recrutement et de rétention du personnel dans certains postes :

«On démissionne à tour de bras. Il y a 6 mois, ils ont cherché un superviseur. Jamais personne n'a voulu se présenter. Dieu sait pourquoi (rires)…»

Les employés n'ont pas l'impression que l'employeur est totalement fermé aux mesures de conciliation, mais ils croient que pour l'entreprise, les besoins du service passent avant tout et que les employés doivent s'organiser en fonction de ces besoins: «Je ne pense pas qu'ils soient fermés à l'idée, mais je crois qu'ils nous voient comme des cas problématiques… "Tu n'as pas de gardienne, c'est ton problème!" La haute direction se fout un peu qu'on ait des enfants ou pas. À ce que je sache, il n'y a rien pour concilier grossesse et travail, à part les journées d'urgence et je pense qu'on se bat encore pour concilier vie de famille et vie professionnelle.»

On pourrait penser que les pilotes s'en tirent mieux, mais de leur côté, c'est la vie familiale qui est parfois en jeu: «Même les pilotes ont beaucoup de difficulté à concilier leur vie de famille et leur vie au travail. Parce qu'ils partent pendant 20 jours… L'entreprise, c'est de la performance

qu'elle veut. "On a besoin de toi, tu es disponible, il faut que tu partes, on se fout de ta vie privée!" Les gars travaillent 20 jours par mois. Ils sont en train de devenir fous. Le taux de divorce explose! Ce n'est pas plus facile pour eux que pour nous… On aimerait avoir des journées de congé à la maison, pas ailleurs. Parce que ce n'est pas décent.»

Questions

1. Que pensez-vous des difficultés et du stress dont font état les employées? Quelles sont les causes majeures de leur stress?

2. Quels aspects vous paraissent devoir être pris en compte par l'organisation afin que la conciliation emploi-famille ne soit pas une source de stress?

3. Quels aspects relèvent de la responsabilité des employés, selon vous?

4. Quelles stratégies proposeriez-vous à l'organisation et aux employés?

RÉFÉRENCES

Arsenault, A. et Dolan, S.L. (1983a). *Le stress au travail et ses effets sur l'individu et l'organisation* (notes et rapports scientifiques et techniques), Montréal, Institut de recherche en santé et en sécurité du travail du Québec.

Arsenault, A. et Dolan, S.L. (1983b). « The Role of Personality, Occupation and Organization in Understanding the Relationship between Job Stress, Performance and Absenteeism », *Journal of Occupational Psychology,* vol. 56, n° 2, p. 227-240.

Arsenault, A. et Dolan, S.L. (1984). « Les variables sociodémographiques et la personnalité comme modulatrice de la perception du stress et de son expression psychosomatique », dans P. Cogelin (dir.), *Psychologie du travail et société post-industrielle,* Paris, EAP.

Arsenault, A., Dolan, S.L., Léonard, C. et Van Ameringen, M.R. (1989). Rapport de recherche déposé à l'IRSST, Montréal.

Arsenault, A., Dolan, S.L. et Van Ameringen, M.R. (1988). « An Empirical Examination of the Buffering Effects of Social Support on the Relationship between Job Demands and Psychological Strain », dans D.S. Cook et N.J. Beutell (dir.), *Managerial Frontiers* : *The Next Twenty-Five Years,* Washington (D.C.), Eastern Academy of Management.

Baltis, N.C. (1980). « Job Involvement and Locus of Control as Moderators of Role Perception-Individual Outcome Relationship », *Psychological Report,* vol. 96, n° 2, p. 111-119.

Beck, K.H. (1983). « Perceived Risk and Risk Acceptance : Implications for Personal Efficacy », dans F. Landry (dir.), *Health Risk Estimation, Risk Reduction and Health Promotion,* Ottawa, Canadian Public Health Association.

Burger, J.M. (1992). *Desire for control* : *Personality, social and clinical perspectives,* New York, Plenum.

Cannon, W.B. (1929). *Bodily Changes in Pain, Hunger, Fear and Rage* : *An Account of Recent Researches into the Function of Emotional Excitement,* New York, Appleton.

Caplan, R.D., Cobb, S., French, J.R.P., Harrison, R.D. et Pinneau, S.R. (1975). *Job Demands and Workers Health,* Washington, NIOSH.

Covey, S.R. (1999). *Seven Habits of Highly Effective People,* New York, Simon & Schuster.

Cryer, B. (1996). *From Chaos to Coherence,* New York, Simon & Schuster.

Dolan, S.L. (1987). « Job Stress among College Administrators : An Empirical Study », *The International Journal of Management,* vol. 4, n° 4, p. 553-560.

Dolan, S.L. (1995). « Individual, Organizational and Social Determinants of Managerial Burnout : Theoretical and Empirical Update », dans P. Perrewe (dir.), *Occupational Stress* : *A Handbook,* New York, Taylor & Francis, p. 223-238.

Dolan , S.L. (2006). *Stress, Self-Esteem, Health and Work,* Londres, Palgrave-Macmillan.

Dolan, S.L. et Arsenault, A. (1979). « The Organizational and Individual Consequences of Stress at Work : A New Frontier to Human Resource Management », dans V.V. Veysey et G.A. Hall (dir.), *The New World of Managing Human Resources,* Pasadina, California Institute of Technology.

Dolan, S.L. et Arsenault, A. (1980). *Stress, santé et rendement au travail.* École de relations industrielles, monographie n° 5, Montréal, Université de Montréal.

Dolan, S.L. et Arsenault, A. (1984). « Job Demands Related Cognitions and Psychosomatic Ailments », dans R. Schwarzer (dir.), *The Self in Anxiety, Stress and Depression,* Amsterdam, Elsevier Science Publishers, p. 265-282.

Dolan, S.L. et Balkin, D. (1987). « A Contingency Model of Occupational Stress », *The International Journal of Management,* vol. 14, n° 3, p. 328-340.

Dolan, S.L., Saba, T., Jackson, S.E. et Schuler, R.S. (2002). *La gestion des ressources humaines : tendances, enjeux et pratiques actuelles,* 3e éd., Montréal, ERPI.

Dolan, S.L., Van Ameringen, M.R. et Arsenault, A. (1992). « The Role of Personality and Social Support in the Etiology of Worker's Stress and Psychological Strain », *Relations industrielles,* vol. 47, n° 1.

Ellis, A. (1962). *Reason and Emotion in Psychotherapy,* New York, Lyle-Stuart.

Ellis, A. et Harper, R.A. (1975). *A New Guide to Rational Living,* Englewood Cliffs (N.J.), Prentice-Hall.

Freudenberger, H.J. (1981). *Burnout : The High Cost of High Achievement,* Toronto, Bantam Books.

Friedman, M. et Rosenman, R.H. (1974). *Type A Behavior and Your Heart,* New York, Knopf.

Hamberger, L.K. et Lohr, J.M. (1984). *Stress and Stress Managemen,* New York, Springer Publishing.

Haynes, R.B., Sackett, D.L., Taylor, D.W., Gibson, E.S. et Johnson, A.L. (1979). « Increased Absenteeism from Work after Detection and Labeling of Hypertensive Patients », dans L. Sechrest (dir.), *Evaluation Studies-Review Annual,* vol. 4, Beverly Hills, Sage Publications.

Jaremko, M.E. (1978). « Cognitive Strategies in the Control of Pain Tolerance », *Journal of Behavior Therapy and Experimental Psychiatry,* vol. 9, p. 239-244.

Kornhauser, A. (1965). *Mental Health of the Industrial Worker,* New York, Wiley.

Lazarus, R.S. (1966). *Psychological Stress and the Coping Process,* New York, McGraw-Hill.

Lazarus, R.S. et Folkman, S. (1984). *Stress, Appraisal and Coping,* New York, Springer Verlag.

Léonard, C., Van Ameringen, M.R., Dolan, S.L. et Arsenault, A. (1987). « L'absentéisme et l'assiduité au travail : deux moyens d'adaptation au stress ? », *Relations industrielles,* vol. 42, n° 4, p. 774-789.

Meichenbaum, D. (1975). « A Self Instructional Approach to Stress Management : A Proposal for Stress Inoculation Training », dans I.G. Sarason et C.D. Spielberger (dir.), *Stress and Anxiety,* vol. 1, New York, Wiley.

Meichenbaum, D. (1977). *Cognitive Behavior Modification.* New York, Plenum Press.

Menninger, K. (1954). « Psychological Aspects of the Organism under Stress » (1re et 2e parties), *Journal of the American Psychoanalytic Association,* p. 67-106 et p. 280-310.

O'Toole, J. (1973). *Work in America, Report of a Special Task Force to the Secretary of Health, Education and Welfare,* Cambridge, MIT Press.

Rizzo, J.R., House, R.J. et Lintzman, S.I. (1970). « Role Conflict and Ambiguity in Complex Organizations », *Administrative Science Quarterly,* vol. 15, p. 150-163.

Rosenman, R.H., Friedman, M., Straus, R., Wurm, M., Kositchek, R., Hahn, W. et Werthessen, N.T. (1964). « A Predictive Study of the Coronary Heart Disease : The Western Collaborative Group Study », *Journal of the American Medical Association,* n° 189, p. 15-22.

Rotter, J.B. (1966). « Generalized Expectancies of Internal vs. External Control of Reinforcement », *Psychological Monographs,* vol. 80, n° 609.

Selye, H. (1976). *The Stress of Life,* New York, McGraw-Hill.

Van Ameringen, M.R., Arsenault, A. et Dolan, S.L. (1988). « Intrinsic Job Stress as Predictor of Diastolic Blood Pressure among Female Hospital Workers », *Journal of Occupational Medicine,* vol. 30, nº 2, p. 93-97.

Van Ameringen, M.R., Léonard, C., Dolan, S.L. et Arsenault, A. (1987). « Stress and Absenteeism at Work : Old Questions and New Research Avenues », dans S.L. Dolan et R.S. Schuler (dir.), *Canadian Readings in Personnel and Human Resource Management,* St. Paul (Minn.), West Publishing.

Vézina, M., Cousineau, M., Murgler, D., Vinet, A., avec le concours de Laurendeau, M.C. (1992). *Pour donner un sens au travail. Bilan et orientations du Québec en santé mentale au travail,* Boucherville, Gaëtan Morin Éditeur.

CHAPITRE 10

La gestion individuelle et organisationnelle de la carrière

PLAN DU CHAPITRE

Les objectifs d'apprentissage

Dans ce chapitre, le lecteur se familiarisera avec :

- les concepts de choix, de développement et de cheminement de carrière ;

- l'évolution des courants de pensée déterministe et développementaliste ;

- les différences et les recoupements entre les théories de l'orientation de carrière ;

- les différences et les recoupements entre les théories du développement de carrière ;

- la typologie des cheminements de carrière ainsi que son utilité dans l'étude holistique des travailleurs ;

- la notion de système organisationnel de gestion de la carrière ;

- les défis contemporains de la gestion organisationnelle de la carrière.

INTRODUCTION

Bien que la carrière et tout ce qui l'entoure soit au cœur même des préoccupations de tous et chacun, la prise de conscience de son importance est récente. En fait, c'est principalement la fin des « trente glorieuses » (1945-1975), période de croissance économique fulgurante et de bouleversements sociaux, qui a permis à la dynamique de la carrière de prendre toute son importance et de pleinement s'articuler en milieu organisationnel. L'accentuation de la mobilité des travailleurs et la valorisation de l'aspect humain dans les organisations — le travailleur étant dès lors considéré comme une ressource à part entière — ont contribué à sortir le concept de la carrière de ses ornières traditionnelles.

Auparavant, une carrière était caractérisée par une forte stabilité et une permanence dans le temps, son évolution étant pratiquement inexistante. Dictée par un choix initial que l'on faisait à un très jeune âge, la carrière se définissait alors principalement par l'emploi que l'on occupait. Naturellement, ce statisme professionnel était déterminé, entre autres, par la quasi-impossibilité de franchir les strates sociales qui prédéterminaient jadis le domaine d'activité dans lequel on se devait d'œuvrer. De plus, la mobilité des travailleurs était chose rare et on ne s'étonnait pas, à cette époque, d'occuper toute sa vie un même poste, et ce, souvent au sein d'une unique entreprise.

Ce n'est que depuis la fin des années 1960 que la carrière fait l'objet d'un « décloisonnement structurel ». Loin d'être restreints à un champ d'activité prédéterminé ou d'être figés à un niveau hiérarchique précis, les travailleurs ont aujourd'hui le loisir de progresser, dans les limites prescrites par le marché du travail, au gré de leurs intérêts et de leurs aspirations. Ainsi, la carrière ne se limite plus au seul choix d'une occupation, mais peut englober tout le parcours professionnel, objectif ou subjectif, de l'individu à l'intérieur de la sphère du travail. Au-delà du choix initial, qui demeure néanmoins central, tous les changements, réorganisations ou réorientations s'inscrivent dans l'évolution de la carrière, qui s'étend maintenant sur toute la vie. Le concept de carrière ne se veut donc plus restrictif mais extensif et va jusqu'à inclure, chez certains auteurs, les activités hors travail.

Cependant, force est de reconnaître que le XXIᵉ siècle ouvre sur une réévaluation, tant individuelle qu'organisationnelle, de la notion de carrière. Il appert que la mouvance actuelle des environnements socioéconomiques propose un remodelage des perspectives définissant l'individu en milieu de travail. Des conceptions renouvelées de la carrière sont actuellement esquissées ; ainsi on parle de la carrière protéenne (Hall, 1996), de la carrière sans frontières (Arthur et Rousseau, 1996), ou encore de la carrière chaotique (Amherdt, 1999).

Dans ce chapitre, nous avons voulu illustrer l'évolution du champ d'étude de la carrière. À cette fin, deux sections sont consacrées respectivement aux dimensions théoriques et pragmatiques des connaissances actuelles.

La première section esquisse les deux grands courants théoriques, soit le **courant déterministe**, centré sur le choix de carrière, et le **courant développementaliste**, qui décrit l'évolution temporelle de la carrière. Il sera alors possible de comprendre les tenants et aboutissants de la dynamique personnelle de la carrière tout en documentant l'aspect rationnel des différentes trajectoires de carrière.

Dans la seconde section, plus pratique, nous traiterons particulièrement de la gestion organisationnelle de la carrière. Après avoir présenté un modèle de **gestion de carrière**, nous aborderons plus particulièrement la récente tendance d'autogestion de la progression de sa carrière. Nous décortiquerons les notions de non-synchronie des doubles carrières, de plateau de carrière et d'employabilité qui constituent autant de défis contemporains liés à la carrière. Nous regarderons plus précisément l'influence de ces phénomènes sur l'efficience organisationnelle, et nous discuterons de certains éléments de gestion permettant de réduire l'écart entre l'offre (ce qui est proposé) et la demande (ce qui est désiré) de carrière.

10.1 Les aspects individuels de la carrière : le choix et la progression de la carrière

Le premier auteur qui s'est intéressé à la thématique de la carrière est Frank Parsons. En 1909, il posa les jalons de la théorie traits-facteurs, considérée comme la première et la plus influente des théories sur l'étude de l'orientation de la carrière. En fait, les prémisses de la théorie de Parsons, ancrées dans la logique de la psychologie différentielle, sont d'une simplicité qui peut aujourd'hui paraître déconcertante. Selon lui, les caractéristiques (intérêts, habiletés, aptitudes) d'un individu sont agencées de façon particulière et singulière. Ainsi, l'unicité de chaque individu est fonction de son schème de qualités personnelles. Par ailleurs, chaque occupation ou environnement de travail peut être défini par des facteurs qui correspondent tant aux aspects intrinsèques (savoir-faire, savoir-être) qu'extrinsèques (conditions de travail, valeurs) du travail. À partir de là, Parsons postule qu'un choix de carrière satisfaisant dépend de l'adéquation entre les traits d'un individu et les facteurs particuliers d'une occupation. Donc, suivant l'approche traits-facteurs, la qualité du choix de carrière est fonction de la compatibilité entre la structure des traits individuels et la structure des facteurs d'une occupation.

Bien que cette logique soit devenue une évidence qu'aucun n'oserait mettre en doute, il demeure qu'au début du XXe siècle, elle était très novatrice. Ainsi, cette vision de la carrière venait bousculer une idée répandue à l'époque, soit que l'orientation de carrière était le fruit du hasard, sur lequel l'individu n'avait que peu d'influence (de façon consciente ou inconsciente). La correspondance nécessaire entre les traits et les facteurs proposée par Parsons met donc en lumière le rôle des caractéristiques individuelles dans l'orientation que prendra la carrière d'une personne. De plus, l'approche traits-facteurs est l'ancre théorique de la plupart des conceptions modernes de la carrière. Comme nous le verrons, nombre de théories élaborées par la suite épousent plus ou moins fidèlement une logique selon laquelle la carrière est l'aboutissement d'un agencement quelconque entre la réalité individuelle et la réalité professionnelle.

10.1.1 Le choix de carrière

Le courant de pensée portant sur les origines du choix de carrière, souvent appelé le « courant déterministe-structuraliste », est le plus ancien des deux courants théoriques entourant la carrière. Ses tenants estiment que la stabilité et la permanence sont les deux éléments qui priment dans le choix d'une carrière. Articulé principalement dans la première moitié du XXe siècle, ce courant de pensée s'intéresse principalement aux indices permettant de circonscrire le choix initial de carrière ainsi que ceux influençant les réorientations de carrière.

Bien que plusieurs auteurs empruntent cette logique, nous présenterons ici seulement deux conceptions, qui ont été sélectionnées pour l'importance de leur apport. Nous commencerons par l'étude des travaux d'Anne Roe (1984), qui a élaboré une théorie des besoins dans la perspective du choix de carrière. Ensuite, nous présenterons l'auteur le plus influent dans ce domaine, soit John Holland (1997), dont le modèle juxtapose les types de personnalité aux types d'occupation. Ces deux conceptions permettront, tant par leur complémentarité que par leurs dissemblances, de bien cerner quelque-uns des facteurs qui donnent son impulsion de départ à la carrière.

L'influence de l'environnement familial selon Anne Roe

Paradoxalement, la théorie qu'a élaborée Anne Roe est à la fois une des plus influentes et une des plus controversées. Issue de recherches sur différentes professions (par exemple, sur les psychologues et les biologistes), cette approche est la première à faire systématiquement le pont entre la structure des besoins d'un individu et son orientation professionnelle. Par contre, et malgré la richesse des hypothèses qui la sous-tendent, il a été jusqu'à présent difficile d'en démontrer pleinement la validité. En effet, plusieurs chercheurs s'y sont intéressés, mais peu sont parvenus à valider ses hypothèses.

Préconisant une explication psychanalytique, Roe avance une prémisse fort simple. Elle affirme que ce sont les relations entre les parents et l'enfant qui influenceront l'orientation professionnelle de ce dernier. Plus précisément, elle stipule que le climat familial dans lequel baigne le jeune enfant aura une incidence majeure sur le développement de ses besoins. En bref, Anne Roe soutient que les individus se donnent un schème personnalisé de satisfaction des besoins et que ce schème est un élément de base de la personnalité. Il serait prioritairement façonné par les expériences infantiles, mais aussi par des facteurs d'ordre génétique, qui sont cependant difficilement mesurables.

Roe établit formellement un lien entre le milieu familial et la prédominance ou l'absence de certains besoins. Elle détermine six dynamiques familiales précises, regroupées à l'intérieur de trois contextes globaux. Ainsi selon Roe, l'atmosphère familiale peut être caractérisée par l'acceptation (chaleur ou indépendance), par l'indifférence (négligence ou rejet) ou par le centralisme (surprotection ou exigence). Le climat familial dans lequel un enfant grandit viendra directement influer sur la naissance et la prégnance de ses besoins, en fonction de la canalisation de son énergie psychique.

Lorsque vous examinez les divers chemins professionnels qui s'offrent à vous après vos études, il est impossible de savoir ce que le destin vous réserve. Par contre, vous pouvez définir vos intérêts, vos compétences et vos valeurs, puis explorer les occupations dans lesquelles vous pourriez mettre le mieux à profit ces éléments. En suivant la démarche en trois étapes proposée ci-dessous, vous ne resterez pas à attendre que l'emploi de vos rêves vous tombe du ciel. Vous découvrirez plutôt ce qui est susceptible de vous rendre heureux.

Première étape

Tâchez de savoir ce qui vous branche. Posez-vous les questions suivantes :

- Qu'est-ce qui pique (et maintient) mon intérêt ?
- J'excelle dans quelles sortes d'activités ?
- Quel est mon type de personnalité ?
- Qu'est-ce qui est le plus important pour moi ?

Soumettez-vous à n'importe quel test lié à un domaine professionnel que le centre de placement de votre établissement d'enseignement pourrait vous offrir. Ou encore songez à des emplois, des tâches, des stages, des cours ou des aspects de votre vie personnelle dans lesquels vous avez eu du plaisir ou avez excellé. Une suggestion de lecture (si vous lisez bien l'anglais) : *Do What You Are,* de Paul Tieger et Barbara Barron-Tieger.

Deuxième étape

Sachez quelles sont vos diverses possibilités de carrière. Il est rare qu'un cours de niveau collégial ou universitaire puisse vous montrer de façon réaliste en quoi consiste le monde du travail. Vous devez alors prendre l'initiative de l'explorer par vous-même. Rendez-vous à votre centre de placement étudiant pour consulter, s'il y a lieu, des ouvrages décrivant divers types de travail, les exigences afférentes et les plages de salaires de diverses occupations. Vous pouvez également trouver des descriptions de certains domaines d'activité dans un site Web comme celui de Industrie Canada. Le conseiller en emploi de votre établissement d'enseignement devrait aussi être en mesure de vous aider. De plus, il conviendrait de parler à des employeurs dans le cadre d'entrevues d'information et d'avoir un aperçu de certains emplois au moyen de jumelages, de stages ou de postes à temps partiel.

Troisième étape

Établissez vos priorités. Après avoir passé du temps sur les deux premières étapes, vous devriez voir vos principales préférences ressortir. Par exemple, vous serez sans doute à même de savoir que vous ne désirez pas œuvrer au sein d'une grande entreprise, ce qui élimine d'emblée tout emploi dans le secteur bancaire. Ou encore vous pourriez prendre conscience que votre intérêt pour les arts n'est pas suffisant pour vous permettre de faire carrière dans ce domaine ; vous faites donc une croix sur ce type de débouchés. Tout ce que vous apprendrez sur vous constituera une découverte importante qui vous aidera à opérer un choix éclairé lorsque le moment de décider de votre avenir professionnel sera venu.

Mais plus important encore, il vous faudra bien faire la part des choses. N'oubliez pas que vous avez droit à l'erreur et que vous n'êtes pas lié à vie à un domaine professionnel donné. La plupart des gens changent d'emploi ou même de secteur d'activité plusieurs fois dans leur vie, si bien que le type de carrière que vous choisissez à la fin de vos études ne sera pas nécessairement le même quarante ou cinquante années plus tard, sauf si c'est ce que vous voulez. Donc, il est inutile de vous imposer trop de pression en vue de faire le choix parfait.

Source : Michelle Tullier, «Trois étapes fondamentales pour choisir votre carrière», [en ligne], http://evaluation.monster.ca/articles/choosingcareer (page consultée le 15 décembre 2006).

En ce sens, Roe formule les trois postulats suivants :

- Dans une famille où règne l'acceptation, l'individu acquerra un équilibre motivationnel qui provient d'une bonne répartition des besoins inférieurs et supérieurs.

- Chez un individu provenant d'une famille où règne l'indifférence, les besoins inférieurs (physiologiques et de sécurité) seront prédominants, puisqu'ils auront été peu satisfaits.

- Chez un individu issu d'une famille centrée sur sa personne, ce sont les besoins supérieurs (d'estime et d'actualisation) qui seront prédominants, parce qu'ils auront été plus que satisfaits.

Ces trois postulats constituent le cœur de la conception de Roe et la base de la distinction qu'elle fait entre les carrières orientées vers les personnes et les carrières orientées vers les choses (les non-personnes). Après avoir dressé, au fil des années, une classification des emplois correspondant à ces deux types de carrières, Roe ajouta que la structure des besoins, déterminée principalement par l'atmosphère familiale, dirigera les individus vers l'une ou l'autre de ces deux sphères d'activité professionnelle. Ainsi, selon Roe, c'est l'atmosphère familiale qui sert de déterminant à l'orientation donnée à la carrière.

Dans les familles indifférentes, une objectivation du réel s'opère chez l'enfant. Cette objectivation se traduit par une canalisation de l'énergie psychique vers les choses matérielles permettant la satisfaction des besoins, les parents s'avérant inefficaces dans cette tâche. Il devient donc évident que les individus fixés dans une telle dynamique d'assouvissement s'orienteront vers une carrière peu axée sur les relations interpersonnelles, puisque ces dernières ne seront pas nécessaires ou instrumentales à l'atteinte d'une certaine satisfaction.

De l'autre côté, les enfants qui sont le centre de l'univers familial développent une très grande sensibilité à l'opinion d'autrui. Afin de maintenir leur position d'élite et de reproduire l'attention parentale, ces individus auront tendance à occuper des emplois orientés vers les personnes, autrui représentant une source de valorisation essentielle.

Quant aux enfants qui jouissent de l'acceptation parentale, l'orientation de leur carrière est plus ambiguë, voire ambivalente. En fait, ils pourront se diriger soit vers les choses, soit vers des occupations nécessitant des contacts interpersonnels (vers les personnes), cette décision s'appuyant sur des caractéristiques plus particulières à leur situation.

Le tableau 10.1, à la page suivante, présente une synthèse de l'effet des relations familiales sur l'orientation de la carrière en indiquant, selon Roe, les domaines d'activité congruents à chacun des contextes familiaux.

Comme on le constate, la conception de Roe offre une vision très déterministe et entièrement fondée sur la relation parents-enfant : être le centre d'attention, être évité ou être accepté. Néanmoins, il est important de souligner qu'elle n'écarte pas toutes les autres sources d'influence sur l'orientation de la carrière.

TABLEAU 10.1	L'influence du contexte familial sur l'orientation de la carrière			
	CONTEXTE FAMILIAL		**ORIENTATION DE LA CARRIÈRE**	
Indifférence	Négligence	Les parents négligents démontrent peu d'habiletés à pourvoir aux besoins de leur enfant.	**Vers les choses**	• Technologie • Travail à l'extérieur • Sciences
	Rejet	Bien qu'ils possèdent un bon potentiel parental, les parents qui rejettent leur enfant choisissent de concentrer leurs actions particulièrement sur les besoins primaires.		
Acceptation	Indépendance	Les parents indépendants laissent beaucoup d'autonomie à leur enfant en lui assurant un encadrement minimal.	**Vers les choses ou vers les personnes**	• Organisations • Arts et spectacles
	Chaleur	Les parents chaleureux offrent à leur enfant une structure éducative centrée sur l'encouragement et la liberté d'action.		
Centralisme	Surprotection	Les parents surprotecteurs limitent l'exploration de leur enfant en répondant instantanément à tous ses besoins.	**Vers les personnes**	• Activités de services • Relations d'affaires • Culture générale
	Exigence	Les parents exigeants ont des attentes très élevées concernant les performances de leur enfant.		

En résumé, l'approche de Roe démontre, du moins théoriquement, l'influence du milieu familial sur l'orientation de la carrière d'un individu. Soulignant l'importance de la relation parents-enfant, Roe utilise le concept de canalisation de l'énergie psychique pour expliquer le transfert des expériences infantiles dans la vie professionnelle. Ce transfert se concrétise par le choix d'un domaine d'activité qui est, d'une certaine façon, prédestiné. L'aspect le plus intéressant de cette conception est sans aucun doute la mise en pratique de la théorie traits-facteurs ; les traits étant représentés par les besoins particuliers de l'individu et les facteurs, par la préférence pour des emplois orientés vers les choses ou les personnes. La reconnaissance de l'importance du milieu professionnel dans le soutien de la structure des besoins constitue incontestablement un apport significatif à l'étude des carrières. De plus, la classification des emplois en fonction d'une dynamique familiale précise est aussi une innovation non négligeable. Somme toute, bien que peu validée empiriquement, l'approche de Roe constitue néanmoins un jalon important dans l'évolution des connaissances dans le domaine des carrières. Le nombre d'études suscitées par les réflexions de Roe et son influence sur de nombreux auteurs en font preuve.

L'influence de la personnalité selon John Holland

Bien que la théorie de Roe soit fort intéressante, l'approche la plus utilisée au cours des 30 dernières années est celle de Holland. Cataloguée comme théorie psychologique du choix de carrière, la théorie de Holland situe l'approche traits-facteurs sous l'horizon de l'appariement nécessaire et inévitable des personnalités individuelle et professionnelle. Selon Holland, chaque individu érige, dès ses premières années de vie, la structure de sa personnalité qui s'actualise essentiellement par la différenciation des intérêts, des aptitudes et des attitudes. Cette personnalité devra tout simplement être jumelée à un environnement de travail compatible pour que le choix de carrière de la personne soit satisfaisant.

La conception de Holland repose sur le principe que les gens évoluant dans un même environnement de travail possèdent des types de personnalité similaires et que, par conséquent, on peut se permettre d'envisager la notion de personnalité professionnelle. Cette agrégation de personnalités convergentes résulte d'une adéquation entre un ensemble de caractéristiques psychologiques personnelles et un environnement de travail présentant une réalité particulière. Or, un individu qui aurait des traits de personnalité semblables à ceux de personnes satisfaites dans leur environnement de travail pourrait, s'il s'orientait vers le même type d'environnement professionnel, effectuer un choix de carrière approprié. Notons que la notion d'environnement de travail englobe autant le type d'occupation que la manière d'exercer les tâches s'y rapportant et le contexte dans lequel elles s'exercent. Dans cette optique, le choix de carrière repose sur le développement de la personnalité, grande responsable, selon Holland, de l'orientation professionnelle.

La force de Holland ne repose évidemment pas sur cette seule conception du choix de carrière ; c'est tout le bagage opérationnel mis au point par cet auteur qui justifie la réputation qu'il s'est taillée. En effet, loin de se contenter de postulats théoriques, il a développé des outils permettant de valider et de rendre opérationnelle sa théorie.

En premier lieu, Holland définit les types de personnalité ainsi que les types d'occupation à l'aide de six qualificatifs bien précis : réaliste, investigateur, artistique, social, entrepreneur et conventionnel. Ces types s'accolent autant à la personne (personnalité individuelle) qu'à l'environnement de travail (personnalité professionnelle). Ce système est très efficace puisqu'il permet, à l'aide d'un même vocable, de vérifier l'appariement personne-occupation. Le tableau 10.2, à la page suivante, fait état des caractéristiques rattachées à chacun des types de personnalité et aux activités professionnelles correspondantes.

Toutefois, le type de personnalité est un élément trop englobant pour tenir compte des multiples différences individuelles et professionnelles. Ainsi, un individu de type « entrepreneur » n'a pas nécessairement les mêmes traits ou le même agencement de traits qu'une autre personne, elle aussi de type « entrepreneur ».

Cette diversité est aussi applicable à l'environnement de travail. Afin de circonscrire les dissemblances à l'intérieur d'un même type de personnalité, Holland a créé le patron de personnalité. Le patron de personnalité

Type de personnalité	Caractéristiques	Activités professionnelles
TABLEAU 10.2 Le parallèle entre les types de personnalité individuelle et les activités professionnelles		
Réaliste	Les personnes réalistes préfèrent les activités et les emplois en relation avec la nature et le plein air, les activités mécaniques, la construction et les réparations. Elles sont intéressées par l'action plutôt que par la pensée, préférant les problèmes concrets aux problèmes abstraits et ambigus.	• Faire fonctionner des équipements • Utiliser des outils • Manœuvrer des machines • Construire, réparer, bâtir
Investigateur	Les personnes investigatrices ont une orientation déterminée. Elles aiment amasser de l'information, découvrir, analyser et interpréter des données. Elles préfèrent travailler de façon autonome plutôt que de coopérer à un projet de groupe.	• Accomplir des tâches abstraites • Amasser et organiser des données • Résoudre des problèmes • Produire des analyses • Faire de la recherche
Artistique	Les personnes artistiques valorisent les qualités artistiques des choses et ont un grand besoin de s'exprimer. Elles le font tant par le biais des loisirs que dans le travail ou l'environnement.	• Le travail de création • La décoration et le design • La composition et l'écriture
Social	Les personnes ayant ce type de personnalité aiment travailler avec les gens ; elles apprécient le travail de groupe et le partage des responsabilités et elles se plaisent à être le centre d'attention. Elles préfèrent résoudre les problèmes par la discussion et interagir avec les autres.	• Enseigner et expliquer • Aider et guider • Informer et organiser • Résoudre des problèmes • Animer des groupes
Entrepreneur	Ce type de personnes recherchent des positions de direction (leadership), de pouvoir et de prestige. Elles apprécient la coopération en vue d'objectifs organisationnels et le succès économique. Elles aiment prendre des risques financiers et participer à des activités compétitives.	• Travailler dans le domaine de la vente et des achats • S'engager dans des activités politiques • Animer des activités et des groupes • Faire des présentations • Gérer du personnel et des projets
Conventionnel	Les personnes conventionnelles travaillent bien auprès de grandes corporations, mais elles préfèrent les rôles de subalternes plutôt que les postes de direction. Elles affectionnent particulièrement les activités qui demandent de la minutie et de la précision.	• Dactylographier et classer • Organiser des procédures • Tenir des livres • Rédiger des rapports

tient compte non seulement du type de personnalité dominant, mais aussi des types secondaires qui définissent, par ordre d'importance, la personnalité précise de l'individu ou de l'environnement. Exprimé en trois lettres, la première pour le type dominant et les deux autres pour les types secondaires, le patron de personnalité permet de vérifier avec exactitude la compatibilité d'un individu et d'une occupation. Ainsi, le psychologue clinicien et l'enseignant au primaire occupent deux emplois à dominante sociale ; cependant, le patron de personnalité d'un psychologue clinicien est SIA (social-investigateur-artistique), tandis que celui de l'enseignant au primaire est SAE (social-artistique-entrepreneur). Une telle distinction permet de mieux identifier le type d'individus aptes à travailler dans un environnement précis.

Soulignons que le patron de personnalité a tendance à se structurer de façon hexagonale. Comme on peut le constater à la figure 10.1, les probabilités d'agencement des types de personnalité sont d'autant plus fortes lorsque les types sont contigus dans leur répartition hexagonale. Ainsi, si le type dominant est «social», il y a de fortes chances pour que le patron soit SEA ou SAE. Ce modèle hexagonal des relations intertypes n'est pas absolu, mais il permet d'entrevoir le patron de personnalité en fonction de la seule connaissance

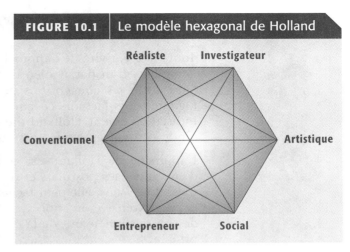

FIGURE 10.1 Le modèle hexagonal de Holland

du type dominant qui illustre un schème de préférences et d'aversions envers le monde du travail. (Riverin-Simard, 1996).

Si le besoin d'apparier le patron de personnalité de l'individu et celui de l'occupation est crucial, la validation de cet appariement serait impossible sans une instrumentation simple et efficace. À cet effet, il existe plusieurs outils qui permettent de définir le type de personnalité d'un individu et d'évaluer sa compatibilité avec des occupations. Le plus connu de ces instruments est sans contredit le *Strong-Campbell Interest Inventory* (SCII) qui permet, entre autres choses, de mesurer l'intérêt d'un individu pour des domaines généraux d'activité, ses préférences pour des occupations précises ainsi que sa ressemblance avec les types purs. Plusieurs autres instruments peuvent être utilisés pour soutenir l'approche de Holland, par exemple le *Occupation Finder,* le *Dictionary of Holland Occupational Codes* ainsi que le *Self-Directed Search.* Ces outils ont comme principal objectif de déterminer le patron de personnalité d'un individu ainsi que celui des activités professionnelles.

La théorie de Holland s'est développée au cours de ses nombreuses recherches sur le choix de carrière et plusieurs éléments importants s'y sont greffés, tels les concepts d'identité, de cohérence, de différenciation (interactions individu-personnalité) et de congruence (interactions individu-occupation). Les concepts liés aux interactions entre l'individu et la personnalité font référence à un processus interne d'auto-équilibre. Alors que l'identité désigne la stabilité de la structure des intérêts de la personne, la cohérence et la différenciation se rapportent au dynamisme de son patron de personnalité. Par ailleurs, les interactions entre l'individu et son occupation obligent à définir un modèle permettant d'évaluer la concordance entre ces deux réalités. La congruence est donc synonyme d'adéquation entre le type de personnalité d'un individu et l'environnement dans lequel il évolue. La nécessité de congruence entre un élément interne à l'individu et son environnement, c'est-à-dire sa profession ou son occupation, a été largement démontrée par plusieurs études. De plus, il appert qu'en l'absence de congruence, l'individu aura une forte tendance à être insatisfait au travail et, par le fait même, à changer souvent d'occupation en cherchant la congruence.

Toute la créativité de l'approche de Roe, dont nous avons discutée précédemment, transparaît bien dans l'argumentation de Holland. Les parallèles entre les conceptions de l'une et de l'autre sont visibles dans la logique traits-facteurs et leur classification des emplois. Cependant, c'est indiscutablement Holland qui a démystifié et, plus important encore, a rendu ces concepts opérants dans la dynamique du choix de carrière.

L'approche de Holland est complète. Plusieurs vérifications ont permis d'en valider les postulats et d'étendre ses domaines d'applications potentiels. En ce sens, elle peut facilement être considérée comme la conception la plus extensive du choix de carrière, et ce, en fonction de la parcimonie de son raisonnement, de la clarté de ses concepts et de la synergie de ses principes.

Ce tour d'horizon des approches déterministes du choix de carrière permet de comprendre leur logique, qui s'articule principalement autour de l'énumération des facteurs individuels intervenant directement ou indirectement dans le choix initial de carrière. Très imbriquée dans l'approche traits-facteurs, la logique déterministe ne débouche néanmoins que sur une compréhension partielle du phénomène. Cependant, elle peut être considérée comme un des points d'ancrage d'une théorie plus holistique, qui s'actualise dans le courant développementaliste.

10.1.2 La progression de la carrière

S'étant formé subséquemment au premier, le second courant explicatif de la carrière touche ses aspects développemental et dynamique (théories évolutionnistes). Comme nous l'avons fait dans la section précédente, nous présenterons les deux conceptions les plus connues et les plus représentatives de ce courant afin de cerner ses principes de base et sa logique.

Nous discuterons d'abord de la théorie de Donald Super (1992), qui défend une conception évolutive de la carrière, allant de la petite enfance à la retraite. L'approche de Super permettra de saisir les paramètres de la progression de la carrière en fonction de la modification des objectifs à chacune des étapes. Ensuite, nous aborderons la notion de **cheminement de carrière** par l'entremise de la théorie de Michael Driver (1979). Toujours dans une perspective évolutive, nous concentrerons alors notre attention sur les avenues professionnelles en fonction du schème de mobilité propre à divers types de cheminement.

Les étapes développementales de Donald Super

Dans ses nombreux travaux, Donald Super présente, bien plus qu'une simple théorie, le fruit d'une vie entière consacrée à la réflexion théorique et pratique sur le phénomène de la carrière. Il a élaboré une conception développementale de la carrière à une époque où presque tous s'en tenaient à l'importance stricte du choix de carrière.

Les multiples concepts développés par Super ainsi que leur interrelation traduisent bien le désir constant de cet auteur d'apporter une explication globale — et multidisciplinaire — au phénomène décisionnel et évolutif de la vocation. L'approche de Super doit être perçue comme générale et englobant plusieurs théories. Comme il le mentionne lui-même (Super, 1984) :

> Ce que j'ai proposé n'est pas une théorie exhaustive et intégrée au sens strict du terme, mais plutôt une théorie segmentale ou un ensemble de théories qui devraient, grâce aux recherches, déboucher éventuellement sur un système unifié.

Cette approche n'est donc pas hermétique et elle invite les chercheurs à emboîter le pas afin qu'elle puisse se développer pleinement. De nombreux auteurs ont d'ailleurs travaillé avec Super pour définir cette approche, ce qui lui confère une dimension intégrative, c'est-à-dire qu'il y a congruence entre la construction théorique et les constats empiriques.

La conception de Super présente une structure simple et sans ambiguïté. S'appuyant sur une vision développementale, selon laquelle le choix de carrière est un processus continu et progressif, Super construit une structure séquentielle dans laquelle l'individu évolue de la prime jeunesse jusqu'à la retraite. Chacun des stades de développement comporte plusieurs tâches développementales dont la personne doit s'acquitter avant de passer au stade subséquent. C'est ainsi qu'au cours de sa carrière, elle passera successivement par les stades de croissance (0-14 ans), d'exploration (15-25 ans), d'établissement (26-45 ans), de maintien (46-65 ans), puis de désengagement (66 ans et plus). Le tableau 10.3, à la page suivante, présente succinctement le contenu de chacune des étapes ainsi que leur tâche développementale respective. Notons qu'il est possible d'évaluer les intérêts professionnels d'un individu, donc de le positionner dans la structure séquentielle de sa carrière, au moyen de l'Inventaire des préoccupations de carrière (IPC).

Comme on peut le constater, la carrière d'un individu évolue lentement. La structure séquentielle développée par Super ne constitue cependant

LE SAVIEZ-VOUS ?

Les jeunes ont des préoccupations bien particulières face à leur emploi. Ainsi, ils s'attendent à ce que les entreprises leur offrent :

- **Des défis intéressants.** On leur a inculqué l'importance de la passion. Ils veulent être utilisés à pleine capacité et faire ce pour quoi on les a préparés.

- **Des contacts significatifs avec le management.** Ils sont habitués à être interactifs avec leurs parents, leurs professeurs et leur ordinateur. Ils s'attendent à voir des patrons présents, communicatifs et « présentables ».

- **Un impact dans la prise de décision.** Ils n'acceptent pas qu'on décide pour eux. Ils exigent de participer aux discussions qui les concernent.

- **Des occasions de développement personnel.** Ces individus ambitieux et désireux d'apprendre ont besoin d'être stimulés et soutenus dans leur évolution, de recevoir du feedback et de réadapter sans cesse leurs objectifs.

- **Une vie équilibrée.** Ils ont vu leurs parents négliger leur famille et se priver de loisirs. Pour eux, la vie est beaucoup plus que la carrière. Ils veulent avoir du plaisir et voir grandir leurs enfants.

Source : Nicole Côté, « Intelligence recherchée », *Affaires Plus,* vol. 24, no 9, septembre 2001, p. 59.

TABLEAU 10.3	Les étapes de la carrière et les tâches développementales		
Étape	**Sous-étape**	**Description**	**Tâche**
Croissance	Aucune	Période des choix de carrière fantaisistes qui sont principalement influencés par une identification aux personnes de l'entourage immédiat (parents, famille, école, médias).	Formation d'une image de soi réaliste
Exploration	Choix provisoire	Période des choix réalistes de carrière. En précisant son identité et en raffinant l'image de soi, l'individu connaît ses goûts, ses intérêts, ses habiletés et son potentiel. Cette prise de conscience permettra de choisir un champ d'intérêt qui se concrétisera par l'entrée dans une occupation précise à la fin de cette étape.	Cristallisation d'une préférence professionnelle
	Période de transition		Précision de la préférence professionnelle
	Période d'essai		Actualisation de la préférence professionnelle
Établissement	Période de stabilisation	Entrée dans une occupation stable et acquisition des connaissances et des compétences appropriées. Lorsqu'il sera bien installé dans l'occupation, l'individu y progressera selon les talents et les compétences qu'il aura développés.	Habituation et maîtrise des paramètres de la vocation
	Période d'avancement		Consolidation de la position et avancement professionnel
Maintien	Aucune	Période où l'individu cherche à maintenir ses acquis et sa position à l'intérieur de son occupation.	Se doter de certaines nouvelles habiletés en fonction des limites qui lui sont propres
Désengagement	Aucune	Période de retrait graduel de la sphère professionnelle.	Réduire le rythme de travail et s'actualiser par le biais de rôles non professionnels

qu'une base explicative permettant de situer l'individu et de le suivre dans son développement personnel. En effet, de nombreux éléments gravitent autour de cette structure de base et font toute la force de cette approche. L'immense capacité d'intégration de Super permet d'amalgamer ces sous-éléments à un corpus concret et synergique.

Super innove, entre autres, en présentant une définition peu orthodoxe de la notion de carrière. Pour lui, une carrière est la somme de tous les rôles occupés par un individu tout au long de sa vie. Le rôle de travailleur n'est qu'un rôle parmi tant d'autres, la carrière englobant aussi les rôles d'enfant, d'étudiant ou de parent, par exemple. La carrière ne se définit plus comme la succession simple et chronologique d'occupations professionnelles, mais bien comme la somme des rôles sociaux qu'un individu a endossés. Chacun de ces rôles aura une place prépondérante dans la vie de l'individu en fonction de son stade de développement ; il pourra y avoir coexistence de plusieurs rôles à l'intérieur d'un même stade.

C'est en fonction de cette coexistence des rôles qu'il est possible de situer un individu particulier dans un schème développemental normalisé, voire stéréotypé. Cette comparaison entre l'évolution réelle et l'évolution habituelle de la carrière permet de mesurer le degré de maturité professionnelle d'un individu.

La nature multidimensionnelle de la carrière est illustrée par l'arc-en-ciel de la carrière (*life-career rainbow*), qui permet de bien comprendre la juxtaposition des rôles à différentes périodes clés de la carrière (voir la figure 10.2). Cette réinterprétation et redéfinition de la carrière permet de cerner l'évolution de l'individu dans sa dimension holistique ; en outre, elle permet de comprendre, entre autres phénomènes, la décentralisation du travail au profit des rôles familiaux et sociaux chez certains travailleurs.

Les cheminements de carrière de Michael Driver

Des différentes typologies de cheminement de carrière, la plus explicite est sans contredit celle de Michael Driver. Imbriquée dans la logique des « ancres de carrière » (Schein, 1978), la typologie de Driver permet de conceptualiser les agencements possibles de chacune des ancres qui représentent les motivations, valeurs et habiletés façonnant la carrière. En considérant simultanément la fréquence et la direction de la mobilité professionnelle, Driver circonscrit quatre types de cheminement de carrière indépendants, soit : le cheminement de type transitoire, le cheminement homéostatique, le cheminement linéaire et le cheminement spiralé. Voici, inspirées des commentaires de Driver (1983), les définitions que Mercure, Bourgeois et Wils (1991, pages 122-123) donnent de chacun de ces concepts :

1. Le concept de *carrière transitoire* désigne un cheminement où un travail ou un champ occupationnel n'est jamais choisi de façon permanente. Un individu qui suit un cheminement transitoire va simplement de travail en travail, sans avoir de dessein particulier. Il y a rarement chez ce dernier un mouvement vers le haut, dans le sens où lui serait attribuée une position plus élevée permettant d'acquérir plus de prestige, de responsabilités, d'autonomie, etc.

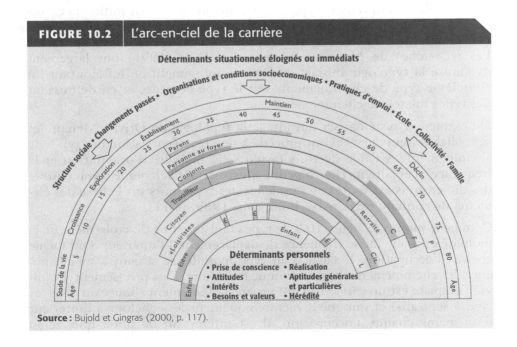

FIGURE 10.2 | L'arc-en-ciel de la carrière

Source : Bujold et Gingras (2000, p. 117).

2. À l'opposé, le concept de *carrière homéostatique* s'applique à celui qui choisit un travail ou un champ professionnel tôt dans la vie et respecte ce choix à jamais. Chez ce dernier, il n'y a aucun mouvement, sauf peut-être, quoique très rarement, si le mouvement lui permet d'obtenir un revenu plus élevé ou d'accroître ses compétences professionnelles.

3. Le concept de *carrière linéaire* renvoie aussi à une situation où le champ occupationnel est choisi très tôt dans la vie. Toutefois, un plan de mobilité ascendante est développé à l'intérieur du champ et mis en application. Le mouvement vers le haut peut se faire à l'intérieur d'une hiérarchie organisationnelle ou d'un groupe de référence, par exemple une association professionnelle.

4. Le concept de *carrière spiralée* renvoie à une insertion de moyenne durée dans un champ d'occupation donné suivie, de façon assez cyclique, d'une réorientation professionnelle majeure vers un autre champ d'activité. Les observations suggèrent qu'un mouvement cyclique peut souvent s'étaler sur une période de cinq à sept ans.

Le fait d'adhérer à l'un ou l'autre de ces cheminements de carrière est largement déterminé par la dynamique des ancres de carrière. Ainsi, en fonction de la prépondérance de certains mobiles précis, l'individu aura tendance à se cantonner dans un type de cheminement. On peut aussi croire à la similarité de certains éléments de la personnalité chez des individus suivant un même type de cheminement de carrière. Cette conception de l'évolution de la carrière est initialement très statique et déterministe, puisqu'elle ne propose que des types purs de cheminement prédéterminé par les ancres individuelles. Le tableau 10.4 présente une synthèse des caractéristiques des types de cheminement de carrière, selon leurs ancres prépondérantes et la nature de la mobilité professionnelle

La typologie de Driver a suscité l'intérêt de certains chercheurs, qui ont tantôt validé les différents types de cheminement, tantôt raffiné la classification en lui ajoutant quelques éléments complémentaires. Plus particulièrement, trois chercheurs québécois se sont intéressés à cette approche. Les recherches de Mercure, Bourgeois et Wils (1991) ont largement dynamisé la typologie initiale de Driver, notamment en lui ajoutant un cinquième type de cheminement, soit le type étapiste, et en définissant des types mixtes de cheminement.

De manière à systématiser davantage la typologie de Driver, Mercure et ses collaborateurs (1991) ont procédé à une recatégorisation des types de cheminement. À l'aide de trois facteurs (la mobilité, l'orientation et la fréquence), ces auteurs cherchaient à « restructurer la logique combinatoire des dimensions existantes ou implicites des types purs sur la base des éléments de contenu existants » (Bourgeois, 1989, p. 11).

Comme le montre la figure 10.3, le type étapiste est né du croisement de la mobilité et d'une faible fréquence de déplacement à l'intérieur d'un même champ d'occupation. Il s'agit d'un type hybride, se situant à mi-chemin entre les cheminements homéostatique et linéaire. Plus précisément, l'individu étapiste est un carriériste qui progresse lentement (bougeant tous les cinq à sept ans) et qui gravit hiérarchiquement les échelons à l'intérieur d'un même champ d'occupation. Il est intéressant de noter que, selon

TABLEAU 10.4	Les caractéristiques des types de cheminement de carrière				
Type	**Ancre**	**Mobilité**	**Orientation**	**Caractéristiques individuelles**	
Homéo-statique	Sécurité Technique	Nulle	Nulle	• Possède un faible besoin de réussite • S'adapte difficilement aux changements • Aime les milieux structurés • Ne recherche pas les positions d'autorité • Est un travailleur retiré • A besoin de beaucoup de sécurité	
Linéaire	Managériale Autonomie	Fréquente (1-4 ans)	Verticale	• Possède un besoin de réussite élevé • Aime les responsabilités • Fait preuve de sociabilité • Déteste l'ambiguïté et l'incertitude • Possède une bonne capacité de leadership • Aime les postes de pouvoir	
Transitoire	Technique Autonomie	Fréquente (1-4 ans)	Horizontale	• Est très peu sociable • Possède un grand besoin de changement • Aime prendre des risques • Se montre très résistant psychologiquement • Aime être le centre d'attention	
Spiralé	Autonomie Créativité	Rare (7-10 ans)	Horizontale	• Est une personne introvertie • Se montre peu attiré par le pouvoir et la supervision • Est prudent en ce qui concerne la prise de décision • A besoin d'être compris par les gens qui l'entourent • Fait montre d'un grand **besoin d'autonomie** et d'indépendance	
Étapiste	Managériale Sécurité Autonomie	Rare (5-7 ans)	Verticale	• Possède une grande autonomie émotive • Possède un grand besoin de domination • Démontre un intérêt moyen pour le pouvoir et le leadership • Est très orienté vers l'autoformation • Possède une bonne confiance en soi	

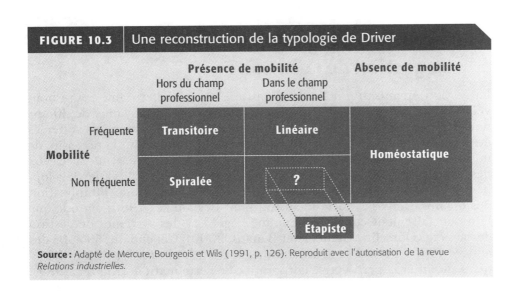

FIGURE 10.3 Une reconstruction de la typologie de Driver

Source : Adapté de Mercure, Bourgeois et Wils (1991, p. 126). Reproduit avec l'autorisation de la revue *Relations industrielles*.

Bourgeois et ses collaborateurs (1989), approximativement 22 % des travailleurs ont un cheminement de carrière de type étapiste ; une étude précédente (Bourgeois et Wils, 1986) indiquait que 24 % des cheminements de carrière étaient linéaires, 25 % spiralés, 17 % transitoires et 34 % homéostatiques.

Au départ, les quatre types de cheminement de carrière de Driver étaient considérés comme des types purs, c'est-à-dire persistants et permanents dans le temps, mais l'étude de Mercure et autres (1991) a mis en lumière les transferts potentiels pouvant survenir entre les divers types de cheminement. On reconnaît maintenant la possibilité de l'existence de types mixtes, c'est-à-dire composés de différents types purs et dessinant un cheminement multitype. Par exemple, un individu peut, pendant une certaine période de sa vie, adopter un cheminement linéaire et, par la suite, se stabiliser et emprunter un cheminement homéostatique.

Mercure et autres (1991) ont construit une matrice permettant d'évaluer les probabilités de modification des cheminements de carrière. S'appuyant sur le nombre de facteurs (présence d'une mobilité, fréquence de la mobilité et orientation) entre chacun des types purs, cette matrice permet de prédire la direction d'une réorientation de carrière. Ainsi, plus le nombre de différences entre des types purs est important, plus les probabilités qu'une éventuelle réorientation aboutisse sur un de ces types sont minimes. À l'inverse, lorsqu'il existe peu de différences entre deux types purs, les probabilités que l'un ou l'autre de ces types soit choisi au terme d'une réorientation sont plus élevées.

Somme toute, la typologie de Driver ainsi que les ajouts qui lui ont été apportés, en particulier ceux de Mercure, Bourgeois et Wils, permettent de mieux comprendre le schème général de la carrière d'un individu. La notion de cheminement de carrière dépasse l'étude du choix initial ou de la progression d'une carrière ; elle repose sur une vision élargie et ouverte des facteurs externes tels que l'état de l'économie et la structure du marché du travail.

10.2 Les aspects organisationnels de la carrière : la gestion de la carrière

La gestion organisationnelle de la carrière est loin d'être une toute nouvelle activité de gestion des ressources humaines. En fait, plus de 30 ans nous séparent des réflexions qui ont donné naissance aux premiers systèmes de gestion de carrière dans les organisations. Reconnaissant la nécessité de mieux faire coïncider les attentes ou les besoins de l'organisation avec ceux des travailleurs, les entreprises cherchaient alors à faciliter le développement professionnel de leur main-d'œuvre. D'abord timide, l'implication des organisations s'est accrue au tournant des années 1980, période que l'on peut aisément considérer comme l'âge d'or des systèmes de gestion de carrière (Gosselin, Tremblay et Bénard, 2000). Cependant, à l'aube des années 1990, diverses restructurations et réorganisations viendront largement modifier la perspective corporative en cette matière (Kanter, 1989).

En effet, après avoir assisté les travailleurs dans leur évolution professionnelle, les organisations, en réaction à la mouvance des environnements, ont cessé de considérer la gestion de carrière comme une activité de premier plan et en ont relégué la responsabilité aux travailleurs eux-mêmes. C'est donc une gestion organisationnelle des carrières renouvelée qui se profile actuellement dans les organisations (Amherdt, 1999).

10.2.1 Le modèle de gestion organisationnelle de la carrière

Nul doute que la complémentarité des objectifs individuels et des objectifs organisationnels demeure nécessaire pour limiter la démotivation, l'insatisfaction, le désengagement et d'autres phénomènes analogues chez les travailleurs (Paquet et Gosselin, 2006). Chacune des parties, soit l'employeur et les employés, doit trouver réponse à ses besoins dans l'association qui l'unit à l'autre. Un contrat psychologique quelconque vient nécessairement définir la nature de l'effort de chacun pour répondre aux besoins de l'autre et favoriser la réciprocité.

Afin de structurer et de faciliter l'atteinte simultanée des objectifs, l'organisation dispose de cet outil particulier qu'est le système de gestion de la carrière. Bien qu'il puisse être défini de diverses façons, on considère habituellement que le système de gestion de la carrière fait référence à un ensemble particulier de pratiques de carrière qui existe à un moment précis dans l'organisation (Wils, Bernard et Guérin, 1992). Il a pour principal objectif de concilier les besoins organisationnels (offre de carrière) et les besoins individuels (demande de carrière), de façon à limiter les conséquences possibles de l'insatisfaction. Le déséquilibre entre les besoins de chacun s'exprime par diverses difficultés professionnelles/organisationnelles qui pourront être surmontées grâce à l'adoption de certaines pratiques de gestion de carrière qui permettent de rétablir, du moins partiellement, une congruence entre les objectifs de chacun. La figure 10.4, à la page suivante, illustre les principales dimensions d'un système de gestion de carrière.

Une organisation peut avoir recours à trois stratégies en matière de gestion de carrière (Amherdt, 1999) : la première est centrée sur les besoins individuels dans une optique de planification ; la seconde est davantage orientée vers les besoins de l'organisation dans une optique de gestion ; et la troisième est mixte et porte simultanément sur les besoins des individus et sur ceux de l'organisation dans une perspective de développement.

La stratégie centrée sur l'individu

Comme nous l'avons mentionné dans la première section de ce chapitre, plusieurs recherches indiquent que les choix de carrière sont influencés par plusieurs facteurs, tels les intérêts, l'identité, la personnalité et les besoins individuels. Afin de bien gérer l'évolution de sa propre carrière, une personne doit bien se connaître et explorer ses besoins et aspirations en matière de vie professionnelle. À cet effet, une stratégie de gestion de la carrière centrée sur l'individu vise le développement d'une connaissance de soi, ainsi que la création de réelles possibilités d'atteindre des objectifs personnels de carrière.

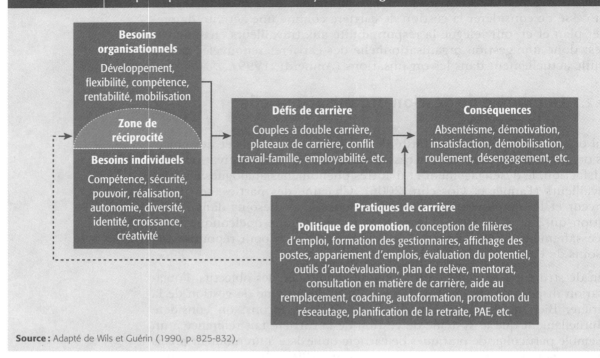

Besoins organisationnels
Développement, flexibilité, compétence, rentabilité, mobilisation

Zone de réciprocité

Besoins individuels
Compétence, sécurité, pouvoir, réalisation, autonomie, diversité, identité, croissance, créativité

Défis de carrière
Couples à double carrière, plateaux de carrière, conflit travail-famille, employabilité, etc.

Conséquences
Absentéisme, démotivation, insatisfaction, démobilisation, roulement, désengagement, etc.

Pratiques de carrière
Politique de promotion, conception de filières d'emploi, formation des gestionnaires, affichage des postes, appariement d'emplois, évaluation du potentiel, outils d'autoévaluation, plan de relève, mentorat, consultation en matière de carrière, aide au remplacement, coaching, autoformation, promotion du réseautage, planification de la retraite, PAE, etc.

Source : Adapté de Wils et Guérin (1990, p. 825-832).

UNE PERSPECTIVE INTERNATIONALE

En 2004, les expatriés français préfèrent les employeurs étrangers, malgré une rémunération moindre. La gestion française des ressources humaines à l'international ne semble pas satisfaisante.

Moins du tiers des expatriés français travaillent pour une entreprise française. Une étude effectuée par TNS Sofres montre que ce chiffre va en diminuant. Les entreprises étrangères recrutent et les expatriés français adhèrent à la demande. Une perte temporaire pour les entreprises françaises, car le séjour des expatriés à l'étranger dure en moyenne cinq ans.

Selon les résultats de l'enquête menée en avril 2004 auprès de 854 Français travaillant à l'étranger, certaines caractéristiques telles que la situation familiale, les origines du contrat de travail ou la durée de celui-ci, montrent un relâchement croissant des liens entre les expatriés et la France. Ils s'intègrent de plus en plus dans le tissu local. Par exemple, 90 % des expatriés ayant enfants et conjoint(e)s vivent en famille. Les conjoint(e)s travaillaient dans une proportion de 61 % sur place.

L'expatriation est de moins en moins vue comme un simple séjour à l'étranger, sorte de parenthèse dans la vie professionnelle et personnelle. Les moins de 35 ans composaient 55 % de cette population en 2004, soit 7 points de plus qu'en 2003. La moitié des Français travaillant hors de France a entre 25 et 35 ans. Soixante pour cent d'entre eux sont sous contrat local et répondent aux sollicitations des entreprises étrangères.

Les contrats locaux augmentent donc en nombre. Mis à part les indépendants (créateurs d'entreprise, commerçants et professions libérales), 62 % des expatriés ont un contrat local et 54 % d'entre eux sont employés par une entreprise locale (ni détaché ni expatrié par une entreprise française), soit 12 % de plus qu'en 2003.

À noter également : les travailleurs qui s'expatrient le font pour des séjours de longue durée. Plus de la moitié des expatriés (53 %) travaillant en entreprise font des séjours supérieurs à cinq ans dans un pays étranger. La durée du séjour de l'employé d'une entreprise locale est en moyenne supérieure à celui de l'expatrié ou détaché d'une entreprise française.

Source : Tiré et adapté de « Des expat' moins satisfaits des RH », *Journal du Management,* [en ligne], http://management.journaldunet.com/0409/040948_expatries.shtml (page consultée le 15 décembre 2006).

On trouve sur le marché plusieurs livres de référence, documents ou cassettes vidéo qui ont pour but d'aider les travailleurs à évaluer eux-mêmes leur potentiel de carrière. Les tests psychologiques écrits, dont se servent les conseillers en orientation, peuvent également aider les individus à mieux cerner leurs intérêts professionnels et leurs préférences. D'autres outils disponibles sur le marché permettent de mettre sur pied des ateliers de travail ou des séminaires au cours desquels on donne aux employés des lignes de conduite et des conseils sur des sujets tels que la planification ou la réorientation de la carrière. Durant ces ateliers ou séminaires, on apprend aussi aux employés à mieux se présenter (en leur indiquant, par exemple, comment se préparer pour une entrevue ou comment mettre au point une présentation orale), à être plus confiants lorsqu'ils font part de leurs objectifs de carrière, à évaluer différents cheminements de carrière et à faire des choix appropriés. Bien entendu, le contenu de ces activités peut varier d'une organisation à l'autre.

Plusieurs pratiques organisationnelles donnent accès à une gamme de possibilités d'avancement plus étendue afin de favoriser l'atteinte de chacun des plans de carrière. Ainsi, des politiques de mobilité à l'interne, d'**appariement individu-emploi,** de formation, de planification de la relève ou de la carrière et un programme d'aide aux employés sont autant de pratiques permettant aux employés d'actualiser leur carrière.

Cependant, notons que bons nombres d'organisations n'appliquent pas uniformément leur **programme de développement de carrière** à tous leurs travailleurs. Souvent, les objectifs et l'articulation du programme varieront en fonction du groupe de professionnels auquel on s'adresse. Il est donc ainsi possible de trouver divers sous-systèmes de carrière à l'intérieur d'une même organisation, chaque sous-système visant alors un groupe particulier.

La stratégie centrée sur l'organisation

Un système de carrière centré sur l'organisation est similaire au système centré sur l'individu, en ce sens qu'il porte prioritairement sur la reconnaissance et l'assouvissement des besoins, mais il s'agit cette fois des besoins de l'organisation. On cherche alors à optimiser la gestion de l'ensemble des ressources humaines de l'entreprise. Un tel système de carrière touche l'ensemble de la gestion des employés, de leur embauche à leur départ, et vise prioritairement l'atteinte des objectifs organisationnels.

Ainsi, pour mieux tirer profit des caractéristiques de leur main-d'œuvre, les organisations mettent en place un ensemble de pratiques visant à assurer la viabilité de l'organisation. Par exemple, plusieurs organisations utilisent la description des exigences de différents emplois pour dessiner des possibilités de mobilité. Des séries logiques d'affectations de postes peuvent être préparées en tenant compte du cumul des compétences et des expériences. L'entreprise peut se fier à ces profils de carrière pour tracer des cheminements rationnels permettant de classifier les employés et de justifier les promotions, les mutations ou les rétrogradations.

Certaines organisations entrent dans une banque de données certaines caractéristiques de leurs ressources humaines, telles les profils professionnels, les compétences, les expériences particulières, les aspirations de carrière. Ces organisations peuvent ainsi garder à jour un inventaire détaillé des particularités de leurs employés et utiliser à bon escient l'ensemble de leurs potentialités.

D'autres entreprises assurent la polyvalence de leurs employés par la rotation des tâches et offrent des incitatifs aux gestionnaires pour les sensibiliser à la réalité de la gestion des carrières. On peut encore évaluer le rendement de façon à encourager le développement de compétences cibles, ou instaurer un programme de recyclage des travailleurs. Toutes ces pratiques contribuent à la mise en œuvre d'un système de carrière davantage centré sur les besoins de l'organisation.

Naturellement, entre le système centré strictement sur l'individu et celui qui met l'accent sur les intérêts de l'organisation, il existe une stratégie mixte qui combine la réalité individuelle et la réalité organisationnelle. Cette stratégie s'actualise par des pratiques qui favorisent la réciprocité entre l'individu et l'organisation. On vise toujours la réponse aux besoins de l'individu ou de l'organisation, mais on veut aussi répondre aux attentes respectives des deux parties, par exemple au moyen de programmes de formation, de **mentorat**, d'intégration des nouveaux employés, etc.

10.2.2 Les défis contemporains de la gestion de carrière

Une des fonctions premières d'un système de carrière est d'assurer la cohabitation harmonieuse de deux ensembles d'intérêts dont les structures sont en partie compatibles, en partie opposées. Le système de carrière est l'un des moyens utilisés afin d'instaurer un équilibre entre les désirs individuels et les nécessités organisationnelles. Lorsqu'un déséquilibre apparaît, c'est le bien-être des employés qui est touché ou encore la viabilité de l'entreprise qui est remise en question. Ainsi apparaissent périodiquement des défis en matière de gestion de la carrière. Certains éléments que l'on peut qualifier d'étrangers à la volonté des individus ou de l'organisation peuvent déstabiliser, de façon temporaire ou permanente, un système de carrière. Ces facteurs, échappant plus ou moins au contrôle ponctuel, viennent soit modifier la lignée de carrière en ralentissant sa progression, soit, à l'inverse, accentuer le rythme de la carrière en éliminant certains éléments « perturbateurs ». Bien que ces facteurs soient multiples, nous nous arrêterons à trois d'entre eux, soit les couples à double carrière, le plateau de carrière et l'employabilité.

Les couples à double carrière

L'émancipation de la femme et son entrée massive sur le marché du travail sont venues modifier grandement les rôles familiaux traditionnels. Ainsi, les familles ont maintenant majoritairement, dans une proportion de 60 %, une double préoccupation en ce qui a trait à la carrière ; il y a la carrière de l'homme, mais aussi, et de façon aussi importante, la carrière de la femme. Plusieurs études ont été menées depuis le début des années 1970 afin de circonscrire cette dynamique et de connaître les possibilités et les contraintes de cette nouvelle réalité. La plupart des études récentes s'inscrivent d'ailleurs à l'intérieur de la très populaire thématique du conflit travail-famille.

Le premier point à souligner est l'asynchronisme entre la carrière de l'homme et celle de la femme. Il est démontré que la carrière des hommes progresse beaucoup plus rapidement et atteint naturellement un sommet à un âge moins avancé que celle des femmes, en raison principalement de la fonction reproductrice de ces dernières (Sekaran et Hall, 1989). À l'opposé, la progression de la carrière des femmes serait plus lente dans les premières années de leur vie active, pour connaître une accélération une fois que les enfants ont atteint l'âge scolaire. La carrière de l'homme et celle de la femme n'évoluent donc pas de façon parallèle et, dans une vision développementale, les hommes et les femmes ne se rejoindront que rarement dans leurs préoccupations de carrière.

De plus, plusieurs études démontrent que la carrière de l'un des conjoints est une barrière importante à l'émancipation de la carrière de l'autre. Ainsi, tant en ce qui a trait au salaire qu'au prestige professionnel, les personnes ayant un conjoint qui poursuit une carrière souffrent d'un ralentissement par rapport aux individus qui poursuivent une carrière en solo. Entre autres, Mooney (1981) a constaté que les revenus des maris dont l'épouse ne travaille pas à l'extérieur sont de 20 % supérieurs à ceux des maris dont la femme travaille à l'extérieur. Cette étude portait exclusivement sur la carrière des hommes et il est évident que des conclusions inverses pourraient être obtenues si elle concernait la carrière des femmes. Les causes d'une telle réalité sont évidentes. On note particulièrement le rôle de soutien joué par le conjoint qui ne travaille pas à l'extérieur, la possibilité de s'investir davantage dans son travail pour celui dont le conjoint ne poursuit pas de carrière et, finalement, une plus grande mobilité géographique chez les couples où une seule personne fait carrière.

Cependant, bien que les couples à double carrière puissent rencontrer plusieurs embûches dans la progression de leur carrière respective, il demeure qu'ils récoltent certains avantages de cette situation. Ainsi, les travailleurs célibataires sont généralement moins satisfaits que les gens vivant en couple, et ceci autant en ce qui a trait au travail qu'à la vie en général (Austrom, Baldwin et Macy, 1988). De plus, bien que cette pratique puisse être discriminatoire, il semble que les organisations favorisent, de façon informelle, les gens mariés lorsqu'il est question de promotion, principalement en raison de leur stabilité sociale et émotive.

Naturellement, les organisations sont de plus en plus conscientes des difficultés d'harmonisation des préoccupations professionnelles et familiales. En ce sens, bon nombre d'entreprises adoptent des pratiques novatrices favorisant l'équilibre entre le travail et la famille. Les actions concrètes peuvent prendre plusieurs formes : garderies en milieu de travail, horaires de travail flexibles, congés parentaux, modulation de la progression de carrière, etc. (Guérin et autres, 1994).

Le plateau de carrière

Le plateau de carrière, ou **plafonnement de carrière**, est une période plus ou moins longue de stagnation de la carrière. Les causes d'une telle stagnation sont multiples, mais il appert que les causes organisationnelles (telle la congestion hiérarchique) prédominent sur les causes personnelles (tel le manque de compétence ou d'ambition). Dans cette logique, il existe deux types de plateau de carrière : le plateau structurel (ou de mobilité), qui est caractérisé par une absence involontaire de mobilité tant verticale qu'horizontale ; et le plateau fonctionnel (ou de contenu), qui représente une baisse momentanée de motivation et d'enthousiasme, entraînant un désengagement au travail et, naturellement, une stagnation volontaire de la carrière.

Le plateau de carrière a des répercussions importantes tant pour l'organisation que pour l'individu. Pour l'organisation, il entraîne une perte considérable de productivité en raison d'une absence de créativité, d'une baisse de motivation et d'une perte d'intérêt dans le travail. Pour le travailleur, les conséquences du plateau peuvent être plus néfastes, voire dramatiques. Ainsi, à la suite d'une stagnation prolongée de sa carrière, le travailleur peut se sentir trahi et devenir agressif envers l'organisation ; il peut également souffrir de troubles psychosomatiques causés par une augmentation significative du stress ; il peut finalement, dans des cas plus extrêmes, faire face à certains problèmes de santé psychologique tels que la perte d'estime de soi, la perte d'identité et la dépression.

La problématique du plafonnement de carrière est présente à l'intérieur de nombreuses organisations. Plus précisément, on estimait en 1990 que 50 %

LE SAVIEZ-VOUS ?

Les Canadiens veulent effectuer du télétravail : c'est ce qui ressort de l'étude de Ekos Research publiée le 4 novembre 1998 à l'occasion de la première Journée du télétravail du Canada. L'étude a été menée auprès de plusieurs milliers de Canadiens, « constituant ainsi l'une des démarches les plus complètes pour recueillir des données sur l'autoroute de l'information, les opinions et les comportements des Canadiens au regard des nouvelles technologies ». Voici quelques-uns des plus intéressants constats :

- 55 % des employés canadiens veulent faire du télétravail maintenant.
- 50 % croient que leur emploi leur permet d'effectuer certaines tâches à distance.

- 29 % s'attendent à effectuer du télétravail l'an prochain.
- 63 % s'attendent à effectuer du télétravail un jour ou l'autre.
- 43 % quitteraient leur emploi si un autre employeur leur offrait un poste équivalent qui leur permettrait d'effectuer du télétravail.
- 33 % choisiraient la possibilité de faire du télétravail plutôt qu'une augmentation de salaire de 10 %.
- 77 % croient que les nouvelles technologies facilitent le travail à la maison.

Source : « Saviez-vous que les Canadiens aiment télétravailler ? », [en ligne], http://teletravail.monster.ca/articles/stats1 (page consultée le 15 décembre 2006).

des cadres québécois avaient atteint un plafonnement ; on s'attendait à ce que cette proportion atteigne 90 % au cours de la décennie suivante (Tremblay et Roger, 1993). Bien que le plateau de carrière soit une réalité de plus en plus courante chez les travailleurs, il demeure difficile de distinguer clairement l'arrêt normal et volontaire de la progression de la stagnation imposée. La personne la mieux placée pour faire cette distinction est sans doute le travailleur lui-même. À cet effet, voici quelques indices permettant de déterminer un plafonnement de carrière (Hall et Rabinowitz, 1986) :

- Demeurer dans un poste pour une période beaucoup plus longue que celle passée dans les postes précédents ;
- Ne pas avoir accompli d'action digne de mention dans la dernière année ;
- Occuper un poste qui ne contient plus aucun élément de surprise, maîtriser pleinement toutes ses tâches ;
- Éprouver un certain sentiment d'aliénation face aux tâches à accomplir ;
- Se sentir anxieux et en compétition avec les collègues plus jeunes ;
- Considérer qu'un changement d'organisation ou de carrière serait trop coûteux ;
- Avoir des augmentations de salaire constantes, sans variation ;
- Se sentir plus fréquemment sur la défensive ;
- Ne plus apprendre, ne plus s'accomplir dans son travail.

Bien que le plateau de carrière puisse être très néfaste sur les plans organisationnel et individuel, il existe peu de solutions concrètes pour résorber complètement ce phénomène issu des modifications sociales (entrée massive des femmes sur le marché du travail, renversement de la pyramide des âges) et de chambardements économiques (crise structurelle, mondialisation des marchés). Les organisations peuvent néanmoins diminuer les conséquences de ce phénomène, même si elles ne peuvent l'éliminer complètement. Dans une logique organisationnelle, Cardinal et Lamoureux (1993) ont élaboré quelques pistes de solutions.

Le changement de structure

En aplanissant leurs structures organisationnelles, les entreprises peuvent réduire les effets de la stagnation de carrière. Étant moins exposés à des possibilités de promotion de type vertical, les travailleurs ressentent moins de frustration face à l'impossibilité de gravir les échelons. Bien qu'elle ne réduise en rien le plafonnement de carrière, une telle action permet d'éliminer ou de limiter les effets d'une culture organisationnelle qui définit la réussite en fonction du niveau hiérarchique atteint. De plus, l'aplanissement de la structure favorise la mobilité latérale, ce qui offre au travailleur la possibilité de poursuivre sa quête d'expériences et de compétences tout en lui donnant la chance, périodiquement, de relever de nouveaux défis.

La stratégie de recrutement et de sélection

Dans la problématique des plateaux de carrière, le processus de recrutement et de sélection des travailleurs prend une importance considérable. Il est plus que jamais primordial de bien agencer les travailleurs avec le type d'emploi qui leur convient. Lorsque les chances de mobilité sont plus faibles, il devient essentiel que chaque travailleur soit placé dans un environnement de travail où ses compétences et ses habiletés particulières seront mises à contribution. Il faut donc respecter la logique de la théorie traits-facteurs en effectuant une sélection judicieuse des candidats et en décrivant de façon franche et ouverte les caractéristiques réelles des postes.

Le système formel de mentorat

Il est primordial de renforcer les sentiments d'utilité et de compétence des travailleurs plafonnés. Ces travailleurs se trouvant souvent à mi-carrière ou encore à l'aube de la retraite peuvent être utiles à la formation des travailleurs moins expérimentés. Ainsi, l'instauration d'un système formel de mentorat, qui consiste en une forme de parrainage entre les nouveaux et les anciens travailleurs, favorise la motivation par la reconnaissance de l'expérience et réduit d'emblée l'animosité pouvant survenir entre la cohorte des travailleurs plafonnés et celle des jeunes recrues.

En plus de ces avenues organisationnelles d'intervention et dans une perspective pratique, une multitude d'actions administratives peuvent soit favoriser un déplafonnement partiel ou encore temporairement limiter les effets néfastes du plafonnement. St-Armand et Lamoureux (1998) font état d'une cinquantaine de pratiques de gestion utilisées en ce sens par les entreprises québécoises. Parmi les plus populaires, on trouve une formation mieux adaptée aux besoins cernés ou aux compétences à développer, une évaluation de la performance axée sur la rétroaction, des programmes de remboursement des frais d'études, la valorisation de la mobilité latérale, l'enrichissement et l'élargissement des tâches et une responsabilisation des supérieurs dans la gestion de la carrière.

Malgré le fait que diverses organisations soient aux prises avec le phénomène du plafonnement de carrière, il y a lieu de croire qu'il se résorbera graduellement au cours des prochaines années. En effet, le départ à la retraite annoncé de la génération du baby-boom permettra de décongestionner les niveaux hiérarchiques, largement occupés par des baby-boomers, et permettra une reprise de mobilité ascendante chez les travailleurs plus jeunes. Cependant, cela ne se fera que progressivement au cours de la prochaine décennie, puisque les organisations redoublent actuellement d'efforts afin de retenir leurs employés songeant à la retraite et de limiter les effets de la pénurie éventuelle de main-d'œuvre.

L'employabilité

Le terme «employabilité» est un néologisme introduit par Kanter (1989) afin de définir les carrières de type entrepreneurial ou professionnel, caractérisées principalement par une prise en charge individuelle de la gestion de sa carrière. Kanter soutient que les carrières traditionnelles ou corporatives sont en voie de disparition. Les changements structurels au sein du marché du travail obligent les organisations à utiliser divers moyens pour se resituer, de façon compétitive, dans une logique mercantile en pleine mutation. Ainsi, la flexibilité et la polyvalence sont maintenant deux qualités essentielles de la prospérité organisationnelle. Afin d'accroître leur flexibilité et leur polyvalence, les entreprises sacrifient, entre autres, la sacro-sainte sécurité d'emploi en faveur d'une structure organisationnelle décentralisée, d'une embauche sur l'ensemble du marché et du recours aux sous-traitants. La disparition de la sécurité d'emploi ébranle *ipso facto* la dynamique de la carrière traditionnelle, car les lignées de carrière qui constituaient des voies de progression linéaire et temporelle sont fragilisées. C'est en fait le contrat psychologique régulant les transactions entre les employeurs et les travailleurs, qui est fondamentalement remis en question ; la relation d'emploi, traditionnellement importante, laisse la place à une simple gestion mécanique de la transaction professionnelle.

Alors que la carrière était, jusqu'à aujourd'hui, encadrée par la structure organisationnelle (formation, perfectionnement, promotion, etc.), c'est maintenant de plus en plus au travailleur lui-même d'assurer la continuité de sa carrière. Pour ce faire, il doit atteindre un certain niveau d'employabilité, c'est-à-dire avoir des compétences et une expertise qui lui sont reconnues. La loyauté des travailleurs n'est plus dirigée vers l'organisation, mais vers eux-mêmes, et la sécurité d'emploi ne leur est plus offerte par l'employeur, mais par leur employabilité. Une telle perspective renouvelée de la carrière actualise la carrière protéenne (Hall, 1996) ou, plus simplement, la carrière en mutation constante.

Dans cette logique, c'est l'individu qui est de plus en plus le maître de sa formation, de son perfectionnement et de ses choix de carrière. C'est à lui que revient le devoir d'assurer sa sécurité d'emploi, sécurité relative à la réputation qu'il se construira, à sa polyvalence, et aux relations et réseaux professionnels qu'il saura entretenir. Chaque emploi occupé doit être intégré dans une planification stratégique en fonction de son choix et de sa portée (c'est-à-dire la durée de l'occupation). Chaque poste occupé, chaque cours ou formation suivis, chaque compétence acquise seront autant de cordes supplémentaires à l'arc de la sécurité d'emploi. En ce sens, il va sans dire que le meilleur instrument pour évaluer l'employabilité (sécurité d'emploi) d'un individu, c'est son curriculum vitæ.

CONCLUSION

Comme on l'a vu tout au long de ce chapitre, le choix, le développement et le cheminement de carrière sont autant de facettes d'une même réalité. Bien que les concepts rattachés à chacune des dimensions de la carrière puissent être abordés selon leur ordre chronologique d'apparition, il n'en demeure pas moins qu'ils s'imbriquent harmonieusement pour former une explication globale du phénomène de la carrière. Bien sûr, et on est à même de le constater, la multiplicité des angles d'observation complexifie d'emblée l'analyse de ce fait social, mais elle permet aussi de percevoir la réalité sous ses multiples visages.

Les différentes théories et conceptions que nous avons explorées doivent être considérées comme autant d'instruments permettant de bien circonscrire une réalité fondamentalement individuelle et malléable. Bien qu'elles présentent parfois des attributs fortement descriptifs, ces explications n'en demeurent pas moins des généralisations qui ne peuvent en aucun cas être accolées intégralement à un vécu professionnel particulier. Il appert donc que ces outils offrent des cadres d'analyse fiables, sans pour autant résoudre tous les problèmes individuels ou organisationnels concernant la carrière.

Malgré les changements dans sa nature et sa signification, la carrière demeure et demeurera ancrée dans les préoccupations des gens. Cependant, alors qu'elle était traditionnellement gérée de l'extérieur (organisation), elle l'est aujourd'hui par le travailleur, qui doit façonner son cheminement et prendre les décisions appropriées afin de faciliter l'assouvissement de ses besoins et l'accomplissement de ses aspirations. Chacun doit être conscient de ses possibilités et exploiter judicieusement les avenues qui s'offrent à lui. Il revient donc au travailleur de prendre sa carrière en main et de tendre vers l'émancipation malgré les possibles embûches fonctionnelles et structurelles. D'où l'importance, pour quiconque, de connaître les tenants et aboutissants de ses choix de carrière initiaux et secondaires et de faire la lumière sur ses aspirations professionnelles.

? QUESTIONS DE RÉVISION

1. Expliquez l'importance de l'approche traits-facteurs dans les conceptions de Roe et de Holland.

2. Deux idéologies composent le corpus théorique portant sur la carrière, soit le déterminisme et le développementalisme. Ces idéologies sont-elles en opposition ou simplement complémentaires? Justifiez votre réponse.

3. Prenez trois personnes de votre entourage (parents, amis, etc.) et, en fonction de la typologie de Holland, déterminez le patron de personnalité qui leur est propre.

4. Quels sont les différents indices permettant d'évaluer l'adéquation entre la personnalité d'un individu et le type d'emploi qu'il occupe?

5. En fonction des postulats de Super, de quelle façon doit-on définir la carrière?

6. Expliquez comment Mercure, Bourgeois et Wils ont ajouté un cinquième type de cheminement de carrière (l'étapiste) à la typologie de Driver.

7. Comparez et distinguez les concepts de choix de carrière, de progression de carrière et de cheminement de carrière.

8. Kanter explique que les carrières de type traditionnel sont portées à disparaître. Dans quelle mesure peut-on considérer le phénomène du plateau de carrière comme étant un corollaire de cette disparition?

Répondez au questionnaire ci-dessous en encerclant la réponse qui correspond le mieux à ce que vous pensez. Reportez-vous à la fin de l'exercice pour interpréter vos résultats.

	ABSOLUMENT EN DÉSACCORD	PAS D'ACCORD	D'ACCORD	TOUT À FAIT D'ACCORD
1. Je quitterais mon employeur plutôt que d'être promu à un poste ne correspondant pas à mes compétences.	1	2	3	4
2. Je considère qu'il est important de devenir très spécialisé et très compétent dans un domaine ou à un poste particulier.	1	2	3	4
3. Il est important que ma carrière ne soit pas soumise à des restrictions de la part de mon employeur.	1	2	3	4
4. J'ai toujours recherché une carrière dans laquelle je pourrais rendre service aux autres.	1	2	3	4
5. Il est important que ma carrière m'offre une très grande variété d'affectations et de projets de travail.	1	2	3	4
6. Il est important pour moi d'être promu à un poste de direction générale.	1	2	3	4
7. J'aime être associé à une entreprise en particulier et à son image de marque.	1	2	3	4
8. Je préfère rester dans la région où j'habite plutôt que de déménager en raison d'une promotion.	1	2	3	4
9. Je souhaiterais utiliser mes habiletés pour mettre sur pied une nouvelle entreprise.	1	2	3	4
10. J'aimerais détenir assez de responsabilités dans une entreprise pour que mes décisions aient une influence réelle.	1	2	3	4
11. Je me vois davantage comme un généraliste que comme un spécialiste.	1	2	3	4
12. Il est important pour moi d'avoir un nombre infini de défis dans ma carrière.	1	2	3	4
13. Il est important pour moi d'être associé à un employeur qui a du pouvoir et du prestige.	1	2	3	4
14. L'exaltation de participer à des activités variées dans le cadre du travail que j'ai choisi a été la motivation sous-jacente à mon choix de carrière.	1	2	3	4

15. Il est important pour moi de superviser, d'influencer et de diriger les gens sur tous les plans.	1	2	3	4
16. Je suis prêt à sacrifier un peu de mon autonomie pour stabiliser ma situation générale.	1	2	3	4
17. Il est important pour moi de travailler dans une entreprise qui m'offre une sécurité d'emploi, des avantages sociaux, une bonne retraite, etc.	1	2	3	4
18. Au cours de ma carrière, ma liberté et mon autonomie me tiendront à cœur.	1	2	3	4
19. Pendant toute ma carrière, je serai motivé par le nombre de produits que j'aurai contribué à créer.	1	2	3	4
20. Je veux que les autres s'associent à mon travail et à mon entreprise.	1	2	3	4
21. Il est important pour moi de pouvoir mettre mes talents et mes habiletés au service d'une cause importante.	1	2	3	4
22. Il est important que l'on reconnaisse mon titre et mon statut.	1	2	3	4
23. Il est important pour moi d'avoir une carrière qui me laisse beaucoup de liberté et d'autonomie dans le choix de mon travail, de mon horaire, etc.	1	2	3	4
24. Il est important pour moi d'avoir une carrière offrant beaucoup de flexibilité.	1	2	3	4
25. Je n'accepterai un poste de direction que si cela relève de mes compétences.	1	2	3	4
26. J'aimerais accumuler une fortune personnelle afin de me prouver, et de prouver aux autres, que je suis compétent.	1	2	3	4
27. Il est important pour moi de travailler dans une entreprise qui m'offre une stabilité à long terme.	1	2	3	4
28. Il est important pour moi d'être capable de créer ou de construire quelque chose qui soit entièrement le produit de mes efforts.	1	2	3	4
29. Il est important pour moi de rester dans mon champ de spécialisation plutôt que d'être promu à un poste ne correspondant pas à mes compétences.	1	2	3	4

30.	Je ne veux être contraint ni par mon employeur, ni par le monde des affaires.	1	2	3	4
31.	J'aime constater que mes efforts ont changé ceux qui m'entourent.	1	2	3	4
32.	Je souhaite que ma carrière me permette de satisfaire mes besoins et d'aider les autres.	1	2	3	4

Résultats

Pour obtenir votre résultat pour chacun des huit éléments ci-dessous, additionnez le pointage obtenu pour chaque question indiquée et divisez le résultat par 4.

Compétence

Question	1	pointage :	_____
	2		_____
	25		_____
	29		_____
		Total	_____	÷ 4 = _____

Autonomie :	questions 3, 18, 23, 30
Esprit d'entraide :	questions 4, 21, 31, 32
Reconnaissance :	questions 7, 13, 20, 22
Diversité :	questions 5, 12, 14, 24
Qualités de gestionnaire :	questions 6, 10, 11, 15
Sécurité :	questions 8, 16, 17, 27
Créativité :	questions 9, 19, 26, 28

Source : Traduit et adapté de Delong (1982, p. 56-57).

Un choix de carrière ambivalent

Thierry Wils est professeur titulaire au service de l'enseignement de la gestion des ressources humaines à HEC Montréal. Il a publié de nombreux articles, dont plusieurs sur la carrière des professionnels comme les ingénieurs.

Caroline Ménard est une ingénieure de 29 ans qui a obtenu, en 2001, un baccalauréat en génie mécanique de l'École polytechnique affiliée à l'Université de Montréal. À la fin de ses études de premier cycle, elle a accepté un poste d'ingénieur spécialiste dans une entreprise de haute technologie. Étant intéressée par la gestion des projets, elle a entrepris en 2003 des études en gestion et a obtenu, en 2005, un MBA de HEC Montréal. Caroline occupe actuellement un poste de cadre intermédiaire après avoir obtenu l'année passée une promotion comme superviseure. Malgré ce succès de carrière, elle se sent moyennement satisfaite de son travail, ce qui l'amène à faire le point sur le déroulement de son début de carrière.

Avant de choisir d'étudier en génie, elle avait passé plusieurs tests d'orientation de carrière au cégep et elle se souvient qu'elle avait, selon un de ces tests, un type de personnalité « SEC ». Elle ne se rappelle plus la signification de cet acronyme, mais elle sait que cela avait à voir, à juste titre, avec le fait d'aimer travailler avec les gens tout en exerçant un certain leadership. À la fin de son baccalauréat, elle avait été tentée de devenir une entrepreneure, mais elle avait dû y renoncer parce que sa situation personnelle ne le permettait pas. Plus récemment, dans le cadre d'un cours en gestion des ressources humaines de son programme de MBA, elle avait rempli, comme exercice en classe, le questionnaire de Schein sur les orientations de carrière. Son ancre de carrière prédominante correspondait à celui de style de vie, suivie de l'ancre de créativité. Elle constata avec surprise que les ancres managériale et technique arrivaient, à égalité, en quatrième position. En fait, elle se disait qu'elle avait choisi de devenir gestionnaire « par défaut », car dans son entreprise les ingénieurs ne pouvaient que choisir entre deux filières de carrière : la filière hiérarchique ou la filière technique. Ne désirant pas être cantonnée dans un travail purement technique, elle s'était instinctivement orientée vers la voie de gestion.

Cependant, aujourd'hui elle trouve son poste actuel très exigeant (longues heures de travail, stress), sans parler des jeux politiques qui ne l'intéressent pas vraiment. En outre, elle a l'impression de ne pas pouvoir utiliser pleinement son potentiel de créativité et déplore de ne pas être tenue au courant des orientations stratégiques de son entreprise. Elle caresse toujours le rêve de devenir entrepreneure, mais sa situation personnelle ne le permet toujours pas…

Elle aimerait parler de son malaise à un membre de la direction des ressources humaines (DRH), mais aucun professionnel de ressources humaines n'est affecté à la gestion des carrières. Elle réalise que son entreprise, fondée par deux ingénieurs il y a maintenant dix ans, met de l'avant une vision paternaliste des carrières : l'employé doit travailler fort et être loyal envers l'entreprise en échange d'une sécurité d'emploi. Mais Caroline se soucie bien plus des défis d'acquérir de nouvelles compétences, du plaisir au travail et de l'équilibre travail/famille que de sa sécurité d'emploi, d'autant plus que son futur époux va très bien gagner sa vie quand il aura terminé ses études de médecine. Pour Caroline, il n'est pas question d'arrêter de travailler, mais l'idée de devenir entrepreneure dans quelques années lui semble de plus en plus à portée de la main. Cependant, deux questions la hantent : cette nouvelle carrière ne risque-t-elle pas d'être plus exigeante que son emploi actuel ? Ne va-t-elle pas regretter ses collègues de travail avec qui elle s'entend très bien ?

Questions

1. Pourquoi Caroline n'est-elle pas satisfaite de son emploi actuel ? Même si elle a obtenu rapidement des promotions, pourquoi estime-t-elle que sa carrière ne connaît pas un franc succès ?

2. Que pensez-vous de la manière dont sont gérées les carrières dans cette entreprise de haute technologie ? Quels problèmes risquent d'arriver ? Quel est l'impact de ces problèmes sur la survie de l'entreprise ?

3. Que pensez-vous du style de leadership de la haute direction ? Que peut faire la DRH pour régler la situation ? Quelles démarches Caroline peut-elle entreprendre ?

Amherdt, C.-H. (1999). *Le chaos de carrière dans les organisations : à la découverte de l'ordre caché derrière le désordre apparent,* Montréal, Éditions Nouvelles.

Arthur, M.B. et Rousseau, D.M. (dir.) (1996). *The Boundaryless Career,* Oxford University Press.

Austrom, D.R., Baldwin, T.T. et Macy, G.J. (1988). « The Single Worker : An Empirical Exploration of Attitudes, Behavior, and Well-being », *Canadian Journal of Administrative Sciences,* décembre, p. 22-29.

Bourgeois, R.-P. (1989). « Réflexion sur les carrières des travailleurs dans la perspective d'une saine gestion des ressources humaines », chapitre tiré d'un ouvrage collectif publié par les professeurs du département d'administration de l'Université du Québec à Hull.

Bourgeois, R.-P. et Wils, T. (1986). « Career Concept, Personality and Value of Soma Canadian Workers : An Exploratory Study », document de recherche, Université du Québec à Hull.

Bourgeois, R.-P., Wils, T. et Plouffe, L. (1989). « Types de carrières : lien avec la personnalité, les valeurs, les intérêts et la motivation au travail », conférence prononcée à l'Association canadienne des sciences administratives (ACSA), Montréal, juin.

Bujold, C. et Gingras, M. (2000). *Choix professionnel et développement de carrière : théories et recherches,* 2e éd., Boucherville, Gaëtan Morin Éditeur.

Cardinal, L. et Lamoureux, C. (1993). « Plateau de carrière et spécificité individuelle », document de recherche, Centre de recherche en gestion, Université du Québec à Montréal.

Delong, T.J. (1982). « Re-examining the Career Anchor Model », *Personnel,* mai-juin, p. 56-57.

Driver, M. (1979). « Career Concepts and Career Management in Organizations », dans C.L. Cooper, *Behavioral Problems in Organizations,* Englewood Cliffs, Prentice-Hall, p. 79-139.

Driver, M. (1983). « Career Concepts and Individual Differences », conférence prononcée à l'Association des sciences administratives du Canada (ASAC), mai.

Gosselin, E., Tremblay, J.-F. et Bénard, M. (2000). « La nouvelle gestion organisa-tionnelle des carrières : et si ce n'était qu'une fable ? », *Effectif,* juillet, p. 45-48.

Guérin, G., St-Onge, S., Trottier, R., Simard, M. et Haines, V. (1994). « Les pratiques organisationnelles d'aide à la gestion de l'équilibre travail-famille : la situation du Québec », *Gestion,* mai, p. 74-84.

Hall, D.T. (1996). *The Career Is Dead — Long Live the Career : A Relational Approach to Career,* San Francisco, Jossey-Bass.

Hall, D.T. et Rabinowitz, S. (1986). « Maintaining Employee Involvement in a Plateau Career », dans M. London et E.M. Mone, *Career Growth and Human Resource Strategies,* New York, Quorum Books, p. 67-81.

Holland, J.L. (1997). *Making Vocational Choice : A Theory of Vocational Personalities and Work Environments,* 3e éd., Odessa, Psychological Assessment Resources.

Kanter, R.M. (1989). *When Giants Learn to Dance,* New York, Simon & Schuster.

Mercure, D., Bourgeois, R.-P. et Wils, T. (1991). « Analyse critique de la typologie des choix de carrière », *Relations industrielles,* vol. 46, n° 1, p. 120-140.

Mooney, M. (1981). « Does It Matter if his Wife Works ? », *Personnel Administrator,* vol. 26, p. 43-49.

Paquet, R. et Gosselin, E. (2006). « Quand les attitudes au travail sont tributaires de la progression de carrière : analyse dans le cadre de la modernisation de la gestion des ressources humaines », *Administration publique du Canada,* vol. 49, p. 125-142.

Parsons, F. (1909). *Choosing a Vocation,* Boston, Houghton Mifflin.

Riverin-Simard, D. (1996). *Travail et personnalité,* Sainte-Foy, Presses de l'Université Laval.

Roe, A. (1984). « Personality Development and Career Choice », dans D. Brown et L. Brooks (dir.), *Career Choice and Development,* San Francisco, Jossey-Bass, p. 31-54.

Schein, E.H. (1978). *Career-Dynamics : Matching Individual and Organizational Needs,* Reading, Addison-Wesley.

Sekaran, V. et Hall, D.T. (1989). « Asynchronism in Dual-Career and Family Linkages », dans M.B. Arthur, D.T. Hall et B.S. Lawrence (dir.), *Handbook of Career Theory,* Cambridge, University Press.

St-Armand, N. et Lamoureux, C. (1998). « Les stratégies organisationnelles d'intervention face au plateau de carrière », dans C. Lamoureux et E. Morin (dir.), *Travail et carrière en quête de sens,* Cap-Rouge, Presses Inter Universitaires, p. 321-334.

Super, D.E. (1984). « Career Choice and Development », dans D. Brown, *Career Choice and Development,* San Francisco, Jossey-Bass, p. 192-234.

Super, D.E. (1992). « Toward a Comprehensive Theory of Career Development », dans D.H. Montross, *Career Development : Theory and Practice,* Springfield, Charles C. Thomas.

Wils, T., Bernard, R. et Guérin, G. (1992). « Taxonomie des pratiques organisationnelles de carrières au Québec », *Relations industrielles,* vol. 47, n° 3, p. 489-509.

Wils, T. et Guérin, G. (1990). « La gestion du système de carrière », dans R. Blouin, *Vingt-cinq ans de pratique en relations industrielles au Québec,* Cowansville, Éditions Yvon Blais, p. 823-851.

CHAPITRE 11

La gestion du changement et de la culture organisationnelle

Les objectifs d'apprentissage

Dans ce chapitre, le lecteur se familiarisera avec :

- la nécessité et l'utilité du changement comme processus d'adaptation de l'organisation ;

- l'influence des forces internes et des forces externes comme déterminants de la nature des changements organisationnels ;

- le concept de résistance aux changements ainsi que ses diverses causes ;

- les moyens dont disposent les organisations pour contrer la résistance aux changements ;

- les étapes nécessaires à la bonne marche du développement organisationnel ;

- les liens étroits unissant le développement organisationnel et le changement organisationnel ;

- la définition de la culture organisationnelle ;

- les trois niveaux de la culture organisationnelle ;

- les moyens dont disposent les organisations pour transformer leur culture organisationnelle.

Dans le passé, certaines personnes ont dû adopter des comportements qui leur ont permis de s'adapter à certaines situations et de résoudre en partie les difficultés auxquelles elles faisaient face. Si les comportements adoptés étaient alors appropriés, ils ne le seraient pas nécessairement aujourd'hui, alors que les situations sont différentes. L'environnement a changé ; si les comportements ne changent pas aussi, ils sont dès lors inappropriés et dysfonctionnels.

Dans le monde du travail, les entreprises font également face à des situations différentes qui les obligent à effectuer des changements de plus en plus rapidement. Les entreprises doivent s'adapter aux nouvelles exigences de leur environnement, si elles veulent survivre et continuer d'exercer leurs fonctions sociale et économique. Le changement est non seulement possible, mais nécessaire, et c'est souvent le refus de changer qui entraîne la perte des organisations.

Dans le présent chapitre, nous traiterons du changement pouvant survenir à l'intérieur d'une organisation. L'organisation doit parfois recourir à des interventions en développement organisationnel pour s'adapter efficacement aux modifications qui se produisent dans les forces internes et externes. La résistance au changement de la part des employés et des gestionnaires est un phénomène connu ; nous ferons un survol des causes de cette résistance, des comportements qui la caractérisent et des moyens d'en réduire l'impact. Nous expliquerons également le processus de changement, de même que les différentes méthodes pouvant être utilisées pour l'implanter. Nous traiterons également des étapes du développement organisationnel, de ses avantages et de ses inconvénients ainsi que des différentes interventions possibles sur les plans humain et technostructurel. Nous terminerons en discutant de la culture organisationnelle et des transformations culturelles devant parfois survenir au sein des organisations.

11.1 Le changement

Il est normal, voire nécessaire, que les organisations changent. On peut même dire que c'est l'inaptitude des organisations à s'adapter aux contraintes de l'environnement sans cesse changeant qui les rend dysfonctionnelles et qui entraîne leur perte. Les gestionnaires et le personnel des organisations ne peuvent ignorer la transformation accélérée de leur environnement technologique, de la concurrence implacable, des mentalités au chapitre de la main-d'œuvre, du marché du travail, ou encore la désuétude accélérée des produits et l'explosion de l'information. Pour survivre à longue échéance, les organisations doivent adopter une nouvelle stratégie, dite proactive, de façon à prévoir les contraintes environnementales et agir en conséquence.

Le changement organisationnel se définit comme toute modification de l'équilibre fonctionnel d'un système de travail. Il s'impose lorsqu'il y a constatation ou anticipation d'un dysfonctionnement de l'entreprise dans son environnement.

Il y a trois principaux acteurs impliqués dans la conduite du changement organisationnel. Il y a le destinataire et le décideur, autour de qui gravitent d'autres agents de changement.

Le destinataire est toute personne touchée directement ou indirectement par un changement organisationnel. Il est concerné par le changement, il doit s'adapter à ses exigences. Par exemple, s'il y a remplacement d'un logiciel, le destinataire sera l'utilisateur qui est ciblé par la nouvelle technologie, celui qui aura à utiliser le logiciel.

Au contraire, le décideur est l'acteur qui a pris la décision stratégique d'apporter un changement. Le décideur peut être un dirigeant, le propriétaire de l'entreprise, le conseil d'administration, un syndicat, un groupe de pression qui a entériné la décision après un débat. Le décideur n'a pas nécessairement à modifier ses habitudes à la suite de sa décision,

laquelle a toutefois beaucoup d'impact sur le destinataire.

Pour leur part, les agents de changement sont les acteurs qui soutiennent la mise en œuvre du changement. Ce sont, entre autres, le directeur, le directeur de projet, les équipes de projet, les professionnels des ressources humaines et les consultants.

Le destinataire doit s'approprier le changement et modifier ses habitudes et ses comportements. Il doit acquérir de nouvelles connaissances et de nouvelles façons de faire, et développer de nouvelles habiletés pour concrétiser le changement. Ce n'est que par sa détermination et les efforts consentis que le destinataire crée de nouvelles habitudes, plus conformes à l'objectif du changement.

Source : Adapté de Bareil (2004). Reproduit avec l'autorisation de l'éditeur.

TABLEAU 11.1 **Des exemples de changements organisationnels**

- L'introduction de nouvelles technologies
- La privatisation d'industries et d'entreprises de services publics
- La fusion et l'acquisition
- La restructuration de la main-d'œuvre
- La planification stratégique
- La fermeture d'usines
- La reconfiguration des processus (*reengineering*)
- Le renouvellement des buts ou des stratégies de l'entreprise
- Les interventions culturelles

Le changement organisationnel peut se jouer sur plusieurs plans (voir le tableau 11.1). Notons qu'un changement en entraîne souvent d'autres.

11.1.1 Les facteurs de changement

De nombreux **facteurs** peuvent être à l'origine d'un **changement** dans une organisation. Ces facteurs découlent de forces externes qui ne sont pas sous le contrôle des gestionnaires, ou de forces internes relatives aux situations qui surviennent dans l'entreprise.

Les forces externes

Les forces externes regroupent essentiellement les facteurs sociologiques, économiques et juridiques auxquels l'entreprise doit s'adapter afin de maintenir une certaine stabilité tout en continuant d'intégrer des intrants, de les transformer en extrants et de les retourner dans son environnement externe. Les principales forces externes de changement sont :

- Sur le plan sociologique :
  - des aspirations nouvelles quant aux conditions de travail, à l'accomplissement de soi, à l'utilisation des connaissances, aux loisirs, etc. ;
  - un niveau d'éducation croissant, des tâches plus intellectuelles, plus techniques, etc. ;

- de nouvelles actions collectives, telles que le féminisme, l'écologisme, la consommation, etc.;
- l'affaiblissement du modèle autoritaire et paternaliste des modèles mécanistes.

- Sur le plan économique:
  - une concurrence ou une compétition aux chapitres de la qualité, de la productivité, de l'image de marque, etc.;
  - une croissance du secteur tertiaire;
  - des fluctuations monétaires imprévisibles qui ont des répercussions sur les coûts, les taux d'intérêt, etc.;

  - un changement des ressources disponibles sur le marché, qu'il s'agisse de matériel, de techniques ou de technologies (par exemple, on peut se demander comment l'arrivée du courrier électronique influera sur la rentabilité de la Société canadienne des postes, et comment cette dernière réagira à cette concurrence), etc.;
  - une récession ou une croissance.

- Sur le plan juridique:
  - de nouvelles lois portant, par exemple, sur la semaine de travail, l'**équité salariale**, les droits, etc.

Les forces internes

Les forces internes sont liées aux différents membres de l'organisation qui contribuent à la réalisation des produits ou des services, à la division des tâches et des responsabilités dans un cadre fonctionnel et hiérarchique, à la gestion de l'entreprise ainsi qu'aux techniques et aux modes de production.

- Les forces internes liées aux individus:
  - le vieillissement des ressources humaines;
  - le taux de roulement, l'absentéisme, la satisfaction au travail, la productivité;
  - la syndicalisation, les grèves, etc.;
  - les changements des buts et des aspirations des gestionnaires;
  - les conflits interpersonnels et intergroupes;
  - l'arrivée de nouveaux employés et ses effets sur les tâches, les priorités, les méthodes de travail, les rapports avec les autres services, les réseaux de communication et les mentalités, etc.

- Les forces internes liées aux structures:
  - les réorganisations, incluant la révision de la ligne hiérarchique des services, etc.;
  - les suppressions ou les ajouts de tâches;
  - le changement dans la gestion des ressources humaines;
  - les réseaux de communication.

« HOMO TRANSITUS »

Depuis l'avènement de la mondialisation, caractérisée par une extraordinaire accélération de la circulation de l'information, des personnes et des biens, nous constatons que l'ensemble de notre univers personnel et professionnel se transforme à une vitesse encore inimaginable il y a vingt ans.

Les événements qui se passaient à l'autre bout du monde et qui nous influençaient bien peu « à l'époque » sont aujourd'hui appréhendés comme ayant lieu dans notre voisinage immédiat et sollicitent avec urgence notre participation active. Une guerre aux antipodes fait immédiatement irruption à notre porte, sinon dans notre salon. Ainsi, le monde est aujourd'hui perçu comme un « village global » infiniment plus petit qu'autrefois ; certains diront même qu'il a une « taille humaine ».

Cette accélération du temps et ce rétrécissement de l'espace ont une conséquence indéniable sur la vitesse de nos adaptations, mutations et autres transformations. Les organisations fusionnent, déménagent, se délocalisent, se dissolvent, se restructurent, se délestent de la production à l'interne, s'achètent et se vendent. Pour suivre, les équipes autrefois plus « stables » doivent se faire et se défaire au fil des développements de carrières et de projets qui naissent, mûrissent et disparaissent, tambour battant.

Les personnes, elles aussi, sont mutées, redéployées, détachées ou rattachées, sinon « outsourcées ». La notion de « carrière » d'antan, souvent menée dans la stabilité rassurante d'une même ville et d'une même organisation, désigne aujourd'hui une série de missions diverses conduites au sein d'entreprises radicalement différentes et quelquefois en plusieurs langues et sur plusieurs continents.

En conséquence, la norme devient une situation d'intérim, entre deux autres postes, deux autres missions, ou encore deux métiers, eux-mêmes en évolution perpétuelle. Il ne nous reste plus de temps pour respirer, s'habituer ou s'enraciner. De plus en plus et qu'on le veuille ou non, nous vivons tous continuellement en transition.

Pour toute personne, tout leader et toute entreprise, le temps disponible pour réagir aux multiples événements mondiaux s'est raccourci ; il faut presque réagir dans l'immédiat, alors même que nos décisions doivent tenir compte d'une énorme quantité d'informations. En conséquence, chaque individu, chaque entreprise, chaque employé, chaque équipe, chaque leader et chaque organisation subit une énorme pression pour continuellement s'adapter, changer, apprendre, se transformer, évoluer.

Source : Adapté de Cardon (2005). Reproduit avec l'autorisation de l'éditeur.

- Les forces internes liées à la gestion de l'entreprise :
  - les investissements ;
  - les profits ;
  - la croissance ou la décroissance ;
  - la recherche de capitaux ;
  - les accords entre organisations, les fusions d'entreprises.
- Les forces internes liées aux techniques et aux modes de production :
  - les développements technologiques, particulièrement informatique, bureautique, télématique ;
  - les modes de production, par exemple la rotation, l'élargissement et l'enrichissement des tâches, les groupes autonomes, etc. ;
  - les produits et services, à cause des nouvelles demandes, de la concurrence, des matériaux, de la désuétude, etc.

Toutes ces forces, prises isolément ou le plus souvent regroupées, peuvent pousser l'entreprise à réviser ses positions, ses stratégies ainsi que ses politiques et pratiques de gestion. Cependant, la nécessité du changement, même si elle est perçue par les membres de l'organisation, n'entraîne pas d'emblée un mouvement de changement, car très souvent des forces en faveur du *statu quo* s'opposent aux forces de changement.

Si l'entreprise ou ses gestionnaires font face aux forces poussant au *statu quo*, il est plus risqué d'entreprendre un changement significatif. Ne pas croire en la solution, ni en ses ressources, avoir peur ou appliquer la solution par complaisance, voilà autant de façons de compromettre les chances de succès de l'entreprise. Ces questions nous amènent à regarder de plus près le phénomène de la résistance au changement.

Les dirigeants doivent faire face à des transformations continuelles. Sans l'annoncer, la notion de management telle que comprise autrefois s'est aussi transformée. Plus que de leur capacité à diriger des équipes stables ou à manœuvrer dans des situations plus ou moins inscrites dans un semblant de continuité, la réussite des leaders dépend aujourd'hui de *leur réelle capacité à anticiper et à accompagner les transitions.* Progressivement et sans que l'on s'en aperçoive, le dirigeant «*situationnel*» d'il y a à peine vingt ans est devenu, par nécessité, un leader «*transitionnel*». Pour cause: les situations n'existent plus.

Mais cela vaut aussi pour l'ensemble de notre monde professionnel. Les mutations continuelles deviennent, pour toutes les entreprises et toutes les équipes, une réalité quotidienne presque incontournable. Non seulement les leaders d'aujourd'hui doivent savoir accompagner toutes ces reconfigurations successives, mais pour *l'ensemble du personnel,* il devient impératif d'apprendre à prévoir, à vivre, voire à anticiper ces transitions, surtout pour ne plus avoir à les subir.

Bien entendu, cette compétence devient primordiale aussi chez les conseillers, les consultants et les *coachs.* Accompagner des transitions individuelles et collectives, personnelles et professionnelles est devenu, de fait, la réalité quotidienne, le fonds de commerce principal de ces nouveaux professionnels.

En organisation, il s'agit tout autant, pour tout le monde, d'apprendre à accompagner un patron «en partance» dans la transmission de son entreprise, que de suivre une équipe lors d'une restructuration indispensable, de soutenir un cadre lors de son «repositionnement» professionnel ou encore d'accompagner la fermeture d'une unité de production ou le démarrage d'une nouvelle entreprise.

C'est sans parler des transitions liées à la fusion de deux cultures d'entreprises pour tenter, «ensemble», d'en créer une troisième, des transitions liées aux retraites prématurées ou à l'introduction d'une nouvelle équipe dirigeante lorsque les actionnaires décident de radicalement changer la composition de l'équipe en place à la direction générale. Ces types de transitions ne sont que quelques exemples de situations auxquelles les salariés, cadres, leaders, consultants et coachs doivent faire face quotidiennement.

Aujourd'hui, la multiplicité des mutations qui nous entourent au niveau professionnel, organisationnel, politique et social peut avoir une influence extrêmement perturbatrice sur nos vies. Cette multiplicité est sans doute une des causes principales des maladies, des tensions et du stress qui, depuis peu, est devenu phénomène de société. Dans ce contexte, beaucoup ont l'impression que plus rien n'est stable, que tout repère leur échappe, qu'il ne reste plus qu'à «s'accrocher» et à subir.

Source: Adapté de Cardon (2005).

11.2 La résistance au changement

Dans cette section, nous traiterons des causes de la résistance au changement, des façons dont elle peut se manifester ainsi que des moyens qui s'offrent à l'entreprise pour contrer cette résistance et faciliter le changement.

11.2.1 Les causes de la résistance au changement et ses manifestations

Tout changement est susceptible de provoquer une certaine résistance de la part des employés, des groupes et même de l'organisation entière. La figure 11.1 présente les principales causes individuelles et collectives de résistance au changement.

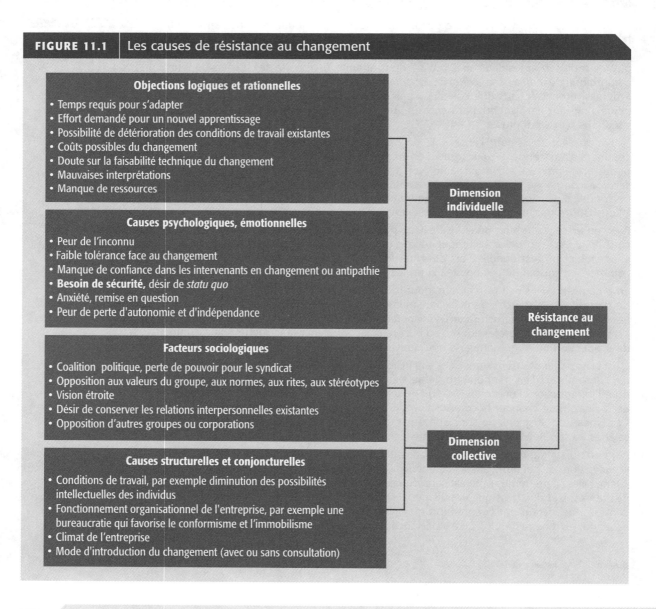

FIGURE 11.1 Les causes de résistance au changement

Objections logiques et rationnelles
- Temps requis pour s'adapter
- Effort demandé pour un nouvel apprentissage
- Possibilité de détérioration des conditions de travail existantes
- Coûts possibles du changement
- Doute sur la faisabilité technique du changement
- Mauvaises interprétations
- Manque de ressources

Causes psychologiques, émotionnelles
- Peur de l'inconnu
- Faible tolérance face au changement
- Manque de confiance dans les intervenants en changement ou antipathie
- **Besoin de sécurité**, désir de *statu quo*
- Anxiété, remise en question
- Peur de perte d'autonomie et d'indépendance

Dimension individuelle

Facteurs sociologiques
- Coalition politique, perte de pouvoir pour le syndicat
- Opposition aux valeurs du groupe, aux normes, aux rites, aux stéréotypes
- Vision étroite
- Désir de conserver les relations interpersonnelles existantes
- Opposition d'autres groupes ou corporations

Causes structurelles et conjoncturelles
- Conditions de travail, par exemple diminution des possibilités intellectuelles des individus
- Fonctionnement organisationnel de l'entreprise, par exemple une bureaucratie qui favorise le conformisme et l'immobilisme
- Climat de l'entreprise
- Mode d'introduction du changement (avec ou sans consultation)

Dimension collective

Résistance au changement

La résistance se manifeste quand les changements touchent les travailleurs ou bien la structure organisationnelle. La résistance au changement est donc une attitude négative adoptée par les employés lorsque des modifications sont introduites dans le cycle normal de travail. Plus les facteurs de résistance sont nombreux, plus les instigateurs du changement doivent déployer d'énergie pour réduire cette résistance.

Essentiellement, les individus réagissent négativement au changement parce qu'ils doivent alors passer de la certitude à l'incertitude. L'individu doit apprendre de nouveaux comportements, adopter de nouvelles attitudes, établir de nouvelles relations interpersonnelles qui risquent de modifier la configuration formelle et informelle du pouvoir, des rôles et des statuts. Il doit également acquérir de nouvelles méthodes de travail, et ce, sans être convaincu de la nécessité d'abandonner celles auxquelles il a déjà consacré beaucoup de temps et d'efforts.

La résistance au changement, aussi bien chez les employés que chez les cadres de l'organisation, s'explique aussi par d'autres facteurs. Elle peut se définir comme une attitude, individuelle ou collective, qui se manifeste dès que l'idée d'une transformation est évoquée, et qui se traduit de diverses façons. Il est certes possible de contrer les manifestations de cette résistance, bien qu'en certaines circonstances elle puisse être liée au désir de conserver sa liberté de pensée et d'action face aux efforts de l'entreprise pour implanter une certaine rationalité administrative.

La résistance au changement des employés et des gestionnaires peut se manifester de multiples façons :

- les nombreuses récriminations ;
- la croissance de l'activité syndicale ;
- les conflits de travail ;
- la lenteur dans l'exécution des nouvelles tâches ;
- l'oubli des nouvelles responsabilités ;
- le blocage partiel de l'information ;
- la diffusion de rumeurs ;
- le refus de formation ;
- l'absentéisme et le roulement de la main-d'œuvre ;
- les accidents du travail.

11.2.2 La diminution de la résistance au changement

Avant de véritablement faire échec aux résistances qui se manifestent face aux changements réels et éventuels, la direction de l'entreprise peut les voir comme un signal les invitant à réévaluer la pertinence des changements en fonction de leur portée à courte, à moyenne et à longue échéance. Même s'il existe plusieurs stratégies pour amoindrir la résistance au changement, il convient tout d'abord d'évaluer le changement avec objectivité, en pesant les pour et les contre (voir la figure 11.2, à la page suivante). Par la suite, différentes mesures peuvent faciliter l'implantation des changements tout en diminuant les effets de la résistance.

FIGURE 11.2 | Les forces qui agissent pour et contre le changement

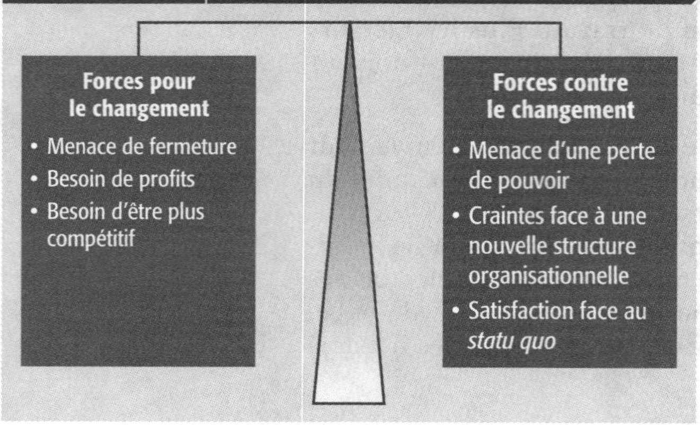

Forces pour le changement

- Menace de fermeture
- Besoin de profits
- Besoin d'être plus compétitif

Forces contre le changement

- Menace d'une perte de pouvoir
- Craintes face à une nouvelle structure organisationnelle
- Satisfaction face au *statu quo*

La formation

En offrant une formation à ses employés, l'employeur prouve qu'il se soucie des effets des changements sur eux. Il y a alors discussion entre l'employeur et les employés sur les changements en cours et sur la collaboration qui est nécessaire à leur bonne implantation. L'attitude adoptée par le gestionnaire face à la formation influencera l'attitude des employés face au changement. Aussi, l'acquisition des connaissances théoriques et techniques mettra les employés plus à l'aise et facilitera l'implantation du changement.

La promotion

Si le gestionnaire présente le changement comme une occasion exceptionnelle de croissance personnelle et professionnelle — autrement dit, s'il fait la promotion du changement —, il augmente la motivation de ses subalternes et réduit leurs résistances. Le gestionnaire doit présenter le changement de façon qu'il devienne, en lui-même, une source de motivation. Il doit alors y avoir promotion de l'accomplissement personnel, promotion salariale et promotion de cheminement de carrière pour habituer l'employé au phénomène. Les incitations s'avèrent donc très importantes.

L'information

L'information ne doit pas être ponctuelle et limitée ; elle doit s'adresser à tout le personnel, de façon entière et continue et elle doit être compréhensible et accessible pour tous. Les informations portant sur les étapes du changement sont particulièrement pertinentes et importantes.

L'institutionnalisation

Institutionnaliser le changement, c'est le faire accepter comme état permanent ou récursif ; c'est également choisir une structure organisationnelle qui permet l'évolution vers le changement. La décentralisation est une solution privilégiée pour favoriser l'adaptabilité.

Le choix des moyens à utiliser pour diminuer la résistance au changement est fonction de la taille de l'organisation, de ses activités, de la capacité de ses salariés, etc. Chaque situation organisationnelle est particulière, et seule une bonne connaissance de cette situation permettra aux gestionnaires de choisir la méthode ou la combinaison de méthodes appropriée.

Voilà, ça devrait fonctionner si j'ai bien branché le...

oups...

11.3 Le processus de changement

Dans cette section, nous chercherons à comprendre comment s'effectue l'assimilation du changement chez les individus.

11.3.1 Le modèle de Lewin

Les recherches de K. Lewin (1948) ont porté sur le changement des comportements alimentaires des Américains. Lewin a proposé trois étapes pour diminuer la résistance au changement; celles-ci sont illustrées par la figure 11.3.

Première étape : le dégel

Il s'agit de la période pendant laquelle les habitudes et les traditions sont brisées; c'est le moment d'établir de bonnes relations, d'acquérir une crédibilité, d'adopter un esprit d'ouverture. C'est aussi l'étape où prennent naissance la motivation et le désir de changement. L'agent de changement doit s'assurer de bien accomplir les quatre tâches suivantes auprès de l'unité administrative qui subira le changement :

FIGURE 11.3	Les trois étapes du processus du changement planifié de Lewin

Étape I	Étape II	Étape III
Dégel →	**Changement** →	**Gel**
Créer un besoin pour le changement, ce qui réduit la résistance	Changer les gens, les tâches, la structure et la technologie	Évaluer les résultats, les modifier et les renforcer

- établir des contacts;
- entretenir de bonnes relations;
- acquérir une certaine crédibilité;
- cultiver un esprit d'ouverture chez les employés.

Deuxième étape : la transformation

C'est la période d'acquisition de nouvelles habitudes et compétences; on conçoit et on implante le changement en stimulant chez les employés la motivation et le désir de changement, ainsi que leur identification à de nouveaux modèles (par apprentissage). Il y a donc acquisition de nouvelles attitudes et de nouveaux comportements. Cette étape se poursuit jusqu'à ce que les membres de l'unité se sentent à l'aise dans leurs nouvelles attitudes.

Troisième étape : le gel

C'est l'étape où les nouveaux comportements deviennent des acquis; c'est donc la stabilisation des nouveaux comportements, des nouvelles attitudes et des méthodes apprises, qui deviennent des habitudes. À ce moment, l'agent de changement ne joue pas un rôle essentiel.

EN PRATIQUE...

Durant la Seconde Guerre mondiale, on a voulu encourager les ménagères américaines à utiliser et à consommer plus d'abats de bœuf (la viande étant exportée afin d'alimenter les troupes américaines installées en sol étranger). À cette fin, on a donné aux femmes des exposés théoriques sur les mérites de ces abats. On a aussi organisé des petits groupes de discussion où un animateur présentait aux ménagères les utilisations possibles de cet aliment. Par la suite, une enquête a révélé que les femmes qui avaient participé aux groupes de discussion avaient utilisé les abats de bœuf dans une plus grande proportion que celles qui n'avaient assisté qu'aux exposés théoriques.

11.3.2 Le modèle de Ouellet et Pellerin : les quatre étapes d'adaptation au changement

Un changement organisationnel représente pour les personnes une déstructuration puis une restructuration de leur situation de travail, et l'obligation de faire des efforts pour s'adapter à une nouvelle réalité. Le modèle de Ouellet et Pellerin (1996) permet de comprendre comment les individus traversent cette période de changement.

Il faut d'abord reconnaître que l'intensité du processus d'adaptation au changement varie selon les individus et selon les changements. La capacité d'adaptation d'un individu est un facteur très personnel qui dépend de l'expérience de vie, de l'âge, de la santé physique, du bien-être psychologique, des valeurs, des responsabilités familiales, sociales, financières, etc. Selon le type de changement, qu'il s'agisse de l'introduction d'une nouvelle technologie ou d'une mise à pied, le processus d'adaptation ne sera évidemment pas vécu avec la même intensité. Il s'agit donc d'un processus d'intensité variable.

Quels que soient les types et l'importance des changements et les caractéristiques des personnes touchées, l'adaptation est un processus qui se divise en quatre étapes : le choc, la remise en question, l'engagement et l'appropriation. Si les quatre étapes sont bien distinctes, leur durée et leur intensité sont variables. Bien que l'individu les franchisse toutes, son cheminement n'est pas nécessairement linéaire et il peut demeurer bloqué à une même étape longtemps.

Première étape : le choc

Le processus d'adaptation au changement débute par le choc que provoque l'annonce du changement. L'annonce d'un changement signifie pour la personne que la situation actuelle ne durera pas et que sa réalité va changer. Son attention est d'abord dirigée vers la réalité qui va disparaître. L'anticipation des pertes personnelles que le changement organisationnel occasionnera provoque des réactions émotives qui peuvent être intenses (anxiété, colère, etc.). À un niveau plus profond, la personne a l'impression que quelque chose lui échappe, qu'elle perd le contrôle qu'elle pensait avoir sur son présent et son futur.

Déjà, dans cette première phase d'adaptation au changement, la personne est touchée dans tout son être. Physiquement, elle plus tendue, elle est plus fatiguée et fatigable. Elle éprouve plus de difficulté à dormir et elle est plus sensible aux maladies. Intellectuellement, elle est préoccupée, elle n'est plus concentrée sur son travail et elle est moins ouverte à l'expérimentation. Elle est plus sensible et moins tolérante. Elle peut se sentir révoltée, rejetée et trahie.

Deuxième étape : la remise en question

La personne constate que le changement s'impose. Elle commence à prendre conscience de toute l'ampleur du changement et de ses conséquences. Elle n'a pas le choix, elle doit s'adapter ; le processus du deuil de la situation antérieure commence.

Elle entre dans une nouvelle phase, caractérisée par une remise en question d'elle-même. Elle laisse décanter la situation et elle l'assimile.

La personne constate que ses points de repères habituels ne sont plus suffisants. La stabilité et la sécurité acquises disparaissent... peut-être pour un temps... peut-être à jamais. Ses croyances par rapport à son travail et à sa vie professionnelle peuvent être détruites. Elle entre dans un monde inconnu rempli d'incertitudes. Elle vit de l'anxiété et de la peine.

À un niveau plus profond, la reprise de contrôle sur son travail et sur sa vie sera une source de motivation très importante pendant cette période de remise en question. C'est pendant cette étape que se pose la question du sens à donner, personnellement, au changement. C'est ce processus intérieur de réflexion qui permet un renouveau, une transformation ou un changement personnel. Cette étape forme le cœur du processus d'adaptation. C'est aussi l'étape la plus imprévisible pour la personne elle-même et pour son entourage, car l'issue dépend d'un cheminement intérieur.

L'étape de la remise en question est surtout vécue intérieurement et elle est donc moins transparente. À la fin de cette étape, la personne s'achemine vers un nouvel équilibre. Elle est alors prête à s'investir de nouveau, elle est prête à passer à la prochaine étape.

Troisième étape : l'engagement

C'est l'étape du renouveau et de l'énergie retrouvée. La personne est maintenant prête à s'engager et à expérimenter la nouvelle situation organisationnelle.

Cette troisième étape du processus de changement débute lorsque l'individu émerge de sa réflexion avec une nouvelle perspective, une vision différente de la réalité et de lui-même. La situation initiale est de plus en plus loin et elle accapare de moins en moins sa pensée. Le choc est une chose du passé ou, s'il a été très important, il est vécu comme une convalescence. L'individu a retrouvé un sens à ce qui lui arrive. Ses besoins et ses valeurs se précisent. Il sent s'installer un nouvel équilibre intérieur. Il est plus disponible, prêt à prendre des risques et à expérimenter de nouveaux comportements.

Le fait de reprendre le contrôle de son travail et de sa vie motive l'engagement dans une nouvelle situation.

Quarième étape : l'appropriation

Dans cette phase finale, l'expérimentation est complétée et elle est réussie. La personne s'approprie la nouvelle situation, consolide sa reprise de contrôle et son nouvel équilibre. L'adaptation est devenue un investissement, une source de revenus. La personne s'identifie maintenant à sa nouvelle situation. Sa réalité n'est plus la même, et elle ne veut plus retourner en arrière.

A cette étape, même les gens qui ont vécu des changements douloureux commencent à dire qu'ils y ont trouvé quelque chose de bénéfique, que leur nouvelle situation est meilleure que l'ancienne et qu'ils vivent plus pleinement.

11.3.3 Les méthodes d'introduction du changement

Les travaux classiques sur les processus de changement font largement état des méthodes qui semblent les plus appropriées pour introduire le changement ;

malheureusement, celles qu'utilisent les employeurs ne sont pas toujours les meilleures. On recense six moyens, regroupés en trois grandes méthodes :

- la rééducation :
  - la participation et l'engagement ;
  - la facilitation et le soutien ;
- la raison :
  - la négociation et l'entente ;
  - l'éducation et la communication ;
- le pouvoir :
  - la manipulation ;
  - la coercition, implicite ou explicite.

Les méthodes introduites par le pouvoir ne devraient être utilisées qu'en situation de crise organisationnelle. Au lieu de prodiguer des reproches, des menaces de licenciement, des ordres ou des autorisations, les employeurs auraient avantage à utiliser des méthodes de renforcement positif, telles que l'amélioration des salaires et des conditions de travail, et devraient tenter de diminuer les forces qui s'opposent au changement par l'éducation, l'information et la communication. Les méthodes rationnelles, basées sur l'information et la communication, semblent en effet donner des résultats à plus longue échéance. Les méthodes basées sur la rééducation, quant à elles, comptent sur la participation des individus et un processus de groupe ; elles semblent les plus efficaces, mais elles ne recèlent pas que des avantages (voir le tableau 11.2).

Il faut souligner que l'implantation du changement est plus facile lorsque la direction possède un leadership fort et lorsqu'il est possible de travailler de concert avec le syndicat.

TABLEAU 11.2 — Les avantages et les inconvénients des méthodes de rééducation

Les avantages	Les inconvénients
• Valorisent les individus • Favorisent l'expression des craintes et sécurisent • Clarifient la situation, informent • Modifient les attitudes, provoquent l'autocontrôle • Encouragent la créativité	• Prennent beaucoup de temps (réunions, organisation) • Peuvent provoquer l'hostilité de certaines personnes

11.4 Le développement organisationnel

Afin de s'adapter aux multiples changements qui se produisent dans le milieu de travail, les gestionnaires peuvent recourir au développement organisationnel. Cette stratégie d'intervention, qui porte sur toute l'organisation, vise à transformer les croyances, les attitudes, les valeurs, les structures et les pratiques pour rendre l'organisation plus apte à s'adapter au changement.

Plus particulièrement, le développement organisationnel présente les caractéristiques suivantes :

- Il s'agit d'un processus planifié et géré par la direction, à longue échéance ;
- Il est global et basé sur la collaboration ;
- Il est entrepris pour que l'organisation devienne plus efficace et plus humaine ;
- Il nécessite le recours aux sciences du comportement, car on veut changer les attitudes, les valeurs, les comportements et la culture, ainsi que la structure de l'organisation, si possible ;
- Il répond à un changement externe ou interne ainsi qu'à un besoin de flexibilité.

Ces différents éléments devraient entraîner des changements sur le plan des processus (interactions, communication, prises de décision) et sur celui des résultats (produits, tâches).

Par ailleurs, les principales caractéristiques du développement organisationnel pourraient se résumer ainsi :

- Il est orienté vers la résolution d'un problème ;
- Il est orienté vers l'action ;
- Il permet d'utiliser l'approche systémique et systématique ;
- Il suppose le recours à des agents de changement ;
- Il entraîne un apprentissage des principes.

11.4.1 Les étapes du développement organisationnel

Le développement organisationnel comprend plusieurs phases illustrées à la figure 11.4 de la page suivante. Le processus de changement planifié est complexe et il peut s'échelonner sur un an ou plus et même se poursuivre indéfiniment. L'appui de la haute direction est essentiel pour qu'un programme d'une telle envergure soit possible. Voyons en gros ces étapes.

1. *La reconnaissance d'un problème.*
2. *Le choix de l'agent de changement* en fonction des considérations suivantes :
   - Si l'agent est externe à l'organisation et que sa présence n'est que temporaire, il se peut que les employés le voient comme un étranger et qu'ils refusent de lui accorder leur confiance ;
   - Si l'agent est interne à l'organisation et connaît un peu le problème, il est plus près des individus et des groupes ; cependant, le choix d'un agent interne peut créer une résistance au changement de la part des autres employés ;
   - L'association en équipe des agents externe et interne permet le cumul des connaissances et des ressources et parfois de gagner la confiance des employés.

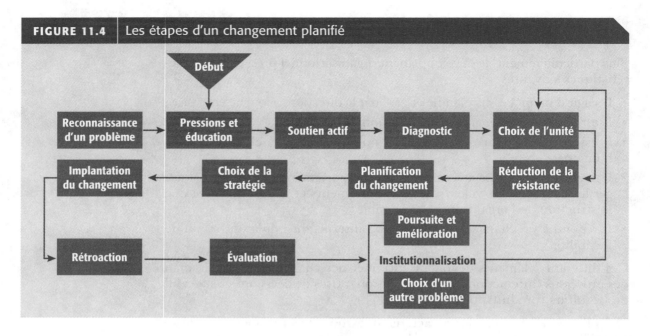

FIGURE 11.4 | Les étapes d'un changement planifié

3. *Le diagnostic et la collecte de données* qui peuvent être recueillies de différentes manières :

   • Les questionnaires sont les plus fréquemment utilisés ; la quantité des données recueillies et le coût de traitement sont raisonnables, mais l'interprétation des résultats est difficile ;

   • Les interviews sont prisées pour la richesse et la validité des données recueillies ; cependant, elles requièrent du temps et de l'argent, et l'analyse est plus difficile ;

   • Le recueil des perceptions, fait lors d'entrevues de groupes non structurées, fournit de nombreux renseignements, mais la méthode est coûteuse et manque de rigueur ;

   • Le diagnostic du groupe (c'est-à-dire qu'on propose une question au groupe, qui la redéfinit ou en propose une ou plusieurs autres) est une méthode simple et rapide, mais moins professionnelle ;

   • L'observation est un procédé valable et flexible, qui requiert du temps et de l'argent et dont les résultats sont limités ;

   • L'examen de données supplémentaires (sur l'absentéisme, le roulement de personnel, les griefs, la performance financière, la production, etc.) est une méthode peu coûteuse, qui n'implique aucune relation avec les employés et dont les résultats sont limités.

4. *La planification de l'action,* en établissant :

   • le temps approprié selon les cycles d'opération ;

   • la portée du changement, selon les groupes visés.

5. *Les interventions ou les actions.* Il faut choisir un des processus d'intervention suivants : individuel ou de groupe ; conseil, formation et développement ou recrutement et sélection ; construction d'équipes ou rencontres intergroupes, etc.

Le changement planifié est orienté vers l'une des quatre dimensions de l'organisation, suivant différentes approches.

- L'accent est mis sur la tâche : enrichissement ou simplification de la tâche, formation de groupes divers ;
- L'accent est mis sur la structure organisationnelle : description de la tâche, organigramme, salaire ;
- L'accent est mis sur la technologie : méthode de production, nouveaux équipements, informatisation ;
- L'accent est mis sur les individus : information.

6. *L'évaluation.* Avant d'arriver à l'étape de l'évaluation, il faut avoir fixé les objectifs et décrit les actions entreprises pour atteindre ces objectifs. On mesure ensuite les effets du programme par une étude comparative. On doit contrôler les facteurs externes au changement à l'aide d'un groupe témoin et, finalement, détecter les conséquences non prévues. Les résultats peuvent varier en fonction de certaines conditions : le leadership, la structure formelle de l'organisation, la culture organisationnelle, etc.

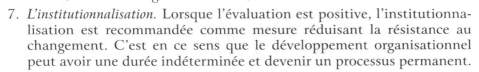

7. *L'institutionnalisation.* Lorsque l'évaluation est positive, l'institutionnalisation est recommandée comme mesure réduisant la résistance au changement. C'est en ce sens que le développement organisationnel peut avoir une durée indéterminée et devenir un processus permanent.

11.4.2 Les interventions en développement organisationnel

Bien entendu, les interventions sont au cœur du développement organisationnel. On distingue :

- les interventions dans les **processus humains** :
  - la consultation individuelle,
  - le *T-group,*
  - la grille de gestion,
  - la construction d'équipes,
  - le jeu de rôles,
  - le modelage des rôles,
  - la consultation,
  - le sondage d'entreprise ;
- les interventions technostructurelles :
  - la gestion par objectifs.

Les **interventions technostructurelles** sont celles qui influent sur les composantes formelles de l'entreprise, de la tâche à la structure même. Les interventions au chapitre des processus humains touchent davantage les composantes informelles de l'organisation, comme les caractéristiques individuelles et collectives, les normes de groupes, les interactions, etc.

La technologie permet à certains employeurs de soumettre des questionnaires qui reposent sur un support électronique à leurs employés à des fins de consultation individuelle.

Les interventions au chapitre des processus humains

La consultation individuelle

La **consultation individuelle** est une méthode de plus en plus populaire. Il s'agit de consultation personnelle au cours de laquelle des sujets tels que la planification de la carrière ou de la vie professionnelle et les problèmes comportementaux peuvent être abordés. Des conseils et des avis peuvent être donnés relativement à divers autres sujets.

Le *T-group*

Le premier groupe de sensibilisation, ou *T-group,* a vu le jour vers 1940 dans les locaux de la National Training Laboratories. Réunis en séances, les participants à un *T-group* explorent leurs comportements interpersonnels et leurs mécanismes de défense. Fondée sur le postulat que les causes des problèmes organisationnels sont d'origine émotionnelle, la méthode du *T-group* s'attarde plus à l'origine et à l'évolution du problème qu'à son contenu. Une dizaine de personnes participent à des réunions informelles et non structurées pouvant durer de deux ou trois jours à deux ou trois semaines. Les groupes sont formés d'une dizaine de personnes, soit de la même entreprise, mais de services différents, soit de la même entreprise et du même service. Les rencontres se déroulent à peu près de la façon suivante :

1. Au début, les gens se mettent à parler à bâtons rompus ; la conversation ne menant nulle part, la frustration commence à se faire sentir chez les participants ;

2. Un animateur propose alors un certain ordre du jour ; cependant, comme il est improvisé et donc plus ou moins clair, la frustration s'amplifie ;

3. À ce moment, l'animateur tente de faire prendre conscience aux gens de leurs réactions, des processus sociaux et des processus de groupe.

Le *T-group* donne lieu à une certaine controverse depuis qu'on a constaté que des problèmes psychologiques sérieux (stress et anxiété) pouvaient en résulter. De plus, cette formation en laboratoire peut poser des problèmes d'application en entreprise.

La grille de gestion

La grille de gestion sert à concevoir et à élaborer un style de leadership approprié aux besoins de l'entreprise. Cette méthode date des années 1960 et connaît une grande popularité partout dans le monde. Le principe de base est le suivant : l'excellence peut être atteinte par la découverte d'un intérêt commun, le maintien d'un climat psychologique sain au travail et un niveau de performance élevé. La grille de gestion distingue le leadership axé sur la production du leadership axé sur les individus (voir le chapitre 7).

L'application de la grille de gestion s'étend sur une période de trois à cinq ans et comprend les six étapes suivantes :

1. L'entraînement d'une semaine en laboratoires-séminaires pour explorer la philosophie et les objectifs de la grille de gestion ;
2. Le développement intragroupe au moyen d'exercices de groupe sur les styles de gestion ;
3. Le développement intergroupes par le biais d'activités de résolution de problèmes ;
4. La détermination des buts organisationnels en vue d'établir un modèle d'organisation efficace et d'élaborer une stratégie idéale ;
5. La poursuite des buts, d'abord en définissant les problèmes de l'entreprise, en trouvant les tâches et les interventions possibles, puis en planifiant et en accomplissant le modèle idéal ;
6. La stabilisation et la critique systématique du modèle idéal par l'évaluation de ses faiblesses et la prise d'actions correctives.

La grille de gestion de Blake et Mouton (1961) figure certainement parmi les plus populaires dans les groupes de formation, parce qu'elle permet aux participants de déterminer leur propre style de leadership et, éventuellement, d'y apporter les correctifs permettant de l'adapter au style de gestion préconisé par l'entreprise.

Toutefois, certains prétendent que le contenu préétabli de la grille de gestion peut ne pas correspondre aux besoins de l'organisation, puisqu'il n'offre qu'une seule bonne façon de gérer une entreprise, peu importe sa taille.

La construction d'équipes

Cette méthode est basée sur le principe que la performance s'améliore avec la construction d'équipes (Dyer, 1977 ; Leibowitz et de Meuse, 1982). Son but est de rendre un groupe de travail apte à produire de façon optimale tout en améliorant les relations interpersonnelles entre ses membres. Ici, le groupe est formé d'un certain nombre d'individus voués à la réalisation d'une tâche commune et à l'atteinte d'objectifs communs. Les principaux objectifs de la construction d'équipes sont :

• le diagnostic du fonctionnement du groupe ;
• l'analyse de la répartition des tâches et des responsabilités ;
• l'analyse des processus de leadership, de prise de décision et de communication ;
• l'analyse des relations interpersonnelles ;
• l'établissement des rôles et des responsabilités ;
• l'application d'un plan d'action.

La construction d'équipes améliore la participation des employés, la communication, la résolution de problèmes, le climat. Cette méthode peut être très efficace lorsqu'elle est utilisée en combinaison avec d'autres méthodes ou techniques.

Habituellement, le processus de construction d'équipes commence par une rencontre consacrée au diagnostic du fonctionnement du groupe. Au cours de cette rencontre, le groupe est amené à reconnaître les forces, les faiblesses et la contribution respectives de chacun de ses membres. Cette étape permet à chacun des membres de mieux se connaître et de prendre conscience de la perception qu'ont de lui les autres membres du groupe. De plus, cette étape mène à l'identification de problèmes partagés par l'ensemble du groupe.

La construction d'équipes est particulièrement utile lorsque de nouveaux groupes sont constitués dans l'entreprise et qu'une certaine confusion existe quant aux rôles et aux responsabilités de chacun. L'effet visé est non seulement une clarification de ces rôles et responsabilités, mais aussi une vision à plus longue échéance des objectifs et une amélioration des relations fonctionnelles et interpersonnelles.

Cette technique peut toutefois engendrer des situations conflictuelles et susciter un affrontement difficilement soluble. Aussi, il est recommandé de confier l'animation de ces sessions à un spécialiste. La présence d'un spécialiste permet également de combiner cette démarche avec d'autres techniques, parmi lesquelles nous trouvons le **jeu de rôles** et le **modelage de rôles.**

Le jeu de rôles

Le jeu de rôles est souvent employé comme complément à la construction d'équipes. Il s'agit de simuler une situation réaliste mettant en scène deux personnes ou plus, dans des conditions de laboratoire. Basée sur l'observation et la discussion, cette technique est en quelque sorte la transposition clinique du mime ironique. En effet, il est arrivé à tous de mimer le comportement d'une autre personne afin d'illustrer ses déficiences ; le jeu de rôles est similaire. Il s'agit d'un instrument clinique qui permet à un individu de voir comment il se comporte dans certaines situations et, ainsi, de corriger sa perception de lui-même.

Le jeu de rôles permet donc de reconnaître certains problèmes de comportement. Cependant, on doit le combiner avec une seconde technique, soit le modelage des rôles, pour s'assurer qu'il soit plus constructif que destructif.

Le modelage des rôles

Il consiste à montrer comment appréhender certains problèmes de comportement fréquents : comment motiver une personne qui a un piètre rendement, gérer l'absentéisme, refuser des demandes déraisonnables, présenter oralement un rapport, etc.

Cette méthode est généralement bien évaluée par les participants et jugée utile par les gestionnaires qui doivent souvent diriger des relations humaines. Par ailleurs, elle est efficace dans la mesure où certains principes de base de l'apprentissage sont respectés (Bandura et Walters, 1963 ; Bandura et autres, 1974). Par exemple, l'apprentissage doit se faire progressivement et viser à modifier quelques aspects du comportement des individus pour que ceux-ci soient encouragés par leur succès plutôt que démotivés par leurs échecs.

La consultation

Elle est utilisée quand des conflits éclatent entre des groupes ou au sein d'un même groupe. Elle consiste à amener les travailleurs à comprendre certains types d'interactions telles que la compétition, la communication, le leadership, la coopération, etc. La consultation a lieu en plusieurs étapes :

- le contact initial entre individus ou groupes ;
- la définition des relations ;
- le choix d'une méthode ;
- la collecte de données et le diagnostic ;
- les interventions : les conseils, l'enseignement de moyens de régler les problèmes futurs, l'observation, la rétroaction, les suggestions, etc.

Une fois toutes ces étapes franchies, la tâche de l'agent extérieur de changement prend fin.

La consultation est importante en ce qu'elle traite d'un aspect primordial du comportement organisationnel, soit des relations interpersonnelles et intergroupes. Elle a un effet positif sur les employés dans la mesure où elle les amène à se sentir plus concernés par l'entreprise, à être plus efficaces en tant que groupe et à s'influencer mutuellement. Cependant, elle n'incite pas les participants à s'engager dans le changement autant que d'autres méthodes le font. De plus, elle est assez longue (elle durera deux ou trois ans) et assez coûteuse.

Le sondage d'entreprise

Le **sondage d'entreprise** consiste à recueillir des données au moyen d'interviews, de questionnaires, etc., portant sur la perception que les employés ont de toutes sortes de questions. Ce type d'enquête est apparu vers 1950, à l'Université du Michigan (Institute of Social Research), mais son utilisation ne s'est popularisée que dans les années 1970. Ses objectifs sont de vérifier l'efficacité de la gestion des ressources humaines, d'aider à élaborer des programmes jugés nécessaires, de connaître l'effet des politiques et des programmes organisationnels, de faciliter la communication entre l'employeur et les employés, d'amener le personnel à interpréter les données et à agir en conséquence, etc.

Avant d'entreprendre la collecte de renseignements, il faut clairement identifier les répondants qui seront sélectionnés, puis déterminer la forme que prendra le sondage : il faut décider si des questionnaires seront distribués, si des entrevues seront menées ou si ces deux techniques seront combinées. Il faut aussi préparer les questions qui seront posées. Le sondage s'effectue en quatre étapes :

- les choix des mesures, des méthodes et des objectifs du sondage ;
- la collecte des données ;
- l'analyse des données ;
- la communication des résultats.

Il a été montré que cette méthode a un effet favorable sur les personnes interrogées, sur leurs attitudes et sur leurs perceptions du problème étudié.

Il reste à préciser que la dernière étape est importante, car les gens qui ont consenti à partager leurs opinions et leurs perceptions s'attendent à ce qu'on les tienne au courant des résultats de la recherche. Par ailleurs, les résultats susciteront certaines attentes chez les participants, qui estimeront qu'à partir du moment où la direction sera mise au courant des problèmes de l'entreprise, elle devra les résoudre.

Les interventions technostructurelles

La gestion par objectifs

Dans l'ensemble, cette méthode consiste à faire participer les employés à l'établissement des buts de l'entreprise. Cette technique accroît les chances que les objectifs organisationnels et individuels soient atteints. Elle met donc aussi l'accent sur l'épanouissement des employés (Druker, 1954; Odiorne, 1971).

Le processus se déroule en trois étapes:

- Une rencontre a lieu entre le supérieur et son subordonné afin que tous deux discutent des objectifs qui seront fixés;
- Des buts réalisables sont établis;
- Des rencontres ont lieu à des dates déterminées afin d'évaluer les progrès du subordonné et de redéfinir, au besoin, les objectifs fixés et les moyens d'évaluation.

Cette méthode est basée sur le principe que, si une personne participe à la détermination de ce qu'on attend d'elle et qu'elle juge la tâche qu'on lui assigne réaliste, elle consentira à faire les efforts nécessaires pour la réaliser. L'établissement conjoint d'objectifs stimule la motivation des employés et leur permet de sentir que leur rendement est jugé d'une manière équitable. Un des avantages de cette méthode est d'obliger les personnes placées au haut de la hiérarchie à faire leur planification en tenant compte des objectifs globaux de l'organisation. Un autre avantage est de resserrer les liens entre les supérieurs et les subordonnés, et ce, à tous les paliers de l'entreprise. Toutefois, pour que cette stratégie de gestion soit efficace, elle doit avoir l'appui de la haute direction, sinon elle risque d'être perçue par les supérieurs comme une menace à leur autorité.

11.4.3 Les avantages et les inconvénients du développement organisationnel

La pratique du développement organisationnel a connu des hauts et des bas au cours des dernières années. Dans les années 1960, les entreprises ont surtout mis l'accent sur les individus, alors que dans les années 1970, déçues par les résultats de ce type d'intervention, elles ont misé sur la structure organisationnelle. Depuis le début des années 1980, le développement organisationnel vise à concilier les deux approches. Cependant, il ne doit pas être perçu comme une panacée; s'il a des avantages, il a aussi de nombreuses limites.

Le tableau 11.3 montre quelques-unes de ses conséquences sur une entreprise. Golembiewski et ses collaborateurs (1982) ont analysé les rapports

TABLEAU 11.3	Les avantages et les inconvénients du développement organisationnel	
Les avantages	**Les inconvénients**
• Encourage la planification des objectifs à tous les niveaux de l'organisation • Apporte des changements • Augmente la motivation, la satisfaction, la productivité et la qualité du travail • Améliore les résultats d'un travail d'équipe, la résolution de conflits • Rend l'employé responsable de l'atteinte de ses objectifs • Favorise la participation à l'atteinte des objectifs de l'entreprise • Améliore la communication entre supérieurs et subordonnés	• Requiert beaucoup de temps et d'argent • Impose des valeurs du haut de l'organisation vers le bas • Peut se solder par un échec ; difficile d'en évaluer les résultats • Peut entraîner l'invasion de l'entreprise dans la vie privée de l'individu ; peut produire des malaises psychologiques

de 574 interventions effectuées de 1945 à 1982 ; ils estiment que, dans plus de 80 % des cas, celles-ci ont eu des effets positifs, alors qu'un effet négatif a été noté dans 8 % seulement des cas. Donc, dans l'ensemble, on peut affirmer que le développement organisationnel a un effet positif sur des types d'organisations très variés.

11.5   La culture organisationnelle

La culture organisationnelle est définie par Aktouf (1990) comme un ensemble de croyances, de valeurs et de normes partagées par les membres d'une organisation. Elle donne aux employés et aux dirigeants d'une entreprise un sentiment d'appartenance en leur permettant d'adhérer à une vision commune de l'organisation et à des normes constituant des modèles de comportement.

Autrement dit, la culture d'une organisation est sa façon particulière de penser et de faire les choses.

EN PRATIQUE...

La culture d'entreprise et le changement

À l'occasion de changements importants, vous devrez instaurer une pratique sensiblement différente de celle qui a existé jusqu'ici, et vous mettrez en place des modifications qui peuvent transformer la culture d'entreprise existante. Notez bien que, face aux évolutions envisagées, une résistance interne peut naître et déboucher sur des conflits larvés ou sur des conflits frontaux.

Bien évidemment, plus une culture est forte, plus le niveau de résistance sera élevé.

Le premier acte est d'examiner l'ensemble des caractéristiques de la culture d'une entreprise avant de lancer un projet conséquent de changement, à savoir :

- les croyances ;
- les valeurs dominantes ;
- les mythes ;
- les rites ;
- les comportements induits par la culture ;
- l'écart entre croyances et comportements ;
- les principes instaurés ;
- les éléments de déviance par rapport à la culture dominante, les sous-cultures ;
- les modes de transmission de la culture ;
- etc.

Ensuite, il est important d'étudier :
- le système de prise de décision ;
- les formes de circulation de l'information et la communication ;
- le système de management ;
- les niveaux de performance et leur évaluation ;
- les modes de stimulation de la motivation et le niveau actuel de motivation des agents ;
- le travail des équipes ;
- les formes de leadership, le repérage des leaders négatifs et positifs ;
- les modes habituels d'introduction des changements.

Dans le cas où les changements envisagés ne coïncident pas avec la culture, la direction et l'équipe de projet doivent réfléchir aux conséquences possibles :
- soit adapter le projet à la culture ambiante en le faisant évoluer ;
- soit accepter de modifier des éléments de la culture pour qu'elle soit plus cohérente avec le nouveau système. Il est fondamental de mesurer alors les difficultés à affronter, le temps qui sera nécessaire pour effectuer ce mouvement, les leviers de stimulation pour lancer ces modifications, repérer les défauts et les risques que fait porter la culture actuelle sur l'entreprise pour les mettre en évidence et inciter au changement.

Source : Adapté de Pastor (2005).

11.5.1 Les éléments de la culture organisationnelle : le modèle de Schein

Selon Schein (1985), la culture organisationnelle opère essentiellement sur deux niveaux (voir la figure 11.5) :

1. À un niveau « implicite » ou invisible, qui constitue la manière de penser (les postulats de base et les valeurs) sur laquelle se fonde l'entreprise ;

2. À un niveau « explicite » ou observable, qui constitue ce que l'entreprise fait (les **artéfacts culturels**), représente ou semble représenter.

Les trois éléments principaux (les postulats de base, les valeurs et les artéfacts culturels) de la culture organisationnelle sont comparables à un iceberg. Le niveau implicite (les postulats de base et les valeurs) représente les éléments culturels les plus fondamentaux, qui sont toutefois invisibles (ils

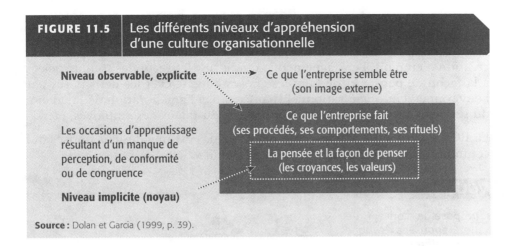

FIGURE 11.5 | Les différents niveaux d'appréhension d'une culture organisationnelle

Niveau observable, explicite ┄┄➤ Ce que l'entreprise semble être (son image externe)

Ce que l'entreprise fait (ses procédés, ses comportements, ses rituels)

Les occasions d'apprentissage résultant d'un manque de perception, de conformité ou de congruence

La pensée et la façon de penser (les croyances, les valeurs)

Niveau implicite (noyau)

Source : Dolan et Garcia (1999, p. 39).

seraient sous la surface de l'eau). Le niveau explicite (les artéfacts culturels) représente les éléments visibles de l'iceberg (voir la figure 11.6).

Les postulats de base

Les postulats de base constituent le niveau implicite, donc le plus profond de la culture organisationnelle ; c'est sur eux que reposent les valeurs communes et les artéfacts culturels. Ils représentent essentiellement des réalités « inconscientes » et, de ce fait, sont des vérités admises et partagées par tous les membres de l'organisation. Par exemple, le respect du pouvoir légitime constitue un postulat de base dans le cas des forces armées canadiennes.

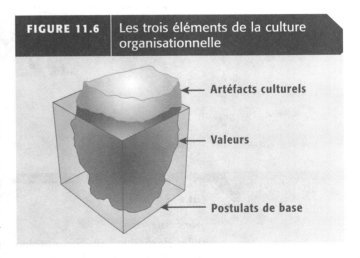

FIGURE 11.6 | Les trois éléments de la culture organisationnelle

← **Artéfacts culturels**

← **Valeurs**

← **Postulats de base**

Les valeurs

Toujours au niveau implicite, mais plus près de la « surface de l'eau », se situent les valeurs communes partagées par les membres de l'organisation. Selon le professeur Milton Roach, de l'Université du Minnesota, une valeur se définit comme la conviction ou la croyance, constante dans le temps, qu'une certaine conduite est préférable à une autre. Les membres d'une entreprise découvrent généralement avec le temps les valeurs communes ou en sont informés, et ils sont conscients de leur importance. Ces valeurs sont habituellement véhiculées par les gestionnaires.

Parfois, on perçoit une incohérence entre le discours que tiennent les gestionnaires et leur comportement. En d'autres mots, il peut exister une divergence entre les valeurs qu'ils prônent et celles qu'ils mettent en pratique. Cela entraîne l'insatisfaction et la démotivation de certains employés, et leur fait perdre le désir de s'impliquer.

Les valeurs d'une organisation peuvent être classées en deux catégories : les valeurs de base et les valeurs opérantes. Les premières sont relatives à la raison d'être d'une entreprise (par exemple, la réalisation de profits, la création d'emplois, l'enseignement), tandis que les secondes sont associées à la façon de penser et de faire les choses pour relever les défis posés par l'environnement organisationnel (par exemple, l'amélioration de la qualité du service, l'innovation, le développement du talent des employés, etc.).

La BCE inc. (compagnie mère de Bell Canada) est une des entreprises qui communiquent efficacement leur système de valeurs.

LE SAVIEZ-VOUS ?

Chris Argyris (1971) a proposé le concept de « valeurs épousées ». Le mot « épousées » évoque l'idée d'un engagement moral affirmé publiquement et solennellement. Pour certains, l'engagement théorique se transforme souvent dans la vie en quelque chose de totalement différent, pouvant influencer leur comportement.

EN PRATIQUE...

BCE

Nos valeurs

Elles s'expriment chaque jour dans chacun de nos bureaux et à chacune de nos rencontres avec nos clients. Elles nous démarquent de nos concurrents. Elles sont essentielles pour que nous demeurions le chef de file du secteur des communications.

Intégrité

L'employé qui incarne l'intégrité comprend l'importance de l'équité, de l'honnêteté et d'une éthique sans compromis. Cela implique qu'il a conscience que BCE constitue un élément important de notre communauté, et que les intérêts supérieurs de l'entreprise sont liés aux intérêts supérieurs de la communauté.

Accomplissement personnel

L'employé qui incarne l'accomplissement personnel reconnaît que les gens ont besoin de s'épanouir en tant qu'êtres humains, d'élargir leurs horizons et de relever de nouveaux défis. Il se fait le champion de ses collègues, favorisant leur épanouissement personnel et appuyant leurs activités de formation et de perfectionnement. Il s'occupe aussi activement de son propre perfectionnement et cherche constamment à relever de nouveaux défis.

Excellence

L'employé qui incarne l'excellence mène invariablement ses projets et ses tâches à bien. Il établit la norme de rendement tout en cherchant sans cesse à s'améliorer.

Travail d'équipe

L'employé qui incarne le travail d'équipe place le succès de son groupe au-dessus de son succès personnel. Il prend le temps de contribuer à l'élaboration et à la compréhension des objectifs ainsi que de la stratégie de son équipe, et aide ses collègues afin que, tous ensemble, ils atteignent leurs objectifs. Pour cet employé, l'esprit d'équipe est important non seulement dans son service, mais aussi dans l'ensemble de l'entreprise et des membres du groupe BCE.

Esprit d'innovation

L'employé qui incarne l'esprit d'innovation reconnaît que le monde des télécommunications évolue trop rapidement pour pouvoir se reposer sur les solutions d'hier. Il possède une aptitude exceptionnelle à voir au-delà des évidences et à proposer des idées nouvelles et productives, ainsi que la capacité à les faire comprendre et accepter. Débordant d'énergie et réfléchissant constamment, il est fier de communiquer ses idées pour en faire bénéficier son entourage.

Fidélité à la clientèle

L'employé qui suscite et développe de façon durable un sentiment de loyauté chez les clients crée ainsi des liens indéfectibles entre eux et le groupe BCE. Il place leur satisfaction au sommet de ses priorités, forgeant des relations solides avec eux et devenant une partie intégrante de leur réussite.

Source : Dolan et Garcia (1999, p. 43).

Les artéfacts culturels

Certains éléments de la culture d'une entreprise peuvent être observés, développés et implantés au moyen de divers mécanismes nommés « artéfacts culturels ». Ceux-ci représentent un moyen particulièrement efficace de faire connaître aux acteurs (autant internes qu'externes) la nature de la culture organisationnelle. Ils comprennent :

- les rituels : des célébrations collectives et des réunions ; la reconnaissance publique des réalisations ;
- les symboles : les logos, les bâtiments, les uniformes ;
- le langage : des concepts techniques, des slogans, des expressions ou des mots particuliers fréquemment utilisés, des sobriquets, un jargon professionnel et des réunions ;
- les légendes, les mythes et les héros de l'organisation : les événements spectaculaires et marquants de l'entreprise, des histoires particulières concernant les fondateurs ou les personnalités de l'histoire de l'organisation, etc.

11.5.2 Les trois niveaux de la culture organisationnelle : le modèle de Pastor [1]

Selon Pastor (2005), une culture d'entreprise a trois niveaux. L'ensemble d'éléments qui exprime les valeurs communes, les principes d'actions, les croyances de l'entreprise constituerait, selon Lundberg (1990), le niveau

---

1. Adapté de Pastor (2005).

La synergie culturelle

La **synergie culturelle**, en tant que façon de gérer l'incidence de la diversité culturelle, se définit comme un processus au cours duquel les gestionnaires élaborent des politiques et des pratiques organisationnelles qui reposent sur les modèles culturels de chacun des membres et des clients de l'organisation, sans toutefois s'y limiter. Des sociétés synergiques sur le plan culturel créent de nouveaux modèles de gestion et d'organisation qui transcendent les cultures personnelles de leurs membres. Cette façon de faire reconnaît à la fois les similitudes et les différences entre les nationalités qui composent une organisation multiculturelle, et propose que la diversité culturelle ne soit ni laissée de côté ni sous-estimée, mais qu'elle soit plutôt considérée comme une ressource utile pour l'organisation et la croissance d'une entreprise (Adler, 1980).

Un ensemble d'hypothèses, qui diffèrent des hypothèses communes sur l'interaction interculturelle dans des milieux de travail, constitue le fondement de la synergie culturelle (Adler, 1983). En premier lieu, il y a l'*homogénéité*, ou la conviction que tous les gens sont sensiblement pareils, tandis que la synergie culturelle suppose l'*hétérogénéité*. L'approche axée sur la synergie prétend que nous ne sommes pas tous pareils, que de nombreux groupes culturels existent au sein de la société et que chacun conserve son caractère distinct. L'image d'une société multiraciale plutôt qu'homogène sous-tend l'approche axée sur la synergie. En deuxième lieu, si l'hypothèse la plus répandue veut que les similitudes prévalent sur les différences entre les gens, la synergie culturelle met similitudes et différences sur un pied d'égalité. En troisième lieu, si on croit communément que seule sa propre façon de vivre et de travailler est la bonne (étroitesse d'esprit), la synergie culturelle revendique l'*égalité des fins*, soit l'existence de nombreuses façons, toutes aussi bonnes les unes que les autres (*égalité*) de parvenir à une même fin (*finalité*) et qu'aucune culture n'est fondamentalement supérieure à une autre. En dernier lieu, si la majorité des gens sont, dans une certaine mesure, ethnocentriques (croient que leur manière de vivre et de travailler est la meilleure), l'approche axée sur la synergie repose sur la *contingence culturelle*, qui veut que la meilleure façon de faire dépende de la culture des personnes concernées.

Source : Adapté de Adler (2002).

manifeste de la culture d'entreprise en surface. À ce niveau, la culture d'entreprise a ses vecteurs d'expression : ses mythes, ses héros, ses tabous, ses symboles, ses rites, ses particularités langagières, etc.

Les mythes sont des « récits phares » de l'histoire de l'entreprise, souvent construits autour du ou des héros qui ont présidé aux destinées de l'entreprise, ou qui ont eu un rôle décisif à un tournant de son histoire. Ces histoires transmettent toujours les valeurs clés de l'entreprise : l'esprit créateur, l'esprit de recherche, la générosité, ou le sens de l'anticipation, etc. Elles expliquent de façon quasi métaphorique les événements fondamentaux, les pratiques de l'entreprise et les valeurs essentielles.

L'entreprise a aussi ses symboles : son drapeau, son logo, ses slogans qui représentent son image. Ce sont des signes empreints d'information. Ce sont avant tout des signes d'identité, donc des signes de différenciation d'autres entreprises. Mais un certain nombre de symboles, en usage interne, permettent d'établir des distinctions entre les membres de l'organisation : la voiture de fonction du cadre, la place de stationnement réservée, le cellulaire ou l'ordinateur portable, etc.

Les rites et cérémonies ont également un usage interne. Ils scellent l'appartenance à l'organisation. Ils sont le ciment de la culture d'entreprise.

Ils sont pratiqués à l'occasion d'une mutation, de l'accession à un poste élevé, d'un départ à la retraite, etc. Mais les rites ont également une fonction plus quotidienne qui consolide les relations des membres de l'entreprise : notamment le rite du café ou de la tasse de thé pris ensemble. C'est l'occasion de développer des relations moins formelles, moins hiérarchisées, de rencontrer l'autre différemment, bref, d'instaurer une confiance de groupe ou d'équipe.

Si vous êtes nouveau dans une entreprise, vous devez observer ces rites et tenter de les interpréter.

Les particularités langagières sont souvent liées au secteur d'activité de l'entreprise. Ce sont des termes techniques, mais pas exclusivement. Ces mots et leur utilisation servent de base à une sorte d'initiation. Les membres « installés » dans l'entreprise pratiquent cette « langue », et les nouveaux arrivants doivent l'assimiler pour pouvoir être considérés comme intégrés.

Le deuxième niveau serait le niveau stratégique, constitué par les différentes approches et les différents styles que l'entreprise souhaite voir adopter par ses membres. Ce niveau stratégique serait formé par l'ensemble des croyances que l'équipe dirigeante aurait élaboré autour de la vision stratégique, des attentes du marché, des contraintes et des systèmes internes en œuvre dans l'entreprise.

Enfin le dernier niveau, que l'on pourrait qualifier de noyau dur, engloberait les valeurs profondes et fondamentales, l'idéologie sous-jacente, les suppositions communes. Ces éléments présideraient à la construction d'une vision commune de la nature humaine, du monde et du travail. Ce niveau aurait pour fonction de cimenter les constituants de la culture d'entreprise et de lui donner son unité de fond.

11.5.3 Les interventions relatives à la culture organisationnelle

Il arrive parfois que les gestionnaires désirent transformer la culture de leur entreprise ou la revitaliser en favorisant des valeurs qui élimineront des attitudes et des comportements dysfonctionnels tels que la méfiance, le cynisme, l'agressivité, la conformité, l'apathie, le manque d'initiative, les comportements discrétionnaires, la dissimulation des erreurs commises, l'inadéquation des suivis, l'incapacité à déléguer ou à planifier. Parfois, un changement culturel équivaut à la mutation d'une mentalité fondée sur les postulats de base traditionnels d'une industrie ou d'un secteur particulier (voir le tableau 11.4, à la page suivante).

Comment transformer la culture organisationnelle

Il est indéniable que les cultures évoluent. Selon Burnes (2004), aucune culture organisationnelle n'est statique ; lorsque les facteurs externes et internes qui influent sur la culture changent, celle-ci suit forcément. Comme la culture est ancrée dans les croyances, les valeurs et les normes de chaque employé d'une organisation et qu'il est difficile de modifier ces concepts, le changement culturel institutionnel se fait lentement, à moins que

TABLEAU 11.4	Un exemple de changement culturel dans le secteur de la santé	
La situation antérieure	**La situation actuelle**
• Patients-utilisateurs	• Patients-clients
• Traitement d'une maladie	• Promotion d'un comportement sain (hygiène)
• Approche bioclinique	• Approche biopsychologique
• Contrôle des gestionnaires	• Rôle de guide des gestionnaires
• Manque total de confiance entre l'administration et les professionnels de la santé	• Collaboration entre l'administration et les professionnels de la santé ; confiance mutuelle
• Philosophie bureaucratique	• Philosophie entrepreneuriale
• Relations distantes	• Relations chaleureuses
• Changement vu comme une menace	• Changement perçu comme une occasion
• Structure hiérarchique	• Structure horizontale
• Gestion par directives	• Gestion par objectifs
• Gestion par objectifs	• **Gestion par valeurs**

Source : Adapté de Dolan et Garcia (1999).

des circonstances extrêmes ne viennent précipiter les choses (Boddy et Buchanan, 2002 ; Brown, 1995 ; Schein, 1985). L'intervention en matière culturelle repose sur l'idée que la culture organisationnelle est un élément tangible et qu'elle peut donc être changée. Dans certains cas, elle peut être modifiée pour faciliter l'implantation de plans stratégiques. Il existe plusieurs façons d'intervenir. On peut changer une culture inadéquate, la reconstruire, l'adapter ou la modeler. Deal et Kennedy (1982) proposent le recours à l'intervention culturelle dans trois types de cas :

1. Lorsque l'environnement change rapidement (industrie compétitive) ;

2. Lorsque l'entreprise évolue rapidement (si elle est en forte croissance ou si elle est sur le point de devenir un chef de file) ;

3. Lorsque l'entreprise connaît une situation difficile ou très difficile.

Un changement culturel peut provoquer des résistances plus ou moins fortes. Puisqu'il touche quelque chose d'aussi fondamental que les valeurs et les attitudes des personnes concernées, il risque de susciter beaucoup d'opposition. Hobbs et Poupart (1988) soutiennent que «l'individu ne change pas de personnalité comme il change de chemise, et l'organisation ne change pas de culture aussi facilement qu'elle remplace ses machines à écrire».

Le premier moyen de modifier une culture consiste à intervenir directement sur le plan culturel. Selon Deal et Kennedy (1982), l'organisation doit d'abord se trouver un «champion»; celui-ci redéfinira le système de valeurs de l'entreprise, son objet, son *credo* et sa propagande. Il agira d'une manière exemplaire et, ce faisant, il gagnera le soutien du réseau culturel, dans lequel il fera circuler les mythes et les symboles appropriés. Il ritualisera progressivement de nouveaux comportements et en assurera la stabilité. Il désignera d'autres champions pour amplifier son action.

Un deuxième moyen consiste à agir sur certains aspects de l'organisation tels que sa structure, son savoir-faire et ses pratiques de gestion. Puisque tous ses sous-systèmes sont interdépendants, une action sur l'un d'eux aura des répercussions sur sa culture. Décentraliser l'autorité, lier plus étroitement le salaire au rendement individuel (changer le système de rémunération) et créer des groupes de projets ne sont que quelques mesures permettant de changer indirectement une culture organisationnelle.

Certaines pratiques de gestion peuvent être adaptées de manière à influencer l'évolution de la culture d'une entreprise. Ainsi, certains chercheurs mentionnent une « gestion culturelle des ressources humaines » (Belle, 1992). L'étude de la culture organisationnelle soulève des questions importantes qui influent sur la façon dont la gestion des ressources humaines (GRH) est planifiée et exécutée. Par exemple, quels types d'individus faut-il recruter ? Quelles devraient être les composantes du programme de formation d'une entreprise ? Quels projets du service des ressources humaines devraient être inclus à l'intérieur du plan organisationnel ?

Afin de montrer à quel point les activités de GRH sont touchées par la culture, nous présentons brièvement quelques pratiques et politiques de gestion susceptibles d'être utiles dans un contexte de transformation culturelle.

La sélection du personnel

Dans un contexte de transformation culturelle, les futurs employés doivent être sélectionnés en fonction de leurs capacités techniques et aussi de certaines valeurs. Les valeurs désirées doivent être repérables et claires pour les gestionnaires chargés du recrutement. Des instruments valides permettant de mesurer l'harmonie entre les valeurs personnelles d'un candidat et celles de l'entreprise doivent être mis au point.

L'accueil

Le succès de l'intégration d'un nouvel employé dans l'entreprise dépend du climat psychologique et culturel ambiant. Les mesures d'**accueil** peuvent viser à lui apprendre les valeurs et les représentations propres à l'organisation, donc à faciliter son adaptation à celle-ci.

L'évaluation de la performance des employés et la reconnaissance de leurs efforts

L'appréciation de leur performance permet aux employés de savoir ce qu'on attend d'eux ; elle les incite aussi à se conformer aux normes et aux attitudes qu'impose la culture organisationnelle. L'entreprise peut définir les comportements qu'une personne doit avoir lorsqu'elle occupe un poste donné et procéder à des évaluations en fonction de ces critères. Cela donne au personnel une bonne connaissance du monde dans lequel il doit entrer et le pousse à s'y conformer. De plus, le système d'évaluation permet aux supérieurs et à leurs subordonnés de se rapprocher et leur donne l'occasion de s'exprimer et de communiquer. C'est ainsi que l'évaluation devient un genre de rituel qui encourage l'adhésion.

S'inspirant du travail d'un grand nombre de chercheurs, Cummings et Worley (2001) ont établi six étapes « pratiques » associées à la réussite d'un changement de culture.

La définition d'une vision stratégique claire. Un changement culturel efficace doit reposer sur une vision claire de la nouvelle stratégie de l'entreprise, des valeurs communes et du comportement requis pour en assurer le succès. La vision définit le but et l'orientation du changement culturel.

L'engagement de la haute direction. Le changement culturel doit être géré par la haute direction de l'organisation. Les dirigeants et les cadres supérieurs doivent croire fermement aux nouvelles valeurs et à la nécessité d'exercer des pressions constantes pour générer le changement.

Le reflet du changement culturel dans les actions de la haute direction. La nouvelle culture doit se refléter dans les actions des cadres supérieurs. Les comportements de ceux-ci doivent traduire le type de valeurs et de conduites recherchées.

La modification de l'organisation pour soutenir les changements organisationnels. Le changement de culture doit être accompagné de modifications à la structure organisationnelle, aux systèmes de ressources humaines, d'information et de contrôle de même qu'au style de gestion, cela afin d'aider les gens à se comporter conformément à la nouvelle culture.

La sélection et l'intégration des nouveaux venus et le licenciement des personnes au comportement déviant. L'une des méthodes les plus efficaces pour changer une culture consiste à modifier l'effectif de l'organisation. Les nouveaux employés peuvent être sélectionnés en fonction de leur compatibilité avec la nouvelle culture et devraient être informés des attitudes et des comportements attendus. Le personnel déjà en place qui ne peut s'adapter aux nouvelles méthodes peut être licencié, notamment par l'entremise de programmes de retraite anticipée. L'adaptation est particulièrement importante au niveau des principaux postes de direction, car les actions des dirigeants peuvent avoir une incidence profonde sur l'adoption ou le rejet des nouvelles valeurs et conduites.

L'acquisition de connaissances relatives à l'éthique et au droit. La plupart des programmes de changement culturel tentent de promouvoir les valeurs axées sur l'intégrité, le sentiment de contrôle, le traitement équitable et la sécurité d'emploi des membres du personnel. Cependant, si l'une des étapes nécessaires au changement de culture consiste à remplacer des employés déjà en place, le processus risque non seulement de transmettre le mauvais message aux nouveaux employés et à ceux qui restent mais, selon la façon dont le nouveau personnel est sélectionné, il pourrait également entraîner une transgression des lois régissant l'emploi. Par conséquent, les organisations doivent être particulièrement conscientes de ces écueils éthiques et juridiques.

Source : Adapté de Cummings et Worley (2001, p. 509-511).

11.5.4 L'analyse biculturelle et les stratégies de fusion d'entreprises de cultures différentes

Le monde des affaires abonde d'exemples de fusions qui ont échoué ou qui ont eu du mal à voir le jour en raison d'un conflit de cultures organisationnelles. Les dirigeants d'entreprise peuvent réduire les affrontements au minimum et honorer leur obligation de diligence raisonnable en menant une **analyse biculturelle**. Le but de l'analyse biculturelle est d'étudier les similitudes et dissemblances culturelles entre les entreprises et de déterminer dans quelle mesure des différends culturels risquent de survenir (Marks, 1999 ; Schein, 1999 ; Fedor et Werther, 1996).

L'analyse biculturelle commence par des entrevues, des questionnaires, des groupes de discussion et des séances d'observation visant à cerner les différences culturelles entre les entreprises qui fusionnent. Cette première étape comprend un examen consciencieux des façons de fonctionner de chaque organisation — aménagement des locaux, mode de facturation des clients, processus décisionnel, échange d'information, etc. Ensuite, les données de l'analyse biculturelle sont étudiées afin de cibler, d'une part, les différences entre les deux sociétés qui peuvent donner lieu à des conflits et, d'autre part, les valeurs qu'elles ont en commun et qui pourront servir d'assises à la nouvelle organisation fusionnée. La dernière étape de l'analyse consiste à définir des stratégies et à préparer des plans d'action pour rapprocher les deux cultures.

Les stratégies pour fusionner des cultures d'entreprises

Dans certains cas, les résultats de l'analyse biculturelle peuvent conduire à mettre fin au processus de fusion en raison d'écarts trop importants entre les deux cultures (Smith, 2000 ; Malekazedeh et Nahavandi, 1990). Mais les résultats de l'analyse peuvent aussi conduire à l'adoption d'une stratégie de fusion des deux cultures. Les quatre principales stratégies utilisées pour fusionner des cultures organisationnelles différentes sont l'assimilation, la **déculturation**, l'intégration et la **séparation**.

L'assimilation

L'assimilation se produit lorsque les employés de la société acquise adhèrent volontairement aux valeurs culturelles de l'organisation acheteuse. L'assimilation est généralement possible lorsque la culture de l'entreprise acquise est faible et dysfonctionnelle tandis que celle de la société absorbante est forte et centrée sur des valeurs clairement définies. L'opposition culturelle est rare dans le cas de l'assimilation, parce que la culture de l'entreprise acquise est faible et que ses employés sont à la recherche de meilleures solutions.

La déculturation

L'assimilation est rare. Les employés s'opposent généralement au changement organisationnel, plus particulièrement lorsqu'ils doivent délaisser des valeurs personnelles et culturelles. Dans de pareils cas, certaines entreprises absorbantes mettent en œuvre une stratégie de déculturation ; elles imposent leur culture et leurs pratiques commerciales à l'entreprise acquise. La société acheteuse élimine les façons de fonctionner et les systèmes de récompense qui sous-tendent l'ancienne culture. Les employés qui ne parviennent pas à s'adapter à la culture de la société absorbante sont souvent mis à pied.

La déculturation peut se révéler nécessaire quand la culture de la société acquise ne convient pas, mais que les employés n'en sont pas convaincus. Cependant, cette stratégie est rarement fructueuse parce qu'elle accroît le risque de conflit socio-affectif. Les employés de la société acquise rejettent les intrusions culturelles de la société absorbante, ce qui a pour effet de retarder ou de compromettre la fusion.

L'intégration

Une troisième stratégie vise à intégrer les cultures des deux entreprises, en combinant les deux cultures ou plus en une culture mixte qui garde les meilleures caractéristiques de chacune. L'**intégration** est un processus lent pouvant même être risqué en raison des nombreuses forces qui cherchent à préserver les cultures existantes. Cependant, cette stratégie peut être envisagée quand les entreprises ont des cultures relativement faibles ou plusieurs valeurs en commun. L'intégration donne les meilleurs résultats lorsque les gens prennent conscience de l'inefficacité des cultures en place et sont, par conséquent, motivés à adopter un nouvel ensemble de valeurs dominantes.

La séparation

Les entreprises qui fusionnent acceptent de demeurer des entités distinctes et d'échanger le minimum de pratiques organisationnelles. Cette stratégie convient le mieux quand deux entreprises qui fusionnent sont issues d'industries non apparentées et sont exploitées dans des pays différents, car les valeurs culturelles ont tendance à diverger selon le type d'industrie et la culture nationale. Des cadres organisationnels distincts au sein d'une organisation peuvent également conduire à la stratégie de séparation. Par exemple, certaines sociétés du secteur de l'énergie se sont divisées en deux entités distinctes — l'une œuvrant dans le secteur des services publics, qui progresse lentement, et l'autre, dans les secteurs instables de l'exploration et du commerce, qui adhèrent à une culture différente.

CONCLUSION

Les concepts de changement et de développement organisationnels sont intimement liés. La nécessité d'apporter un changement peut découler de certains facteurs internes ou externes, mais celui-ci s'opère toujours à l'intérieur même de l'entreprise par l'intermédiaire du développement organisationnel.

Quand certains employés prennent conscience d'une volonté de changement, ils tendent à s'y opposer. Leur résistance a différentes causes. Toujours est-il qu'offrir des séances de formation, des possibilités de promotion et de participation aux processus de changement sont des moyens de lutter contre les réticences. Pour opérer un changement avec succès, l'instigateur doit connaître les trois étapes du processus : dégel, transformation et gel.

Quel que soit le type de changement, son importance et les caractéristiques de chaque personne concernée, l'adaptation au changement est un processus qui passe par quatre étapes : le choc, la remise en question, l'engagement et l'appropriation.

Dans sa mise en œuvre, l'intervention en développement organisationnel doit respecter des étapes et tenir compte de facteurs tant humains que technostructurels. Si elle se veut une solution à un problème, elle ne comporte pas que des avantages sur les plans de la satisfaction, de la motivation, de la productivité, de la qualité de vie au travail, etc. ; elle entraîne des coûts parfois substantiels et un investissement de temps considérable, et elle n'est pas toujours couronnée de succès.

La culture organisationnelle est définie comme l'ensemble des croyances, des valeurs et des normes partagées par les membres d'une entreprise. Comme un iceberg, elle comporte deux niveaux : un niveau implicite (les postulats de base et les valeurs, qui correspondent aux éléments culturels), qui représente la partie immergée de l'iceberg, et un niveau explicite (les artéfacts culturels), qui représente les éléments visibles et tangibles de l'iceberg.

Il arrive parfois que les gestionnaires désirent transformer les croyances et les valeurs d'une organisation, voire sa culture. Celle-ci peut être modifiée grâce à certaines pratiques de gestion. La sélection des employés, l'accueil qui leur est réservé, la formation et l'évaluation de leur rendement peuvent renforcer ou modifier une culture organisationnelle.

Six étapes « pratiques » peuvent permettre la réussite d'un changement de culture : la définition d'une vision stratégique claire, l'engagement de la haute direction, le reflet du changement culturel dans les actions de la haute direction, la modification de l'organisation pour soutenir les changements organisationnels, la sélection et l'intégration des nouveaux venus et le licenciement des personnes au comportement déviant, et l'acquisition de connaissances relatives à l'éthique et au droit.

Une analyse biculturelle a pour but d'étudier les similitudes et les dissemblances culturelles entre les entreprises qui souhaitent fusionner et de déterminer dans quelle mesure des différends culturels risquent de survenir. Dans certains cas, les résultats de l'analyse biculturelle mettront fin au processus de fusion en raison des écarts trop importants entre les deux cultures ; dans d'autres cas, ils permettront d'adopter une stratégie de fusion des deux cultures. Les quatre principales stratégies utilisées pour fusionner des cultures organisationnelles différentes sont l'assimilation, la déculturation, l'intégration et la séparation.

1. Définissez ce qu'est un changement organisationnel et décrivez son rôle en ce qui a trait à la survie de l'organisation.

2. Il existe quatre causes de résistance aux changements ; nommez-les et discutez de l'interrelation pouvant exister entre elles.

3. Dans le cas de l'informatisation d'un poste de travail, quels pourraient être les signes précurseurs d'une résistance au changement ?

4. Décrivez le processus de changement tel que le définit Kurt Lewin, et discutez de l'efficience de ce modèle par rapport aux autres modèles présentés dans ce chapitre.

5. Quelles sont les caractéristiques fondamentales du développement organisationnel et à quelle(s) dimension(s) de l'organisation s'attaque-t-il directement ?

6. Quel lien unit le changement organisationnel et le développement organisationnel ? Est-il possible d'opérer un changement à l'extérieur d'un processus de développement organisationnel ? Précisez votre réponse.

7. Définissez le concept de culture organisationnelle. Expliquez en quoi celle-ci est comparable à un iceberg.

8. Expliquez comment deux pratiques de gestion peuvent favoriser une intervention culturelle dans une organisation.

Analysez votre perception du changement

Nous avons tous une perception différente du changement. Songez à une situation à laquelle vous devez actuellement faire face, à l'école, au travail ou sur le plan personnel, et qui vous oblige à modifier sensiblement votre attitude ou votre comportement. Évaluez vos sentiments à l'égard de ce changement à l'aide des échelles ci-après. Au numéro 1, par exemple, encerclez 0, 2 ou 4 s'il s'agit pour vous davantage d'une menace que d'une occasion à saisir.

1.	Menace	0	2	4	6	8	10	Occasion à saisir
2.	S'accrocher au passé	0	2	4	6	8	10	Se tourner vers l'avenir
3.	Immobilisé	0	2	4	6	8	10	Stimulé à agir
4.	Rigide	0	2	4	6	8	10	Polyvalent
5.	Perte	0	2	4	6	8	10	Gain
6.	Changement dont je suis une victime	0	2	4	6	8	10	Changement dont je suis un agent
7.	Réactif	0	2	4	6	8	10	Proactif
8.	Axé sur le passé	0	2	4	6	8	10	Axé sur l'avenir
9.	Changement dont je suis séparé	0	2	4	6	8	10	Changement auquel je participe
10.	Confus	0	2	4	6	8	10	Clair

Résultats

Faites le total des nombres que vous avez encerclés pour obtenir votre résultat sur 100. Plus ce résultat est élevé, plus vous avez une vision positive du changement.

Source : Traduit et adapté de Woodward et Buchholz (1987, p. 110).

Le changement par l'implantation d'une nouvelle culture organisationnelle

Ce texte a été rédigé par **Guy Claveau,** professeur à l'École de gestion de l'Université d'Ottawa. Il est actuellement membre d'un groupe de professeurs qui appuie un consortium d'universités mexicaines offrant un doctorat interinstitutionnel. Il a réalisé des études pour l'ACDI, l'Organisation des Nations Unies, la Fondation Ford et le ministère Ressources humaines et Développement social du Canada. Il s'intéresse à la gestion dans une perspective interculturelle.

Équipements Saguenay est une entreprise de la région du même nom. Le milieu est connu pour son caractère industriel ; on y trouve, outre Alcan et Hydro-Québec, une industrie des pâtes à papier. En raison du nombre de ses employés, soit de 50 à 55, Équipements Saguenay est classée parmi les entreprises de taille moyenne dans le secteur des vêtements de sécurité industrielle.

Cette entreprise à propriétaire unique a été créée il y a une vingtaine d'années. Elle fabrique des chemises, des pantalons, des protections pour les joints de tuyaux (éléments d'un conduit utilisés pour permettre la circulation des fluides acides dans l'industrie de l'aluminium) et, depuis peu, des uniformes de pompiers. Une liste de plus de 150 produits constitue son catalogue. Le fondateur de l'entreprise, Jean Claude, un homme dynamique et très respecté de son personnel, en majorité féminin, a vendu à sa fille en 2004. Comme entrepreneur, Jean Claude admettait volontiers son incompétence en couture. Les premières années de l'entreprise avaient été couronnées de succès. La direction de la PME reposait sur le sens de la commercialisation et du leadership de son propriétaire, ainsi que sur le savoir-faire et le pouvoir de référence d'une de ses couturières d'expérience. La majorité de ses employées avait été sélectionnée pour ses liens familiaux ou sociaux avec des personnes en place (cousine, sœur, belle-sœur, nièce, résidentes d'un même village, voisines, amies). Les travailleuses ne sont pas syndiquées, mais les conditions de travail de l'entreprise ont toujours été compétitives. Ainsi, les employées ne travaillent pas le vendredi après-midi et sont quand même rémunérées.

La concurrence et la demande s'étant accrues ces derniers temps, l'entreprise a dû faire face à des problèmes de productivité. Il lui a fallu faire de nouveaux investissements en équipement, formation du personnel et agrandissement des surfaces de production et d'entreposage. Ces changements ont coïncidé avec l'arrivée de Nathalie, la fille du propriétaire nouvellement diplômée de l'université et qui a été nommée directrice du personnel et de l'exploitation. Ce poste était occupé auparavant par la contremaîtresse, une personne très respectable. Cette dernière, qui avait jusque-là — et pour cause — beaucoup d'ascendant sur l'ensemble du personnel, a vu son autorité menacée par l'arrivée de la «jeune patronne».

L'objectif de Nathalie était de faire passer le niveau de productivité de 30 à 90 %. Il fallait pour cela introduire une nouvelle technologie, le TSS, utilisé par 50 des 1500 entreprises du secteur de l'industrie textile au Québec. Cette technologie a été mise au point au Japon par Toyota, qui la réservait à la confection des sièges de ses voitures. Le TSS implique que le travail soit exécuté debout, en équipe, que les machines soient disposées en U, et que le contrôle des normes de conformité soit intégré pour assurer la «qualité totale» . Les systèmes connus sous le nom de SMED, Kanban, Pokayoke et de CSP ont les mêmes visées technologiques. Le défi que représentait l'introduction du TSS était élevé. Avec le système utilisé antérieurement, l'employée était assise devant sa machine à coudre et le travail dépendait de ses habiletés. Bien sûr, le personnel a perçu l'introduction de cette nouvelle technologie comme une menace : efficacité signifiait pour lui réduction de poste.

Dans un tel contexte, une stratégie de communication est un instrument indispensable au succès de l'entreprise. Comment faire ? Quoi dire ? Qui consulter ? Le message à transmettre était le suivant : «*Nous devons changer pour survivre*».

La jeune directrice a alors décidé d'aller voir comment procédaient d'autres entreprises. D'un voyage de reconnaissance à Montréal et à Toronto, elle est revenue convaincue que son projet pouvait se réaliser. Elle a donc cherché des volontaires parmi ses employées et leur a assuré l'appui d'un consultant et du temps d'apprentissage. Des équipes de trois personnes ainsi formées pouvaient se réunir à leur guise pour discuter des problèmes éprouvés à tous égards : coordination, habiletés, apprentissage, rythme de production, qualité du travail, prime de rendement, etc. Les coûts de production sont assurés à 80 % de temps de travail. Le bénéfice dû aux quantités produites en surplus est versé aux membres de l'équipe comme prime supplémentaire.

La communication entre les équipières était primordiale. La fabrication d'une veste de pompier se fait en 200 étapes ;

20 % d'entre elles sont consacrées au piquage et 80 %, à la manipulation. La coordination des mouvements devant les neuf machines à coudre mises à la disposition des trois coéquipières en position non stationnaire sur une table en U posait un véritable défi. Le pouvoir de décision des équipes incluait la sélection de leurs membres. La travailleuse qui ne réussissait pas à s'adapter était affectée à d'autres tâches.

Après une année de fonctionnement, le nouveau mode de travail est mis en place et la production a atteint 90 % de sa capacité. La santé des employées s'est grandement améliorée. La fréquence des bursites, problème très courant dans l'industrie et occasionné par la répétition de certains gestes, a diminué de façon notable. L'enrichissement de la tâche, qui a favorisé la variété des mouvements, a contribué à cette baisse. Quinze nouveaux emplois ont été créés. En 2004, Nathalie est devenue la nouvelle propriétaire d'Équipements Saguenay. Ayant implanté dans la PME le système modulaire avec succès, son leadership est reconnu par les employées, les clients et les fournisseurs. Son nouveau défi est le suivant : développer (a) un système d'information (bon de commande) de façon à être informée instantanément des besoins de ses clients, (b) restructurer le service de distribution pour livrer rapidement en établissant le code à barre (c) adapter le design et la coupe de façon à répondre «juste à temps» à la demande. La stratégie de gestion adoptée dans ce contexte se caractérise par le renforcement des équipes de travail (ambiance, formation), la souplesse de la chaîne de production afin de la rendre apte à sortir des quantités variables de vêtements (chemises, pantalons, manteaux etc.), l'investissement constant dans l'équipement de pointe, la formation et la gestion prévisionnelle des approvisionnements de fournisseurs spécialisés dans les tissus de sécurité industrielle.

Questions

1. Quelles sont les formes de résistance au changement chez les employées d'Équipements Saguenay? Quelles seraient les causes principales de résistance?

2. Quelles stratégies recommanderiez-vous à Nathalie pour contrer la résistance au changement?

Adler, N.J. (1980). « Cultural Synergy : The Management of Cross-Cultural Organization », dans *Trends and Issues in OD : Current Theory and Practice.* San Diego (Calif.), University Associates, p. 163-184.

Adler, N.J. (1983). « Domestic Multiculturalism : Cross-cultural Management in the Public Sector », dans *Handbook on Public Organization Management,* New York, Marcel Dekker, p. 481-499.

Adler, N.J. (2002). *International dimensions of organizational behaviour,* Cincinnati (Ohio), South-Western.

Aktouf, O. (1990). « Le symbolisme et la culture d'entreprise : des abus conceptuels aux leçons du terrain », dans J.-F. Chanlat, *L'individu dans l'organisation : les dimensions oubliées,* Québec, Les Presses de l'Université Laval, p. 553-588.

Argyris, C. (1971). *Management and Organizational Development : The Path from XA to YB,* New York, McGraw-Hill.

Bandura, A. et Walters, R.H. (1963). *Social Learning and Personality Development,* New York, Holt, Rinehart and Winston.

Bandura, A., Jeffrey, R.W. et Wright, C.L. (1974). « Efficacy of Participant Modeling as a Function of Response Induction Aids », *Journal of Abnormal Psychology,* n° 83, p. 56-61.

Bareil, C. (2004). *Gérer le volet humain du changement,* Montréal, Les Éditions Transcontinental.

Belle, F. (1992). « Pour une gestion "culturelle" des ressources humaines », *Gestion,* mai, p. 16-27.

Blake, R.R. et Mouton, J.S. (1961). *The Managerial Grid,* Houston, Gulf Publishing.

Boddy, D. et Buchannan, D. (1992). *Take the Lead : Interpersonal Skills for Change Agents,* Londres, Prentice Hall.

Bosche, M. (1984). « *Corporate Culture :* la culture sans histoire », *Revue française de gestion,* septembre-octobre, n°s 47-48, p. 29-39.

Bouteiller, D. et Guérin, G. (1989). « La philosophie de gestion des ressources humaines : un outil de gestion ? », *Gestion,* mai, p. 20-29.

Brown, A. (1995). *Organizational Culture,* Londres, Pitman.

Burnes, B. (2004). *Managing Change,* 4e éd., Toronto, Pearson Education.

Cardon, A. (2005). *Leadership de transition,* Paris, Éditions d'Organisation.

Cummings, T.G. et Worley, C.G. (2001). *Organizational Development and Change,* 7e éd., Mason (Ohio), South Western College Publishing.

Deal, T.E. et Kennedy, A.A. (1982). *Corporate Cultures : The Rites and Rituals of Corporate Life,* Don Mills, Addison-Wesley Publishing.

Deshpandé, R. et Parasuraman, A. (1986). « Linking Corporate Culture to Strategic Planning », *Business Horizons,* mai-juin, p. 28-37.

Dolan, S.L. et Garcia, S. (1999). *La gestion par valeurs,* Montréal, Éditions Nouvelles.

Druker, P. (1954). *The Practice of Management,* New York, Harper & Row.

Dupuis, J.P. (1990). « Anthropologie, culture et organisation », dans J.-F. Chanlat, *L'individu dans l'organisation : les dimensions oubliées,* Québec, Les Presses de l'Université Laval, p. 533-552.

Dyer, W.G. (1977). *Team Building : Issues and Alternatives,* Reading (Mass.), Addison-Wesley.

Fedor, K.J. et Werther, W.B. (1996). « The Fourth Dimension : Creating Culturally Responsive International Alliances », *Organizational Dynamics,* vol. 25, automne, p. 39-53.

Fisch, R., Weakland, J.H. et Segal, L. (1983). *The Tactics of Change,* San Francisco, Jossey-Bass Publishers.

Golembiewski, R.T., Prochl, C.W. et Sink, D. (1982). « Estimating the Success of O.D. Applications », *Training and Development Journal,* n° 36, p. 86-95.

Guest, R.H., Hersey, P. et Blanchard, K.H. (1986). *Organization Change Through Effective Leadership,* Englewood Cliffs, Prentice Hall.

Handy, C. (1986). *L'Olympe des managers,* Paris, Les Éditions d'Organisation.

Hobbs, B. et Poupart, R. (1988). « L'organisation entrepreneuriale : est-ce possible ? », *Gestion,* septembre, p. 40-48.

Hoffestede, G., Neuijen, B., Ohayv, D.D. et Sanders, G. (1990). « Measuring Organizational Cultures : A Qualitative and Quantitative Study Across Twenty Cases », *Administrative Science Quarterly,* vol. 35, p. 286-316.

Leibowitz, S.J. et De Meuse, K.P. (1982). « The Application of Team Building », *Human Relations,* vol. 1, n° 18.

Lemaitre, N. (1985). « La culture d'entreprise, facteur de performance », *Gestion,* vol. 10, p. 19-26.

Lewin, K. (1948). *Resolving Social Conflicts,* New York, Harper & Row.

Lundberg, C.C. (1990). « Surfacing organizational culture », *Journal of Managerial Psychology,* vol. 5, p. 19-26.

Malekazedeh, A.R. et Nahavandi, A. (1990). « Making Mergers Work by Managing Cultures », *Journal of Business Strategy,* mai-juin, p. 55-57.

Marks, M.L. (1999). « Adding Cultural Fit to Your Diligence Checklist », *Mergers & Acquisitions,* décembre.

McRae, K. (1984). « London Life », *The Human Resource,* octobre-novembre, p. 26-27.

McShane, S.L. (2004). *Canadian Organizational Behaviour,* Toronto, McGraw-Hill Ryerson.

Mintzberg, H. (1983). *Structure in Fives : Designing Effective Organizations,* New Jersey, Prentice Hall.

Odiorne, G.S. (1971). *Personnel Administration by Objectives,* Homewood (Ill.), Richard D. Irwin.

Ouellet, C. et Pellerin, A. (1996). *Réaliser un changement : La dimension humaine du changement organisationnel,* Montréal, Les Publications CFC.

Pastor, P. (2005). *Gestion du changement,* Paris, Éditions Liaisons.

Reynierse, J.H. et Harker, B. (1986). « Measuring and Managing Organizational Culture », *Human Resource Planning,* vol. 9, n° 1, p. 1-8.

Schein, E.H. (1985). *Organizational Culture and Leadership : A Dynamic View,* San Francisco (Calif.), Jossey-Bass Publishers.

Schein, E.H. (1999). *The Corporate Culture Survival Guide,* San Francisco (Calif.), Jossey-Bass.

Sherwood, J.J. (1988). « Creating Work Cultures with Competitive Advantage », *Organizational Dynamics,* vol. 17, p. 5-27.

Smith, K.W. (2000). « A Brand-New Culture for the Merged Firm », *Mergers and Acquisitions,* vol. 35, p. 45-50.

Thévenet, M. (1984). « La culture d'entreprise en neuf questions », *Revue française de gestion,* septembre-octobre, nᵒˢ 47-48, p. 7-22.

Watzlawick, P. (1980). *Le langage du changement,* Paris, Éditions du Seuil.

Watzlawick, P., Weakland, J.A. et Fisch, R. (1975). *Changements : paradoxes et psychothérapie,* Paris, Éditions du Seuil.

Woodward, H. et Buchholz, S. (1987). *Aftershock : Helping People through Corporate Change,* New York, John Wiley & Sons.

CHAPITRE 12

Les réalités modernes du monde du travail

PLAN DU CHAPITRE

Les objectifs d'apprentissage

Dans ce chapitre, le lecteur se familiarisera avec :

- le concept de nouvelle forme d'organisation intégré dans celui, plus englobant, de démocratie industrielle ;

- le lien qui unit la qualité de vie au travail et la productivité organisationnelle ;

- le fonctionnement et le processus d'intégration des nouvelles formes d'organisation du travail les plus courantes ;

- la logique de la gestion fondée sur la qualité totale en fonction du changement de paradigme qu'elle impose ;

- la dynamique du juste-à-temps ainsi que les diverses techniques pour la mettre en place ;

- les notions contemporaines en matière de gestion : la gestion par valeurs, l'intelligence émotionnelle et l'organisation apprenante ;

- l'importance de la dimension humaine dans une philosophie de gestion renouvelée.

Ces dernières années, les changements économiques et sociaux, les cycles de récession prolongés, la mondialisation des marchés et l'intensification de la concurrence ont exercé des pressions sur les organisations, allant jusqu'à compromettre leur compétitivité et mettre en péril leur survie. À partir du milieu des années 1980, on a assisté au renouvellement des conceptions de l'organisation du travail. De nouvelles approches ont vu le jour ; leur raison d'être était de revoir les structures et les méthodes de travail de manière à les adapter aux nouvelles réalités économiques et sociales, et leur finalité était d'améliorer à la fois la qualité de vie au travail et la productivité en proposant une redéfinition du travail centrée sur les objectifs suivants (Dolan et autres, 2001) :

- L'accroissement de la satisfaction au travail en vue de réduire l'absentéisme et la rotation du personnel, et d'augmenter le rendement ;

- L'incitation des employés à participer à la prise de décision pour favoriser leur engagement au sein de l'entreprise ;

- L'amélioration de la qualité des biens ou des services produits afin d'assurer la fidélité de la clientèle et des consommateurs et de demeurer compétitif sur le marché ;

- L'augmentation des niveaux de rendement au travail de manière à assurer la rentabilité de l'organisation, sa compétitivité et sa survie.

Les nouvelles formes d'organisation du travail visent deux objectifs distincts, soit l'augmentation du rendement de l'entreprise par la modification des paramètres de productivité, et l'humanisation des conditions de travail afin de favoriser l'accomplissement personnel. On a toujours cru, chez les tenants de la gestion traditionnelle, que ces deux objectifs organisationnels étaient opposés, voire contradictoires. Ainsi, selon la mentalité d'antan, toute humanisation du travail avait pour conséquence une réduction inévitablement proportionnelle de la productivité.

Aujourd'hui, grâce à l'avancement des connaissances dans les domaines de la psychologie du travail et du comportement organisationnel, la dualité entre productivité et humanisation est abolie et laisse place à une reconsidération du rôle de chacun des acteurs à l'intérieur de la sphère du travail. La reconnaissance du facteur humain dans l'atteinte des objectifs de l'entreprise ravive, entre autres, les discussions sur l'efficacité des divers styles de gestion, l'importance du partenariat organisationnel et la primauté du bien-être des travailleurs.

Les nouvelles formes d'organisation du travail ne sont, en fait, que le prolongement du développement technostructurel des organisations. Comme leur nom l'indique, elles s'attardent particulièrement à l'organisation du travail et, par conséquent, touchent directement la structure organisationnelle et le comportement organisationnel.

Compte tenu de l'importance des nouvelles formes d'organisation du travail dans le monde industrialisé, elles feront l'objet, dans le présent chapitre, d'une synthèse qui constituera, nous l'espérons, un guide et un texte de référence. Par une présentation détaillée des diverses innovations qui font partie de la réalité moderne du monde du travail, nous cernerons les enjeux réels de la redistribution des pouvoirs dans l'organisation en fonction de l'idéal démocratique.

12.1 Les nouvelles formes d'organisation du travail : un aperçu général

Les nouvelles formes d'organisation du travail se définissent comme n'importe quelle forme d'organisation qui prône la *détaylorisation* du travail, c'est-à-dire toute forme qui favoriserait le contrôle des méthodes et des procédés d'exécution des tâches par le salarié lui-même. Ces innovations structurelles se caractérisent par le fait qu'elles procurent flexibilité, enrichissement et compétences aux travailleurs, et ce, grâce à une meilleure communication entre les divers niveaux hiérarchiques.

Les nouvelles formes d'organisation du travail sont de plus en plus présentes en Amérique du Nord. À ce chapitre, près des deux tiers des entreprises canadiennes ont innové d'une manière ou d'une autre entre 1980 et le début des années 1990 (Grant et autres 1997). Face à la mondialisation des marchés et à des difficultés économiques importantes, les organisations se tournent vers ces nouvelles pratiques dans l'espoir de reconquérir ou de stabiliser leur part du marché. Notons cependant que ces pratiques sont plus répandues dans les pays d'Asie (en particulier en Chine et au Japon) et d'Europe (en particulier en Suède et en Allemagne), où elles font presque figure d'institutions (Dolan et autres, 2006).

12.1.1 La structure organisationnelle

La structure organisationnelle reflète la nature des relations qu'entretiennent les individus et les services de par leurs rôles et leurs fonctions à l'intérieur de l'entreprise d'une part, et avec l'environnement externe, d'autre part. Puisque l'environnement évolue, il faut considérer la structure organisationnelle comme un élément dynamique plutôt que statique, et comme un mécanisme d'adaptation susceptible, lui aussi, de se modifier pour favoriser une plus grande efficacité organisationnelle. Mais qu'est-ce qu'une structure efficace ? Pour être efficace, une structure doit contribuer à la réalisation des objectifs avec le minimum de ressources et de conséquences indésirables. En d'autres mots et du point de vue de l'employé, une organisation efficace permet de fonctionner sans gaspillage ou négligence, suscite la satisfaction au travail, définit clairement les champs d'autorité et de responsabilités, autorise une certaine participation au processus de résolution de problèmes, assure la sécurité d'emploi et une certaine position sociale, et procure un salaire aussi élevé que possible (Hall et Tolbert, 2004). Quatre concepts interreliés sont rattachés aux diverses dimensions de la structure ; il s'agit du degré d'autonomie, de la formalisation, de la centralisation et de la complexité.

L'autonomie

Le degré d'autonomie a un lien étroit avec le nombre d'employés placés sous l'autorité d'un même supérieur. Plus ce nombre est grand, plus le degré d'autonomie d'un employé est élevé, et vice versa. Un degré d'autonomie élevé suppose donc une supervision moins directe du supérieur.

Le degré d'autonomie a des répercussions directes sur la structure de l'organisation. En effet, si une entreprise offre à ses employés une grande autonomie plutôt qu'une supervision directe, sa structure prend une forme aplanie. Dans le cas contraire, la structure de l'entreprise est élevée. Chacune de ces formes de structure a ses avantages et ses inconvénients. Ainsi, la structure aplanie favorise l'initiative personnelle et la responsabilisation des travailleurs, tandis que la structure élevée facilite la supervision et permet des relations tangibles entre le supérieur et les employés.

La formalisation

La formalisation consiste à définir par écrit les finalités du travail et les moyens mis en œuvre pour son exécution. Plus une entreprise est formalisée, plus ses rôles et ses tâches font l'objet d'une description détaillée, et plus on y trouve des règles et des méthodes précises.

La formalisation entretient un lien étroit avec la standardisation et la spécialisation du travail. Par le nombre de règles qu'elle impose, la formalisation permet de réduire l'arbitraire et la diversité des comportements. Elle modèle les tâches et les rôles à partir d'un profil type, standardisant ainsi les comportements des personnes affectées aux mêmes tâches. En décrivant précisément les activités, la formalisation donne lieu à la spécialisation des tâches et des individus. Dans ce contexte, aucun employé n'a à accomplir de tâches non prévues dans ses fonctions. En dépit des avantages évidents du contrôle et de la normalisation des actions, la formalisation organisationnelle a pour conséquence de réduire l'autonomie des travailleurs et, de ce fait, d'entraîner une baisse de la motivation et de l'efficacité.

La taille d'une entreprise et son degré de technicité influent sur l'importance de la formalisation. En effet, il semble qu'une organisation de grande taille doive formaliser davantage sa structure pour assurer son bon fonctionnement. Ainsi, dans une organisation où la production est largement automatisée, on aura inévitablement tendance à standardiser, à spécialiser et, donc, à formaliser les activités. Des efforts supplémentaires devront alors être déployés pour contrer l'effet de la technologie ou de la taille de l'entreprise.

La centralisation

La centralisation est liée à la répartition du pouvoir dans l'organisation. Plus le pouvoir de prendre des décisions est partagé, plus la structure est décentralisée ; à l'inverse, plus la prise de décision est concentrée entre les mains de quelques individus, plus la structure est centralisée.

La centralisation a un lien direct avec la délégation d'autorité. Le partage de la prise de décision est évidemment associé à la délégation de l'autorité à des niveaux inférieurs. Plus l'entreprise est décentralisée, plus elle comporte de niveaux hiérarchiques et, par le fait même, d'individus investis d'une autorité quelconque. Il faut toutefois préciser que lorsqu'un cadre hiérarchique délègue une partie de son autorité à ses subalternes afin de favoriser leur participation à la prise de décision, il ne peut leur en confier en même temps la responsabilité. En effet, il demeure responsable des conséquences de sa délégation d'autorité aux yeux de ses propres supérieurs hiérarchiques. Au contraire, dans une entreprise centralisée, un noyau d'employés détient l'autorité tout en partageant les responsabilités. Là encore, le choix de centraliser ou de décentraliser la prise de décision repose sur les valeurs des gestionnaires et leur perception des ressources humaines.

La complexité

La complexité d'une entreprise fait référence au nombre de divisions, de services, et de postes différents dont elle est constituée. Plus l'entreprise comprend un nombre élevé de divisions, plus elle est complexe sur le plan administratif, et inversement.

La division du travail est soit verticale, soit horizontale. La **division verticale du travail** consiste en l'établissement de niveaux hiérarchiques. On distingue facilement trois niveaux hiérarchiques : les gestionnaires supérieurs, les gestionnaires intermédiaires et les gestionnaires de première ligne. Chacun de ces niveaux est assorti d'un degré d'autorité particulier. La **division horizontale du travail** se traduit, quant à elle, par la **départementalisation** ou l'établissement d'unités de travail bien définies. En outre, il convient de faire la distinction entre les cadres hiérarchiques et les cadres conseils (*line/staff*) : les cadres hiérarchiques sont responsables d'activités dites centrales pour l'organisation, comme la production et le marketing, tandis que les cadres conseils agissent à titre d'assistants ou d'experts dans des activités que l'on pourrait qualifier de soutien ou de services, telles que les relations publiques et la comptabilité.

Les quatre dimensions de la structure d'une organisation sont fortement interreliées. Par exemple, le degré d'autonomie influe sur la forme de la structure de l'entreprise, qui influe à son tour sur la complexité de la division verticale. Les nouvelles formes d'organisation du travail définissent de nouveaux agencements structuraux permettant à la fois un meilleur épanouissement des travailleurs et une amélioration de la productivité. Et qui dit nouvelle organisation du travail dit inévitablement redéfinition des paramètres de la structure organisationnelle.

12.1.2 La démocratie industrielle (la gestion participative)

De plus en plus, l'entreprise dépend, pour sa croissance, de sa capacité à entretenir des relations de travail saines. Dans cette optique, une politique valable consiste à faire de l'employé un partenaire à part entière, reconnu par la direction. En effet, lorsque les employés peuvent s'exprimer et participer aux décisions, les conflits tendent à se résoudre à mesure qu'ils émergent. Le principal constat qui se dégage des expériences relatives à la **démocratie industrielle** est qu'elle engendre un climat de travail enrichissant et constructif.

Selon plusieurs auteurs (Dolan et autres, 2006 ; Laflamme, 1983), la démocratie industrielle peut impliquer de nouveaux vouloirs (valeurs, culture, philosophie), de nouveaux savoirs (information, formation), de nouveaux pouvoirs (décisionnel, conseil) et de nouveaux avoirs (profit, propriété). Suivant son niveau d'intégration dans l'organisation, la démocratie industrielle implique une partie plus ou moins importante de ces nouveaux vouloirs, savoirs, pouvoirs et avoirs. Par exemple, si un employé est appelé à effectuer un travail nouvellement enrichi, il devra recevoir de la formation et pourrait même ultérieurement participer aux profits de l'entreprise. Naturellement, plus on laisse de place à ces nouvelles dimensions organisationnelles, plus il est nécessaire de remettre en question les valeurs nourrissant l'antagonisme travail-capital.

Le tableau 12.1 montre un système élaboré en fonction de la participation des employés à la gestion, aux résultats et à la propriété. Les trois modalités de participation sont définies à partir des critères suivants : intensité, positionnement structurel, mode d'accès et mode d'organisation.

Il ressort clairement de ce tableau que la démocratie industrielle épouse plusieurs formes et qu'elle peut s'appliquer à différents niveaux, selon les entreprises. Par exemple, entre l'organisation où les employés peuvent uniquement participer à la gestion de l'information et celle où on leur propose, en plus, de participer aux résultats et à la propriété, de nombreuses formules sont possibles. Voici quelques formes que peut revêtir la démocratie industrielle :

- la participation de type consultatif ou décisionnel ;
- la participation à la gestion ou la participation à la propriété et aux profits ;

TABLEAU 12.1	Les paramètres de la démocratie industrielle, ou gestion participative		
	Modalités		
	Gestion	**Résultats**	**Propriété (actions)**
Intensité	Information Consultation Codécision Autocontrôle	Selon le pourcentage des profits distribués	Minoritaire Quasi paritaire Majoritaire Entière
Positionnement structurel	Stratégique Organisationnelle Opérationnelle	Profits liés à l'usine ou à l'atelier	Votante Non votante
Mode d'accès	Directe Indirecte	Partage immédiat Paiement différé Individuels Collectifs	Paiement immédiat Partage différé Individuelle Collective
Mode d'organisation	Instituée Non instituée Volontaire Obligatoire	Institués Non institués	Instituée Non instituée Répartition égale Répartition inégale

Source : Adapté de Commission consultative sur le travail et la révision du Code du travail (1986, p. 210).

- la participation directe ou indirecte par voie de comités d'entreprise ;
- la participation conjointe à la gestion (**cogestion**) ou l'autonomie des travailleurs (autogestion).

Afin de montrer toutes les facettes de ce nouveau type de gestion dite participative (démocratie industrielle), nous présentons à la figure 12.1 les principales distinctions entre l'ancien et le nouveau modèle de gestion. Principalement caractérisé par l'intégration complète des travailleurs à la vie de l'organisation, le nouveau style de gestion repose sur la mise à contribution d'une manière prioritaire, intelligente et originale de l'élément humain. Les dirigeants des entreprises dites à succès se rendent compte que leur force réside principalement dans leur habileté à motiver le personnel. L'entreprise redécouvre «l'homme au travail» et, plus particulièrement, les bienfaits qu'elle retire du fait de s'en préoccuper.

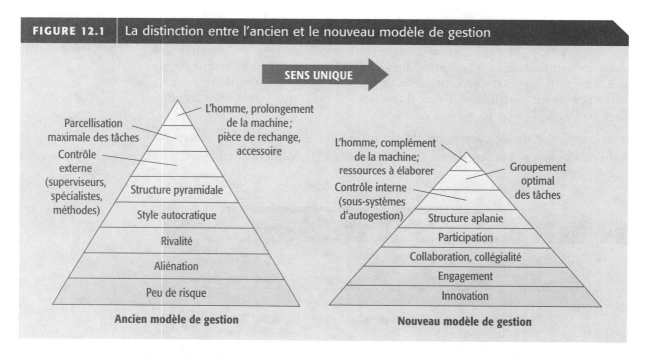

FIGURE 12.1 La distinction entre l'ancien et le nouveau modèle de gestion

Dans les prochaines sections, nous traiterons des nouvelles formes d'organisation du travail les plus courantes. Cependant, il faut garder en mémoire que les nouvelles stratégies de gestion axées sur la participation varient à l'infini, selon les particularités du milieu où elles sont mises en place.

12.2 Les liens entre la qualité de vie au travail, la productivité et les nouvelles formes d'organisation du travail

La qualité de vie au travail est un concept très large qui trouve son application sous de multiples aspects. On peut la définir comme un programme mettant l'accent sur le respect du travailleur, la prise de décision, l'auto-contrôle et la qualité des relations interpersonnelles dans le milieu de travail. Le but premier de ce programme est d'humaniser l'environnement en mettant en pratique le principe selon lequel les ressources humaines doivent être cultivées plutôt qu'exploitées. L'idée est de donner un sens au travail afin de promouvoir tant le bien-être physique des travailleurs que leur santé psychologique.

On sait que, dans une entreprise, une augmentation de la satisfaction des travailleurs entraîne habituellement une augmentation de leur efficacité. Mais quels sont les moyens les plus efficaces pour créer un milieu de travail qui permette de satisfaire les besoins du personnel? Les travailleurs étant tous différents les uns des autres et les organisations ayant chacune leur identité et leur environnement propre, la réponse à cette question relève davantage du particulier que du général. Au fil du temps, plusieurs scénarios ont été élaborés; ils correspondent à ce qu'on appelle les «nouvelles formes d'organisation du travail». Il n'existe pas de formules magiques pour satisfaire les travailleurs. Toutefois, on trouve une grande diversité de formules valables, qui doivent être choisies en considération du contexte organisationnel. Chaque forme d'organisation nouvelle a ses forces et ses faiblesses, et cadre bien dans certains environnements et moins bien dans d'autres. Cependant, chacune a pour but d'améliorer, à sa façon, certains aspects de la qualité de vie au travail.

Comme l'illustre la figure 12.2, à la page suivante, une bonne façon d'améliorer l'efficacité organisationnelle est de responsabiliser, d'intégrer, de mobiliser, d'intéresser et de respecter le travailleur. Le meilleur moyen d'opérer un tel changement dans un mode de gestion est d'instaurer une nouvelle forme d'organisation du travail propre à redéfinir le jeu des acteurs dans le système organisationnel. Le lien est clair: plus les travailleurs sont heureux, plus ils sont productifs. La satisfaction des employés passe inévitablement par une modification des modes de gestion, modification qui repose essentiellement sur l'instauration de nouvelles formes d'organisation du travail.

12.3 Les modèles japonais

Comme nous l'avons déjà mentionné, les nouvelles formes d'organisation du travail utilisent principalement trois instruments pour promouvoir la qualité de vie au travail et le rendement organisationnel: la participation à la gestion, la participation aux résultats et la participation à la propriété. Pour atteindre ces objectifs, l'entreprise doit effectuer un réaménagement du travail de façon régulière de manière à intégrer davantage les travailleurs et leur permettre d'occuper la place qui leur revient dans l'organisation. La présente section porte sur les diverses innovations qui permettent de réorganiser le travail de façon plus efficiente tant au chapitre des relations humaines qu'à celui de la productivité.

Les modèles japonais ont largement influencé la réorganisation du travail. Ils prônaient la nécessité d'adopter des techniques axées sur l'apprentissage continu pour accroître la qualité des produits ou des services. Les ingénieurs japonais ont appris à collaborer étroitement avec les employés

Environnement
- Compétitivité
- Changement
  - Valeurs
  - Attentes

Planification des ressources humaines
- Analyse de postes

Acquisition des ressources humaines
- Recrutement et sélection

Évaluation et rémunération des ressources humaines
- Rendement
- Rémunération

Perfectionnement des ressources humaines
- Formation
- Perfectionnement
- Santé et sécurité au travail

Création et maintien d'un climat de travail satisfaisant
- Participation du syndicat
- Négociation

Programmes de qualité de vie au travail (QVT) et de productivité

Communication avec les employés

Groupes de travail

Cercles de qualité

Restructuration organisationnelle
- Participation aux décisions
- Théorie de gestion Z

Restructuration des postes
- Définition des postes
  - Enrichissement des tâches
  - Approche sociotechnique
- Flot de travail
- Automatisation
- Définition des unités de travail

Productivité : objectifs
- Augmentation du rendement
- Réduction de l'absentéisme
- Compétitivité accrue
- Survie

Qualité de vie au travail (QVT) : objectifs
- Responsabilité
- Satisfaction
- Participation
- Respect
- Rendement

Contribution à l'efficacité de l'organisation

Source : Tiré de Dolan et Schuler (1995, p. 486).

de la production et à appliquer les principes de gestion de la qualité totale. Parmi les éléments clés visant à améliorer la qualité des produits et la productivité figurent le recours à des méthodes scientifiques de gestion et l'élaboration de programmes de formation à l'intention des travailleurs. Au chapitre de la gestion de la qualité totale, les entreprises japonaises ont opté pour des pratiques de gestion des ressources humaines s'attachant à renforcer le sentiment d'appartenance des employés à leur organisation et à accroître leur capacité à résoudre les problèmes éprouvés. Les modes de rémunération, la sécurité d'emploi et les programmes de formation ont compté parmi les principaux incitatifs qui ont permis d'améliorer la productivité de la main-d'œuvre. L'introduction du travail en équipe a également assuré le maintien de normes de qualité. Contrairement au modèle suédois, les équipes japonaises n'étaient pas constituées de groupes autonomes régis par des principes de démocratie industrielle. Les paliers hiérarchiques étaient peu nombreux et les travailleurs jouissaient de beaucoup d'autonomie au sein des équipes de travail, mais il n'en demeure pas moins que les décisions finales revenaient aux cadres hiérarchiques.

12.3.1 Les cercles de qualité

Les cercles de qualité ont vu le jour au Japon, il y a une trentaine d'années, et se propagent en Amérique du Nord depuis environ 25 ans. Ils sont constitués de petits groupes de travailleurs qui se réunissent régulièrement pour analyser et résoudre divers problèmes liés à leur situation de travail. Cette approche a le mérite de susciter une participation dynamique et efficace, éprouvée dans le temps. Les cercles de qualité exploitent des ressources qui ont été longtemps négligées par l'entreprise, bien qu'elles soient ses plus grandes richesses : l'intelligence et la créativité des travailleurs. De plus, ces cercles favorisent l'amélioration de la qualité des relations humaines, une meilleure circulation de l'information, une plus grande satisfaction au travail et l'élargissement des compétences des travailleurs.

Le premier cercle de qualité a été formé en 1962, à la suite de conférences d'experts américains (tels Deming et Juran) sur la gestion de la qualité. Le cercle de qualité est constitué de 3 à 12 employés (7 à 10 idéalement) qui se rencontrent volontairement et périodiquement à raison d'une heure chaque semaine ou toutes les deux semaines, afin d'exposer, d'analyser et de résoudre les problèmes éprouvés au travail. La structure formelle du groupe comprend au moins un comité d'orientation, un facilitateur, un animateur, un groupe de soutien ainsi que des membres.

Les problèmes abordés se rapportent, par exemple, à la qualité, aux conditions de travail, à la production ou à la réduction des coûts. Les objectifs sont d'ordre opérationnel (l'augmentation de l'efficacité et de la qualité) et relationnel (l'amélioration de la dynamique de groupe, du climat et des

échanges), et ont trait à l'intégration et à l'adhésion (la création d'un sentiment d'appartenance et de loyauté envers l'entreprise). Les principaux éléments de réussite d'un cercle de qualité sont les suivants :

- la compétence du coordonnateur : sa créativité, sa flexibilité et sa compréhension des cercles ;
- le soutien de la part du syndicat et des gestionnaires ;
- la recherche de la qualité plutôt que de la quantité ;
- la reconnaissance des principes de base d'un cercle de qualité ;
- la participation libre ;
- la communication des progrès et des résultats aux gestionnaires ;
- une entière liberté quant aux sujets à traiter.

De façon plus concrète, au cours d'une rencontre du groupe, les participants discutent des problèmes qui se posent, choisissent les aspects à analyser et proposent des solutions qu'ils mettront en œuvre après les avoir soumises à la direction. À l'intérieur du cercle, on peut recourir à plusieurs méthodes de résolution de problèmes ; mentionnons, entre autres, la technique de l'histogramme, le diagramme de cause à effet, le diagramme de Pareto, la carte de contrôle et le remue-méninges (*brainstorming*). Il appartient à la direction, après examen des propositions soumises par le cercle, de prendre ou non la décision de les faire appliquer par les services compétents. L'efficacité de chaque proposition doit toutefois être évaluée conjointement par la direction et les membres du cercle.

EN PRATIQUE...

- Les pharmacies Jean Coutu ont mis en place une nouvelle forme d'organisation, les « groupes de progrès », similaires aux cercles de qualité. On y aborde des points tels que le service à la clientèle, la rentabilité et la qualité de vie au travail (on n'y discute pas de la qualité des produits, puisque les pharmacies Jean Coutu ne font que commercialiser des produits fabriqués ailleurs). La qualité de vie des employés dépend de l'aspect physique des lieux de travail (espace, aménagement des lieux, propreté, bruit, etc.), du travail lui-même (degré d'autonomie, responsabilités, efforts, etc.), des politiques et des pratiques de gestion (bien que celles-ci soient rarement abordées, étant donné que de tels changements toucheraient l'ensemble des employés de l'organisation). Rappelons que la plupart des employés des pharmacies Jean Coutu ne sont pas syndiqués. Si on en croit les gestionnaires du siège social, l'expérience semble très bien fonctionner.

- En Ontario, la Thompson Product Division de la TRW Canada Limited a également tenté d'implanter des cercles de qualité dans l'intention de réduire les coûts, d'augmenter l'engagement des employés et d'améliorer la qualité du produit, la productivité, le travail d'équipe et la sécurité. Avant de mettre le programme en place, les dirigeants de l'entreprise ont formé un comité d'établissement ayant pour fonction de déterminer les règles de fonctionnement des cercles de qualité. Ce comité a décidé que la participation aux cercles serait volontaire, qu'un cercle ne compterait pas plus de 15 employés et que les membres du cercle se rencontreraient une fois par semaine. De plus, il a été établi que les cercles seraient autonomes et qu'ils obtiendraient l'appui indéfectible de l'entreprise. On a fait appel à un facilitateur de l'Institut des cercles de qualité de Californie pour assurer la formation — d'une semaine — des animateurs. Le coût total du projet, pour sa première année, a été évalué à 33 000 $. Convaincus qu'une telle expérience favorise la résolution de problèmes et l'engagement des travailleurs, les dirigeants de la TRW Canada Limited songent à étendre cette pratique aux autres services de l'organisation.

12.3.2 La théorie Z

En 1982, dans l'intention de combler les lacunes des systèmes de participation des travailleurs axés sur l'amélioration de la qualité de vie au travail (notamment les cercles de qualité et les groupes de travail semi-autonomes), le professeur William G. Ouchi, de l'Université Stanford, a élaboré la **théorie Z**, qui permet de combiner les modèles de participation japonais et nord-américain. Les principales caractéristiques de cette théorie sont les suivantes :

- l'emploi à long terme ;
- la promotion lente et les périodes d'évaluation espacées ;
- des profils de carrière non spécialisés ;
- la prise de décision consensuelle et non individuelle ;
- un style de contrôle informel et implicite ;
- une vision et un intérêt globaux plutôt que séquentiels.

La théorie Z préconise une forme d'organisation faisant la promotion simultanée de la liberté individuelle et du travail de groupe. Dans une organisation de type Z, la prise de décision est soumise à un processus de consultation, mais le chef hiérarchique détient le plein pouvoir décisionnel. L'emploi y est généralement assuré pour la vie, et les profils de carrière tendent à être modérément spécialisés pour faciliter la coordination interne et favoriser la loyauté envers l'entreprise. De plus, l'organisation Z fait preuve d'un intérêt majeur pour tous les aspects de la vie de l'employé.

Ce modèle fait fond sur une approche non seulement sociotechnique, mais aussi culturelle. Les objectifs de formation misent sur les relations interpersonnelles, le développement à long terme (stratégique), les relations participatives et l'apprentissage de la tolérance.

EN PRATIQUE...

De nombreuses entreprises canadiennes utilisent un système de gestion comparable à la théorie Z. Parmi les cent meilleures entreprises au chapitre de la qualité de vie au travail (Purdie, 1990), beaucoup sont de type Z. Canadian Tire, Northern Telecom, la chaîne d'hôtels Quatre-Saisons, la compagnie d'assurances Great West Life et la Brasserie Labatt figurent à ce palmarès. Toutes ces organisations possèdent des caractéristiques assimilables à la théorie Z. Dans chacune d'elles, notons, entre autres, la présence d'une culture organisationnelle bien ancrée, d'une grande stabilité d'emploi, d'une direction continue, d'une politique de développement de carrière progressif et d'un intérêt pour le bien-être des travailleurs.

12.3.3 La gestion de la qualité totale

La gestion associée au concept de la qualité totale s'insère dans l'ensemble des pratiques et des philosophies importées du Japon. Au même titre que les cercles de qualité et que la théorie Z, le concept de qualité totale est l'adaptation au contexte nord-américain d'une vision de la gestion omniprésente au Japon depuis plusieurs années.

Face aux difficultés économiques croissantes et à la mondialisation accrue des marchés, bon nombre d'organisations nord-américaines (par exemple, Polaroïd, Coca-Cola, Procter & Gamble) ont opté pour l'avenue de la qualité, se conformant en cela au modèle de réussite japonais. Par suite de chutes importantes de leur part de marché (tant nationale que mondiale), les entreprises s'inspirent de la gestion organisationnelle nippone pour relancer et stabiliser leurs activités. On peut donc supposer que, malgré des apparences d'innovation, ce nouveau modèle de gestion réagit d'abord et avant tout à un environnement différent et répond à la nécessité de s'adapter.

Depuis le début des années 1980, on consacre une quantité considérable d'articles et de livres à ce nouveau style de gestion, si bien que de simple forme d'organisation du travail, le concept de qualité totale est devenu une philosophie de gestion intégrant toutes les dimensions de l'organisation. Ce changement de paradigme peut s'appliquer soit de façon parcellaire — par l'adoption d'une gestion opérationnelle et technique —, soit de façon intégrale, par la gestion intégrée de la qualité. Toutefois, il faut savoir que le concept de qualité totale définit un modèle idéal que bien peu d'organisations réussissent à réaliser. Ses applications actuelles tiennent davantage de la gestion «tendant vers» la qualité totale. La pratique la plus courante de ce modèle consiste à appliquer le concept de qualité totale au système de production (conception parcellaire). C'est alors la qualité de la production du bien ou du service offert qui est l'objet d'attention. Étant principalement orientée vers la satisfaction des clients externes (directs), cette vision techniciste de la qualité utilise divers instruments et techniques pour gérer la conformité aux normes et le coût de la qualité.

Parmi les techniques utilisées, la plus populaire est sans contredit celle du juste-à-temps, où on exerce un contrôle bilatéral des coûts d'entreposage tout en veillant à maintenir un niveau de qualité optimal. Ce contrôle bilatéral se définit par les objectifs «zéro stock» — la gestion de la quantité de matières premières nécessaires doit être rigoureuse — et «zéro délai» — il faut réduire la durée d'entreposage des produits finis sans nuire à la satisfaction des clients. De plus, contrairement à l'approche traditionnelle, le contrôle de la qualité ne se fait pas *a posteriori* (une fois le produit terminé) mais *a priori,* c'est-à-dire au cours du processus de production. Principe central de la logique de la qualité totale, le juste-à-temps permet, notons-le, de diminuer les stocks, de réduire les arrêts causés par les pannes, d'augmenter la surface disponible pour la production et la productivité, et ce, sans jamais compromettre la qualité du produit. Différentes techniques peuvent être utilisées pour atteindre les objectifs du juste-à-temps.

Le SMED

Le SMED (*Single Minute Exchange of Dies*) est une méthode permettant d'améliorer l'efficacité de la production (par la réduction des coûts) et de réduire considérablement les délais de livraison. Plus précisément, cette formule s'applique à assouplir le processus de production en réduisant le temps de fabrication ou en reconfigurant la mécanique productive. Une telle optique vise principalement la polyvalence en regroupant les étapes de production sous un même dénominateur pour qu'on puisse facilement et rapidement les adapter à la demande (selon la gamme des produits offerts). Comme les organisations diversifient leurs produits ou offrent plusieurs modèles d'un même produit, le SMED leur est d'une aide précieuse pour réduire au minimum le temps de travail non productif. Grâce à cette économie de temps, les entreprises sont en mesure d'assurer les livraisons dans des délais réduits et, par le fait même, de mieux satisfaire la clientèle.

Le système Kanban

S'intégrant dans une gestion techniciste de la qualité, le système Kanban s'inscrit dans la logique du juste-à-temps. Il consiste à réduire au minimum les stocks et la production inutile en inversant la direction des ordres de production. Traditionnellement, la production suit un mouvement ascendant, c'est-à-dire que les étapes en aval poussent la production vers les postes de travail se situant en amont (flux poussé). À l'inverse, le système Kanban prône un style de production par flux tiré. C'est donc l'étape de la finition du produit, dernière du processus, qui détermine la cadence de production en dictant à l'étape précédente la quantité de pièces dont elle a besoin. Un tel procédé assure une diminution des excédents de production causés par une surproduction et permet un meilleur ajustement de l'offre à la demande.

Le système Poka-yoke et le contrôle statistique des procédés (CSP)

Comme nous l'avons mentionné plus haut, la qualité totale implique un contrôle intégré des normes de conformité. C'est donc dire qu'à chaque étape de la production, il est nécessaire de vérifier la qualité pour éliminer à la source les défectuosités ou les écarts par rapport aux normes établies. Le système Poka-yoke permet de détecter les erreurs avant même qu'elles ne soient commises. Par la responsabilisation des travailleurs (opérateurs) et une formation les rendant aptes à prévenir certaines anomalies de production, on tente d'agir sur les possibilités d'erreur plutôt que de réagir aux erreurs. Cela dit, le système Poka-yoke n'est pas infaillible, et il demeure toujours une certaine quantité d'erreurs. Portant sur cette quantité d'erreurs — pouvant être qualifiée de marginale —, le contrôle statistique des procédés détecte instantanément, à chacune des étapes, tout élément de production s'écartant anormalement des normes fixées. L'erreur étant décelée dès son apparition, on peut la corriger rapidement et, par conséquent, réduire les coûts de réparation.

Toutes les techniques décrites plus haut s'intègrent à la logique du juste-à-temps et visent la satisfaction maximale de la clientèle externe par l'augmentation de la qualité de la production (qualité du produit, diminution des défectuosités, réduction des délais de livraison, etc.). Bien qu'ils représentent l'essence même de la dynamique entrepreneuriale, les clients externes ne sont pas les seuls à recourir aux services de l'organisation.

Il existe une autre catégorie de clients, que l'on dit internes et qui constituent une entité tout aussi importante dans l'optique de la qualité totale.

La dynamique intra-organisationnelle s'appliquant aux clients indirects (internes) doit être arrimée aux impératifs de la productivité (qui vise la satisfaction des clients externes) afin de créer un tout cohérent et congruent. Il serait aberrant de promouvoir la qualité d'un produit ou d'un service sans veiller à ce que les individus chargés d'assurer cette qualité bénéficient de conditions de travail axées sur la satisfaction optimale de leurs propres besoins. On peut difficilement produire de la qualité lorsque les intrants nécessaires à la production sont eux-mêmes dénués de qualité.

La qualité totale doit donc également porter sur les services offerts aux travailleurs. Que l'on parle du système de rémunération, du traitement des demandes et des griefs, des relations interpersonnelles ou des rapports hiérarchiques, toutes les dimensions de la vie organisationnelle, de la productivité aux relations humaines, doivent s'aligner sur le principe de la qualité totale.

On retient habituellement trois approches pour expliquer la dynamique qui sous-tend la démarche de la qualité totale. Directement associée aux trois « gourous » de cette nouvelle philosophie de gestion, chacune de ces approches correspond plus ou moins à un ensemble de prescriptions. Les trois gourous en question sont William Edwards Deming, Philip B. Crosby et Joseph M. Juran. Chacun, à sa façon, est un pionnier dans la détermination des paramètres de la qualité totale. On peut s'étonner de constater que ces auteurs sont tous trois d'origine américaine. Il est donc important de souligner que, bien que la qualité totale soit associée aux pratiques de gestion japonaises, ce sont des Américains qui ont implanté cette nouvelle philosophie au Japon, dans les années 1950. Le tableau 12.2 propose une synthèse des principes directeurs de la qualité totale.

TABLEAU 12.2	Les 14 principes directeurs de la qualité totale
L'engagement	Il importe d'informer les travailleurs de la mission et des objectifs de l'organisation. Les dirigeants doivent en outre montrer leur engagement à l'égard de la mission par une action concrète (innovation, recherche, formation).
L'apprentissage des rouages de la philosophie axée sur la qualité	La philosophie de gestion traditionnelle (taylorienne) est largement incrustée dans les mentalités des gens. Un apprentissage est donc nécessaire afin d'intégrer les nouveaux paramètres de gestion de la qualité, et ce, tant pour les gestionnaires que pour les travailleurs.
La démythification du rôle de l'inspection	Il y a lieu d'expliquer le rôle de l'inspection dans le processus visant la qualité. Les gestionnaires doivent comprendre que l'inspection est nécessaire, mais insuffisante pour assurer l'élimination de la non-qualité. Dans cette optique, mieux vaut proagir (créer la qualité) que réagir (éliminer la non-qualité).
La révision de la politique d'achat	Traditionnellement, les organisations multipliaient le nombre de fournisseurs afin de s'assurer un approvisionnement continu. Il semble préférable d'entretenir des relations loyales et durables avec peu de fournisseurs. Cette façon de procéder permet notamment de disposer d'une matière première de qualité constante.
La promotion de l'amélioration continue	Ce principe d'amélioration est nécessaire pour maintenir la satisfaction du client dans le temps. En cherchant constamment à s'améliorer, l'organisation est en mesure de suivre de près les variations qui se produisent dans les attentes des clients et ouvre la porte à la recherche quotidienne de l'innovation.

TABLEAU 12.2 Les 14 principes directeurs de la qualité totale (*suite*)

La mise en place d'un programme de formation	Un programme de formation à la gestion de la qualité doit être établi. Un tel programme a pour but de former les travailleurs et les dirigeants aux différentes techniques utilisables dans le processus de la recherche de la qualité (par exemple, la planification, le contrôle, l'amélioration) et d'intégrer les acteurs dans la dynamique même de ce processus.
Le soutien du leadership	À l'intérieur d'une gestion efficace de la qualité, le rôle de la direction n'est pas de diriger et de superviser, mais de soutenir et de guider. Dans cette perspective, il convient d'accorder beaucoup d'importance au style de leadership. On privilégiera le style non pas répressif mais facilitateur, qui permet de réduire les craintes des travailleurs et d'encourager l'effort collectif.
L'élimination des craintes par la création d'un climat de confiance	La qualité totale est une idéologie qui vise la coopération entre les acteurs organisationnels plutôt que la compétition. Plusieurs peurs entourant la gestion traditionnelle doivent être éliminées, par exemple celles associées à la punition, à l'échec, à l'inconnu et au changement. Ces peurs favorisent la création d'une atmosphère de travail individualiste, faisant inévitablement obstacle à l'atteinte des objectifs synergiques fixés pour améliorer de façon continue la gestion de la qualité.
L'optimisation de l'effort collectif	L'effort combiné de tous les acteurs est nécessaire pour atteindre les objectifs organisationnels. Ainsi, les barrières interindividus et interservices doivent être abolies de manière que tous les efforts soient orientés vers la satisfaction des clients. Cela exige naturellement la collaboration de tous les travailleurs, y compris celle des représentants syndicaux.
La modification de la dynamique motivationnelle	Si la motivation est un élément essentiel, à elle seule elle ne suffit pas pour assurer le bon déroulement du processus de la recherche de la qualité. L'ensemble du système organisationnel est responsable des niveaux de qualité atteints. Ce serait une erreur d'en faire reposer toute la responsabilité sur les épaules des travailleurs.
L'élimination des quotas et de la direction par objectifs	Les échecs (non-qualité) ne doivent pas être imputés aux travailleurs, mais doivent être perçus comme une réponse de l'ensemble du système. Les quotas et les objectifs de rendement s'insèrent dans une vision à court terme où seul est considéré le résultat ultime (extrants). De telles mesures nuisent à l'amélioration continue en reléguant à l'arrière-plan la gestion de la qualité. Il est donc nécessaire de les éliminer pour concentrer l'attention sur la qualité, plutôt que sur la quantité.
L'élimination des barrières de la fierté ouvrière	La gestion traditionnelle présuppose la taylorisation des activités de production. Dans un tel contexte, le travailleur représente une «commodité» et, en raison du rapport salarial, n'a aucune emprise sur ses propres actions. Pour créer de la qualité, il faut promouvoir la valorisation et la responsabilisation des travailleurs. C'est par la créativité et l'innovation que l'entreprise mettra en branle le processus qui lui fera atteindre certains standards de qualité. Il faut reconnaître les travailleurs comme une ressource et les gérer de façon à leur permettre de s'émanciper dans l'exécution de leurs tâches.
La promotion de l'éducation	Alors que la formation vise l'acquisition d'habiletés de travail, l'éducation permet aux travailleurs de développer leur potentiel individuel. Par l'augmentation de la polyvalence et de la valeur de ses travailleurs, l'organisation s'acquitte de ses responsabilités sociales. De plus, l'éducation est un instrument puissant de motivation et de loyauté envers l'entreprise.
L'action concrète	La mise en place d'une gestion par la qualité totale constitue un changement d'orientation important qui exige diverses adaptations tant sur le plan de la philosophie de gestion que sur le plan de la culture organisationnelle. Pour réussir une telle transformation, la direction doit être proactive et agir avec ferveur de manière à intégrer tous les acteurs en vue de créer un sentiment collectif qui favorise l'atteinte de hauts niveaux de qualité.

Source : Traduit et adapté de Dean et Evans (1994, p. 43).

12.4 L'aménagement du temps de travail

Au cours des deux dernières décennies, le travail a perdu du terrain et ne joue plus le même rôle central que par le passé. S'il est toujours l'activité prépondérante de la population active, cette dernière a dorénavant une pléiade d'occupations qui ont peu ou point de rapports avec ses activités professionnelles. On consacre de plus en plus de temps aux loisirs, les activités familiales occupent une plus grande place, les tâches domestiques sont elles aussi plus accaparantes, et le besoin de s'épanouir oriente désormais les gens vers la formation continue. Bref, bien que le temps accordé au travail ait peu diminué, les centres d'intérêt des individus se sont multipliés et forcent à une meilleure gestion du temps.

Naturellement, les horaires de travail traditionnels — par exemple, de 9 h à 17 h, du lundi au vendredi — conditionnent largement la gestion du temps, et ce, souvent au détriment même du travail. En effet, pour diverses raisons, dont un rendez-vous chez le médecin, une rencontre avec le directeur de l'école, un tournoi de golf débutant le vendredi, les travailleurs ont tendance à s'absenter du travail. Toutefois, ils ne peuvent se libérer à chaque occasion. Or, lorsque le travail limite la participation à des activités qui sont valorisées, un sentiment d'insatisfaction naît.

Pour remédier à cette «délinquance comportementale» et à l'insatisfaction des travailleurs, les organisations, conscientes de la rigidité des horaires traditionnels, mettent en place différentes formules permettant aux travailleurs de modeler leur horaire en fonction des exigences de leur vie personnelle. Ces nouvelles pratiques organisationnelles se fondent non pas sur une diminution du temps de travail, mais sur la malléabilité de ce dernier. Trois types d'aménagement font figure d'innovations en ce domaine : l'horaire flexible de travail, la **semaine de travail comprimée** et le travail à la maison.

12.4.1 L'horaire de travail flexible

Appliqué dans près d'un quart des entreprises canadiennes, l'**horaire de travail flexible** comporte plusieurs avantages tant pour l'organisation que pour les travailleurs. Parmi les répercussions positives les plus importantes, citons la diminution de l'absentéisme, la baisse du roulement du personnel, l'élimination de certaines sources de stress, l'amélioration des relations employeur-employés et l'augmentation de la satisfaction au travail.

L'horaire de travail flexible permet l'agencement individualisé des heures de présence sur les lieux de travail. L'essentiel de cette pratique consiste à diviser l'horaire global de travail en deux types de période, soit les **plages fixes** — pendant lesquelles tous les employés doivent être présents au travail — et les **plages mobiles** — qui représentent le temps de travail aménagé selon les besoins individuels.

Par exemple, Assurance-vie Desjardins (maintenant Assurance-vie Desjardins-Laurentienne), entreprise très innovatrice en ce domaine, offre l'horaire flexible à ses employés depuis 1973. Son programme de travail comprend deux plages fixes, soit de 9 h 15 à 11 h 30, et de 14 h à 15 h 30, au cours desquelles tous les travailleurs doivent être présents à leur poste de travail, et ce, tous les jours ouvrables (à savoir du lundi au vendredi). La journée de travail pouvant s'étendre de 7 h 30 à 18 h, les travailleurs disposent de trois plages mobiles pour aménager leurs absences. Ainsi, de 7 h 30 à 9 h 15, de 11 h 30 à 14 h et de 15 h 30 à 18 h, la présence des employés est facultative et laissée entièrement à leur discrétion. Au total, la semaine de travail compte 35 heures ; c'est donc dire que près de la moitié de l'horaire global est flexible. De tels aménagements permettent aux travailleurs de concilier leurs obligations personnelles et professionnelles. L'horaire flexible est avantageux, notamment par la possibilité qu'il offre d'accueillir les enfants après l'école, d'éviter les embouteillages et de se rendre à ses rendez-vous en semaine (chez le dentiste ou le médecin, par exemple).

Ce nouvel aménagement du temps de travail n'est cependant pas sans inconvénients. Ainsi, il implique la mise en place de mécanismes permettant de contrôler le nombre d'heures travaillées par chaque employé. Cette surveillance est souvent assurée par une horloge de pointage, ce qui suscite le mécontentement de certains travailleurs.

12.4.2 La semaine de travail comprimée

La semaine de travail comprimée permet au travailleur d'écourter sa semaine de travail en augmentant le nombre d'heures travaillées quotidiennement. Autrement dit, il a la possibilité de comprimer en un nombre de jours plus restreint les heures qu'il faisait auparavant. La formule habituelle est la semaine de quatre jours. En regroupant ses heures de travail à l'intérieur de quatre jours, le travailleur peut donc profiter d'une journée « non travaillée » supplémentaire. Ce type d'horaire de travail permet à l'individu de consacrer plus de temps à sa famille ou de s'adonner à des activités nécessitant une plus longue période que les fins de semaine habituelles (rénovations, voyage, excursions, etc.).

La semaine de travail comprimée est actuellement offerte aux employés du Musée canadien des civilisations, situé à Hull. Ainsi, un travailleur peut, en ajoutant 45 minutes à sa journée de travail normale, bénéficier d'un vendredi ou d'un lundi de congé toutes les deux semaines. Naturellement, cela n'est qu'une des modalités possibles ; plusieurs autres options sont envisageables.

Bien qu'elle soit moins malléable que l'horaire flexible, la semaine de travail comprimée améliore le climat organisationnel. Les études de Ho et

Stewart (1992) et de Holt et Thaulow (1996) démontrent les avantages de tels aménagements du temps de travail :

- l'augmentation de la productivité ;
- la réduction de l'absentéisme ;
- l'amélioration du moral des employés ;
- l'amélioration des relations interpersonnelles ;
- la réduction des heures supplémentaires ;
- une meilleure conciliation vie privée et vie professionnelle.

12.4.3 Le travail à la maison

Dans certains secteurs d'activité, l'employé a la possibilité de transporter son poste de travail de l'entreprise à la maison. Étant donné les progrès de l'informatique et des moyens de communication (autoroute électronique), la centralisation des activités de travail à l'intérieur des murs de l'entreprise est de moins en moins nécessaire. En effet, par le truchement d'un ordinateur et d'un modem, le travailleur peut désormais, à partir de chez lui, accéder aux installations et à l'information mises à sa disposition par son employeur.

Dans le secteur de la vente, notamment dans les domaines de l'immobilier et des assurances, le personnel est souvent autorisé à travailler à domicile. La maison de l'employé, qui est alors équipée de tout le matériel de communication nécessaire pour assurer un lien constant avec l'entreprise et ses clients (téléphone, courrier électronique, télécopieur, etc.) devient en quelque sorte une « maison électronique ».

La résidence d'un travailleur peut aussi devenir une « maison industrielle », si celui-ci occupe un poste dans une chaîne de production. En effet, l'assemblage d'objets est une activité qui se pratique de plus en plus en dehors de l'usine.

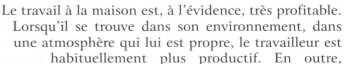

Le travail à la maison est, à l'évidence, très profitable. Lorsqu'il se trouve dans son environnement, dans une atmosphère qui lui est propre, le travailleur est habituellement plus productif. En outre, l'occasion lui est donnée de mieux gérer ses activités personnelles et, ainsi, d'éliminer les conflits travail-famille, travail-loisirs, etc. Bien qu'il y ait peu d'études sur le sujet, les avantages du travail à la maison semblent comparables à ceux de l'horaire flexible et de la semaine de travail comprimée.

12.5 Les nouvelles conceptions des tâches

Comme nous l'avons mentionné au sujet des modèles mécanistes, la simplification des tâches a longtemps été considérée comme un facteur favorisant l'efficacité des organisations. Bien entendu, en permettant de réduire au minimum la formation des travailleurs et, de ce fait, leur verser un salaire inférieur, la simplification des tâches a donné à l'entreprise la possibilité de faire des économies. Toutefois, elle a eu des répercussions négatives sur la productivité. En effet, la monotonie des tâches a entraîné une augmentation de l'absentéisme, du roulement du personnel et des erreurs de production, autant d'éléments nocifs au rendement.

Conscientes de ces effets pervers, les organisations tentent désormais d'inverser le processus en modifiant le contenu des tâches de manière à favoriser davantage l'épanouissement de l'individu. À cette fin, trois méthodes ont été retenues : l'enrichissement des tâches, l'élargissement des tâches et la rotation des postes.

12.5.1 L'enrichissement des tâches

Cette méthode tient compte du principe selon lequel la productivité, l'efficacité, la satisfaction et l'adaptation vont de pair avec l'autonomie, la variété et la rétroaction. Elle consiste en une extension verticale du travail ; l'employé se voit confier des responsabilités qui étaient auparavant assumées par un supérieur : la planification du travail, le choix des méthodes et le contrôle de la qualité, par exemple.

Selon Herzberg et autres (1957), l'enrichissement des tâches suppose les modifications suivantes :

- le retrait du contrôle du gestionnaire et la délégation de responsabilités additionnelles à l'employé ;
- l'augmentation de l'emprise de l'employé sur son travail ;
- l'attribution à l'employé de la responsabilité d'une unité complète de travail (module, aire, etc.) ;
- la production de rapports périodiques par l'employé plutôt que par le superviseur ;
- l'intégration de tâches supplémentaires ;
- l'acquisition de savoir-faire en vue de l'exécution de tâches précises.

12.5.2 L'élargissement des tâches

Comme l'enrichissement, l'élargissement des tâches vise à contrer la monotonie du travail et le sentiment d'aliénation éprouvé par le travailleur. À l'opposé de l'enrichissement, l'élargissement des tâches consiste en une extension horizontale du travail. Cela signifie que la durée du cycle du travail a été élargie de façon à augmenter la variété des tâches. Une telle pratique s'oppose à l'approche scientifique (taylorisme), selon laquelle l'efficacité passe par une fragmentation accentuée des tâches.

12.5.3 La rotation des postes

Contrairement aux deux approches précédentes, la **rotation des postes** ne change pas la nature du travail, mais exige plus de polyvalence de la part des travailleurs. Elle consiste à affecter ces derniers à un certain nombre de postes de travail, ce qui a pour effet d'augmenter la variété de leurs tâches. Cette pratique permet à l'entreprise de maintenir aussi intactes que possible ses équipes de production, et aux travailleurs de changer de poste à intervalles réguliers. Les nouveaux défis découlant de la rotation des postes contribuent à réduire la monotonie et l'ennui, et offrent autant d'occasions d'acquérir une connaissance plus globale de la dynamique organisationnelle. Notons que la rotation des postes favorise l'engagement des travailleurs et facilite la résolution de problèmes, puisque les travailleurs possèdent dès lors une connaissance plus étendue des rouages de l'entreprise.

*

*   *

Lorsqu'elles appliquent les méthodes de restructuration des tâches, les organisations observent un accroissement des facteurs de motivation. Parce que l'employé doit mettre à contribution une plus grande variété de ses aptitudes et qu'il jouit d'une autonomie accrue, la perception qu'il a de sa propre importance s'améliore, ce qui a pour effet d'accroître sa satisfaction au travail et son sentiment d'appartenance à l'entreprise. Il en résulte inévitablement une amélioration de la productivité et une diminution des coûts. De plus, les travailleurs étant plus satisfaits, le roulement du personnel, l'absentéisme et le nombre de griefs tendent à diminuer. Toutefois, il y a des circonstances où les méthodes de restructuration des tâches posent problème. Ainsi, il arrive que des travailleurs refusent l'enrichissement des tâches pour une raison ou pour une autre. Il y a également des cas où l'employé manque de compétences ou exige une augmentation de salaire. Ces pratiques peuvent faire face à bien d'autres embûches. Certains syndicats manifestent peu d'enthousiasme à l'égard de telles expériences, tandis que la participation patronale peut être freinée par les dépenses qu'occasionnent ces changements en formation et en achat d'équipement.

12.6 La réorganisation des procédés de travail

12.6.1 L'approche sociotechnique

L'**approche sociotechnique** de l'organisation a vu le jour en Angleterre. Dans la perspective tayloriste, l'homme était un peu perçu comme une machine. Des psychosociologues tels que Mayo, Roethlisberger et Dickson ont démontré l'influence que les relations humaines exerçaient sur la productivité. Un point d'équilibre devait donc être atteint entre l'aspect technique et l'aspect social. C'est l'approche sociotechnique qui a permis, en considérant l'organisation comme un système et en agrégeant les systèmes social et technique, de concilier ces deux aspects..

L'approche sociotechnique peut être vue comme une application de l'**analyse systémique** des organisations. Puisqu'on définit un système comme un ensemble cohérent et synergique de parties interreliées, l'analyse systémique essaie de comprendre ce qui fait l'équilibre du système en tenant compte de ses échanges continus avec l'environnement. Comme le maintien de cet équilibre dépend moins des caractéristiques intrinsèques des parties que des interactions entre ces parties, ce sont ces dernières qui constitueront le principal objet d'étude de l'analyse systémique. Deux aspects doivent être privilégiés dans l'analyse systémique : l'aspect structurel, qui concerne les composantes du système, leur nature et leurs interrelations, et l'aspect dynamique (fonctionnel), qui fait référence aux fonctions, aux conditions de stabilité et de changement des systèmes.

L'approche sociotechnique vise l'optimisation conjointe du système social et du système technique de l'entreprise. Elle permet de satisfaire aux exigences économiques et culturelles contemporaines en mettant l'accent sur l'adaptation et l'épanouissement des membres de l'organisation. Cette conception attache beaucoup d'importance à la jonction des deux systèmes et à l'adaptation de l'organisation à son environnement de façon que chaque employé puisse s'épanouir en accomplissant ses tâches. L'interaction entre l'homme et son travail est portée au premier plan.

Voici les principales étapes de la mise en place d'un système sociotechnique :

- l'étude préliminaire : détermination des équipes, de la structure, des intrants, des extrants, du système principal de transformation, des relations entre les services, des écarts dans le système (actuel et futur) ;
- la description des unités d'opération : phases de production ;
- la détermination des variables clés et leurs interrelations : matériaux, quantité, qualité, frais d'exploitation, coûts sociaux, etc. ;
- l'analyse du système social : rémunération, besoins psychologiques, flexibilité, rotation, etc. ;
- l'évaluation de la perception des employés, principalement en fonction de leur rôle ;
- l'analyse du système d'entretien et de son effet sur le système de production ;
- la définition de l'environnement de l'entreprise : sa mission, son plan de développement, son environnement externe (possibilités et contraintes) ;
- la proposition de changement.

L'approche sociotechnique engendre une augmentation de la productivité et de la satisfaction au travail et une diminution de l'absentéisme. Elle préconise pour l'employé un travail comportant plus de variété (moins routinier), une autonomie accrue, un plus grand nombre de responsabilités et davantage de rétroaction de la part des gestionnaires. Par ailleurs, le rôle des travailleurs devient plus flexible et exige plus d'efforts de leur part, puisque dans certains cas, il peut comprendre une part de contrôle sur le processus. Cette méthode est toutefois assez longue à mettre en pratique et s'avère coûteuse pour l'entreprise ; de plus, les résultats peuvent tarder à se manifester.

12.6.2 La reconfiguration des processus (*reengineering*)

Selon Hammer et Champy (1993), la reconfiguration des processus vise à :

- repenser les fondements du travail ;
- modifier radicalement les processus organisationnels ;

- améliorer de façon notable les mesures de performance ;
- centrer les activités commerciales sur les processus et non sur les postes, les personnes ou les structures.

La reconfiguration des processus incite l'entreprise à adopter des nouvelles technologies d'information et de communication, ce qui l'oblige à réorganiser fondamentalement ses procédés de travail.

12.7 Les approches contemporaines

12.7.1 La gestion par valeurs

En 1997, Salvador Garcia et Shimon Dolan ont publié un ouvrage intitulé *La direcciòn por valores* (en espagnol), que l'on peut traduire en français par « la gestion par valeurs ». Ce livre a immédiatement obtenu un énorme succès en Espagne et en Amérique latine. Par la suite, soit en 1999, une version française a été publiée aux Éditions Nouvelles et, en 2006, une version revue et augmentée est parue en anglais. Dans cet ouvrage, les auteurs élaborent un nouveau concept à l'intention des organisations du XXIe siècle.

Le concept de gestion par valeurs (GPV) repose sur deux constats. Premier constat : le système de valeurs et de croyances sur lequel les entreprises ont édifié leur modèle de gestion et leur structure organisationnelle, au début du XXe siècle, ne permet plus de fonctionner adéquatement et de supporter la concurrence des marchés, qui ne cessent de s'étendre et de se complexifier en s'orientant, entre autres, vers la qualité totale et la satisfaction de la clientèle. Deuxième constat : l'ancien modèle de gestion, fondé sur le contrôle hiérarchique des employés en leur offrant une stabilité interne et externe, doit indéniablement évoluer vers une nouvelle culture et embrasser une nouvelle façon de voir et de faire les choses. Bien sûr, cette nouvelle culture doit préserver les mécanismes d'évaluation des résultats de « haut en bas » qui ont fait leurs preuves, mais il est désormais impérieux que les dirigeants opèrent cet important choix stratégique qui consiste non plus à contrôler, mais à développer le potentiel de chacun des membres de l'organisation.

En théorie, la plupart d'entre nous sommes tout à fait d'accord avec ces affirmations. Leur application pratique, toutefois, soulève de nombreuses difficultés. Comment déterminer les valeurs et les croyances qui ont besoin d'être changées ? À quel moment et de quelle façon amorcer le changement, et jusqu'où le mener ? Plus important encore, comment diriger cette « réorganisation culturelle » sans provoquer de réactions émotionnelles négatives ou susciter d'inquiétude, et sans courir de risques excessifs ?

Enfin, comment les instigateurs du changement peuvent-ils s'assurer que le processus est bien compris, bien accueilli et bien perçu pour ce qu'il est en réalité, soit une occasion en or de régénération et d'amélioration ?

Dans leur ouvrage, Dolan et Garcia avancent l'idée — aujourd'hui largement répandue — que la gestion par directives (GPD) et la gestion par objectifs (GPO) donnent, l'une comme l'autre, des résultats inadéquats. La gestion par valeurs (GPV), en revanche, s'avère un outil d'orientation stratégique au potentiel de développement inouï à tous les niveaux de l'organisation (Dolan et Garcia, 2002).

La figure 12.3 présente une vue schématique de l'évolution des systèmes de gestion. On y suggère que cette évolution résulte de l'apparition, durant les dernières décennies, de quatre tendances qui ont fait en sorte que les organisations ont dû s'adapter pour demeurer compétitives sur des marchés de plus en plus exigeants et imprévisibles.

En contrepartie, ces quatre tendances ont pour effet d'augmenter considérablement le niveau de complexité et d'incertitude dans les organisations[1]. De plus, elles sont interdépendantes.

La figure 12.3 met également en évidence l'importance d'un autre phénomène : l'augmentation croissante de la complexité organisationnelle due à ces quatre tendances n'est pas linéaire ; la flèche s'élève, puis retombe dans la partie supérieure droite, indiquant que la GPV sert précisément à absorber et à réduire les effets de cette complexité. Par là, il faut comprendre qu'une organisation qui a consciemment et véritablement adopté des

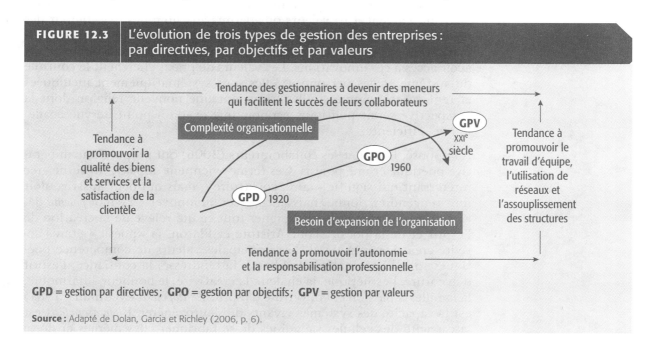

FIGURE 12.3 L'évolution de trois types de gestion des entreprises : par directives, par objectifs et par valeurs

Tendance des gestionnaires à devenir des meneurs qui facilitent le succès de leurs collaborateurs

Complexité organisationnelle

GPV XXIe siècle

GPO 1960

GPD 1920

Tendance à promouvoir la qualité des biens et services et la satisfaction de la clientèle

Tendance à promouvoir le travail d'équipe, l'utilisation de réseaux et l'assouplissement des structures

Besoin d'expansion de l'organisation

Tendance à promouvoir l'autonomie et la responsabilisation professionnelle

GPD = gestion par directives ; **GPO** = gestion par objectifs ; **GPV** = gestion par valeurs

Source : Adapté de Dolan, Garcia et Richley (2006, p. 6).

1. Ce concept s'appuie sur les idées avancées par Richard Norman lors d'un séminaire sur l'apprentissage organisationnel tenu à Stockholm, en 1992.

valeurs qu'elle partage avec ses employés finira par atteindre un niveau de créativité tel qu'elle pourra exploiter la complexité et l'incertitude mieux que l'organisation qui s'en remet aux seules directives ou, pire encore, aux manuels de procédures.

Le modèle triaxial de la gestion par valeurs

Le modèle triaxial de la gestion par valeurs est un concept dynamique. Sa croissance et son évolution est fonction des milliers de contributions de praticiens et d'universitaires qui ont eu l'opportunité de découvrir ses concepts. Depuis la première édition, en 1997, du livre de Garcia et Dolan sur la GPV, de nombreux articles ont été publiés sur le sujet et un nouveau concept triaxial de GPV a été développé (voir le chapitre 1). Le passage du modèle bidimensionnel initial, tel que décrit plus haut, au modèle triaxial courant représente une importante évolution. Nous présentons les détails de l'évolution du modèle triaxial dans les paragraphes suivants.

- Le point de départ fut la théorie de Rockeach (1973) sur des valeurs de compétence, qui se caractérise par la différenciation de deux axes. Nous croyons au contraire que ces deux axes doivent être harmonisés : 1) l'axe des valeurs économiques (valeurs de praxis) ou des valeurs de contrôle, et 2) l'axe des valeurs émotives-créatrices (valeurs poétiques) ou des valeurs de développement.

- Le terme *praxis* signifie « fonctionner, agir », ainsi que « transiger, négocier ». De cette racine grecque proviennent les termes « prose » et « pragmatisme ». Les valeurs qui suivent cet axe sont, par exemple, la taille, la technologie, le prestige, l'effort au travail, l'obéissance, l'efficacité et, bien sûr, l'argent. Ces valeurs ont permis aux hommes d'accomplir des réalisations aussi importantes que le téléphone, la machine à laver, la climatisation et Internet, bien qu'encore aujourd'hui, tous ne peuvent pas avoir accès à ces innovations. Les valeurs de praxis cherchent le contrôle du système et des personnes ; elles sont systématiquement inculquées et renforcées, comme si elles formaient une nouvelle religion dont la perspective serait politique, économique et, d'un point de vue académique, efficiente.

- À l'opposé, Dolan et ses collaborateurs (2006) ont proposé une impérative poétique et une poïésis. Ces termes viennent de *poieo,* un verbe grec intéressant qui signifie « faire, construire », mais qui peut aussi vouloir dire « engendrer, donner naissance, créer ou innover ». Le mot *poíema* dérive du verbe *poiéo* et peut désigner tout ce qui relève de la création de l'esprit et de la poésie. Pour Aristote et Platon, la « poésie » était l'activité créatrice en général. Les principales valeurs de compétence poétiques sont l'imagination, la liberté, la tendresse, la confiance, l'esprit d'aventure, l'esthétique, la chaleur, la créativité, le bonheur, l'harmonie, la famille, la passion et l'ouverture d'esprit. L'*autopoiésis* (Maturana, 1981) est la capacité des systèmes vivants de s'autogénérer. L'*hématopoiésis* est la capacité des cellules sanguines de se fabriquer elles mêmes et de se multiplier.

- Les états poétiques créatifs ou générateurs sont liés à une disponibilité émotive particulière. Est-il possible d'avoir une nouvelle idée sans exprimer de la joie ? De nouvelles idées qui transforment positivement les choses peuvent-elles surgir d'états dépressifs ? Peut-il y avoir de la créativité dans les états d'anxiété liée au travail, à la famille ou à des inquiétudes personnelles ? La création artistique peut, bien sûr, être associée à des états de tension émotive ou de mélancolie, mais ce qui nous occupe ici, ce sont les relations entre la créativité et les valeurs émotives positives (sérénité, optimisme, imagination, etc.), des relations capables d'améliorer les choses qui nous entourent. Les valeurs poétiques visent davantage la génération, le développement et l'expression que le contrôle ou la mesure. Elles peuvent également être appelées « valeurs génératives ». Elles font référence à la santé ou à « la stabilité émotionnelle » de l'organisation ; et avec les valeurs éthiques, elles forment une catégorie de valeurs dont le potentiel de transformation est gigantesque.

• La création d'entreprises — et de richesses — dépend autant (ou davantage) des valeurs de développement que des valeurs de contrôle. La naissance et la revitalisation de tout projet d'affaires dépend des valeurs poétiques, telles que l'imagination, la liberté et l'enthousiasme, capables de générer de nouvelles possibilités d'action.

• Les valeurs de contrôle ne sont pas moins essentielles à l'application efficace et innovatrice de nouvelles idées, au maintien du *statu quo* et, pour résumer, à la gestion de la richesse de l'entreprise (créée par des valeurs poétiques). Un développement obsessif peut facilement se transformer en innocence poétique et négliger la nécessité de gérer et de contrôler les ressources du système. Une erreur que font de nombreuses organisations, c'est de se donner trop de valeurs corporatives et de ne pas prendre le soin de les ordonner en un ensemble théorique cohérent (García et Dolan, 1997, 2003). D'autres auteurs qui ont écrit sur la « gestion par valeurs », tels Blanchard et O'Connor (1997), ne font état ni de cette erreur, ni de la catégorisation des valeurs.

En revanche, Dolan et ses collaborateurs (2006) proposent, dans leur récent livre, de systématiser les différentes valeurs en les incorporant à trois axes, d'où le « le modèle triaxial » et les axes praxis, poétique et éthique.

La triple signification utilitaire, intrinsèque et transcendante du travail

Plus grande est la valeur (ou l'importance) qu'une personne donne au travail qu'elle exécute, plus grande sera sa volonté de donner le meilleur d'elle-même et, du même coup, plus elle travaillera avec enthousiasme. Selon certains auteurs, la valeur d'une action particulière ou la satisfaction que l'on peut en retirer varient.

1. *La valeur utilitaire ou extrinsèque :* satisfaction pour la personne effectuant l'action. Ceci implique une réaction de l'environnement qui offre en échange, par exemple, de l'argent ou du prestige.

2. *La valeur intrinsèque :* satisfaction pour la personne effectuant l'action (indépendamment des effets externes de ladite action). Ceci inclut des caractéristiques telles que l'étude, le stimulus, l'amusement ou l'occasion de montrer sa propre valeur.

3. *La valeur transcendante :* la satisfaction est chez les autres plutôt que chez la personne qui effectue l'action, perçue en tant que telle comme utile aux autres.

Selon notre modèle, le travail pleinement motivant est triplement défini comme utilitaire, intrinsèque et transcendant. Être bien payé pour ce que l'on fait, apprécier son travail et se sentir utile aux autres sont une grande source de satisfaction. Malheureusement, cette satisfaction est rarement entièrement assouvie, bien que nous devrions tâcher de l'atteindre, aussi bien dans la création d'emplois spécifiques que dans nos objectifs de vie que nous désirons réaliser à travers nos activités professionnelles.

La triade des valeurs de praxis, d'éthique et de poétique

En se référant à ce que Dolan et ses collaborateurs (2006) nomment le « modèle triaxial » (représenté par trois axes et formant un modèle axiologique de valeurs), les valeurs éthiques devraient former l'axe central d'un triangle inversé, les deux autres groupes importants de valeurs, soit les valeurs de praxis et les valeurs poétiques, formant chacun des côtés. Il faut toutefois reconnaître que le monde ne tourne pas autour de considérations éthiques (morales) ou d'émotions poétiques ou créatives, mais bien autour d'impératifs pragmatiques représentés par l'argent, le pouvoir et l'efficacité des technologies.

La collecte de données dans de nombreuses entreprises d'Espagne, du Brésil, d'Argentine, du Canada, de la Hollande et d'ailleurs a démontré que, chez la plupart des entreprises, les axes éthiques (valeurs morales) et poétiques sont généralement atrophiés par rapport à l'axe praxis. Ce qui est complètement différent de ce que la majorité des membres d'une organisation souhaitent reconnaître comme valeurs personnelles ou, du moins, disent vouloir vivre. En pratique, les valeurs liées au fait de savoir effectuer un travail tendent à surpasser abusivement les valeurs liées au savoir-vivre et plus encore au savoir partager. La figure 12.4 illustre la différence typique

---

FIGURE 12.4 | La différence entre les valeurs personnelles et organisationnelles

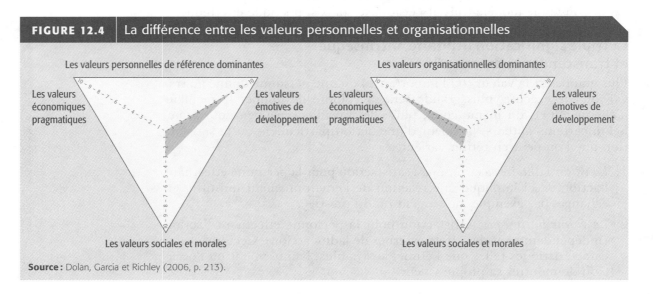

Source : Dolan, Garcia et Richley (2006, p. 213).

entre les valeurs personnelles de référence et les valeurs dominantes au quotidien dans une grande organisation de télécommunication. Cette étude a été réalisée à l'aide d'un échantillon de plus de 800 cadres supérieurs.

Les trois groupes de valeurs sont nécessaires, et chaque organisation doit réussir à créer un équilibre entre elles afin d'augmenter les bénéfices de l'organisation et le bien-être de l'individu. Les valeurs devraient cibler la mission et la vision de l'organisation développée de façon participative (voir la figure 12.5).

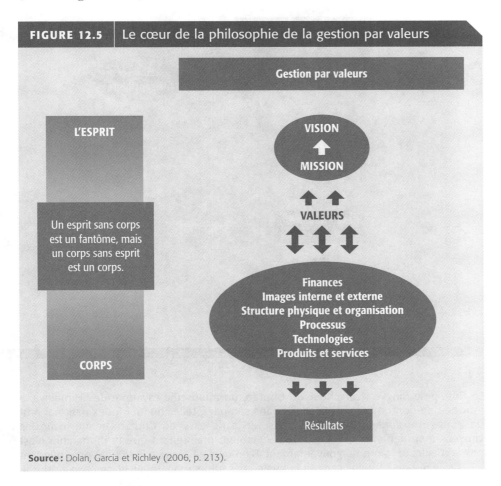

FIGURE 12.5 | Le cœur de la philosophie de la gestion par valeurs

Gestion par valeurs

L'ESPRIT

Un esprit sans corps est un fantôme, mais un corps sans esprit est un corps.

CORPS

VISION

MISSION

VALEURS

Finances
Images interne et externe
Structure physique et organisation
Processus
Technologies
Produits et services

Résultats

Source : Dolan, Garcia et Richley (2006, p. 213).

Dolan et ses collègues (2006) travaillent présentement sur quelques nouveaux développements du modèle triaxial. Ces développements prennent la forme d'un guide corporatif sur comment vivre, être vivant et faire sa vie au XXIe siècle. Sous sa forme la plus simple, l'idée est de développer le modèle triaxial en une forme interactive, la praxis instrumentale et les valeurs poétiques tournant autour de l'axe des valeurs éthiques. Ce mouvement est illustré à la figure 12.6 de la page suivante. Le triangle inversé symbolise une fondation (faite de valeurs morales), qui forme la structure sous-jacente du système. En tant que valeur, la confiance est placée au centre du triangle et représente une métavaleur.

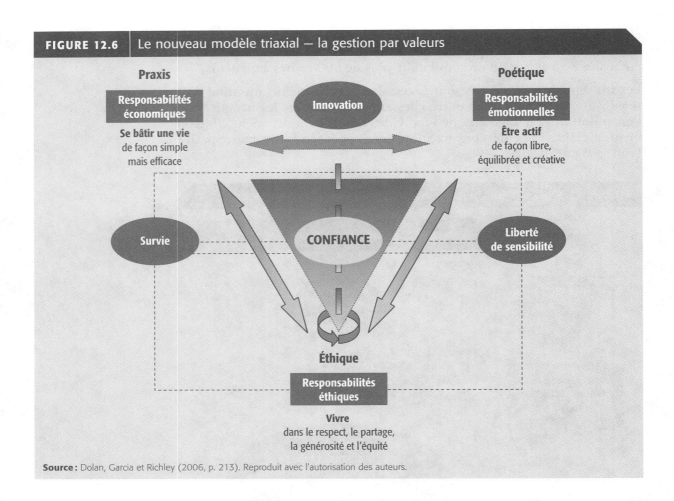

FIGURE 12.6 Le nouveau modèle triaxial — la gestion par valeurs

Praxis

Poétique

Responsabilités économiques

Se bâtir une vie de façon simple mais efficace

Innovation

Responsabilités émotionnelles

Être actif de façon libre, équilibrée et créative

Survie

CONFIANCE

Liberté de sensibilité

Éthique

Responsabilités éthiques

Vivre dans le respect, le partage, la générosité et l'équité

Source : Dolan, Garcia et Richley (2006, p. 213). Reproduit avec l'autorisation des auteurs.

EN PRATIQUE...

À bas le roi !

Le Roi Jigme Singye Wangchuck du Bhutan, un minuscule royaume de l'Himalaya, a introduit de nombreuses innovations dans son pays, telles qu'un « Index national brut de bonheur », dont le but est de mesurer la richesse du Bhutan, et qui invite les citoyens à se débarrasser de lui. Ceux-ci croient maintenant que la monarchie n'est pas la meilleure forme de gouvernement. Bien qu'il ait régné à la tête du pays pendant 31 ans, le Roi ne peut pas garantir la qualité des futurs monarques et propose ainsi une constitution en 34 points et un système démocratique de deux partis.

Source : Traduit et adapté du *Time,* 19 décembre 2005, p. 15.

En résumé :

- Mieux que la GPD et la GPO, la GPV permet à l'entreprise d'absorber la complexité des activités quotidiennes qui découle du besoin croissant d'atteindre de hauts niveaux de qualité dans la production de biens et de services. La GPV répond également à la nécessité d'assouplir les structures organisationnelles et, ce faisant, elle amène les gestionnaires à faciliter le succès de leurs collaborateurs. Qui plus est, la GPV satisfait au besoin d'encourager l'autonomie et l'engagement individuel de tous les membres de l'organisation.

- La GPV aide à canaliser toutes les activités quotidiennes vers l'accomplissement des objectifs stratégiques de l'entreprise ; elle accorde aussi beaucoup de valeurs aux objectifs et aux moyens d'action choisis par les individus.

- La GPV propose une redéfinition de la culture organisationnelle en harmonie avec une vision humaniste défendue avec succès depuis la deuxième moitié du XXᵉ siècle. En fait, quelques-unes des entreprises les plus compétitives dans leur domaine respectif, ainsi que plusieurs organisations établies un peu partout dans le monde, étudient avec grand intérêt la dynamique du développement organisationnel depuis quelque temps déjà, bien que plusieurs n'en soient encore qu'au stade de la conceptualisation. La GPV peut donc être considérée comme un type de gestion néo-humaniste.

- La GPV facilite également l'intégration de principes éthiques, moraux et écologiques au sein du leadership stratégique ainsi qu'au cœur des activités de l'entreprise. Le simple fait d'aborder avec franchise la question de l'éthique commerciale ne devrait plus être perçu comme une menace ou une restriction à la liberté d'action, mais plutôt comme une occasion de laisser apparaître une saine différenciation sur un terrain favorable à la compétitivité et au succès.

12.7.2 L'intelligence émotionnelle

L'intelligence émotionnelle est un nouvel outil dans la panoplie des approches contemporaines en psychologie du travail et comportement organisationnel. Depuis la parution du livre de Daniel Goleman, *L'intelligence émotionnelle* (Goleman, 1995, 1997), un nombre croissant de dirigeants comprennent l'importance du climat émotionnel qui prévaut dans leur entreprise. Bon nombre d'entre eux cherchent des moyens d'améliorer ce climat, forts du constat que les émotions que les travailleurs ressentent et partagent ont une incidence majeure sur la productivité et les profits de l'entreprise.

Lorsque l'intelligence émotionnelle s'allie à l'intelligence intellectuelle, les personnes travaillent de façon beaucoup plus efficace. Pourtant, durant plusieurs décennies, l'intellect et les émotions n'ont pas fait bon ménage. Suivant la croyance populaire, l'expression des émotions et des sentiments était une marque de faiblesse. Du reste, à une certaine époque, on considérait que les gens d'affaires qui réussissaient avaient tous cette caractéristique : l'absence d'émotions dans leurs relations avec les autres. À l'exception de la colère, l'expression de toute forme d'émotion et de sentiment était exclue. Il fallait exprimer une certaine sévérité pour être pris au sérieux. Le plaisir était suspect et ceux qui y cédaient éveillaient de la méfiance chez les autres.

Il suffit d'examiner les tests de quotient intellectuel (QI) pour constater qu'aucun d'entre eux ne tenait compte de l'intelligence émotionnelle. En effet, les tests d'intelligence ne considéraient que les facettes intellectuelles telles que la capacité d'analyse, l'esprit de synthèse, la mémoire, les connaissances acquises, l'esprit de décision et l'habileté à résoudre des problèmes complexes. Aujourd'hui, nous savons qu'une personne peut avoir un QI de 180 et un QE de seulement 60.

Le concept d'intelligence émotionnelle se définit en cinq points :

1. *La connaissance de ses propres émotions :* Reconnaissez-vous vos sentiments lorsqu'ils émergent ? Pouvez-vous vous rappeler dans quel état émotionnel vous vous trouviez à un moment déterminé (par exemple, quels sont vos sentiments lorsque vous vous promenez ? lorsque vous participez à une réunion de travail ? lorsque quelqu'un vous fait une remarque ?)

2. *La maîtrise de ses émotions :* Quelles sont les émotions qui vous aident, et dans quel contexte sont-elles efficaces pour vous ? Pouvez-vous atteindre un état désiré en vous rappelant un événement où l'émotion souhaitée était présente ? (Imaginez que vous vous fâchez contre un collègue. Plutôt que de réagir à chaud, pensez à un moment très paisible de votre existence, à vos vacances, peut-être. Cela vous aidera à réagir plus calmement.)

3. *L'automotivation :* Comment mettre vos émotions au service de vos objectifs ? Quelle est votre mission personnelle ? Quelles sont les valeurs les plus importantes pour vous ? Comment se traduisent-elles dans vos projets ? Quels sont les risques de voir vos plans échouer et quel en serait l'effet sur votre automotivation ?

4. *La reconnaissance de l'émotion de l'autre :* Quels éléments non verbaux vous aident à reconnaître l'émotion éprouvée par autrui ? Quelle est votre capacité à ressentir l'émotion de l'autre (votre degré d'empathie) ?

5. *La capacité de vivre avec les autres :* Que savez-vous de votre interlocuteur ? Comment arrivez-vous à résoudre vos conflits ? Jusqu'à quel point êtes-vous flexible ? Quelle est votre capacité d'adaptation à votre interlocuteur ?

De nombreuses études révèlent que la qualité des relations interpersonnelles est essentielle au maintien d'un solide avantage compétitif. Cela revient encore à dire que l'intelligence émotionnelle est une nécessité dans la gestion efficace des ressources humaines (Boyatzis, 1999 ; Goleman, Boyatzis et Mckee, 2002) Dans cette optique, un bon chef d'entreprise doit non seulement être à l'aise avec les émotions de ses employés, mais également être en mesure de comprendre ces derniers et de les aider à assumer leurs états émotifs avec efficacité. De plus, selon une recherche récente sur la sélection de candidats prêts à s'expatrier, ceux qui sont envoyés à l'étranger ont davantage de chances de réussir si leur intelligence émotionnelle est élevée. Autrement dit, les expatriés qui ont une intelligence émotionnelle élevée sont mieux à même de s'adapter et de s'intégrer à la culture du pays d'accueil. (Gabel-Shmueli, Dolan et Cerdin, 2005)

Beaucoup d'employés se réfugient derrière leur intellect pour fuir le malaise que soulève le langage des émotions. Il est vrai que les émotions sont irrationnelles. Cependant, elles constituent un carburant essentiel à l'efficacité au travail. Une étape cruciale du développement de l'intelligence émotionnelle est de cesser de percevoir les émotions comme des ennemies et d'apprendre à les connaître, à les comprendre et à les apprivoiser.

D'où viennent les émotions ? Les émotions sont les sous-produits de notre perception de nous-mêmes et des autres. Mais alors, d'où viennent nos perceptions ? De nos croyances ou de nos paradigmes (voir le chapitre 1). Qu'est-ce qu'une croyance ou un paradigme ? C'est la prémisse qui permet de prédire notre réaction dans une situation donnée.

Si une personne est mal à l'aise avec ses émotions, il est très probable qu'elle n'arrivera pas à les exprimer lorsqu'on lui demandera de le faire. Comme nous l'avons mentionné plus haut, bien des gens d'affaires se fabriquent une carapace pour dissimuler aux autres ce qu'ils ressentent. Pourtant, il est maintenant admis que c'est l'enthousiasme, dont fait preuve le vendeur à l'égard de son produit, qui est l'élément le plus susceptible d'inciter le client à acheter ; l'assurance et la confiance du promoteur qui lui permet de négocier des contrats intéressants ; ou encore, la passion du professeur pour sa matière qui stimule ses élèves et les pousse à réussir leur cours.

De quoi aurait l'air une entreprise où l'intelligence émotionnelle et l'intelligence intellectuelle seraient toutes deux mises à profit ? Selon toute probabilité, on y trouverait des employés qui aiment beaucoup leur travail et se plaisent à parler de leur entreprise et des produits qu'ils fabriquent à leurs amis et aux personnes qu'ils rencontrent. Ils seraient fiers de porter les couleurs de leur entreprise et auraient même hâte le matin de se rendre au travail, en raison de la nature stimulante et valorisante de leurs tâches. Vous allez peut-être croire que ce scénario est irréaliste. Il est pourtant véridique. Si vous regardez attentivement autour de vous, vous constaterez que certaines entreprises affichent ce dynamisme.

Lorsque l'on discute d'intelligence émotionnelle, il y a nécessité de répondre à une autre question : Pourquoi les gens travaillent-ils ? Certains diront que c'est pour gagner leur vie. Bien sûr, l'argent est important. Cependant, si vous avez le choix entre un emploi très rémunérateur, mais sans intérêt à vos yeux, et un autre moins bien payé, mais qui vous passionne, il y a de fortes chances que vous choisissiez le second. Pourquoi ? Parce que c'est cet emploi qui vous donnera le sentiment de vous réaliser vraiment. Nous avons tous besoin d'un travail qui nous permette de grandir intérieurement tout en relevant des défis, de faire quelque chose qui soit en quelque sorte un prolongement de nous-mêmes et d'être fiers de ce que nous accomplissons. Les émotions et les sentiments positifs sont le carburant qui alimente la motivation des travailleurs et des entreprises et qui les incite à être les meilleurs dans leur domaine. L'intelligence émotionnelle, c'est tout cela et plus encore, d'après Cherniss et Goleman (2001).

Bref, une personne pourrait posséder un quotient intellectuel très élevé mais, si elle ne sait pas allier ce dernier à un bon quotient émotionnel, elle ne réussira pas comme elle l'aurait souhaité. Il faut apprendre à bien connaître ses émotions pour être en mesure de les gérer efficacement et de les maîtriser d'abord face à soi-même, puis face aux autres. La parole du célèbre Socrate, soit « Connais-toi toi-même », est encore aujourd'hui très pertinente.

12.7.3 L'organisation apprenante

Dans une organisation apprenante, tous les individus de tous les niveaux augmentent continuellement leur capacité de produire, individuellement et collectivement, des résultats qu'ils valorisent.

Pourquoi les organisations devraient-elles faire cas de l'apprentissage ? Parce que la performance et les progrès, désormais nécessaires à leur succès, dépendent en grande partie de l'apprentissage. Dans la plupart des secteurs d'activité, qu'ils soient du domaine privé, public ou parapublic (qui comprend la santé), le chemin à suivre pour atteindre la réussite est loin d'être évident.

Le concept de l'organisation apprenante a été popularisé par Peter Senge dans son livre, *La cinquième discipline,* publié en 1991. Cet ouvrage est un classique. L'auteur y préconise le recours à cinq techniques pour amener l'organisation et chacun de ses membres à progresser et à se développer :

- la pensée systémique, qui aide à appréhender la réalité dans toute sa complexité ;
- la maîtrise personnelle, qui combine une perception lucide de la réalité à la connaissance claire de ses aspirations personnelles ;
- la maîtrise des modèles mentaux, qui améliore les représentations que l'on a du fonctionnement de l'environnement ;
- la vision partagée, qui procure la motivation de progresser vers des objectifs communs ;
- l'apprentissage en équipe.

Comme le montre Senge, l'origine des difficultés des organisations se situe en nous-mêmes et dans nos structures mentales. On se retrouve alors face aux disciplines comportementales qui doivent accompagner la pratique de la pensée systémique. Senge nous propose une liste de quatre domaines qui doivent également être maîtrisés avant que l'avion puisse décoller : la maîtrise personnelle, la maîtrise des modèles mentaux, la vision partagée et l'apprentissage en équipe. Il s'agit de techniques essentielles, qui préoccupent les chercheurs depuis des années.

Quels sont les bénéfices que peuvent en retirer les personnes ? L'apprentissage est très gratifiant et très satisfaisant pour l'individu. Pour les gestionnaires, l'intérêt est clair : toutes les parties prenantes sont gagnantes. C'est-à-dire que la possibilité d'atteindre une performance extraordinaire est très grande.

Existe-t-il des exemples d'apprentissage organisationnel ? Oui, mais l'organisation apprenante est une vision utopique. Les entreprises ne peuvent appliquer ce concept que dans une certaine mesure.

Voici quelques traits culturels typiques d'une organisation apprenante :

- Les membres de la direction encouragent et soutiennent le développement de leurs partenaires en recrutant des fournisseurs qui assurent un renouvellement constant des apprentissages, ce qui favorise l'amélioration de leur organisation.

- L'organisation est centrée sur l'apprentissage. Elle développe une culture d'apprentissage chez ses membres.

- L'organisation est consciente du processus de changement en cours. Elle préfère faire appel à la mémoire plutôt qu'à la répétition. Elle sait de mieux en mieux pourquoi elle fait ce qu'elle fait.

- L'organisation est vivante ; elle propose des objectifs et s'applique à les atteindre en mettant tous ses membres à contribution, quels que soient leurs niveaux hiérarchiques. L'organisation soutient le développement personnel de ses membres dans l'exercice de leurs fonctions.

- L'organisation met constamment en pratique la technique des boucles de régulation (pensée systémique). Elle progresse vers les buts visés avec conscience, objectivité et cohérence.

- Tous les acteurs sont en constant apprentissage, donc en constante évolution, guidés par une vision commune vers des objectifs partagés.

- L'organisation est très consciente de sa mission. Il existe une grande cohésion entre ses agents. Elle est continuellement en développement.

- L'organisation se structure de manière que tous les acteurs apprennent ensemble à résoudre des problèmes complexes. Il est important que chaque membre puisse nommer les cinq techniques de l'apprentissage organisationnel et mettre en pratique sa grille de lecture.

- Les individus qui la composent ont pris conscience, individuellement et collectivement, de la nécessité d'adopter une démarche orientée vers une vision commune.

12.7.4 Le concept du tableau de bord prospectif

Les bases du concept

Kaplan et Norton (2003) ont développé une méthode de gestion par **tableau de bord** prospectif (TBP), combinant des indicateurs financiers et non financiers. Ils prônent le suivi de quatre groupes d'indicateurs :

- *financiers :* chiffre d'affaires (récurrent, perdu), résultat, cours de l'action ;
- *client :* satisfaction, fidélité, renforcement de l'image, amélioration de la qualité des services ;
- *organisation :* cycles de développement, durée, coûts de structure, maîtrise des achats, choix des sites ;
- *développement :* capacité d'innovation, pérennisation, valorisation des acquis, nouveaux produits à l'étude, actifs intellectuels.

Ce concept se veut avant tout une méthode de construction de tableaux de bord. Kaplan et Norton ont déterminé quatre étapes fondamentales dans le développement du TBP :

- La formalisation de la stratégie de l'entreprise ;
- La définition des indicateurs (permettant de visualiser les points charnières de la stratégie) ;
- Le calcul des indicateurs ;
- La mise en place d'une stratégie de management du TBP.

La formalisation de la stratégie de l'entreprise

La première étape de la mise en place d'un tableau de bord prospectif consiste à formaliser la stratégie de l'entreprise. Cette stratégie doit tenir compte à la fois des moyens actuels et du marché, mais aussi des opportunités ou des partenariats à venir. Il importe, dans un second temps, de détailler les moyens de mise en œuvre en traduisant la stratégie en objectifs opérationnels. Il importe enfin de la faire connaître à l'ensemble des salariés. Kaplan et Norton, citant des exemples issus de leur expérience en entreprises, soulignent combien cette étape peut s'avérer délicate. Elle révèle parfois, au sein même de l'équipe dirigeante, des différences de point de vue ou d'appréciation sur la stratégie de l'entreprise. Le TBP doit ériger un « modèle » du fonctionnement de l'entreprise, en établissant un certain nombre d'hypothèses autour d'indicateurs clefs, afin de suivre l'évolution des objectifs fixés et de vérifier que les différentes unités opérationnelles s'inscrivent dans la ligne directrice définie.

L'essentiel est de rappeler que les quatre axes décrits dans la méthode classique recoupent ceux-ci.

1. *L'axe financier :* C'est l'axe « traditionnel » des tableaux de bord de gestion. Les indicateurs choisis dépendent du cycle de vie du marché ou des produits de l'entreprise. Sur un marché en expansion, les indicateurs financiers peuvent être le chiffre d'affaires global sur un segment de marché donné ou une zone géographique donnée. Sur un marché plus mature, des objectifs de rentabilité s'avèrent plus pertinents. Le choix porte sur des résultats d'exploitation, des marges brutes.

   Des indicateurs financiers plus stratégiques doivent également être pris en compte, tels que :

   - la croissance et la diversification du chiffre d'affaires ;
   - l'amélioration de la productivité ;
   - la stratégie d'utilisation de l'actif et d'investissement.

2. *L'axe client :* l'axe client du TBP permet de définir une stratégie à l'heure du *Consumer Relationship Management* (*CRM*) et de définir des marqueurs qui mettront en évidence l'évolution de l'entreprise sur les segments de marché sur lesquels elle souhaite se positionner. Des indicateurs de performance sont alors déterminés : fidélisation, part de marché, satisfaction, conservation, rentabilité. Par exemple, si la marque de l'entreprise est reconnue comme un facteur de positionnement stratégique, elle pourra être intégrée au TBP.

   Les indicateurs proposés donnent des indications *a posteriori.* Parallèlement au TBP, il importe naturellement de traduire la stratégie en une offre pertinente (le prix, par exemple) ou en une politique de relations avec la clientèle (la qualité d'accueil des clients, la ponctualité des livraisons, etc.) intégrant les stratégies des concurrents. Des indicateurs liés à l'offre pourront également être intégrés dans le TBP.

3. *L'axe processus :* Aux yeux de Norton et Kaplan, cet axe constitue le cœur de la philosophie du TBP. Une fois la stratégie posée et l'offre structurée, les processus internes seront analysés afin d'en retirer des indicateurs pertinents. Ils doivent intégrer l'ensemble des processus, de la mise au point de nouveaux produits au service après vente, dépassant en cela les indicateurs de productivité classiques.

   Selon la stratégie adoptée, les indicateurs peuvent être relatifs à des processus tels que :
   - le développement de nouveaux produits ;
   - la qualité de la connaissance du processus ;
   - la qualité du suivi ;
   - la mesure des résultats des activités de recherche et développement ;
   - les processus de production (incluant les cycles d'approvisionnement, la production, les contrôles de qualité, le stockage, etc.) ;
   - le service après vente.

4. *L'axe gestion de la connaissance :* On entend par là les méthodes et systèmes qui permettent de capitaliser sur les expériences ou sur l'apprentissage permanent. Les principes fondamentaux sont :
   - des méthodes efficaces ;
   - des outils adaptés ;
   - un management de circonstance ;
   - une rétroaction permanente.

   Norton et Kaplan positionnent cet axe comme celui qui contient les moyens et facteurs permettant d'améliorer les critères des trois autres axes. Il doit refléter la motivation et la compétence des salariés, mais aussi la qualité des procédures et du système d'information. Il est possible d'intégrer des indicateurs d'absentéisme, de roulement du personnel et de satisfaction globale des salariés.

CONCLUSION

Comme on peut le constater, les nouvelles formes d'organisation du travail et les innovations en matière de gestion présentées dans ce chapitre visent directement ou indirectement l'amélioration de la qualité de vie au travail. Qu'elles se définissent par une réorganisation partielle ou globale du travail, les nouvelles formes de gestion permettent théoriquement d'adapter ou de réajuster certains éléments du travail en fonction de la réalité intrinsèque des travailleurs.

Toujours est-il que la manipulation est facile et, comme nous le mentionnions au début du présent chapitre, les transformations organisationnelles peuvent à l'occasion cacher une volonté de profiter subtilement des travailleurs. Utilisant les nouvelles formes de gestion comme un leurre motivationnel, pareille stratégie patronale comporterait naturellement plus d'effets pervers que de réelles améliorations pour l'organisation. Un cercle de qualité privé de pouvoir décisionnel, un assouplissement de l'horaire de travail inapplicable ou une gestion de la qualité purement technique seraient autant d'occasions manquées d'humaniser les conditions de travail des individus.

Pour que les innovations en matière d'organisation du travail puissent être mises en place, elles doivent s'intégrer dans une logique qui tienne compte du travailleur. Et la pierre de touche de l'intégrité d'une nouvelle forme de gestion réside dans ses répercussions positives sur la qualité de vie au travail. C'est là le seul gage de l'amélioration du rendement organisationnel.

? QUESTIONS DE RÉVISION

1. Définissez la notion de démocratie industrielle en indiquant la manière dont les nouvelles formes d'organisation du travail peuvent contribuer à sa réalisation.

2. Expliquez la relation étroite qui existe entre les nouvelles formes d'organisation du travail et la productivité organisationnelle.

3. Dégagez les similitudes et les différences entre les cercles de qualité et les groupes semi-autonomes du point de vue du pouvoir décisionnel.

4. Énumérez les avantages de l'horaire flexible et de l'horaire comprimé en précisant celui qui est le plus avantageux pour les travailleurs.

5. Expliquez en quoi consiste le juste-à-temps et indiquez les techniques qui sont utilisées pour l'actualiser.

6. Quelles différences existe-t-il entre la gestion par valeurs, la gestion par objectifs et la gestion par directives?

7. Que signifie l'expression «être émotionnellement intelligent»?

La société Galaxie

La société Galaxie compte 5 000 employés et 10 usines au Canada. Sa production principale consiste en une gamme de matériaux d'emballage, et ses produits sont utilisés notamment par des constructeurs d'automobiles, des fabricants de matériel de bureau et la Défense nationale. La plupart des employés de production sont membres d'un syndicat international. Récemment, invoquant l'accroissement de la concurrence et la hausse considérable de ses frais généraux, l'entreprise a mis à pied 10 % de son personnel.

Les clients de Galaxie utilisent ses matériaux pour emballer divers articles en vue de leur distribution interne ou externe. Galaxie fabrique également une série d'appareils destinés à emballer automatiquement les colis avec les matériaux qu'elle produit ou ceux d'un autre fournisseur. Elle détient une part importante de son marché principal, soit celui des matériaux d'emballage. Cette part de marché était même croissante jusqu'à tout récemment. En revanche, le chiffre d'affaires et les bénéfices du côté des appareils d'emballage sont décevants. C'est d'ailleurs le personnel affecté à cette production qui a fait les frais de la réduction la plus importante.

Depuis peu, les clients de Galaxie exigent que ses produits respectent des normes de qualité strictes. En outre, ils ont commencé à se plaindre des prix demandés par l'entreprise, jugés trop élevés. Par ailleurs, un contrat important vient d'échapper à Galaxie, car ses appareils se sont déréglés à de nombreuses reprises au cours d'une démonstration à laquelle assistaient les clients, un groupe d'officiers.

Le président de la société, I.M. Astor, est convaincu qu'il sera impossible de redresser la situation de l'entreprise sur le plan de la qualité et des coûts si les employés de la production ne participent pas davantage à la résolution des problèmes et à la prise de décision. C'est pourquoi il a demandé à la vice-présidente du service des ressources humaines, Deborah B. Green, d'examiner divers moyens d'assurer la participation des employés. « Trouvez une méthode qui donnera des résultats et mettez-la en pratique le plus tôt possible », lui a-t-il dit. En raison des problèmes de qualité que connaît Galaxie et de la démonstration ratée dont il est question plus haut, M. Astor désire que l'on applique des mesures d'incitation à la participation dans le service chargé de la production des appareils d'emballage.

En encourageant la participation des employés, M. Astor craint toutefois de susciter chez ces derniers de trop grands espoirs. En outre, il ne fait pas confiance aux cadres de la section des appareils d'emballage et estime que le service des ressources humaines est plus à même de diriger le programme d'incitation à la participation.

M. Astor désire écarter les représentants syndicaux des discussions initiales sur la participation des employés. « Nous informerons le syndicat de ce que nous avons l'intention de faire une fois que nous aurons pris une décision, a-t-il déclaré, puis nous lui demanderons de nous appuyer pour sauvegarder les emplois de ses membres. »

Mme Green a effectué une analyse du climat de travail et des systèmes en place. Il en ressort ce qui suit :

- Galaxie présente une structure traditionnelle, épousant les grandes fonctions de l'entreprise. La structure se divise en six services : production, ventes et commercialisation, conception des produits, contrôle de la qualité, comptabilité et planification, et ressources humaines.

- On compte neuf niveaux hiérarchiques entre un travailleur de la section des appareils d'emballage et le président de l'entreprise.

- Les appareils d'emballage sont produits sur une chaîne de montage traditionnelle. Chaque poste est très structuré et doit produire un quota bien déterminé. En production, les emplois sont généralement routiniers et fragmentaires. Chacun fait l'objet d'une description de tâches très détaillée.

- Les contremaîtres sont, pour la plupart, issus de la masse des employés de la production rémunérés à l'heure et ne possèdent qu'un diplôme d'études secondaires. La majorité d'entre eux croient que les employés de la production ne font pas autant d'efforts qu'ils le pourraient pour améliorer la qualité et réduire les coûts.

- Le système de récompense en place met l'accent sur les quantités produites, en particulier dans la section des appareils d'emballage.

- De tout temps, on a insisté pour que les chaînes de production demeurent en activité, et ce, à n'importe quel prix ou presque. On suppose que le service du contrôle de la qualité est en mesure de déceler les problèmes en matière de qualité et d'y remédier.

- Dans la section des appareils d'emballage, l'employé type est un homme de race blanche âgé de 45 ans et possédant un diplôme d'études secondaires.

- Selon un sondage récent, la satisfaction des employés de la section des appareils d'emballage est à son plus bas. En effet, l'an dernier, 70 % d'entre eux se disaient satisfaits ou très satisfaits de leur emploi, contre 54 % cette année.

- Récemment, Galaxie a consacré des sommes importantes à l'acquisition de nouveaux moyens techniques qui devaient permettre de rationaliser la production des appareils d'emballage. Or, on n'a pas obtenu les résultats escomptés. En fait, en raison du réusinage, les coûts et le travail ont augmenté depuis la mise en place des nouveaux systèmes.

- Le fournisseur de ces systèmes en a brièvement expliqué le fonctionnement aux contremaîtres de la section des appareils d'emballage, qui devaient à leur tour l'expliquer aux employés. On avait cependant averti les contremaîtres que les objectifs de production demeuraient inchangés durant la période de formation et que cette dernière devait être aussi courte que possible.

Le questionnaire, présenté à la page suivante, a pour but de déterminer si une organisation est prête à établir une forme quelconque d'incitation à la participation de ses employés et si ses systèmes sont congruents. Ce questionnaire peut aider les cadres et les gestionnaires des ressources humaines à poser un diagnostic sur l'état actuel de leur organisation et à planifier l'intervention appropriée au chapitre de la participation des employés. Les systèmes organisationnels en place sont considérés comme congruents lorsque les résultats qu'ils permettent d'obtenir présentent une certaine uniformité d'une section à l'autre. Si tel n'est pas le cas, le plan d'action élaboré devra comporter, outre des mesures incitatives en faveur de la participation des employés, des dispositions visant à corriger la situation. Ces dispositions pourront même être un préalable au programme d'incitation à la participation.

Pour chacun des énoncés énumérés dans le questionnaire, encerclez le nombre qui, selon vous, traduit le mieux la situation actuelle chez Galaxie. Rappelez-vous que si les résultats obtenus varient d'une section à l'autre, les systèmes de l'entreprise ne sont pas congruents.

I. Les caractéristiques des employés

Les employés n'agissent que si on leur indique quoi faire et de quelle manière.	1 2 3 4 5 6	Les employés sont prêts à faire ce qui doit être fait et à en assumer la responsabilité.
Les employés laissent volontiers d'autres personnes prendre la plupart des décisions qui influent sur leur travail.	1 2 3 4 5 6	Les employés protestent lorsqu'ils ne sont pas consultés sur un point qui influe sur leur travail.
Les employés ne peuvent accomplir qu'un nombre limité de tâches.	1 2 3 4 5 6	Les employés sont à même d'effectuer un travail qui les oblige à exécuter des tâches diverses.
Les employés acceptent que leur travail soit ennuyeux.	1 2 3 4 5 6	Les employés exigent que leur travail soit intéressant.
Les employés possèdent des aptitudes et des connaissances relativement limitées.	1 2 3 4 5 6	Les employés possèdent des aptitudes et des connaissances relativement étendues.
Les employés font mieux leur travail lorsque quelqu'un d'autre en établit le rythme.	1 2 3 4 5 6	Les employés font mieux leur travail lorsqu'ils en établissent eux-mêmes le rythme.

Total : _____

L'analyse des résultats

Dans cette section, un résultat égal ou inférieur à 15 indique qu'il pourrait être nécessaire de former les employés de Galaxie avant de mettre en place un programme de participation, et qu'il convient d'opter pour un système de suggestions parallèle. Si le résultat obtenu se situe entre 16 et 26, on peut s'attendre à ce qu'une stratégie d'engagement au travail porte des fruits. Un résultat égal ou supérieur à 27 révèle que l'on doit plutôt adopter un régime de travail axé sur un degré élevé de participation des employés.

II. La structure actuelle des emplois et du travail

Les emplois sont clairement définis, structurés et stables.	1 2 3 4 5 6	Les emplois sont flexibles et permettent la résolution des problèmes en groupe.
La chaîne de commandement est clairement définie.	1 2 3 4 5 6	On remarque une certaine délégation de l'autorité aux employés qui exécutent le travail.
Ce sont surtout des éléments à caractère pécuniaire (rémunération, bénéfices, etc.) qui motivent les employés.	1 2 3 4 5 6	Ce sont surtout des éléments à caractère non pécuniaire (défis à relever, travail d'équipe, etc.) qui motivent les employés.
Les méthodes de travail sont établies par des spécialistes.	1 2 3 4 5 6	Les méthodes de travail sont laissées à la discrétion de l'individu ou du groupe.
Les objectifs de production sont établis par la direction.	1 2 3 4 5 6	Les objectifs de production sont laissés à la discrétion des employés.
Les employés ne reçoivent que l'information dont ils ont besoin pour accomplir leur travail.	1 2 3 4 5 6	Les employés ont aisément accès à toute information qu'ils jugent pertinente.
On note une surveillance et des mesures de contrôle poussées de même qu'une discipline imposée avec fermeté.	1 2 3 4 5 6	La gestion est démocratique, le contrôle externe limité et il y a de l'autodiscipline.

Total : _____

L'analyse des résultats

Dans cette section, un résultat égal ou inférieur à 17 indique que les tâches et le travail sont très fragmentés, et qu'il convient d'opter pour un système de suggestions parallèle. Si le résultat obtenu se situe entre 18 et 31, on peut mettre en place un système d'engagement au travail. Un résultat égal ou supérieur à 32 indique que l'on doit plutôt adopter un régime de travail axé sur un degré élevé de participation des employés.

III. La situation de l'organisation

La prise de décision s'effectue à l'échelon supérieur de l'organisation.	1 2 3 4 5 6	La prise de décision s'effectue à tous les niveaux de l'organisation.
Les mécanismes de contrôle en place s'attachent d'abord et avant tout à établir qui doit rendre des comptes lorsque survient une erreur.	1 2 3 4 5 6	Les mécanismes de contrôle en place mettent l'accent sur le contrôle des tâches par les personnes qui les exécutent et sur la résolution des problèmes.
Les cadres ne se préoccupent guère de développer les ressources humaines de l'entreprise.	1 2 3 4 5 6	Les cadres ont pleinement conscience de la nécessité de développer les ressources humaines de l'entreprise.
Les attitudes à l'égard de l'organisation sont surtout défavorables.	1 2 3 4 5 6	Les attitudes à l'égard de l'organisation sont surtout favorables.
Les contremaîtres et leurs subordonnés ne se font guère confiance.	1 2 3 4 5 6	Les contremaîtres et leurs subordonnés se font grandement confiance.
Les contremaîtres ne pressent pas leurs subordonnés d'exprimer leurs idées et leur opinion.	1 2 3 4 5 6	Les contremaîtres pressent leurs subordonnés d'exprimer leurs idées et leur opinion.

Total : _____

L'analyse des résultats

Dans cette section, un résultat égal ou inférieur à 15 dénote une organisation axée sur le contrôle et ne permettant aucune modification directe du profil des emplois, de la structure organisationnelle ou des rôles attribués aux employés et au personnel cadre. Il faudra donc amener les employés à participer en utilisant un système de suggestions parallèle. Si le résultat obtenu se situe entre 16 et 26, on peut accroître l'engagement au travail par l'enrichissement des tâches ou une stratégie axée sur le travail d'équipe. Un résultat égal ou supérieur à 27 indique que l'organisation en cause est axée sur l'engagement et qu'il convient d'opter pour un régime de travail exigeant un degré élevé de participation des employés.

Source : Traduit de Bernardin et Russel (1993, p. 565-570).

RÉFÉRENCES

Argyris, C. et Schön, D. (1978). *Organizational Learning,* Reading (Mass.), Addison-Wesley.

Aubry, F. (1995). *Les Heures et les horaires de travail,* Service de recherche CSN.

Bernardin, H.J. et Russel, J.E.A. (1993). *HRM : An Experiential Approach,* Toronto, McGraw-Hill.

Bernier, C., Pinsonneault, A., Rivard, S. et Blouin, H. (1995). « La réingénierie : un processus à gérer », *Gestion,* juin, p. 44-45.

Blanchard, K. et O'Connor, M. (1997), *Managing by Values,* San Francisco, Berrett-Koehler.

Boyatsiz, R.E. (1999). « Self-Directed Change and Learning as a Necessary Meta-Competency for Success and Effectiveness in the 21st Century », dans R. Sims et J.G. Veres (dir.), *Keys to Employee Success in the Coming Decades,* Westport (Conn.), Greenwood Publishing.

Cherniss, C. et Goleman, D. (dir.) (2001). *The Emotionally Intelligent Workplace : How to Select For, Measure, and Improve Emotional Intelligence in Individuals, Groups, and Organizations,* San Francisco, Jossey-Bass.

Commission consultative sur le travail et la révision du Code du travail, (1986). *La participation des travailleurs dans l'entreprise : l'état de la situation,* Québec, Les Publications du Québec.

Dean, J.W. et Evans, J.R. (1994). *Total Quality,* New York, West Publishing.

Dolan, S.L. et Garcia, S. (1999). *La gestion par valeurs,* Montréal, Éditions Nouvelles.

Dolan, S.L., Saba, T. Jackson, S.E. et Schuler, R.S. (2001). *Gestion des ressources humaines. Tendances, enjeux et pratiques actuelles,* Saint-Laurent, ERPI.

Dolan, S.L. et Schuler, R.S. (1995). *La gestion des ressources humaines au seuil de l'an 2000,* Saint-Laurent, ERPI.

Dolan S.L., Garcia, S. et Richley, B. (2006). *Managing by Values : A Corporate guide to Living, being alive, and making a living in the 21st century,* Londres, Palgrave-Macmillan.

Dwyer, E. (1994). « Seven Paradoxes of Leadership », *Journal for Quality and Participation,* mars, p. 46-48.

Fayol, E. (1950). *Administration industrielle et générale,* Paris, Dunod.

Gabel-Shmueli, R., Dolan, S.L. et Cerdin, J.L. (2005). « Emotional Intelligence as Predictor of Cultural Adjustment for Success in Global Assignments », *Career Development International,* vol. 10, n° 5, p. 375-395.

Garcia, S. et Dolan, S.L. (1997). *La dirección por valores,* Madrid, McGraw-Hill.

Garcia S. et Dolan, S.L. (2003). *La dirección por valores*, 2e éd., Madrid, McGraw-Hill.

Goleman, D. (1995). *Emotional Intelligence : Why It Can Matter More Than IQ,* New York, Bantam Books.

Goleman, D. (1997). *L'intelligence émotionnelle : comment transformer ses émotions en intelligence,* Paris, Laffont.

Goleman, D., Boyatzis, R. et McKee, A. (2002). « The emotional reality of teams », *Journal of Organizational Excellence,* vol. 21, n° 2, p. 55-65.

Grant, M., Bélanger, P.R. et Lévesque, B. (1997). *Nouvelles Formes d'organisation du travail,* Paris et Montréal, L'Harmattan.

Hall R.H. et Tolbert, P.S. (2004). *Organizations : Structures, Processes, and Outcomes,* 9e éd., Engelwood Cliffs (N.J.), Prentice-Hall.

Hammer, M. et Champy, J. (1993). *Reengineering the Corporation,* New York, Harper Business.

Herzberg, F., Mausner, B. Peterson, R. et Capwell, D. (1957). *Job Attitudes : Review of Research and Opinion,* Pittsburgh, Psychological Services.

Ho, A. et Stewart, J. (1992) *Case Study on Impact of 4/40 Compressed Workweek Program on Trip Reduction,* rapport de recherches nº 1346, Transportation Research Board of the National Academies, p. 25-31.

Hodgetts, R.M., Luthans, F. et Lee, S.M. (1994). « New Paradigm Organizations : From Total Quality to Learning to World-Class », *Organizational Dynamics,* vol. 22, nº 3, p. 5-18.

Holt, H. et Thaulow, I. (1996). « Strategies to Make Companies More Responsive to the Needs of Families », dans *Reconciling Work and Family Life, An International Perspective on the Role of Companies,* Socialforskningsinstituttet, rapport nº 96, p. 12.

Kaplan, R.S. et Norton, D.P. (2003). « Putting the balanced scorecard to work », *Harvard Business Review,* septembre-octobre, p. 134-147.

Kierstead, J. (1999). *Tendances et difficultés dans le domaine des ressources humaines : l'intelligence émotionnelle (IE) dans le milieu de travail,* Direction générale des politiques, de la recherche et des communications, Commission de la fonction publique du Canada, [en ligne], www.hrma-agrh.gc.ca/research/ personnel/ei_f.asp (page consultée le 15 décembre 2006).

Koontz, H. et O'Donnell, C. (1980). *Management : principes et méthodes de gestion,* Montréal, McGraw-Hill.

Laflamme, M. (1983). « La démocratie industrielle au Québec », dans G. Tarrab et autres, *La psychologie organisationnelle au Québec,* Presses de l'Université de Montréal, p. 387-408.

Lamoureux, G. (1988). *Modèles d'évolution des services de ressources humaines,* document de recherche nº 11, Montréal, École des relations industrielles, Université de Montréal.

Nadeau, M., Beaupré, D. et Arcand, M. (1993). « Essai sur les différents aspects de la qualité totale, notamment celui de la gestion des ressources humaines », *Les Cahiers du travail,* nº 2, p. 9-40.

Ouchi, W.G. (1982). *Théorie Z,* Paris, Inter-Éditions.

Paquet, R. et Lapointe, P.-A. (1994). « Les syndicats et les nouvelles formes d'organisation du travail », *Relations industrielles,* vol. 49, nº 2, p. 281-302.

Purdie, J. (1990). « Better Office Means Greater Productivity », *The Financial Post,* 26 novembre, p. 35.

Rockeach, M. (1973). *The nature of human values,* Josey-Bass, San Francisco.

Senge, P.M. (1990). « The Leader's New Work : Building Learning Organizations », *Sloan Management Review,* automne, p. 7-23.

Senge, P.M. (1991). *La cinquième discipline,* Paris, First.

Shandler, M. et Egan, M. (1994). « Leadership for Quality », *Journal for Quality and Participation,* mars, p. 66-71.

Sherwood, J.J. et Hoylman, F.M. (1993). « The Total Quality Paradox », *Journal for Quality and Participation,* mars, p. 98-105.

Stewart, T.A. (1993). « Reengineering : The Hot New Managing Tool », *Fortune,* 23 août.

Absentéisme : Fréquence des absences exprimée en heure-personne, en jour-personne ou en pourcentage dans un groupe donné.

Acceptation de la décision : Attitude des employés qui dépend étroitement de leur degré de participation à la prise de décision. Selon Vroom et Yetton, plus le degré de participation des subordonnés est élevé, plus il y a de chances pour qu'ils acceptent la décision, ce qui en facilite par le fait même l'application.

Accidents du travail : Accidents subis par des travailleurs du fait de leur activité de travail et pouvant entraîner, par exemple, la perte de l'ouïe, de la vue ou la mort.

Accomplissement : Sentiment de satisfaction personnelle accompagnant le travail effectué, la résolution d'un problème et la vision des résultats de l'effort. La définition renvoie également à son opposé : l'échec, l'absence d'accomplissement.

Accueil ou orientation : Programme instauré par l'employeur pour accueillir les nouveaux employés au sein de l'organisation, les initier à leur travail et les aider à se familiariser avec leur milieu de travail et la culture de l'organisation.

ACTH : Hormone sécrétée par le lobe antérieur de l'hypophyse en réponse à des signaux en provenance d'autres régions du cerveau. L'ACTH, de l'anglais *adreno-cortico-tropic hormone,* agit à distance sur la partie corticale de la glande surrénale où elle stimule la production d'autres hormones, les glucocorticoïdes.

Ambiguïté de rôle : Incertitude quant à ce qui est attendu d'une personne ayant un rôle à jouer dans un système quelconque.

Analyse biculturelle : Étude des relations culturelles entre des entreprises qui fusionnent, dans le but de déterminer les risques de différends.

Analyse systémique : Analyse visant la compréhension de la relation d'équilibre du système, compte tenu de ses échanges continus avec l'environnement. Comme le maintien de cet équilibre dépend moins des caractéristiques intrinsèques des parties que de leurs interactions, celles-ci constituent le principal objet de l'analyse systémique.

Ancienneté : Nombre d'années de service d'une personne au sein d'une organisation.

Appariement individu-emploi : Programme de jumelage des emplois et des travailleurs qui consiste à harmoniser les compétences, les connaissances et les habiletés des travailleurs, de même que leur personnalité, leurs intérêts et leurs préférences, avec les exigences et les caractéristiques des postes.

Approche axée sur la situation : Approche selon laquelle l'efficacité du leader est déterminée non seulement par son comportement, mais aussi par le contexte environnemental dans lequel il évolue.

Approche axée sur les comportements : Approche comportementale selon laquelle l'aspect le plus important du leadership ne se rapporte pas aux caractéristiques du leader, mais bien à son style et à sa façon de réagir dans différentes situations.

Approche axée sur les traits : Approche selon laquelle l'efficacité d'un leader dépend de caractéristiques individuelles.

Approche ergonomique : Étude scientifique des postes de travail qui vise à adapter le plus efficacement possible l'environnement physique à l'activité de travail. Il s'agit d'obtenir des titulaires de postes un rendement optimal tout en exigeant d'eux un minimum d'efforts et de fatigue.

Approche intuitive : Théorie de la prise de décision naturelle. Elle repose sur des modèles descriptifs plutôt que normatifs et désigne les stratégies qu'utilisent les décideurs chevronnés pour aborder les problèmes réels.

Approche rationnelle : Approche qui propose au décideur un processus logique lui permettant d'analyser toutes les composantes du problème. C'est une méthode de prise de décision rigoureuse qui inclut un processus analytique complet.

Approche sociotechnique : Approche qui vise l'optimisation conjointe du système social et du système technique de l'entreprise. Cette approche permet de satisfaire aux exigences économiques et culturelles contemporaines en mettant l'accent sur l'adaptation et l'épanouissement personnel des membres de l'organisation. Elle insiste sur l'importance des interrelations entre le système social et le système technique, c'est-à-dire entre l'organisation et son environnement, pour que chaque employé puisse s'épanouir dans l'accomplissement de ses tâches. Dans cette approche, on s'intéresse donc aux échanges entre l'homme et son travail.

Aptitudes : Ensemble des qualités physiques et intellectuelles permettant à une personne d'accomplir une tâche ou une fonction.

Arbitrage des conflits d'intérêts : Arbitrage des conflits concernant la durée et les dispositions d'une convention collective.

Arbitrage des griefs : Arbitrage portant sur un grief présenté par l'une ou l'autre des parties pendant la durée d'une convention collective en ce qui concerne l'interprétation ou l'application d'une clause de cette convention.

Artéfacts culturels : Éléments explicites et visibles de la culture organisationnelle.

Aspect dynamique des systèmes : Aspect révélé par l'étude des fonctions et des conditions de stabilité et de changement des systèmes.

Aspect structurel des systèmes : Aspect révélé par l'étude des composantes du système, de leur nature et de leurs relations.

Assimilation : Stratégie utilisée pour fusionner des cultures organisationnelles. Il y a assimilation lorsque les employés de la société achetée adhèrent volontairement aux valeurs culturelles de l'organisation acheteuse.

Attente : Tendance d'un individu à agir selon son interprétation de la réalité. La tendance peut également correspondre à la croyance qu'une augmentation des efforts provoquera une amélioration du rendement ou de la productivité (théorie de l'expectative).

Attitude : Impression, sentiment ou croyance stable d'une personne envers autrui, un groupe, une idée, une situation ou un objet. Les attitudes sont des prédispositions stables qui guident les comportements.

Attribution : Inférence ayant pour but d'expliquer un événement ou encore le comportement d'autrui aussi bien que son propre comportement.

Augmentation horizontale des tâches : Accroissement du nombre de tâches associées à un poste par l'introduction de tâches semblables aux précédentes et requérant du titulaire du poste les mêmes compétences, connaissances et habiletés.

Augmentation verticale des tâches : Accroissement du nombre de tâches associées à un poste par l'introduction de tâches différentes des précédentes et requérant du titulaire du poste des compétences, des connaissances et des habiletés nouvelles.

Autoefficacité : Croyance de l'individu en sa capacité de suivre la ligne de conduite requise pour atteindre les résultats souhaités.

Autonomie : Liberté, indépendance et latitude dont jouit un employé au travail, ou possibilité pour un employé d'exercer un contrôle sur son propre travail. Le degré d'autonomie est lié au nombre d'employés sous la direction d'un même superviseur. Plus le nombre d'employés supervisés est grand, plus leur degré d'autonomie est élevé, et inversement. Un degré d'autonomie élevé suppose donc une supervision moins directe de la part du supérieur.

Autorité : Représentation de l'aspect formel du pouvoir.

Avantages sociaux : Partie de la rémunération globale qui comprend les vacances, les congés divers, les régimes de retraite et d'assurances collectives.

Béhaviorisme : Modèle à l'intérieur duquel on postule que le comportement est fonction de ses conséquences. L'individu adopte automatiquement les comportements qui ont entraîné des conséquences heureuses dans le passé et il évite, un peu par réflexe, les comportements qui ont entraîné des conséquences malheureuses. Ainsi, le comportement serait conditionné par les stimuli provenant de l'environnement. Cette école de pensée définit la psychologie comme étant l'étude du comportement strictement observable ou de la relation stimulus-réponse.

Besoin : Déficience physiologique, psychologique ou sociale qu'un individu ressent ponctuellement. Les déficiences, qui agissent isolément ou en combinaison, incitent l'individu à adopter une attitude ou un comportement particuliers. Elles constituent donc la force ou la pression qui motive l'individu à adopter une conduite particulière.

Besoin d'actualisation : Besoin qu'éprouve une personne de réaliser ses aspirations, de se perfectionner et de créer, au sens le plus large du terme.

Besoin d'affiliation : Désir d'établir et de maintenir des relations avec d'autres personnes.

Besoin d'appartenance : Besoin d'amitié, d'affiliation et d'amour qui se manifeste, entre autres, par le désir de travailler en équipe et de nouer de nouvelles relations avec son entourage.

Besoin d'autonomie : Désir des individus de prendre des décisions, d'établir des objectifs et de travailler de façon autonome, sans supervision.

Besoin d'estime : Besoin qui peut être de deux catégories. Il y a d'abord les besoins qui concernent l'estime de soi, c'est-à-dire les besoins de confiance en soi, d'indépendance, d'épanouissement, de compétence et de savoir. Il y a ensuite les besoins qui touchent à la reconnaissance de la compétence de la part des collègues et de l'organisation. Cette reconnaissance peut se manifester par la considération, le respect, les promotions et la valorisation.

Besoin d'existence : Besoin primaire satisfait, d'une part, par la nourriture, l'air et l'eau et, d'autre part, par le salaire, les avantages sociaux et les conditions de travail. Cette catégorie correspond aux besoins de base d'une personne sur les plans physiologique et matériel.

Besoin de croissance : Besoin satisfait lorsqu'un individu parvient à créer ou à produire des contributions significatives tout en ayant le sentiment qu'il utilise et augmente son potentiel en habiletés et en réalisations concrètes.

Besoin de pouvoir : Désir d'influencer les personnes de son entourage.

Besoin de réalisation : Désir qu'éprouve l'individu d'exceller dans les activités dans lesquelles il s'engage. C'est un besoin qui incite le travailleur à donner le meilleur de lui-même, qui l'incite à l'efficience et à l'accomplissement.

Besoin de sécurité : Besoin de l'individu d'assurer sa protection immédiate et future.

Besoin de sociabilité : Besoin satisfait lorsqu'un individu établit des relations interpersonnelles significatives. Il y a trois catégories de besoins de sociabilité : le besoin social, le besoin de sécurité interpersonnelle et le besoin d'affiliation. Ce sont ces besoins qui poussent une personne à établir des relations avec son entourage et à rechercher la reconnaissance et l'estime.

Besoin physiologique : Besoin qui se trouve à la base de la pyramide des besoins de Maslow et qui prime tout autre type de besoin. Comme exemples de ce type de besoin, mentionnons la nourriture, le repos, l'exercice et la sexualité.

Bureaucratie : Organisation rationnelle du travail caractérisée par l'objectivité du processus décisionnel.

Carrière : Toute évolution professionnelle, objective ou subjective, de l'individu à l'intérieur de la sphère du travail.

Centralisation : Regroupement de tous les moyens d'action, de contrôle, de décision et de pouvoir sous la responsabilité d'une personne ou d'un groupe.

Cercle : Moyen par lequel un membre d'un réseau de communication peut échanger avec les deux personnes adjacentes.

Cercle de qualité : Groupe restreint d'employés effectuant des tâches similaires et qui se réunissent régulièrement avec leur superviseur pour analyser et résoudre des problèmes liés au travail en vue d'accroître la qualité du travail ou d'améliorer le rendement et la sécurité du travail.

Chaîne : Réseau de communication de type hiérarchique traditionnel, où chaque individu doit communiquer l'information à la personne adjacente.

Changement organisationnel : Toute modification touchant l'environnement de travail. Il peut donc porter sur les buts et les stratégies de l'entreprise, sur sa technologie, sur la répartition des tâches, sur la structure, ou toucher les ressources humaines.

Cheminement de carrière : Schéma particulier de mobilité d'un individu venant définir la nature des changements d'emplois.

Coalition : Alliance qui vise à réduire les incertitudes.

Cogestion : Système de gestion qui permet aux employés et aux gestionnaires de participer aux décisions d'une organisation, entre autres par le biais de représentants syndicaux siégeant au conseil d'administration.

Communication : Processus bilatéral d'échange de l'information entre au moins deux personnes ou deux groupes : une personne ou un groupe qui transmet une information (émetteur) et une personne ou un groupe qui reçoit l'information (récepteur).

Communication bidirectionnelle : Communication complète consistant en un échange bidirectionnel d'informations : une fois que le message est reçu et compris par le récepteur, celui-ci retransmet un message à l'émetteur afin de s'assurer d'avoir bien compris. Ainsi, non seulement la compréhension du message est-elle vérifiée, mais l'échange est de ce fait enrichi. La communication bidirectionnelle nécessite donc la rétroaction.

Communication horizontale : Modèle de communication qui permet des échanges entre les membres d'un même service ou entre les différents services de l'organisation. Ces échanges s'effectuent principalement entre les individus qui occupent le même niveau hiérarchique.

Communication informelle : Communication qui émerge tout naturellement des interactions sociales entre les membres d'une organisation.

Communication interculturelle : Communication entre groupes de culture différente qui comporte de nombreux défis, car elle amplifie les différences existant à l'intérieur même de ces groupes culturels.

Communication non verbale : Communication par les gestes, les poses et les expressions faciales.

Communication persuasive : Processus bilatéral où l'objectif de l'émetteur est de convaincre (plutôt que d'informer) le récepteur.

Communication unidirectionnelle : Communication où le récepteur ne peut intervenir directement dans le processus de communication. Dans ce contexte, il est impossible de vérifier si le message a bien été compris, puisqu'il s'agit d'un simple transfert d'information.

Communication vers le bas : Modèle de communication qui sert à transmettre l'information d'un niveau hiérarchique supérieur de l'entreprise à un niveau hiérarchique inférieur. Le principal objet de ce modèle de communication est la transmission d'informations axées sur la tâche afin de faciliter la coordination entre les différents paliers hiérarchiques.

Communication vers le haut : Modèle de communication qui permet de transmettre l'information d'un niveau hiérarchique inférieur de l'entreprise à un niveau hiérarchique supérieur.

Complémentarité (ou loi de la fermeture) : Tendance à compléter les objets confus afin d'obtenir une image claire et stable.

Complexité : Qualité de l'entreprise mesurée selon le nombre de divisions, de services, de groupes d'occupation et de postes différents. Plus l'entreprise compte un nombre élevé de divisions, plus son administration est complexe, et inversement.

Comportement : Geste que l'être humain exécute pour s'adapter à une situation qui l'influence.

Comportement politique : Mode d'action qu'adopte un individu qui vise à influencer le comportement d'autrui et le cours des événements afin de protéger ses propres intérêts et d'atteindre ses objectifs personnels.

Compromis : Attitude qu'adopte un individu et qui consiste à consentir à faire des sacrifices. Cette attitude ne permet pas de satisfaire entièrement ni les intérêts des uns ni les intérêts des autres. On cherche donc une solution intermédiaire qui sera partiellement satisfaisante pour chacune des parties.

Conception moderne des tâches d'équipe : Conception des tâches favorisant l'aménagement des postes en fonction d'équipes de travail et l'établissement d'un lien entre un groupe de postes.

Conception moderne des tâches individuelles : Conception des tâches favorisant l'aménagement des postes en fonction des caractéristiques des titulaires des postes. L'objectif est d'accroître la motivation et la satisfaction des employés au travail.

Conciliation : Attitude que les individus engagés dans un conflit ont tendance à adopter lorsqu'ils sont persuadés de ne pouvoir satisfaire leurs besoins. Autrement dit, en situation de conflit, ces individus permettent aux autres de satisfaire leurs intérêts au détriment des leurs.

Conditions de travail : Environnement de travail incluant la quantité de travail, la facilité d'exécution, l'éclairage, la température, les outils, l'espace, la ventilation et l'apparence générale du lieu de travail.

Conflit : Situation qui découle des relations entre les individus. Le conflit naît des attentes incompatibles des individus ou des groupes ainsi que des différences entre les tâches de chacun. En entreprise, le conflit se rapporte généralement à une incompatibilité totale, partielle, réelle ou perçue entre les rôles, les buts, les objectifs, les intentions et les intérêts d'un ou de plusieurs individus, groupes ou services. Par ailleurs, la notion de conflit renvoie à d'autres notions, telles que la mésentente, la dispute, le différend et le désaccord.

Conflit de rôles : Présence simultanée de deux ou de plusieurs ensembles d'exigences qui sont tels qu'en se soumettant à l'un l'individu se trouve, par définition, dans l'impossibilité de se soumettre à l'autre ou aux autres.

Conflit entre cadres hiérarchiques et cadres-conseils : Conflit qui surgit entre les individus qui occupent un poste de direction dans la ligne hiérarchique et ceux qui occupent un tel poste dans la ligne-conseil. Ce type de conflit s'explique par le fait que les individus sont amenés à travailler en étroite relation, mais aussi par les différences qui caractérisent chacun de ces postes.

Conflit horizontal : Conflit qui survient entre les employés ou entre les groupes d'un même niveau hiérarchique.

Conflit intergroupe : Conflit entre deux groupes.

Conflit interpersonnel : Conflit qui survient lorsque deux individus vivent une mésentente au sujet des buts à poursuivre, des moyens à prendre, des valeurs, des attitudes ou des comportements à adopter.

Conflit intragroupe : Conflit ressemblant, à bien des égards, au conflit interpersonnel. La principale différence réside dans la polarisation de la mésentente autour de plusieurs personnes d'un même groupe plutôt qu'entre deux individus.

Conflit intra-organisationnel : Conflit qui éclate à l'intérieur d'une organisation. Il en existe trois types : le conflit entre les cadres hiérarchiques et les cadres-conseils, le conflit horizontal et le conflit vertical.

Conflit intrapersonnel : Situation dans laquelle un individu est en conflit avec lui-même. Généralement, ce type de conflit suppose que l'individu est en présence d'une certaine incompatibilité de buts ou d'une dissonance cognitive qui le perturbe.

Conflit vertical : Conflit qui oppose les membres ou les groupes de différents niveaux hiérarchiques dans une entreprise.

Congédiement : Renvoi d'un employé qui peut s'expliquer par une entorse à la discipline.

Considération : Reconnaissance du travail bien fait ou de l'accomplissement personnel. La source de gratification peut être le superviseur, toute personne de l'administration, l'administration comme personne morale, un client, un pair, des subordonnés, un collègue ou le public en général.

Construction d'équipes : Processus fondé sur l'idée que le rendement est supérieur grâce à la construction d'équipes. Le but de la formation d'équipes est de rendre un groupe de travail apte à produire efficacement, tout en améliorant les relations interpersonnelles des membres du groupe.

Consultation individuelle : Consultation sur le plan personnel touchant autant les questions de planification de carrière et de vie que les problèmes comportementaux, les conseils et les avis donnés sur divers autres sujets.

Continuité : Propriété des objets qui fait qu'on peut les percevoir de façon continue ou uniforme. Selon cette propriété, chaque élément se rattache à celui qui le précède et à celui qui le suit, de sorte que l'ensemble apparaît comme une configuration continue.

Contrat : Entente conclue entre deux ou plusieurs parties pour une période généralement déterminée.

Cool cat : Type de personnalité qui caractérise l'individu non compétitif et autonome. Le *cool cat* est celui qui perçoit le moins les sources de stress extrinsèque et intrinsèque, mais qui réagit aux deux : le stress intrinsèque le rend agressif, alors que le stress extrinsèque le rend anxieux et provoque chez lui des symptômes cardiovasculaires et digestifs.

Cool dog : Type de personnalité qui caractérise l'individu non compétitif et hétéronome. Le *cool dog* est plus sensible au contexte qu'au contenu de la tâche. Le stress intrinsèque le laisse indifférent, mais le stress extrinsèque lui cause à peu près tous les symptômes psychiques et somatiques possibles et le porte à prendre du poids. Son côté non compétitif fait que tout conflit le rend malade, alors que son côté hétéronome le porte à réagir très peu aux exigences du contenu de la tâche.

Coopérative : Résultat d'une association de personnes qui assument la copropriété d'une entreprise au moyen de mises de fonds sous forme de parts sociales.

Coordination : Façon de combiner les différentes parties d'un tout entre elles. De nombreux modes de coordination sont possibles, certains répondant davantage à la division du travail, d'autres à la départementalisation des activités par unité organisationnelle.

Courant déterministe : Étude des indices permettant de circonscrire le choix initial de carrière et les réorientations de carrière.

Courant développementaliste : Étude de l'évolution et des aspects dynamique de la carrière.

Croissance : Apprentissage de nouvelles habiletés et acquisition de nouvelles connaissances augmentant la possibilité d'avancement à l'intérieur d'une spécialité.

Culture organisationnelle : Ensemble de croyances, de valeurs et de normes partagées par les membres d'une organisation.

Décentralisation : Augmentation des pouvoirs et de l'indépendance des autorités administratives subordonnées, rapprochant ainsi celles-ci des lieux d'exécution.

Décision : Démarche déterminant le choix d'une solution parmi plusieurs et visant l'atteinte d'un objectif.

Décision non programmée : Décision inhabituelle à propos de problèmes nouveaux pour lesquels aucune procédure préétablie n'existe. Il peut s'agir soit de cas spéciaux, soit de cas complexes présentant un grand niveau de risque.

Décision programmée : Mode d'action précis et formel adopté par l'organisation dans le but de faciliter et d'accélérer la prise de décision portant sur des problèmes répétitifs et routiniers. En guise d'exemple, mentionnons les règlements et les politiques de l'entreprise.

Déculturation : Stratégie utilisée pour fusionner des cultures organisationnelles. Il y a déculturation lorsque la société acheteuse impose sa culture et ses pratiques commerciales à l'entreprise achetée.

Définition de poste : Définition de l'ensemble des buts, des tâches et des responsabilités associés à tous les postes qui dépendent des caractéristiques de l'organisation et des individus.

Délégation : Processus par lequel un superviseur confie certaines tâches et responsabilités à ses subordonnés.

Démocratie industrielle : Politique accordant un certain pouvoir aux employés dans les décisions qui sont prises à l'intérieur de l'organisation.

Densité sociale : Quantité d'individus qualifiés disponibles dans un secteur géographique donné. La densité sociale se rapporte indirectement à la distance physique qui sépare les membres d'un groupe.

Départementalisation divisionnelle : Regroupement des employés selon le type de produits qu'ils fabriquent, l'emplacement géographique ou la clientèle qu'ils desservent. La coordination d'une même division est assurée par le chef de division.

Départementalisation fonctionnelle : Regroupement des employés dans différents services (par exemple, la production, le marketing, les finances) sur la base de leurs compétences. La coordination est assurée par des gestionnaires de niveau supérieur (par exemple, le vice-président).

Description de poste : Description des principales tâches et responsabilités associées à un poste.

Développement organisationnel : Stratégie d'intervention à longue échéance visant à permettre un changement planifié et global dans l'organisation.

Différenciation : Segmentation du système en sous-systèmes, chacun tentant de répondre à l'environnement particulier dans lequel il se trouve. Par exemple, les services de marketing, de production et de recherche et développement ne font pas face aux mêmes environnements.

Dimension de la considération : Dimension d'où émerge un style de leadership orienté vers l'employé et qui incite le leader à créer un climat de travail où la confiance, le respect mutuel, l'amitié et le soutien occupent une place importante.

Dimension structurelle : Dimension regroupant les comportements visant l'accomplissement de la tâche. Par conséquent, le leader qui favorise cette dimension met l'accent sur la définition et la répartition des tâches à accomplir, sur l'établissement d'un réseau de communication formel dans le groupe ainsi que sur l'organisation et la direction des activités du groupe.

Discrimination au travail : Traitement inégal de personnes se manifestant dans les décisions concernant l'embauche, les promotions ou les congédiements. La discrimination au travail peut se fonder sur le sexe, l'âge, la situation familiale, la race, les croyances religieuses ou toute autre caractéristique n'ayant aucun lien direct avec le rendement au travail des employés.

Discrimination systémique : Politique en apparence neutre mais comportant un effet défavorable pour les membres des groupes désignés dans la législation sur les droits de la personne.

Division horizontale du travail : Type de départementalisation ou mode d'établissement d'unités précises de travail.

Division verticale du travail : Division qui correspond aux niveaux hiérarchiques et aux rangs. On distingue trois niveaux de division verticale du travail : les gestionnaires supérieurs, les gestionnaires intermédiaires et les gestionnaires de premier niveau ; chacun de ces niveaux correspond à un degré d'autorité formelle précis.

Écoute active : Pratique qui consiste à formuler des commentaires sur le sens littéral, figuré ou connoté des propos tenus par son interlocuteur.

Effet compensatoire : Forme de paresse sociale qui survient lorsque certains membres d'un groupe diminuent leurs efforts en s'apercevant que d'autres sont profiteurs.

Effet de halo : Tendance à se fonder sur un trait particulier de la personnalité d'un individu pour se faire une idée, négative ou positive, de son comportement général. Cette idée influence le jugement de l'évaluateur et est source de distorsion ou d'erreur.

Effet de la dernière impression : Effet d'ordre causé par la tendance de l'intervieweur à accorder à la dernière information reçue ou à l'information récente un poids excessif par rapport aux autres éléments d'information. L'intervieweur se rappellera ainsi avec plus de netteté le rendement des derniers candidats évalués que celui des premiers et son évaluation pourra en être influencée.

Effet de la première impression : Effet d'ordre causé par la tendance de l'intervieweur à accorder une importance primordiale à l'information initiale qu'il a reçue ou à ses premières impressions, au détriment de l'information subséquente. L'intervieweur peut ainsi être porté à évaluer les candidats en s'appuyant sur cette information initiale.

Effet parasite : Forme de paresse sociale qui survient lorsque des membres d'un groupe («profiteurs») diminuent leurs efforts aux dépens des autres.

Effet Pygmalion : Déformation liée au fait que les personnes auxquelles on prédit le succès en se basant sur les résultats supérieurs qu'elles ont obtenus à un test bénéficient d'un préjugé favorable et sont souvent mieux encadrées au travail que les personnes dont les résultats sont plus faibles ; ces personnes réussissent donc effectivement mieux que les autres employés. On le désigne également sous le nom d'« effet de l'anticipation de l'expérimentateur » ou d'« effet de la prophétie exaucée ».

Efficacité : Mesure indiquant dans quelle proportion les objectifs sont atteints.

Effort : Force ou énergie physique ou psychologique fournie par un individu dans la poursuite de ses objectifs.

Élargissement des tâches : Technique de définition de poste par laquelle on restructure horizontalement le travail en augmentant la variété des tâches à un poste pour combiner un certain nombre d'actions connexes sous la responsabilité d'un même employé.

Émetteur : Personne qui transmet un message.

Engagement organisationnel : Intensité de l'attachement et de l'identification d'un individu à son organisation.

Enrichissement des tâches : Technique de définition de poste par laquelle on restructure verticalement le travail, notamment en confiant à l'employé des tâches réalisées à un niveau supérieur, telles que la planification du travail, le choix des méthodes et le contrôle de la qualité.

Entrevue en situation de stress : Entrevue au cours de laquelle l'intervieweur cherche intentionnellement à contrarier ou à embarrasser le candidat pour évaluer sa résistance au stress et ses réactions en situation de stress.

Environnement physique de travail : Ensemble constitué de l'édifice, du mobilier, de l'équipement, des machines, de l'éclairage, du bruit, de la chaleur, des produits chimiques, des toxines et autres éléments qui sont associés aux accidents du travail et aux maladies professionnelles.

Environnement psychosociologique de travail : Ensemble constitué des aspects non matériels de l'environnement, à savoir les relations avec les superviseurs, les politiques de l'entreprise, la structure de l'organisation, les changements organisationnels, l'incertitude, les conflits et les relations avec les collègues de travail.

Épuisement professionnel : Ensemble de symptômes précis causés par un stress chronique ou grave relié directement aux activités professionnelles et non aux problèmes personnels des travailleurs. Les symptômes de cette maladie sont les suivants : fatigue chronique, perte d'énergie, irritabilité et attitude négative à l'égard du travail et de soi.

Équipe de travail interfonctionnelle : Groupe de travail réunissant des personnes de différentes spécialités fonctionnelles dans le but de mieux créer, concevoir ou livrer un produit ou un service.

Équipe de travail semi-autonome : Groupe de travailleurs auquel est confiée la fabrication d'un produit dans toutes ses étapes.

Équipe virtuelle : Groupe de travail qui communique et collabore dans le temps, l'espace et l'organisation grâce à la technologie.

Équité : Caractère du traitement dont est l'objet un individu lorsque le rapport intrants/extrants qui le caractérise correspond à celui de la personne ou du groupe auquel il se compare.

Équité salariale : Équité entre la contribution au travail d'un employé et sa rémunération par rapport à la contribution et à la rémunération des autres employés.

Espace interpersonnel : Espace entre soi et les autres personnes qui se divise en quatre zones réservées à des formes précises d'interactions.

Établissement des objectifs : Détermination d'objectifs clairs et précis qui a pour effet de favoriser l'accélération de l'apprentissage des employés et l'amélioration de leur rendement.

Étoile : Moyen qui permet aux membres d'un réseau de communication d'échanger directement avec toutes les personnes du groupe.

Étude des temps et des mouvements : Étude des temps et des mouvements nécessaires à l'accomplissement d'une tâche.

Évaluation du rendement : Système consistant à mesurer, évaluer et modifier les caractéristiques, les comportements et le succès d'un employé au travail ainsi que la fréquence de ses absences, afin de déterminer son niveau de rendement actuel.

Évitement : Conduite caractérisée par le refus de discuter d'une situation conflictuelle. Les personnes qui adoptent cette conduite préfèrent ne pas s'engager, même si elles sont conscientes que leur attitude ne permet pas de résoudre le problème.

Exigences du poste : Aptitudes, connaissances pratiques et théoriques et compétences nécessaires afin de satisfaire aux exigences précises du poste.

Extinction d'un comportement : Technique qui consiste à ne pas renforcer positivement ou négativement un comportement qu'on désire voir disparaître. En l'absence de renforcement, positif ou négatif, un comportement tend à disparaître.

Extraversion : Facteur de personnalité associé à un comportement verbal et non verbal et à une grande sociabilité.

Facteur de changement : Facteur qui détermine le besoin de changement dans l'organisation et qu'on peut classer dans deux catégories : les forces externes, dont les gestionnaires ne sont pas maîtres, et les forces internes, qui proviennent de l'entreprise.

Facteur d'hygiène (ou facteur de conditionnement) : Facteur agissant sur un continuum dont les extrémités sont l'insatisfaction et la non-insatisfaction. Les éléments du travail associés à la non-insatisfaction ne réussissent pas à satisfaire ou à motiver les individus, mais s'ils répondent aux besoins de ces derniers, ils parviennent à créer un état de non-insatisfaction. Les politiques et l'administration de l'entreprise, les aspects techniques de la supervision, le salaire, les relations interpersonnelles, les conditions de travail, le statut et la sécurité sont des facteurs d'hygiène.

Facteur motivationnel : Facteur qui engendre un état de satisfaction ou de non-satisfaction chez les employés selon qu'il parvient ou non à répondre aux besoins de ces derniers et qui, en conséquence, détermine la motivation. La réussite, la considération, le travail en soi, les responsabilités et les promotions sont des facteurs motivationnels.

Filtrage d'information : Manipulation de l'information de manière que le récepteur la perçoive de façon positive.

Fonctionnalisme : École de pensée qui met l'accent sur l'aspect fonctionnel et pratique des processus mentaux. Le fonctionnalisme est axé sur l'expérience et la façon dont celle-ci permet à l'individu de fonctionner plus efficacement dans son environnement.

Force externe de changement : Force de changement appartenant à une catégorie qui regroupe essentiellement les facteurs sociaux, économiques et juridiques en fonction desquels l'entreprise doit continuellement s'adapter afin de maintenir une certaine stabilité dans un contexte dynamique d'intégration des intrants de l'environnement et de leur transformation en extrants qui retournent dans l'environnement externe de l'entreprise.

Force interne de changement : Force de changement appartenant à une catégorie constituée des membres de l'organisation qui contribuent à la production des biens ou des services, à la répartition des tâches et aux responsabilités dans un cadre fonctionnel et hiérarchique, à la gestion de l'entreprise et, enfin, aux techniques et aux modes de production des biens et des services.

Force propre à la situation : Force correspondant au type d'organisation dans laquelle les individus évoluent, à l'efficacité du groupe, à la nature du problème ou au temps alloué pour prendre une décision.

Force propre au leader : Force correspondant à l'échelle des valeurs du leader, à ses antécédents, à ses connaissances, à son expérience, au degré de confiance qu'il accorde à ses subordonnés, à sa préférence pour un style de leadership particulier et à son degré de confiance en lui.

Force propre au subordonné : Force correspondant au désir d'indépendance du subordonné, à sa volonté d'assumer des responsabilités et de participer au processus de décision, à ses attentes par rapport à cette participation, à son degré de tolérance face à l'ambiguïté, à son intérêt au travail et à son niveau de compréhension des objectifs organisationnels.

Formalisation : Description écrite des buts du travail et des moyens de les atteindre. La formalisation entretient un lien étroit avec la standardisation et la spécialisation du travail. Elle permet de modeler les tâches et les rôles à partir d'un profil type, ce qui standardise les comportements de travail des individus dans un même poste pour les mêmes tâches.

Formation : Processus qui consiste à transmettre aux employés des connaissances et des compétences nécessaires à l'accomplissement de leur travail.

Formation en milieu de travail : Formation donnée au poste de travail ou sur le lieu de travail ayant pour objet de faciliter le transfert des connaissances acquises par les employés dans le cadre des activités de l'organisation.

Formation et perfectionnement : Ensemble d'activités visant à accroître le rendement actuel ou futur des employés par l'amélioration de leurs connaissances, de leurs compétences ou par la modification de leurs attitudes.

Formule coopérative : Formule qui rejoint la dimension des avoirs en démocratie industrielle, c'est-à-dire des avoirs ayant trait à la propriété de l'organisation ; il s'agit de bénéficier de gains ou d'avantages économiques en supplément des salaires par la détention d'actions de l'entreprise. L'achat de parts sociales peut être obligatoire ou non ; la formule peut inclure une certaine participation à la gestion.

Gel : Étape, dans le processus de changement organisationnel, où les comportements acquis deviennent des comportements types nouveaux ; c'est la stabilisation des nouveaux comportements, des nouvelles attitudes, procédures et méthodes.

Gestion anémique : Type de gestion où le leader démontre un intérêt minimal pour la production et l'individu. Le leader qui adopte ce type de gestion évite donc d'établir des relations avec ses subordonnés et prend peu de décisions.

Gestion centrée sur la tâche : Type de gestion où le leader démontre un intérêt maximal pour la production et un intérêt minimal pour l'individu.

Gestion centrée sur l'individu : Type de gestion où le leader démontre un intérêt minimal pour la production et un intérêt maximal pour l'individu.

Gestion de carrière : Selon Wils, Bernard et Guérin (1992), ensemble particulier de pratiques de carrière qui a cours à un moment précis dans une organisation.

Gestion de type intermédiaire : Type de gestion où le leader adopte une attitude de compromis en démontrant un intérêt moyen pour la production et pour l'individu. Il fixe des objectifs nécessitant peu d'efforts et exige un travail qui se situe juste à un niveau acceptable.

Gestion de conflit : Ensemble d'actions ou démarche qu'entreprend le gestionnaire en vue de régler un conflit.

Gestion par le travail d'équipe : Mode de gestion qui accorde beaucoup d'importance aux objectifs. C'est probablement le style de gestion qui correspond le mieux à la conception idéale du leadership.

Gestion par objectifs : Mode de gestion par lequel les gestionnaires de tous les niveaux hiérarchiques de l'organisation se fixent des objectifs communs, se partagent les responsabilités et évaluent régulièrement leurs résultats en les comparant aux objectifs poursuivis et en appréciant la contribution de chacun.

Gestion participative : Mode de gestion qui permet aux travailleurs d'exercer une influence sur le fonctionnement de l'entreprise à l'intérieur d'une dynamique à trois associant le patron, les salariés et le syndicat.

Gestion par valeurs — le modèle triaxial : Modèle à trois axes : 1) l'axe des valeurs éthiques, 2) l'axe des valeurs économiques-pragmatiques, et 3) l'axe des valeurs poétiques-émotives.

Gestion selon la théorie Z : Modèle de gestion des ressources humaines s'articulant autour d'une synthèse d'approches américaines traditionnelles et japonaises classiques et adaptée au contexte organisationnel nord-américain.

Glucocorticoïdes : Hormones stéroïdes qui agissent sur le métabolisme des hydrates de carbone (sucres) et qui ont la propriété de bloquer les réactions de défense de l'organisme telles que l'inflammation et la production d'anticorps.

Grève : Moyen de pression économique utilisé par les travailleurs d'une organisation contre l'employeur, qui consiste à refuser totalement ou en partie d'effectuer leur travail habituel.

Grève sauvage : Grève illégale déclenchée par les travailleurs d'une organisation en violation des dispositions de la convention collective de travail et sans l'accord préalable du syndicat.

Grille managériale (ou grille de gestion) de Blake et Mouton : Modèle de gestion qui vise à concevoir et élaborer un style de leadership approprié aux besoins de l'entreprise. Le principe de base qui soutient ce modèle est que l'excellence peut être atteinte par la découverte d'un intérêt commun, le maintien d'un climat psychologique sain au travail et un rendement élevé. Deux dimensions du leadership sont à distinguer, soit l'intérêt pour la production et l'intérêt pour les individus.

Groupe : Système organisé composé d'individus qui partagent des normes, des besoins et des buts et qui interagissent de manière à exercer une influence réciproque sur leurs attitudes et leurs comportements. C'est un organisme dynamique qui, tout comme une personne, évolue au fil du temps.

Groupe de tâche ou de projet : Groupe établi dans une entreprise dans le but d'accomplir une tâche particulière.

Groupe d'intérêts : Groupe formé de personnes qui ont des caractéristiques, des valeurs, des croyances, des objectifs ou des besoins semblables.

Groupe fonctionnel : Groupe ressemblant au groupe formel en ce sens qu'il est structuré par la direction, qui organise ses tâches et définit ses responsabilités. Ce groupe est relativement permanent et représente une fonction organisationnelle. Les membres d'unités administratives telles que le service des finances et le service des achats appartiennent à des groupes fonctionnels.

Groupe formel : Groupe qui a pour mandat d'exécuter les tâches et de fournir les services commandés par la direction en conformité avec des objectifs précis déjà établis. Afin de favoriser l'atteinte de ces objectifs, la direction détermine également des normes de rendement et le rôle des membres à l'intérieur des différents groupes.

Groupe informel : Groupe constitué spontanément au fil du temps et des interactions des membres de l'organisation. Les membres d'un groupe informel ont généralement des idées, des valeurs, des croyances et des besoins sociaux semblables.

Horaire de travail flexible : Formule d'aménagement du temps de travail dans laquelle est éliminée l'obligation de commencer ou de terminer la journée de travail à une heure précise. Cette formule comporte une division de l'horaire global de travail en deux types de périodes, soit les plages fixes de travail et les plages mobiles.

Hormone stéroïdienne : Hormone sécrétée par la glande surrénale ; stéroïde agissant sur le métabolisme des sucres, des minéraux, des graisses et des protéines sous la commande de l'hypophyse.

Hot cat : Type de personnalité qui caractérise l'individu compétitif et autonome. Le *hot cat* domine toujours la situation. Il perçoit très bien les deux sources de stress (intrinsèque et extrinsèque), mais il inhibe la manifestation de leurs conséquences par son côté compétitif, car il n'y a pas de défi qu'il ne puisse relever, et par son côté autonome, car il n'y a rien qui puisse lui faire perdre la maîtrise de la situation.

Hot dog : Type de personnalité qui caractérise l'individu compétitif et hétéronome. Le *hot dog* perçoit les deux sources de stress (intrinsèque et extrinsèque), mais en gère les conséquences difficilement. Le stress intrinsèque lui donne des troubles digestifs et musculo-squelettiques, mais aucun symptôme psychologique n'est apparent. Quant au stress extrinsèque, il le rend agressif plutôt qu'anxieux.

Incertitude : Élément inhérent au travail du gestionnaire. L'incertitude provient non seulement d'un manque d'information par rapport aux activités ou aux événements futurs, mais également de la difficulté à choisir la solution la plus appropriée dans une situation précise.

Indice non verbal : Ce qu'exprime une personne autrement que par la parole. On peut citer, à titre d'exemple, les mouvements du corps, les gestes, les poignées de main, les regards et l'apparence physique.

Individu de type A : Individu caractérisé par une ambition intense et un esprit de compétition. Pour l'individu de type A, l'emploi idéal accorde beaucoup de responsabilités et une grande autonomie, à la condition, bien sûr, qu'il possède les compétences nécessaires à l'accomplissement de ses tâches.

Individu de type B : Individu qui préfère laisser aux autres le soin de définir les exigences au travail pour s'y adapter par la suite.

Influence : Action qu'exerce une personne, une chose ou une situation sur un individu et qui l'amène à modifier ses façons d'agir et de penser.

Iniquité : Caractère de la situation qui résulte d'un déséquilibre entre le rapport intrants/extrants chez un individu et le rapport intrants/extrants chez l'individu ou le groupe auquel il se compare.

Institutionnalisation du changement : Action qui consiste à faire accepter le changement comme un état permanent et récursif, ou encore à aménager une structure organisationnelle qui permet l'évolution vers le changement.

Instrumentalité : Voir *Valeur instrumentale.*

Intégration : 1) Processus qui consiste à accomplir un effort d'unité entre les différents sous-systèmes ; différentes intégrations sont possibles, soit par des règles, soit par la planification ou par un leadership important, etc.

2) Stratégie utilisée pour fusionner les cultures organisationnelles de deux entreprises. L'objectif est de combiner les deux cultures (ou plus) en une culture mixte en gardant les meilleurs aspects de chacune.

Intensité : Force d'émission d'un stimulus ; plus un stimulus est intense, plus il attire l'attention.

Interventions technostructurelles : Interventions qui modifient certaines composantes formelles de l'entreprise, de la tâche à la structure même.

Intrant : Élément brut provenant de l'environnement externe, puis transformé ou modifié, pour être finalement retourné à l'environnement externe sous forme d'extrant ou de produits finis.

Introversion : Facteur de personnalité associé à la tendance au repli sur soi et à la réflexion intérieure et solitaire.

Intuition : Sentiment de devoir agir d'une certaine façon, sans trop savoir pourquoi.

Jeu de rôles : Méthode souvent employée dans un contexte de formation. Il s'agit d'un jeu spontané dans lequel est simulée une situation réaliste et qui met en présence deux personnes ou plus. Le jeu de rôle se déroule dans des conditions de laboratoire. Des techniques d'observation et de discussion sont utilisées. Il s'agit d'un instrument clinique qui permet à un individu de voir comment il se comporte dans certaines situations et, le cas échéant, de corriger sa conduite.

Jugement : Décision prise en fonction de l'expérience passée du gestionnaire.

Langage non verbal : Actions corporelles et gestuelle globale qui, prises isolément ou combinées à l'information verbale, transmettent un message. Essentiellement, le langage non verbal comprend le regard, la voix (tonalité et timbre), l'odeur, la posture, la distance, le mouvement, les gestes et le toucher.

Leader : Individu qui influence le comportement, les attitudes et le rendement des employés. Un leader efficace adopte un style de comportement qui incite les individus ou les groupes à prendre les moyens nécessaires pour atteindre les objectifs organisationnels et qui favorise une productivité plus grande et la satisfaction des employés.

Leader formel : Leader qui exerce une influence grâce à l'autorité que lui procure sa position hiérarchique dans l'organisation.

Leader informel : Leader dont l'influence découle du prestige que lui vaut une compétence particulière, indépendamment de son statut dans l'organisation.

Leadership : Capacité d'influencer d'autres personnes en vue d'atteindre les objectifs organisationnels.

Leadership autocratique : Style de direction qu'adopte le leader lorsque les employés connaissent mal la tâche à accomplir et qu'ils semblent peu disposés à l'effectuer. Le leader doit alors donner des directives précises à ses subordonnés par rapport au travail à accomplir.

Leadership de délégation : Style de leadership pratiqué lorsque les employés connaissent le travail à effectuer et s'y appliquent avec attention, et qui consiste à leur confier certaines responsabilités et à leur laisser une grande autonomie.

Leadership de motivation : Style de leadership adopté par le superviseur afin d'établir des relations harmonieuses avec les membres du groupe et de fournir un soutien professionnel à ceux qui connaissent mal les exigences du travail, mais qui sont très motivés.

Leadership de participation : Style de leadership d'un supérieur qui favorise la participation des employés à la prise de décision et qui se fait un point d'honneur de les consulter et d'échanger des renseignements avec eux, et ce, afin de les motiver à accomplir un travail pour lequel ils possèdent par ailleurs les compétences requises.

Leadership de soutien : Style de leadership d'un leader qui s'applique à établir des relations interpersonnelles harmonieuses et à créer un climat de travail agréable et amical.

Leadership directif : Style de leadership d'un leader qui consacre ses énergies à planifier, organiser, coordonner et évaluer le travail.

Leadership mondial : Style de leadership qui exige des leaders la capacité de fonctionner de manière efficace dans un milieu culturel différent et de surmonter les barrières linguistiques, sociales, économiques et politiques.

Leadership orienté vers les objectifs : Style de leadership d'un leader qui encourage ses subordonnés à fournir un rendement très élevé afin d'atteindre des objectifs difficiles mais réalistes.

Leadership transactionnel : Style de leadership d'un superviseur qui voit son rôle comme un processus d'influence et d'échange entre ses subordonnés et lui.

Leadership transformationnel : Style de leadership que pratique le superviseur qui s'emploie à sensibiliser les travailleurs aux objectifs et à la mission de l'organisation, les incitant à regarder au-delà de leurs propres intérêts, et ce, pour le bien-être de l'organisation.

Lieu de contrôle : Croyance que possède une personne sur l'influence qu'elle exerce sur sa vie.

Lock-out : Moyen de pression économique utilisé par l'employeur contre les travailleurs, qui consiste à leur refuser l'accès au lieu de travail.

Management de la créativité : Méthode qui vise à améliorer l'inventivité des membres d'une organisation. La créativité consiste à trouver des idées originales.

Maturité : Capacité de se fixer des buts élevés mais réalistes, et volonté d'assumer des responsabilités et d'acquérir des connaissances et de l'expérience.

Maturité face au travail : Maturité d'un individu qui se définit en fonction de la pertinence de son expérience et de ses connaissances par rapport au travail à effectuer.

Maturité psychologique : Maturité qui se définit comme la capacité et la volonté d'un individu de bien accomplir le travail.

Médiation : Procédure fondée sur l'intervention d'un tiers dont le rôle consiste à aider les représentants du syndicat et de l'employeur à parvenir à un accord lors de la négociation de la convention collective. On y a principalement recours dans les cas de conflits importants.

Médullosurrénale : Partie la plus interne de la glande surrénale, ainsi désignée parce qu'elle se trouve située au-dessus de chacun des reins. La médullosurrénale sécrète une série d'hormones appelées globalement « catécholamines » (dont l'adrénaline).

Menottes dorées : Avantages économiques considérables faisant partie de la rémunération indirecte et visant à décourager les cadres supérieurs de quitter l'organisation. Les options d'achat d'actions et les régimes de retraite sont les formes les plus courantes de ce type de rémunération.

Mentorat : Méthode non structurée de formation en milieu de travail qui consiste à ce qu'un employé oriente la carrière d'un autre employé et lui apporte un appui dans ses fonctions.

Méthode Delphi : Méthode de prise de décision de groupe qui consiste à recueillir certaines données de façon anonyme et à les comparer. La méthode Delphi atténue l'influence des uns sur les autres lors d'une prise de décision en groupe. Les participants ne se trouvent pas en situation de confrontation et ne subissent pas l'influence de facteurs psychologiques.

Méthode des six chapeaux (Edward De Bono) : Méthode de gestion permettant de traiter les problèmes en évitant la censure. Chaque participant prend un « chapeau » d'une couleur lui assignant un rôle. Regroupés, tous les participants doivent faire l'effort d'endosser, à tour de rôle, tous les chapeaux (modes de pensée). La séquence d'utilisation des chapeaux est déterminée à l'avance en fonction du problème à traiter.

Méthode scientifique d'organisation du travail : Mode dynamique d'organisation du travail qui a pour objet l'accroissement de la productivité et qui fait appel à l'étude et au contrôle des temps et des mouvements, à la décomposition du travail en tâches parcellaires simples et répétitives et à l'établissement de standards de production. Connue sous le nom de « taylorisme », cette méthode conduit à adapter efficacement les moyens de production aux objectifs poursuivis par une utilisation optimale des ressources humaines et matérielles. Les tâches ainsi organisées demandent moins d'habiletés de la part des travailleurs, qui reçoivent par ailleurs une rémunération stimulante.

Méthode TRIZ : TRIZ est l'acronyme russe de la Théorie de Résolution des Problèmes Innovants « Teorija Reshenija Izobretateliskih Zadatch ». C'est une approche algorithmique éprouvée pour résoudre les problèmes techniques.

Mission : Raison d'être d'une organisation.

Modelage de rôles : Méthode qui consiste à enseigner par démonstration les façons d'envisager certains problèmes de comportement.

Modèle contingent : Modèle qui se définit par le choix d'une structure organisationnelle en fonction de l'environnement interne et externe de l'entreprise.

Modèle de contingence de Fiedler : Modèle selon lequel un leader efficace est capable de modifier les facteurs situationnels en fonction de son propre style de leadership. En fait, selon ce modèle, il est possible de former un leader de façon qu'il apprenne à contrôler les variables situationnelles, rendant ainsi une situation donnée plus appropriée au style de leadership préconisé.

Modèle de Vroom et Yetton : Modèle qui a pour postulat de base qu'aucun style de leadership n'est assez bon pour s'appliquer à toutes les situations et que, par conséquent, les gestionnaires doivent être assez flexibles pour changer leur style de leadership en fonction des particularités des diverses situations qui se présentent. Pour ces auteurs, le choix d'un style de leadership équivaut essentiellement à décider si l'on doit recourir à la participation des employés et dans quelle mesure.

Modèle directif de changement : Modèle dans lequel le changement est imposé par une force externe, soit la haute direction, le système législatif ou des pressions autres que l'environnement.

Modèle du cheminement critique de House : Modèle qui se fonde sur la théorie de l'expectative et qui vise à circonscrire des variables situationnelles qui inciteraient les leaders à choisir un style de leadership plutôt qu'un autre. Ce modèle part du principe qu'un leader est efficace dans la mesure où il amène les employés à travailler dans le sens des objectifs organisationnels et où il leur procure un sentiment de satisfaction durable.

Modèle participatif de changement : Modèle dans lequel des connaissances sont apportées à un individu ou à un groupe dans l'espoir qu'une nouvelle attitude naîtra en réponse aux idées lancées.

Modèle unidimensionnel de Tannenbaum et Schmidt : Modèle de leadership qui pose que l'efficacité d'un groupe de travailleurs dépend de la situation et des caractéristiques du leader.

Modes de communication assistée par ordinateur : Moyens de communication qui font appel à la science informatique pour faciliter la transmission d'informations ; comprend le courrier électronique, les réseaux de clavardage, la téléconférence et la vidéoconférence.

Motivation : Ensemble des forces incitant l'individu à s'engager dans un comportement donné. Ce concept englobe les facteurs internes et externes qui entraînent un individu à adopter une conduite particulière. En entreprise, on s'entend pour dire qu'une personne motivée persiste à fournir les efforts requis pour effectuer sa tâche et qu'elle adopte des attitudes et des comportements cohérents par rapport aux objectifs organisationnels et qui lui permettent, en outre, d'atteindre ses objectifs personnels.

Motivation extrinsèque : Motivation essentiellement liée à un rapport utilitaire, c'est-à-dire que l'individu s'engage dans une tâche pour bénéficier d'avantages concrets ou pour éviter des conséquences désagréables. L'individu accepte de travailler pour recevoir un salaire et pour bénéficier d'avantages sociaux intéressants.

Motivation intrinsèque : Motivation essentiellement liée au plaisir que procure la réalisation d'une tâche. Ainsi, l'individu est intrinsèquement motivé par les défis qu'il relève et par le sentiment d'accomplissement personnel que lui procure le travail effectué.

Négociation collective : Processus par lequel les représentants des employés et de l'employeur négocient les conditions de travail.

Négociation continue : Processus de négociation se déroulant entre des représentants du syndicat et de l'employeur sur une base régulière et planifiée et portant sur des questions d'intérêt mutuel.

Norme : Standard de comportement auquel se réfère l'individu quant à ses attitudes, à ses conduites et à ses opinions.

Nouvelle forme d'organisation du travail : Toute forme d'organisation du travail rejetant, en pratique, la taylorisation ; organisation du travail qui met l'accent sur le contrôle des méthodes et des processus d'exécution des tâches par le salarié lui-même.

Obstacle à la communication : Tout facteur nuisant à la compréhension d'un message.

Ombudsman : Intervenant interne de l'organisation dont la fonction concerne le dénouement des conflits pouvant survenir entre les divers acteurs organisationnels.

Organigramme : Schéma présentant les liens qui existent entre les diverses unités organisationnelles.

Organisation : Ensemble des ressources humaines, matérielles, financières et informationnelles organisées en fonction d'un but. C'est un système de transformation des intrants en extrants.

Parachutes dorés : Avantages pécuniaires offerts aux cadres supérieurs, généralement sous forme d'indemnités de départ, qui visent à assurer à ceux-ci une sécurité financière advenant un licenciement à la suite d'une fusion d'entreprises ou de l'acquisition de l'entreprise par une autre.

Paradoxe : Technique qui tente de modifier le comportement des individus en encourageant l'intensification des conduites jugées inadaptées. Dans les conditions souhaitées, on s'attend à ce que l'individu, trouvant la proposition exagérée, réalise dans le sens contraire.

Paresse sociale : Tendance à ménager ses efforts physiques ou intellectuels dans un travail de groupe.

Partage du travail : Programme comportant une répartition aussi équitable que possible du travail entre l'ensemble des travailleurs en cas de ralentissement de la production ou de réduction de l'horaire de travail à la suite de licenciements.

Perception : Processus de sélection et d'organisation des stimuli provenant de l'environnement et conférant un sens au vécu.

Persistance : Qualité de persévérance et de constance dont fait preuve un individu dans un comportement ou dans l'accomplissement d'une tâche particulière.

Personnalité : Ensemble des traits, héréditaires et acquis, qui sont relativement stables chez l'adulte et qui déterminent les particularités et les différences d'attitude et de comportement.

Plafonnement de carrière : Période plus ou moins longue de stagnation dans la progression de la carrière.

Plage fixe : Dans un contexte d'horaire flexible, période de la journée pendant laquelle la présence au travail de tous les employés est obligatoire. La plage fixe peut varier selon les postes, les catégories professionnelles ou les services.

Plage mobile : Dans un contexte d'horaire flexible, période de la journée pendant laquelle les employés peuvent choisir librement leurs heures de travail. La plage mobile se situe à l'extérieur de la plage fixe.

Planification de carrière : Activités organisées par l'entreprise pour aider les employés à découvrir leurs forces et leurs faiblesses, leurs objectifs précis et le genre de poste qu'ils souhaiteraient occuper.

Plan Scanlon : Plan qui comporte deux volets : un aspect social (par exemple, le cercle de qualité, la boîte à suggestions) et un aspect économique (soit l'intéressement aux bénéfices). La structure du plan Scanlon comprend un comité de production, un comité de révision, trois représentants patronaux et trois représentants syndicaux.

Politique : Ligne de conduite régissant les prises de décision.

Politique administrative : Type de politique qui inclut les événements liés à un aspect global de l'entreprise, soit la pertinence ou le caractère inadéquat de la procédure formelle et informelle de l'organisation.

Politique de promotion interne : Politique et pratique consistant à pourvoir aux postes vacants par l'attribution de promotions à des employés de l'organisation plutôt que par l'embauche de candidats de l'extérieur.

Pouvoir : Capacité que possède un individu d'en influencer un autre. Le pouvoir est donc fonction des caractéristiques personnelles et des caractéristiques liées à la position dans l'organisation qui permettent d'inciter un ou plusieurs individus à poursuivre les objectifs de l'entreprise.

Pouvoir d'expert : Caractéristique individuelle qui est liée à l'acquisition de compétences techniques ou scientifiques peu communes ou à la connaissance des processus administratifs acquise par une longue expérience dans la même fonction ou la même entreprise.

Pouvoir d'information : Pouvoir qui se rapporte à la capacité d'un individu d'accéder à de l'information précise et privilégiée. Autrement dit, lorsqu'une personne a accès à des renseignements dont les autres ont besoin, elle détient un pouvoir d'information.

Pouvoir de coercition : Type de pouvoir qui appuie le pouvoir légitime. Il correspond à la capacité de pénaliser les employés qui ne suivent pas les directives. Un individu qui détient un pouvoir de coercition peut réprimander ou rétrograder un employé, lui refuser une promotion, le congédier ou encore exercer une surveillance accrue sur ses activités.

Pouvoir de récompense : Pouvoir qui est utilisé pour renforcer le pouvoir légitime en ce sens qu'il donne le droit à un individu de distribuer des récompenses à ceux qui se sont distingués dans l'accomplissement de leurs tâches. Ce pouvoir se manifeste par la capacité d'octroyer des augmentations de salaire, des promotions ou des ressources supplémentaires.

Pouvoir de référence : Type de pouvoir qui repose sur les caractéristiques d'une personne et qui amène les autres à vouloir imiter ses comportements. Autrement dit, les personnes acceptent de subir son influence, car elles l'idéalisent.

Pouvoir du leader : Pouvoir qui renvoie au degré d'autorité que possède le leader. Le pouvoir peut être élevé ou faible selon le degré d'influence du leader sur l'embauche, les congédiements, la discipline, les promotions, les augmentations salariales, etc.

Pouvoir légitime : Capacité d'une personne d'en influencer une autre en raison de la position qu'elle occupe au sein de l'entreprise. Ce type de pouvoir correspond à la notion d'autorité et à la position hiérarchique établies à l'intérieur de l'entreprise.

Prédiction prophétique (*self-fulfilling prophecy*) : Fait de s'attendre à ce que certaines choses se produisent et de modifier son comportement de telle sorte que ces choses arrivent.

Principe de proximité : Tendance à organiser les perceptions en regroupant les objets qui sont proches les uns des autres.

Prise de décision : Processus par lequel le gestionnaire choisit parmi différentes options celle qui est la plus appropriée en fonction de la situation.

Processus décisionnel : Mécanisme facilitant le choix d'une solution parmi d'autres.

Processus de consultation : Méthode utilisée quand des conflits éclatent entre groupes ou entre membres d'un même groupe. Elle consiste à amener les individus à comprendre les interactions et les conduites individuelles et de groupe telles que la compétition, la communication, le leadership, la coopération, etc.

Processus humain : Processus qui se rapporte aux composantes informelles de l'organisation, telles que les caractéristiques individuelles et de groupe, les normes de groupe, les interactions, etc.

Productivité : Rapport entre les extrants (les biens ou les services produits par un individu, un groupe ou une organisation) et les intrants (les éléments qui interviennent dans la production de ces biens ou de ces services). Les extrants s'expriment en unités de production ou en valeur de la production.

Profil du poste : Sommaire du contenu d'un poste. On y trouve les principaux renseignements quant à la façon d'exécuter le travail et aux exigences du poste en ce qui concerne la formation et les aptitudes.

Programme de consultation (ou d'aide aux employés) : Programme conçu pour venir en aide aux employés aux prises avec des difficultés personnelles aiguës ou chroniques (par exemple, des problèmes conjugaux ou des problèmes d'alcoolisme) ayant des répercussions sur leur rendement et leur présence au travail.

Programme de développement de carrière : Programme instauré par une organisation pour aider les employés à harmoniser leurs aspirations, leurs compétences et leurs buts personnels avec les perspectives actuelles et futures d'avancement offertes par l'organisation.

Programme de qualité de vie au travail : Programme misant sur le respect de soi, la prise de décision, l'autocontrôle et la qualité des relations interpersonnelles dans l'environnement de travail. Son objectif premier est d'humaniser cet environnement par la mise en pratique du principe selon lequel les ressources humaines doivent être cultivées plutôt que seulement exploitées. En conséquence, on cherche à donner un sens au travail afin de favoriser le bien-être tant physique que psychologique des travailleurs.

Programme de renforcement positif : Programme incitatif qui repose sur l'hypothèse selon laquelle il est possible de comprendre et de modifier le comportement des travailleurs à partir des conséquences qui en résultent pour ceux-ci. Ce programme, qui ne comporte aucune rémunération en espèces, consiste à communiquer aux employés une appréciation de leur rendement par rapport aux objectifs visés et à récompenser leurs progrès par des éloges et des marques de reconnaissance.

Programme de restructuration cognitive : Programme qui vise essentiellement à apprendre aux personnes à neutraliser les automatismes engendrés par les contraintes environnementales. À cette intention, les sujets doivent exprimer verbalement leur pensée, en prendre le contrôle cognitif et remplacer la réaction automatique par des attitudes et des comportements susceptibles de leur redonner la maîtrise de leur environnement.

Projection : Tendance à attribuer à autrui certaines émotions personnelles.

Promotion : Accession, motivation à un emploi supérieur, à une position hiérarchique plus importante, assortie ou non d'une augmentation de salaire.

Psychanalyse : Discipline qui postule, entre autres, l'existence de trois structures psychiques chez l'individu : le ça (*id*), qui représente les pulsions, le moi (*ego*), qui représente la conscience, et le surmoi (*super-ego*), qui représente le système de valeurs. Ces trois structures participent aux luttes internes continues chez l'individu. Cette approche insiste sur l'importance des motifs et des conflits inconscients dans la détermination du comportement. L'accent est mis sur les mécanismes inconscients de l'esprit.

Psychologie du travail : Discipline qui intègre la sociologie, les sciences politiques, la médecine, les sciences juridiques, les sciences économiques, etc. Elle cherche à analyser les divers comportements des individus dans leur milieu de travail et leur origine. Ainsi, le postulat de base de la psychologie du travail est qu'on peut à la fois améliorer la satisfaction des travailleurs et augmenter leur rendement au travail.

Psychologie humaniste : Approche qui accorde de l'importance à la personne et à son épanouissement. Elle est issue de la tradition introspective. Ce courant de la psychologie insiste sur l'importance de la conscience humaine, de la connaissance de soi et de l'aptitude à faire des choix libres des contraintes apportées par le béhaviorisme et la psychanalyse.

Psychologie moderne : École de psychologie qui englobe plusieurs disciplines, dont la psychologie clinique, la psychologie psychométrique, la psychologie de l'apprentissage, la psychologie expérimentale, l'ergonomie, la psychologie industrielle et organisationnelle, auxquelles viennent s'ajouter quelques nouveaux champs associés à la société moderne, comme la psychologie du sport, la psychologie féminine et la gérontologie.

Psychologie sociale : Étude scientifique de la façon dont les gens se perçoivent, s'influencent et entrent en relation les uns avec les autres.

Punition : Procédé par lequel on peut augmenter la probabilité d'apparition d'un comportement en réduisant la probabilité d'apparition d'un autre comportement. Autrement dit, la punition vise à faire disparaître un comportement pour le remplacer par un autre. Elle peut prendre deux formes : soit que le comportement indésirable n'est plus suivi d'une conséquence agréable, soit qu'il est suivi d'une conséquence désagréable.

Qualité de la décision : Caractère d'une décision qui se définit par l'effet qu'elle aura sur le fonctionnement du groupe.

Qualité de vie au travail : Expression qui se rapporte à l'humanisation du travail. Les facteurs principaux qui influent sur la qualité de vie au travail sont le poste lui-même, l'environnement physique et social de travail, les relations interpersonnelles au travail, le système de l'organisation et les relations entre la vie au travail et à l'extérieur.

Recadrage : Technique qui consiste à se demander s'il existe d'autres façons d'envisager la situation à laquelle on veut apporter un changement. Cette façon de faire ne modifie pas le problème, mais modifie la signification rattachée à celui-ci.

Règlement : Norme régissant les comportements des individus en fonction des situations dans lesquelles ils se trouvent.

Relation interpersonnelle : Interaction humaine entre le superviseur et son équipe, ou entre pairs : amitié, honnêteté, réceptivité aux suggestions, reconnaissance du travail accompli, etc.

Relation leader-membres : Lien qui s'établit entre le leader et les membres d'un groupe et qui dépend de l'acceptation du premier par le groupe. Fiedler l'associe à la bonne ou à la mauvaise atmosphère au sein du groupe, ou au niveau de confiance et de respect des employés envers leur leader.

Rendement au travail : Production ou résultat du travail réalisé par un employé.

Renforcement négatif : Méthode utilisée pour augmenter la fréquence d'un comportement désiré en éliminant les conséquences désagréables associées à ce comportement.

Renforcement positif : Renforcement par présentation d'un stimulus qui vise à augmenter la fréquence d'un comportement désiré. Il s'explique par les conséquences heureuses qu'entraîne pour un individu l'adoption d'un comportement particulier.

Réseau de communication centralisé : Réseau dans lequel l'information est invariablement dirigée vers une ou deux personnes. Ce type de réseau permet généralement d'identifier la personne centrale comme étant le leader du groupe. Ce réseau met l'accent sur la rapidité d'exécution des tâches et sur la précision, plutôt que sur la satisfaction et sur la participation des membres.

Réseau de communication décentralisé : Réseau où il est impossible d'identifier un leader formel, puisque les membres possèdent un statut équivalent et que l'information n'est dirigée vers aucune personne particulière.

Réseau de communication formel : Réseau qui correspond à tous les réseaux officiels établis lors de la structuration de l'organisation et dont l'objectif est de canaliser les mouvements d'information à l'intérieur et à l'extérieur de l'entreprise.

Réseau de communication informel : Réseau qui permet d'assurer une plus grande coordination entre les diverses unités de l'entreprise situées à un même niveau hiérarchique ou entre des personnes situées à des niveaux hiérarchiques différents, mais n'ayant aucun lien d'autorité entre elles.

Résistance au changement : Attitude hostile, individuelle ou collective, consciente ou inconsciente, qui se manifeste dès lors que l'éventualité d'une transformation est évoquée. Il s'agit d'une attitude de refus ou d'opposition face aux modifications introduites dans le cycle normal de travail.

Résolution de problème : Procédé permettant de redresser une situation problématique.

Responsabilité : Contrôle de l'employé sur son travail et pouvoir d'autorité sur celui des autres.

Rétroaction : Information en vue d'évaluer la réussite ou l'échec d'une activité ou d'un programme.

Rétroaction biologique (*biofeedback*) : Technique qui, à l'aide de détecteurs placés sur différentes régions ou divers organes du corps, permet à l'individu de percevoir par la vue ou par l'ouïe des signaux en provenance de son corps. Le fait de percevoir ces signaux permet à l'individu de maîtriser une fonction qui, normalement, échapperait à son contrôle volontaire.

Réussite au travail : Bien-être de l'individu et de l'organisation. L'émergence de ce concept peut s'expliquer par les changements d'ordre culturel qui ont touché le monde du travail et qui ont fait ressortir, aux yeux de tous les acteurs, l'importance de la qualité de vie au travail.

Richesse de l'information : Capacité de transmission d'un moyen de communication évaluée selon deux critères importants : le synchronisme de l'information entre l'émetteur et le destinataire et l'étendue des signaux verbaux et non verbaux que les deux parties peuvent recevoir.

Rôle : En contexte de travail, fonction que remplit chacun des membres d'un groupe. Plus concrètement, les rôles attribués à une personne correspondent aux comportements qu'on attend d'elle. Dans une entreprise, la description de tâches et les directives précisent les rôles des individus.

Rotation des postes : Déplacement du personnel d'un poste à un autre afin de favoriser l'apprentissage de diverses tâches et d'augmenter la diversité des expériences de travail.

Roue : Réseau de communication qui structure les rapports entre les individus de façon que l'information soit toujours dirigée vers l'individu du centre.

Sélection : Action de choisir, parmi un groupe de candidats présélectionnés et en fonction de critères précis, celui que l'on embauche.

Sélectivité : Processus par lequel l'individu distingue, au sein de son expérience, ce qui est central de ce qui est périphérique.

Semaine de travail comprimée : Mode d'aménagement des horaires de travail qui permet au travailleur de réduire le nombre de jours de travail par semaine par l'augmentation du nombre d'heures travaillées quotidiennement.

Séparation : Stratégie de fusion de cultures organisationnelles qui permet aux entreprises qui fusionnent de demeurer des entités distinctes et d'échanger le minimum de pratiques organisationnelles.

Similarité : Principe d'organisation perceptuelle selon lequel un groupement d'objets est perçu comme un ensemble uniforme en raison de la ressemblance relative des objets.

Socialisation : Processus visant l'intégration des employés à l'organisation et la transmission à chacun d'eux des normes, valeurs et compétences.

Sondage d'entreprise : Technique qui consiste à recueillir des données auprès des employés, au moyen d'entrevues, de questionnaires, etc.

Source extrinsèque de stress : Ensemble des facteurs de stress qui font partie du contexte de la tâche plutôt que de son contenu.

Source intrinsèque de stress : Ensemble des facteurs de stress qui sont inhérents au contenu même de la tâche.

Statut : Rang ou position d'un employé dans l'organisation. Cette notion s'applique aussi à l'ensemble du groupe, car le rang ou la position du groupe dans l'organisation peut grandement favoriser son influence et son efficacité.

Stéréotype : Idée préconçue et non fondée au sujet d'un individu, d'un groupe ou d'une population. Il s'agit d'une simplification du processus perceptuel qui consiste à évaluer un individu ou à porter un jugement sur lui en se servant de facteurs prédominants généralisés à l'ensemble d'un groupe.

Stratégie autocratique : Stratégie de résolution de conflit employée par les individus qui ont la ferme intention de servir leurs propres intérêts au détriment des intérêts des autres.

Stratégie d'absorption : Assimilation d'un groupe par un autre afin de réduire les incertitudes créées par le premier.

Stratégie démocratique : Stratégie de résolution de conflit où les personnes cherchent une solution qui permettra de satisfaire pleinement les besoins des deux parties engagées dans le conflit.

Stress : État de tension qui résulte d'une discordance entre les aspirations d'un individu et la réalité de ses conditions de travail. Il y a stress quand un individu est incapable d'affronter de façon efficace les stimuli en provenance de son environnement ou quand il n'arrive à le faire qu'au prix d'une usure prématurée de son organisme.

Structure : Manière dont une organisation combine ses différentes dimensions en un tout cohérent.

Structure de la tâche : Caractéristique liée à la clarté et à la précision de la tâche à exécuter ainsi qu'aux moyens de l'accomplir. Selon Fiedler, la tâche peut être structurée ou non structurée ; elle peut être définie avec rigidité ou avec souplesse.

Structure du groupe : Ensemble des normes qui régissent un groupe, les rôles et les statuts des membres de ce groupe. C'est la structure qui dynamise les relations entre les membres et qui incite le groupe à diriger ses actions vers l'atteinte des objectifs organisationnels.

Structure libre : Structure qui permet à la direction de s'orienter vers la facilitation, l'adaptation en situation de changement. Dans ce cas, la structure interne des entreprises ne se solidifie jamais ; la structure tout entière est orientée vers les résultats.

Structure matricielle : Type de répartition des activités par unité organisationnelle qui canalise temporairement la compétence technique et les talents. Sa caractéristique est de comporter une chaîne de commande double ; en effet, les employés y ont deux superviseurs plutôt qu'un seul.

Structure par projets : Type particulier de répartition des activités par unité organisationnelle qui est créé quand, pour un temps défini ou un projet particulier, la direction décide de combiner talents et ressources.

Subalterne : Employé qui possède moins d'autorité qu'un autre ou qui n'en possède pas s'il se situe à la base de la hiérarchie de l'organisation.

Substitut du leadership : Personne qui s'interpose entre les subordonnés et leur leader et qui modifie l'influence de ce dernier.

Substitution : Capacité d'un individu à fournir les ressources et les services dont un autre individu ou un groupe a besoin pour atteindre ses objectifs. La substitution constitue une source de pouvoir liée à la situation.

Supérieur : Titre d'une personne ayant un poste lui permettant d'exercer une autorité sur d'autres employés.

Superviseur : Personne dont la tâche consiste à assurer, coordonner et contrôler l'exécution des tâches dans une unité de travail.

Syndicalisation : Résultat de l'adhésion à un syndicat de travailleurs.

Syndicat : Association de travailleurs qui a pour but la défense de leurs intérêts communs.

Synergie culturelle : Gestion de la diversité culturelle fondée sur l'élaboration de politiques et de pratiques organisationnelles qui respectent les modèles culturels de chacun des membres et des clients de l'organisation.

Système : Ensemble de parties interreliées formant un tout cohérent et synergique.

Système conflictuel : Vision des relations du travail selon laquelle l'employeur et les employés sont engagés dans un conflit perpétuel lié à la poursuite de buts incompatibles.

Système de coopération : Vision des relations du travail selon laquelle l'employeur et le syndicat collaborent à la résolution de problèmes, échangent des renseignements et poursuivent des buts communs.

Système nerveux parasympathique : Système qui prépare le soma au repos ou au retrait. L'énergie est emmagasinée plutôt que mobilisée. Les hormones stimulées par le système parasympathique ont, en gros, des effets opposés à celles qui sont stimulées par le système sympathique.

Système nerveux sympathique : Système qui est activé lors des réactions de lutte ou de fuite. Il prépare l'organisme à l'action. Il commande la sécrétion de toute une série d'hormones qui, à leur tour, mobilisent d'autres systèmes qui sont nécessaires à l'exécution des gestes de lutte et de fuite.

Tableau de bord (*balance scorecard*) : Méthode de gestion par tableaux de bord prospectifs qui combinent indicateurs financiers et non financiers.

Tâches additives : Tâches collectives dont le rendement équivaut à la somme du rendement individuel de chaque membre du groupe.

Tâches conjonctives : Tâches collectives dont le rendement est limité par celui du membre le moins performant.

Tâches disjonctives : Tâches collectives dont le rendement dépend de celui du meilleur membre du groupe.

Technologie : Ensemble des techniques, méthodes, procédés, outils, machines et matériaux utilisés pour la production de biens et de services.

Test d'aptitude : Test servant à mesurer les aptitudes physiques et intellectuelles d'une personne afin de prédire son rendement dans l'exercice de certaines fonctions. Le test d'intelligence est un test d'aptitude.

Test de compétence interpersonnelle : Test servant à mesurer les aspects de l'intelligence d'une personne qui sont liés à sa capacité de comprendre les indices non verbaux exprimés dans le cadre des relations interpersonnelles ainsi que l'information à caractère social.

Test de compétence personnelle : Test visant à vérifier l'aptitude d'une personne à prendre des décisions personnelles au moment opportun et à fournir l'effort nécessaire à cet effet. Il permet de dire si une personne est susceptible d'avoir du succès dans un poste ou dans l'exécution d'une tâche.

Test de performance : Test visant à mesurer le rendement d'une personne à partir de ses connaissances, c'est-à-dire son aptitude à exécuter une ou plusieurs tâches. Ce test peut comprendre un test d'exécution et un test écrit.

Test de personnalité : Test mesurant les traits ou les caractéristiques de la personnalité des candidats. À titre d'exemple, on peut mentionner le California Psychological Inventory et le Minnesota Multiphasic Personality Inventory.

Test de préférences : Test de sélection utilisé pour apparier les préférences des candidats relatives au travail et les caractéristiques du poste et de l'organisation.